Auswahl und Redaktion. Verena Zemme

Taschenbuchausgabe mit 4 Abbildungen von Arthur Kampf
© Droemersche Verlagsanstalt Th. Knaur Nachf., München 1986
Umschlagillustration Sabine Rieck
Satz IBV Satz- und Datentechnik GmbH, Berlin
Druck und Bindung Ebner Ulm
Printed in Germany   5 4 3 2 1
ISBN 3-426-01409-2

Die schönsten deutschen Sagen

Göttersagen · Heldensagen
Volkssagen

ISBN 3 426 01409-2   1000

Inhaltsverzeichnis

Göttersagen

Das Weltdrama

>»Die gold'ne Zeit, wohin ist sie gefloh'n,
Nach der sich jedes Herz vergebens sehnt,
Da auf der freien Erde Menschen sich
Wie frohe Herden im Genuß verbreiteten,
Da ein uralter Baum auf bunter Wiese
Dem Hirten und der Hirtin Schatten gab,
Wo jeder Vogel in der freien Luft
Und jedes Tier, durch Berg' und Täler schweifend
Zum Menschen sprach: Erlaubt ist, was gefällt!«

GOETHE

Das Goldalter

In vorstehendem Ausspruch unseres großen Dichters finden
wir seine Gedanken über eine goldene Zeit ausgeführt, von der
Dichter und Weltweise viel geträumt und geredet haben. Im
griechischen Altertum erzählte man von den vier Weltaltern,
die je nach der Güte ihre Namen von den Metallen führten.
Auch die Skaldenpoesie wußte von dieser schönen Zeit, dieser
Kinderzeit der harmlosen Unschuld. Da waren aber nicht Menschen auf der blühenden Erde, sondern die Asen wohnten dort
ohne Beschränkung, ohne die Sehnsucht nach unerreichbarem
Gute. Es gab für sie keine tränendüstere Vergangenheit, keinen Kampf mit den Hemmnissen der Gegenwart, keine wol-
kenverhüllte, wetterschwangere Zukunft. Sie lebten ungezählte Tage und Jahre in ungetrübter Heiterkeit. Sie legten Essen an, schufen Hämmer, Zangen, Amboß und alles Werkge-
rät. Sie schmiedeten Erz, sie meißelten Holz, und was sie fer-
tigten, war herrlich anzuschauen. Des Goldes war eine reiche
Fülle vorhanden, das sie zur Fertigung von Hausgerätschaften

verwendeten. Doch kannten sie den Wert dieses Metalles nicht; sie schätzten es nur wegen des Glanzes. Man nannte diese glückselige Zeit das Goldalter, nicht wegen der Menge des kostbaren Erzes, sondern weil das Leben ohne Harm und Sorge dahinfloß, gleich der goldenen Kinderzeit. Sie bauten sich Hof und Heiligtum, sie spielten heitere Spiele im Hofe und auf dem Idafelde, goldene Scheiben schiebend zur gemeinsamen Lust. Fern waren ihnen Geldgier und räuberische Habsucht, fern, sich selbst zu überheben zur Schädigung des anderen. Da schufen sie scherzend der Zwerge zahlreiches Geschlecht, das in der Erde schürfte und wühlte und immer mehr des Erzes Schätze zutage förderte. Die Asen schauten lüstern auf den glänzenden Hort, und nun ging das Goldalter, die Zeit harmloser Unschuld, verloren. Gezeugt, geboren ward *Gullweig* (Goldkraft), die falsche Zauberin, die sich Heid (Art oder Habe) nannte. Dreimal stießen die Asen sie mit Speeren und Gabeln ins lodernde Feuer; aber immer kam sie glänzender daraus hervor und verbrannte nicht, sondern entzündete, schön und blühend von Angesicht und beredten Mundes, immer heftiger und unstillbarer die Begierde nach ihrem Besitze. Sudkunst (Zauberei) kannte sie, Sudkunst übte sie, und aus ihrem Zauberkessel stieg sinnberauschend, sinnbestrickend ein Brodem auf, daß man Gold begehrte mehr und immer mehr, daß man nicht fragte, ob die Hände, die es faßten, von Freundesblut troffen, ob die mißhandelte Unschuld klagend zum Himmel emporblickte, gebrochene Schwüre sich wider den Meineidigen aufrichteten und früher oder später eine Hölle in seinem Busen erzeugten. Gullweig ist die dämonische Macht, die Versucherin, von der die Dichtung sagt:

»Sieh des Goldes reiche Fülle – Götter ruh'n,
Denen dienstbar ist die Erde, hier in Truh'n.
Was du willst, sie dir gewähren, machen frei
Von dem Banne langgetrag'ner Sklaverei.

Hoheit, Herrschermacht du forderst, Ehrensold:
Wisse, Throne stürzt und bauet uns das Gold.
Wenn hervor aus eh'rnem Schoße Flammenpein
Es zum Dasein hat geboren, tritt es ein
Glühend ins bewegte Leben, wandert weit
Durch der Menschen Hände, fördernd Lust und Leid;
Mischt in die gebot'ne Labe tötend Gift,
Schärft des Dolches blanke Spitze, daß er trifft,
Schürzt und löst der Herzen Bande, wehrt der Not,
Ruft gebieterisch zu Taten, lockt in Tod.
Was es fordert, das vollbringe! Eitel ist
Wider sein Gebot der Menschen Mut und List.«

So war und ist Gullweig, so kam sie nach Asenheim, so wanderte sie später zu den sterblichen Menschen, riß nieder die Schranken des Rechts und heilsamer Gesetze und tilgte aus die fromme Sitte und die Unschuld des Herzens. Mit ihr, oder vielmehr vor ihr, kamen drei Thursentöchter, mächtige, unmilde Frauen, ein Grauen dem Anblick. Sie deuteten rückwärts auf die goldene Jubelzeit, die vergangen war, und vorwärts auf der Hrimthursen zahlreiche Geschlechter, die zu Kampf und Widerstand gerüstet waren, auf Muspells Söhne und die grimmigen Wölfe, die hinter der Wolke der Zukunft feindlich lagerten. Da ging in Reue, Kampf und Furcht das Goldalter unter, doch waren die Asen mutig und in der Fülle der Kraft zum Lebenskampfe gerüstet. Unter Siegen und Siegesgelagen bei Odrerirs schäumendem Becher vergaßen sie der Schrecknisse, welche in der Ferne drohten. So blickt der Jüngling, die Jungfrau zurück in die vergangene goldene Kinderzeit und hoffnungsreich auf die verhüllte Zukunft; so tritt der gerechte Mensch, seiner Kraft sich bewußt, mutig in den Kampf mit feindlichen Mächten, und erst der müde Greis, dem eine Stütze nach der anderen bricht, blickt schaudernd auf die Zeit, da in Surturs flammender Lohe er selbst und seine Welt untergeht.

Wohl ihm, wenn dann sein getrübtes Auge über die gebrochene Brücke Bifrost und jenseits der Kämpfe auf dem Wigridfelde das selige Idafeld, das Feld der Unsterblichen erkennt, wo Balder und Höder, Wali und Widar versöhnt in froher Gemeinschaft beieinander wohnen. Dies, so dünkt uns, ist die tröstende Bedeutung der Mythe vom Goldalter, seinem Verlust, von Ragnarök und einer neuen Welt.

Die Schuld

Der erste Krieg, der Krieg zwischen Asen und Wanen, war entbrannt, vielleicht durch die verlockende Heid, aus dem Geschlechte der Wanen, die listig von einem Lager ins andere schlich und schließlich von den Asen getötet worden war. Ein gütlicher Vergleich machte dem Streit ein Ende. Aber den Göttern waren die Augen aufgetan, daß sie die drohenden Gefahren erkannten. Sie gewahrten drüben in Riesenheim die Bergriesen und Hrimthursen, die sich vermehrt und schon in Midgard eingedrängt hatten, wie sie drohend nach dem schönen Asgard herüberblickten, nach seinen Säulenhallen inmitten duftiger Haine und blühender Gründe. Zwar war Heimdall ein treuer Wächter, aber konnte nicht dennoch den Unholden ein jäher Überfall gelingen? Da gingen die Asen zu ihren Richterstühlen, sich zu beraten, wie man Sicherheit verschaffen wollte. Es schien ihnen heilsam, eine Mauer um Asgard zu bauen, riesenhoch, mit festen Toren, die niemand übersteigen könne. Wie sie noch darüber hin und her redeten, in welcher Weise das Werk auszuführen sei, wandelte ein großer, stattlicher Mann unholden Angesichts daher und erbot sich, das Werk in drei Wintern, und zwar ganz allein, herzustellen.
Er sagte, er sei ein Schmied, das heißt ein kunstreicher Mann, der sich gut auf das Bauen verstehe; man müsse ihm aber als wohlverdienten Baulohn die himmlische Freya zur Ehefrau und Sonne und Mond bei seinen vielen Arbeiten zu Leuchten verheißen. Die Asen waren unschlüssig; aber es scheint, daß Loki, der Erzschelm, da und dort den Beratern zuflüsterte, man

solle dem Baumeister den Lohn immerhin zusichern, wenn er die Riesenarbeit in *einem* Winter zustande bringe. Auch dazu zeigte sich der Mann bereit. Er meinte, er wolle seinen Kopf zum Pfande setzen, daß er in der kurzen Frist alles zu Ende führe, wofern man ihm nur erlaube, seinen Hengst Swadilfari dabei zu Hilfe zu nehmen. Abermals kam die Unterhandlung ins Stocken, bis Loki mit Zuversicht sagte, man könne dem Fremdling das Begehren bewilligen, da ein unvernünftiges Tier doch nur ein schlechter Gehilfe sei. So ward man denn handelseinig, und von beiden Seiten wurden heilige Eide geschworen, daß man die Bedingungen ohne Trug und Falsch erfüllen wolle.

Am ersten Wintertage begann der Meister die Arbeit. Da sahen aber die Asen, wie das Pferd ungeheure Felsen und ganze Ladungen kleiner Steine im windschnellen Laufe herbeischleppte und wie dessen Herr sie zusammenfügte und fest einkittete, daß die Mauer emporstieg himmelhoch und unerschütterlich gleich einem Eisberg. Das Werk schritt mit jedem Wintertage merklich vorwärts, als ob es von unsichtbaren Mächten noch mehr gefördert werde als von dem Baumeister und seinem vierbeinigen Gehilfen. Es war schon fest und unersteiglich, die Mauern glatt und glänzend, wie polierter Stahl, alles ohne Makel und Tadel, als die rauhe Jahreszeit zu Ende ging. Nur die Burgtore mit ihren hohen Wölbungen waren noch herzustellen, und das schien ein leichtes zu sein, da noch drei Tage bis zum Anfang des Sommers übrig waren. Die Asen gerieten darum in schwere Sorge; denn wenn der Schmied als ausbedungenen Lohn Freya, Sonne und Mond mit sich fortnahm, so schwand alle Schönheit und Anmut aus Asgard, und die Welt versank in ewige Finsternis. Mancher wünschte den starken Thor herbei, der weder bei Abschluß des Vertrags noch überhaupt den ganzen Winter über zugegen gewesen war, weil er in fernen Landen Unholde bekämpfte. Sie setzten sich auf ihre Richterstühle und berieten, was zu tun sei, um das Unglück abzuwenden. Da fragte man nun zuerst, wer den Vertrag in Vorschlag gebracht und dazu geraten habe. Man kannte ihn wohl, den Urheber alles Bösen, den falschen, Unheil stiftenden Loki. Man drang auf ihn ein; Schmähungen, Drohungen wurden laut. »Er soll eines schmählichen Todes sterben«, rief man von allen Seiten, »wenn er nicht Hilfe schafft.« Der Verklagte stand zitternd im Kreise der zürnenden Götter. Er versprach hoch und heilig, den Fortbau zu hindern und dadurch den Baumeister um seinen Lohn zu bringen. Unter Verwünschungen und erneuten Drohungen ging die Versammlung auseinander. Folgenden Tages, da der Schmied mit Swadilfari wieder nach den Bergen fuhr, um Steine und Holz herbeizuschaffen, sprengte ihnen wiehernd eine Stute entgegen. Da stürmte der Hengst sogleich auf sie zu, schlug, die Stimme seines Herrn nicht achtend, Geschirr und Wagen in Stücke und verfolgte die flüchtige Stute durch Wald und Feld, während der Schmied atemlos hinterdrein rannte. Den ganzen Tag und die Nacht hindurch dauerte die Verfolgung, und als endlich der Werkmeister des Flüchtlings habhaft wurde, waren beide so erschöpft, daß auch am zweiten Tage nichts gearbeitet wurde.

Des Abends stand der Meister vor dem Werke seiner Hände, das, wie er wohl erkannte, in der noch übrigen Zeit nicht vollendet werden konnte. Da kam der Thursenzorn über ihn. Er schalt die Asen falsche, meineidige Götter, die durch Trug und Arglist den Vertrag gebrochen und ihn um den wohlverdienten Lohn gebracht hätten. Er drohte, sich mit Gewalt in Besitz zu setzen, und erhob Steine und ungeheure Balken, um die Burg samt ihren Insassen zu zertrümmern. Jetzt erkannten die Asen, daß er selbst ein Thurse sei, daß sie einen Todfeind in das Innere ihres Heiligtums zugelassen hatten. Sie riefen laut nach dem starken Thor, dem Helfer gegen die schädlichen Riesen.

Ein Donnerschlag rollte, ein Blitz erhellte die Dämmerung, die Erde bebte; Thor stand zwischen den Asen und dem wütenden Baumeister. Er erkannte sogleich den Hrimthursen, schwang

Miolnir und zerschmetterte den steinharten Schädel des Riesen, daß die Stücke dahin und dorthin flogen. Die schwarze Seele sank zu Niflhel hinab, wohin sie gehörte. Die Stute, welche Swadilfari vom Werke abgelenkt hatte, warf nach einiger Zeit ein achtfüßiges Fohlen, und das war *Sleipnir*, Odins Leibroß, das den Göttervater mit Windeseile durch die Luft und über die Wogen des Meeres trug. Die Asen indessen hatten Schuld auf sich geladen, die geschworenen Eide gebrochen; denn sie hatten gelobt, ohne Falsch und Trug den Vertrag zu erfüllen, und der Thurse hatte sie mit Recht der Arglist beschuldigt. Der Anstifter aber war Loki, und er soll in Gestalt der Stute den Hengst geirrt und die Vollendung der Mauer gehindert haben.

Der Winter baut Burgen und Mauern, schlägt Brücken über Seen und Ströme oft in einer Nacht, während der mythische Meister sich die Zeit bis zum Sommer ausbedingt. Dann aber kommt der sommerliche Thor und zerschlägt seine Werke und ihn mit seinem Hammer oder Sonnenstrahl. In dem Mythos bleibt der Burgwall bestehen, und nur der Jote muß den Kopf hergeben. In anderen Sagen ist es der Gottseibeiuns selbst, der den Bau, sogar den einer Kirche, unternimmt und zumeist in einer Nacht oder auch in drei Tagen zu Ende führt, dem dagegen eine Seele verschrieben werden muß. Er wird dann durch List um seinen Lohn gebracht und schleudert dagegen einen Felsen nach der Kirche, der aber vor der Tür unschädlich niederfällt.

OLAFS KIRCHE. Nach einer nordischen Sage wollte der heilige Olaf eine schöne und große Kirche bauen, dergleichen in allen Landen keine ähnliche zu finden sein sollte. Er konnte jedoch nicht damit zustande kommen. Da erbot sich ein riesenhafter Baumeister, das Werk in kurzer Zeit herzustellen, wenn ihm der Bauherr sich selbst und Sonne und Mond verschreibe oder seinen Namen errate. Der fromme Mann schloß den Vertrag ab; es ward ihm aber unheimlich zumute, als der Bau bis zur Turmspitze emporwuchs. Er irrte durch Wald und Feld und hörte endlich in einem hohlen Berge ein Kind weinen und eine weibliche Stimme, welche sagte: »Stille, Söhnchen, morgen kommt der Vater, der Blaser, und bringt dir Sonne, Mond und den heiligen Olaf zum Spielwerk.« Der Heilige ging fröhlich nach dem Bau und rief dem oben sitzenden Meister zu: »Die Spitze sitzt schief, Blaser.« Kaum hatte er die Worte gesprochen, so stürzte der Riese herunter und brach Arme, Beine und den Hals dazu.

Diese Sage, welche unserem Mythos entspricht, nennt den Riesen Blaser oder auch nach einer anderen Sage »Wind und Wetter«; da nun Swadilfari Eisfahrer bedeutet, so liegt der Erzählung eine Darstellung des Winters zugrunde. Wir finden hier als eine weitere Vertragsbedingung, durch deren Erfüllung der unheimliche Wohltäter um seinen Lohn gebracht wird, die Erratung seines Namens. Auch dieser Zug könnte alt sein, da er in vielen Märchen (im norwegischen von Titteli Ture, im deutschen von Rumpelstilzchen) wiederkehrt. So können wir vielleicht auch hier wieder den Mythos durch jüngere Sagen und Märchen ergänzen.

DIE TEUFELSBRÜCKE. Im Kanton Uri, wo die Reuß in wilden Strudeln und Fällen vom grünen Urserntale nach Amsteg und Altorf strömt, war noch vor einigen Jahrzehnten eine hölzerne Brücke, die der schäumende Wasserfall bespritzte. Der Übergang über den Gotthard nach Italien war ehemals durch das tobende Wasser gehemmt. Da erbot sich der Teufel, die Brücke zu bauen, wenn man ihm die Seele dessen verschreibe, der zuerst darüber gehe. Der große Rat von Uri verstand sich mit schwerem Herzen zu dem gefährlichen Handel. Die Brücke mußte in einer Nacht fertig werden und ward es auch, da der Böse seine höllischen Heerscharen aufbot. Aber in derselben

Nacht hatte einer der Ratsschöffen einen glücklichen Einfall, der aus der Klemme half. Wie nämlich der Arge gleich einer riesigen Eule drüben auf den Delinquenten lauerte, ließ man einen Köter über die Brücke laufen. Der Teufel fiel wie ein Raubtier über ihn her und schleuderte ihn voll Ärger, daß es nur eine Hundeseele war, in den schäumenden Fluß, flog dann über Ursern hin und steckte auf dem Wege noch ein Wäldchen in Brand, das sonst gegen Lawinen geschützt hatte. Alle Mühe, den Hain wieder anzupflanzen, ist bisher vergeblich gewesen, weil der Böse den jungen Anwuchs wieder zerstört. Er hat aber vielleicht jetzt seine Macht verloren, da man mit Hilfe des immer vollen Säckels der Hexe Gullweig und des Runenbuchs der Zauberin Wissenschaft eine solidere Brücke und eine bequeme Straße durch jene Gründe angelegt, ja sogar auch einen Schienenweg für den Dämon des Dampfes eröffnet hat.

Iduns Scheiden

Im grünen Gezweige des Weltbaums Yggdrasil hatte sich die blühende Idun eine luftige Wohnung hergerichtet. Da empfing sie abends Bragi, den geliebten Gatten, der sie mit seinen Liedern erfreute. Dann stimmten die Vögel des Waldes ein, und die Melodien klangen so lieblich, daß selbst die ernsten Nornen davon bewegt wurden.

> »Die Drossel singt: ›Didiu, didiu,
> Im Walde findest Schlummer du‹;
> Die Lerche singt ihr Tirili,
> Ruft, daß Iduna mit ihr zieh'
> Zum blauen Himmelsluftrevier,
> Doch schöner dünkt Yggdrasil ihr.
> Der Fink mit seiner Sippen Brut
> Erzählet viel von frohem Mut.
> Es piept der Specht wohl hin und her,
> Der Starmatz plaudert kreuz und quer,
> Der Häher kräht, der Wiedehopf
> Brummt auch darein, der arme Tropf.
> Die Musikanten her und hin
> Begrüßen sie, die Königin.«

(W. Waldner, »Pilgerin«)

Wenn dann Schlummer alle Wesen umfing, so schöpfte die Göttin aus dem Brunnen, in welchem der heilige, einst von Odin erworbene Göttermet strömte, und begoß damit die Esche, damit sie fröhlich fortgrüne und niemals dorre. Ungezählte Jahre vergingen, die Esche grünte fort, von den Nornen und Idun verjüngt und gekräftigt; Bragi sang der Gattin und der Welt seine Lieder; aber Schuld war über Asen und Menschen gekommen, heilige Eide waren gebrochen, Treue, Glauben und Gottesfurcht gewichen, Mord und Krieg entbrannt; da rückte das allgemeine Verderben näher, und die Wölfe rüttelten an ihren Ketten, um sie zu zerreißen.

Zu dieser Zeit geschah es, daß man einstmals nicht mehr Bragis und der Vögel Gesänge hörte, daß die Zweige Yggdrasils schlaff und welk herabhingen, daß Odrerir zu vertrocknen schien. Aber am Morgen, als die Asen, erschreckt durch solche Zeichen, nach Idun forschten, war sie vom Baume herabgesunken in die dunklen Täler der Tiefe, zu Narwis Tochter, der Nacht. Auch der Brunnen war vertrocknet, und die Pflanzenwelt drohte völlig zu verdorren. Da sandte Odin seinen Raben Hugin aus, die Deutung der schlimmen Zeichen zu erforschen. Schnell, wie der Gedanke, fliegt der Bote durch die weiten Himmelsräume und senkt sich nieder zu den Zwergen Dain (Tot) und Thrain (Starr), die der Zukunft kundig sind. Aber sie liegen in schwere Träume versunken, und nur einzelne Laute von kommenden Schrecknissen, von flammender Lohe, stöhnen sie ängstlich in ihrer Betäubung. So blieben die Asen ratlos und sahen mit Schrecken, wie die Natur mit dem Weltbaum zu welken und abzusterben schien. Sie deckten ein Wolfsfell, weich und weiß wie der Winterschnee, über die Tiefe, wo Idun jetzt harmvoll weilte und wehklagte, daß sie nicht mehr den heiteren Sitz im grünen Gezweig innehabe, sondern in Finsternis wohne bei der urkalten Hel. Aber sie, die vielwissende Göttin, konnte wohl unter allen Wesen die schreckhaften Erscheinungen deuten; darum beschloß der Göttervater, sichere Boten an sie zu senden. Er wählte dazu Heimdall, den treuen Wächter, den listenreichen Loki und den trauernden Bragi. Die erkorenen Boten zogen eilends auf einsamen Wegen durch dunkle Klüfte hinunter in die Täler der Tiefe. Werwölfe heulten um sie her, bereit zum Angriff; doch flohen sie scheu zurück, getroffen vom Bannfluch der vielkundigen Asen. Die Abgesandten, mit scharfen Blicken die Finsternis durchspähend, erkannten bald die liebliche Göttin, die blaß und gramvoll im tiefen Grunde wohnte. Sie fragten eifrig, was sie wisse von den Geschicken der Asen und der Welt, ob Fall und Untergang nahe bevorstehen. Aber sie gab nicht Antwort; nur Zähre auf Zähre entquoll den getrübten Augen, wie oft, wie emsig sie auch forschten.

Von banger Sorge belastet schieden die Boten, doch nicht alle; Bragi, der liebende Gatte, blieb bei der Gattin zurück, daß sie nicht einsam in ihrer Trauer dahinschwinde. Nun sang er nicht mehr den lauschenden Asen; nun erfreute er nicht mehr die Seligen beim Mahle. Denn wenn die Jugend, wenn der Frühling verwelkt ist, sind auch die Lieder der Sänger verstummt. Bald traten die Heimgekehrten in die Säle der Seligen ein. Sie wünschten dem Odin, lange auf dem Hochsitz zu walten, und den Göttern allen, sich bei Allvaters Mahle ewig zu freuen. Da war viel Fragens um den Erfolg der Sendung; aber sie sagten, keine Auskunft habe die Göttliche erteilt. Vieles redeten noch die Asen über die Geschicke der Welt und fanden doch nicht Hilfe, wie sie auch sannen. Sie fühlten sich müde; denn schon erhob sich der Riese, der mit dorniger Rute die Völker in Schlummer senkt. Da stand der Herrscher auf, der Vater der Asen, und sprach: »Gedenket der Ruhe, da die Nacht gekommen ist. Wenn der junge Tag mit goldmähnigem Rosse über die Himmelsberge fährt, finden wir heilsamen Rat und klugen Entschluß.«

Schweigend trieb die Nacht Hrimfaxi, ihr dunkles Roß, über Asgard und Wanaheim den gewohnten Weg und senkte sich zu Niflhel nieder. Der heitere Tag erschien im Osten; und helles Licht ging, Leben erweckend, von des Rosses Goldmähne aus und bestrahlte die Wege der Götter und Menschen. Odin erwachte; er sah Frigg an seinem Lager stehen. Sie berichtete, ihr Sohn Balder, der Allgeliebte, habe schwere Träume gehabt, die bleiche Hel sei ihm erschienen und habe ihm gewinkt, daß er ihr folge.

Asen und Asinnen schreiten zur Beratung, alle in Sorgen wegen Iduns Niedersinken und der Träume Balders. Sie schütteln und werfen die Losstäbe für Balder, und die Rune Tod liegt oben. Schrecken ergreift die ganze Versammlung; aber Odin erhebt sich in seiner Macht und spricht: »Wohl ahn' ich, was geschehen wird; doch will ich im Totenreiche die Volva wekken, daß sie mir gewisse Antwort gebe auf meine Frage nach den Weltgeschicken.« Also sattelt er Sleipnir und jagt fort im Adlerfluge nordwärts gen Niflheim.

Unterdessen sannen die Götter auf heilsamen Rat und redeten viel und mancherlei. Es schien ihnen endlich das beste, alle lebenden Wesen und selbst die leblosen Dinge mit Zauberkraft zu beschwören, daß sie Balders heiligen Leib nicht verletzen wollten. Frigg, die sorgenvolle Mutter des lichtwaltenden Gottes, übernahm selbst das Geschäft. Sie fuhr aus, in alle Lande schnell, wie die Sonne am Himmel hinwandelt.

Da schworen die sterblichen Menschen, die Hrimthursen, die Lichtalfen, die göttlichen Wesen, welche die Gewässer bewohnen, und selbst der Schwarzalfen lichtscheues Geschlecht gelobte mit unverletzlichen Eiden, den allgeliebten Gott niemals zu schädigen. Durch den Bann mächtiger Beschwörung wurden in gleicher Weise Bäume und Sträucher, Steine und Erze und was sonst Schaden bringen kann, gebunden und in Pflicht genommen.

Indessen ritt Odin durch finstere Klüfte hinunter gen Niflheim. Da kam ihm ein Hund mit weitklaffendem Rachen aus Hels Behausung entgegen. Dunkles Blut troff ihm vom gähnenden Schlunde aus Hals und Brust. Mit dumpfem Bellen stand er am Wege und heulte laut, wie der Gott an ihm vorbeiritt. Fort trabte Odin, des Weges kundig, zum östlichen Tore des dunklen Hauses. Da erhob sich der Hügel der Volva, die lange gestorben war. Der Vater der Götter stieg vom Rosse. Er stand an dem Hügel, den der Grabstein bedeckte, und hob die Beschwörung an, das Wecklied der Toten. »Erwache, Volva, vom Todesschlummer! Steig heraus aus dem Grabe, wo du lange geruht hast! Dreimal mit dem Runenstab schlag' ich deine Behausung, daß du nicht ruhen und rasten sollst auf dem Bette von Moder, bis du Wahrheit verkündigst auf meine Fragen.« Dreimal schlug er das Grab mit dem mächtigen Stabe, da wankte der Boden, der Stein sank herab, die Erde tat sich auf, und hervor stieg in Grabgewändern die bleiche Volva. »Wer der Männer«, sprach sie mit hohler Stimme, »wer schafft mir die Mühsal, von der Schlummerstätte aufzustehen? Schnee überdeckte lange mein Lager, Regen betroff es und feuchter Tau. Tot war ich lange.« Ihr entgegnete Odin: »Wegtam (Wegkundig) heiße ich, bin Waltams (Schlachtkundig) Sohn. Sprich: Wem sind die Bänke mit Ringen, die Betten mit Gold bei Hel belegt?« Sie antwortete: »Balder, dem Guten, steht der Becher mit glänzendem Tranke bereit, daß er bei Hel ihn trinke, den Asen zum Grame. Unglück verkünd' ich, vom Bannspruch gezwungen; so gönne mir zu schweigen.« – »Du sollst nicht schweigen«, rief der Gott, »bis ich alles weiß, was in dunkler Ahnung ich schaute. Welcher der Männer entsendet des Heervaters herrlichen Sohn in Hels dunkle Behausung?« – Da sprach die Seherin im Unmut: »Der Bruder den Bruder, der Finstere den Lichten, Hoder wird Heervaters Erzeugten zu Hel entsenden. Unglück verkünd' ich, vom Bannspruch gezwungen, so gönne mir zu schweigen.«

Hoch stand er da, der runenkundige Herrscher, gewohnt, ohne Grauen dem Verhängnis ins Antlitz zu schauen. Er fragte die Seherin, wer zur Blutrache schreiten, wer Balders Mörder auf die tödlichen Scheiter bringen werde. Sie gab ihm die Auskunft, Odin werde von Rinda, der stolzen Maid, einen Sohn gewinnen, der werde, einnächtig, die Hand nicht waschen, das Haar nicht kämmen, bis er den Mörder zum Holzstoß gebracht. Da tat er die letzte Frage, wie das Weib heiße, das allein unter allen Wesen um Balder, den Allgeliebten, nicht weinen möge.

»Du bist nicht Wegtam«, rief sie, »wie du dich nanntest! Odin bist du, der alles weiß. Nun zeuch hin gen Asgard. Die Tote hast du mit mächtigem Banne geweckt und zur Rede gezwungen. Kein anderer kommt, meinen Schlummer zu stören, bis Loki los wird und die Götter vergehen.«

Wir haben den Inhalt dieses schauerlichen und doch schönen Gedichts möglichst vollständig wiedergegeben und nur hin und wieder einige Dunkelheiten zu beseitigen gesucht. Der Dichter des Liedes sah vielleicht, wie die Tage kürzer wurden, wie die Sonne im hohen Norden nur kaum noch über dem Horizont sichtbar wurde, wie reifkalte Nebel über Land und Meer zogen; es waren ihm Vorzeichen von der nordischen Winternacht, vom Tode des Lichtgottes. Odin, der das kommende Geschick ahnte, konnte nur im Reiche der Toten Gewißheit erlangen. Dahin läßt ihn der Dichter niedersteigen und die längst gestorbene Volva befragen.

Wali

Auf Hlidskialf saß Odin, der Asenkönig, und erwog im Geiste das Vergangene und die Geschicke der Zukunft. Blut sah er fließen, edles Blut; aber verworren wie ein nebelgraues Meer war alles, was werden sollte, und die Nornen hatten auf seine Fragen geschwiegen. Vor ihm stand Hermoder (Heermutig), sein Sohn, der strahlende Herold, den er gewohnt war auszusenden, um den Völkern seine Befehle zu verkündigen. Der König winkte den Walküren, und sie brachten Helm und Harnisch, Speer und Schild und rüsteten den kühnen Kämpfer zur Fahrt. »Auf, mein Sohn«, sprach der König, »sattle Sleipnir, das edle Roß, und reit windkalte Wege über eisige Seen, Ströme und Berge, bis du in das Land der wilden Finnen gelangst. Dort findest du in finsterer Behausung am feuchten Moorgrund den räuberischen Hroßthiof (Roßdieb), der mit allerlei Blendwerk die Wanderer zu sich lockt, mit zauberischen Schlingen sie bindet, dann erwürgt und, wenn er sie beraubt hat, in das Moor versenkt. Er weiß, was künftig ist; zwing ihn mit dem Runenstab, daß er dir auslege, was geschehen wird.«

Hermoder sattelte Sleipnir und ritt beschwingten Fluges windkalte Wege über eisige Seen, Ströme und Berge, bis er in das Land der wilden Finnen gelangte. Dort wohnte Hroßthiof in finsterer Behausung am feuchten Moorgrund. Er sah aus weiter Ferne den sturmbeschwingten Reiter. Sofort schuf er Blendwerk, den Kämpfer zu locken, und legte unsichtbare Schlingen, ihn fest zu bannen. Wohl sah Hermoder, Gespenstern gleich, luftige Unholde, die mit Zähnen und Krallen ihn zu fassen drohten; aber er zerschlug sie mit der mächtigen Rute, und Sleipnir setzte über die Schlingen weg. Als nun der Räuber in Riesengestalt ihn angriff, zerhieb er ihm mit seinem

Schwerte Gambantein die geschwungene Keule, band ihm mit den eigenen Stricken Hände und Füße und schnürte ihm die Kehle, bis er ächzend versprach, zu sagen, was er von der Zukunft wisse. Darauf löste der Ase die Bande, und alsbald begann der Zauberer seine grausige Beschwörung. Die Sonne verlor ihren Schein und verbarg sich hinter finsterem Gewölk; die Erde bebte, in ihren Grundfesten erschüttert; der Sturmwind raste, und es war bald wie Wolfsgeheul, bald wie Ächzen und Stöhnen sterbender Menschen. »Sieh dorthin«, rief der Finne, auf den Moorgrund deutend, »da steigt herauf, was du zu erfahren begehrst.« Der Ase sah einen Strahl von Blut hervorquellen, von dem der ganze Grund gerötet wurde. Darauf erhob sich ein schönes Weib und neben ihm ein Knäblein, das schnell emporwuchs und Pfeil und Bogen trug. »Rinda im Lande der Ruthenen gebiert dem Asenkönig, wenn er ihre Liebe erwirbt, einen Sohn, der einnächtig den Bruder rächen wird.« Weiter sprach Hroßthiof kein Wort, und Hermoder kehrte zu Walvater zurück, ihm die Botschaft zu bringen.

ODIN UND RINDA. Im kalten Lande der Ruthenen (Russen) saß König Billing sehr traurig auf seinem Hochsitz; denn grimmige Feinde waren in sein Reich eingefallen, und er war alt und kraftlos und hatte zu seinem Schutze keinen Sohn, sondern nur eine Tochter, die schöne Rinda, die bisher, stolz und spröde, alle Freier zurückgewiesen hatte.
Da trat einstmals ein schon bejahrter Mann mit niedergesenktem Breithute vor ihn und versprach, die plündernden Heerhaufen nicht bloß zu vertreiben, sondern mit Stumpf und Stiel auszurotten, wenn er ihn zum Feldhauptmann erwählen wolle. Der Mann war einäugig, aber stattlich, von hohem Wuchse; seine Rede floß wie ein klarer Strom und gewann die Herzen der Hofleute, die zugegen waren, so daß sie laut des Königs Weisheit priesen, als er die Reichsmacht in die Hände des Fremdlings legte.

Der neue Feldherr rechtfertigte das Vertrauen. Er berief den Heerbann des Landes, schlug und zersprengte an der Spitze desselben die Raubhorden und entließ bald darauf das Heer. Als jedoch die Feinde sich wieder sammelten und, durch neue, zahllose Schwärme verstärkt, gegen die Hauptstadt vorrückten, brach er ganz allein in ihr Lager, zündete es an und vertilgte nach seinen Worten die ganze Räuberbrut. Freudig begrüßt und von der Menge angestaunt wie ein göttlicher Held, hielt er seinen Einzug und verteilte, nachdem er die königliche Schatzkammer gefüllt, die übrige Beute unter das Volk.

»Ha«, dachte der König bei sich, »wenn ein solcher Held mein Eidam sein wollte, so wären mein Alter und mein Reich wohl behütet.« Es war aber, als habe der Fremdling seine Gedanken erraten; denn er bat als einzige Belohnung für seine Dienste um die Hand der Königstochter. »Bei der Götter Huld!« rief der alte König. »Du sollst sie haben, so du ihr Jawort erhältst. Geh und wirb um sie. Aber sie ist stolz und spröde; ich fürchte...« – »Fürchtet nicht«, sagte der Gast zuversichtlich, »ich verstehe mich auf die Kunst, spröde Klingen und spröde Jungfräulein geschmeidig zu machen.« – Also ging er in den Frauensaal, erzählte von seinen Taten und trug sein Anliegen geziemend vor. Rinda dagegen brach in lautes Gelächter aus und sagte ihm dann rundheraus, einen hergelaufenen einäugigen Mann wolle sie nicht; ob er sie etwa für mannstoll halte. Als er ihr darauf mit großer Kühnheit einen Kuß rauben wollte, schlug sie ihm ins Angesicht und hieß ihn seines Weges gehen.

Nach einiger Zeit überblickte König Billing die vielen Gold- und Silberbarren in seiner Schatzkammer und wünschte sich einen Künstler, der die Schätze zu Kleinodien verarbeite. Da trat ein alter graubärtiger Mann zu ihm ein und sagte, er sei ein Goldschmied und wolle ihm die vielen Barren in Spangen, Ketten und Ringe verwandeln. Der alte Herr war damit wohl zufrieden und ließ ihm die Werkstatt herrichten. Bald hörte man nun Tag und Nacht den Blasebalg gehen und hämmern und schaffen, daß man meinte, hundert Schmiede wären an der Arbeit. Sooft der König nachsah, bemerkte er immer neue Kostbarkeiten von wunderbarer Schönheit, und der Reichtum nahm gar nicht ab, sondern mehrte sich täglich, so daß neue Säle erbaut werden mußten. »Ha«, dachte Billing, »wenn ich einen solchen Eidam hätte, so wäre ich der reichste Herrscher und könnte noch im Alter alle Reiche erobern; denn Geld zwingt die Welt.« Zu derselben Stunde sprach der Goldschmied bei ihm vor und begehrte für seinen Lohn die Hand der Königstochter. Er erhielt auch das Jawort des Königs, aber nicht das der Jungfrau. Sie meinte, für einen Goldschmied sei die Fürstentochter zu gut. Er bot ihr nun die herrlichsten Kleinodien und kunstreichen Schmuck jeder Art, erhielt aber den kurzen Bescheid, einen Graubart könne sie zum Manne nicht brauchen. Als er sich ihr nun dreist näherte, empfing er, wie der erste Freier, einen Schlag ins Angesicht und mußte unerhört seines Weges gehen. Der König war untröstlich über den Stolz und die Sprödigkeit seiner Tochter, die ihm keine Hoffnung auf einen Schwiegersohn und liebe Enkel gab.

Um sich zu zerstreuen, ließ er ein großes Fest mit Turnier und Tanz veranstalten. Da fand sich auch ein prächtig gerüsteter fremder Krieger ein, der sein edles Roß wie kein anderer tummelte und im Buhurtieren alle Hofleute übertraf und aus dem Sattel hob. Nach dem Waffenspiele folgte der Tanz. Die stolze Rinda verschmähte es nicht, mit dem fremden Ritter in den Reigen einzutreten.

Es bestand aber damals eine andere Sitte als jetzt; es bestand der Brauch, daß der Tänzer dem Fräulein vor aller Welt einen Kuß gab, wenn er ernstlich um ihre Liebe und ihr Jawort anhielt. Diese Freiheit wollte sich der fremde schmucke Ritter auch nehmen; aber er ward so unsanft zurückgestoßen, daß er mit dem Knie den Boden berührte. In demselben Augenblick erdröhnten die Halle und der ganze Palast von einem Donnerschlag; der Fremdling stand vor der Königstochter groß und gewaltig in Götterherrlichkeit. Er hielt in der Hand eine Tafel von Baumrinde mit eingegrabenen Zauberrunen.

Damit berührte er sie, und sie sank zurück in die Arme ihrer Frauen in ohnmachtähnlichem Schlaf. Als sie erwachte, redete sie von allerlei Spuk und Gespenstern, von dem Feldherrn, dem Goldschmied, dem jungen Krieger, alles wirr und wild durcheinander. Im ganzen Lande sagte man, sie sei von Stolz und Hochmut toll geworden. Sie hatte auch oft heftige innerliche Schmerzen, was ihren Vater sehr ängstigte. Er versprach dem, der sie heile, eine große Belohnung. Wohl stellten sich viele Heilkünstler ein, aber die Krankheit spottete ihrer Kunst, und das Übel ward von Tag zu Tag schlimmer. Da meldete sich ein altes Weib und verwettete ihren Kopf, wenn ihr die Heilung nicht gelänge. Sie sagte, ihr Trank sei aus den edelsten Kräutern gebraut, aber so bitter, daß man die Leidende binden und ihr den Saft mit Gewalt eingeben müsse, weil sie ihn sonst nicht nähme. Es geschah, was und wie sie alles anordnete. Sobald die Kranke den Heiltrank geschlürft hatte, schwand die Binde des Wahnsinns von ihrem Haupte, und vor ihr stand nicht mehr das alte Zauberweib, sondern er selbst, Odin, in strahlendem Glanze seiner Götterschönheit. Ihm gab sie freudig das Jawort; die Verlobung ward gefeiert und bald die Hochzeit der holdseligen Rinda mit dem Himmelsgott, wie ja auch im Frühling der Himmel mit der Erde unter dem Klingen und Singen der befiederten Musikanten seine Vermählung begeht.

Nach einem Jahr erschien ein Söhnlein zur Freude der Eltern und des Großvaters, die es *Wali* nannten. Das Götterkind aber wuchs in wenigen Stunden; es ward groß und kraftvoll und spannte den eibenen Bogen wie kein anderer Schütze, also daß es, nach der Weissagung des Finnen, einnächtig des lichten Bruders Rächer an dem finsteren ward. So heißt es in einem Lied der älteren Edda (Wegtamskwida):

»Rindur im Westen gewinnt den Sohn,
Der einnächtig, Odins Erbe, zum Kampf geht,
Er wäscht die Hand nicht, das Haar nicht kämmt er,
Bis er zum Holzstoß brachte Balders Mörder.«

Wir werden auf die Sage, ihren Ursprung und ihre Deutung
später im Zusammenhang mit der schönen Dichtung von Balders Tode zu sprechen kommen und bemerken hier nur, daß
Rinda die Rinde, die hart gefrorene Kruste der Erde bedeutet,
um deren Gunst der Himmelsgott lange vergeblich wirbt, wie
im Frühling die Winterkälte anfangs beharrlich Widerstand
leistet, bis die Zaubermacht des sommerlichen Himmels sie
endlich besiegt. Ihr Sohn, das Götterkind, heißt in der Edda
Wali oder Ali, bei Saxo Bous, anderwärts Bui, auch Beav, das
heißt der Bauer, der, wenn der Himmelsgott gesiegt hat, aus
der dunklen Stube hervortritt und sein nährendes Geschäft
wieder beginnt.

Der Mythos von Wali ist mehrfach in die Heldensage übergegangen, und zwar faßt hier die Dichtung bald das Kind ins Auge
und läßt es, wenn erwachsen, ebenso als König Glück und Heil
bringen, wie Bous, der Bauer, es tut; bald führt sie den gereif-
ten Helden ein, der die Unschuld rettet und die Übeltat rächt.
Wir wollen einige dieser lieblichen Dichtungen näher betrachten.

KÖNIG SKEAF. Im Lande der Angeln, unfern von Schleswig,
stand viel Volks an der Küste versammelt und blickte über die
sich kräuselnden Wellen nach einem Schifflein, das aus weiter
Ferne dem Ufer zuschwamm.

Ein sanfter Lufthauch blähte die weißen Segel, aber weder
Steuer noch Steuermann, noch Bootsleute waren zu sehen. Am
Topp des Mastes glänzte ein Schild wie Sonnenlicht, aber nicht
ein blutroter Heerschild, der eine feindliche Landung verkündigt hätte. Das Schifflein bog geschickt, als ob es ein kundiger

Pilot führe, um das Vorgebirge in die Mündung des Hafens ein und legte dicht am Land an. Jetzt sah man auf dem Verdeck ein kleines, neugeborenes Kind auf einem Schaub (Schof, Skeaf, Korngarbe) liegen und kostbaren Schmuck von Gold, Silber und edlem Gestein umher. Der Knabe aber setzte sich auf und blickte die umstehenden Leute mit seinen strahlenden Augen so freundlich an, daß alle wie aus einem Munde riefen: »Es ist das Kind eines Gottes; wir wollen es großziehen, und es soll unser König werden.« Sie taten nach ihren Worten, und unter sorgsamer Pflege wuchs der Knabe kräftig heran, übertraf bald seine Gefährten im Waffenspiel, lernte die Ordnungen und Gerechtsame des freien Volkes kennen und ehren und gewann durch Reden voll Weisheit die Herzen der Menschen. Als er erwachsen war, erhoben ihn die freien Männer des Landes auf den Heerschild und sprachen: »Du sollst unser König sein; denn wir werden besser unter deiner Regierung leben als in der bisherigen Ungebundenheit, und du sollst Skeaf heißen, weil du auf einem Schaub zu uns gekommen bist.« Der erwählte Herrscher waltete mit Weisheit und Gerechtigkeit über dem Lande, und der Götter Gunst war mit ihm, daß alljährlich die Früchte wunderbar gediehen und der allgemeine Wohlstand sichtbar zunahm. Man bewunderte seine Aussprüche, mochte er nun zu Gericht sitzen oder im Volksthing walten; darum ward er wie ein Vater geliebt und geehrt. Sein Ruhm verbreitete sich in allen Ländern, und fremde Könige erwählten ihn zum Schiedsrichter in ihren Streitigkeiten. Daher wagte auch kein Nachbar, Krieg gegen ihn zu erheben, noch ein räuberischer Wiking, in das Land einzufallen. Ruhe, Sicherheit und Wohlstand beglückten das Volk. Als endlich die Stunde kam, vom Irdischen zu scheiden, sagte er zu seinen Getreuen, sie sollten ihn mit den Kleinodien, die er mitgebracht, wieder in das Schifflein und auf den Schaub legen, damit er hinziehe, woher er gekommen sei. Sein Befehl ward vollzogen. Auf einem Schaub Stroh, umgeben von glänzendem Schmuck, das Haupt bekränzt, wie es für den gerechten Herrscher ziemte, so lag die Königsleiche auf dem Schifflein, und sanfte Lüfte führten das Fahrzeug hindann in weite Ferne, nach Lichtalfenheim, dem Lande der Seelen, das einst das Knäblein entsandt hatte. Am Ufer standen die Getreuen noch lange und weinten um den gütigen Herrscher, wie die Menschen immer weinen, wenn ein geliebter Freund von ihnen scheidet, weil sie das Land der Ruhe, Lichtalfenheim, nicht kennen, das er einst verlassen, um auf Erden sein Tagewerk zu vollenden und dann in die stille, selige Heimat zurückzukehren.

Die ansprechende Dichtung bringt, wie uns scheint, den göttlichen König Skeaf nicht bloß mit Wali in Verbindung, sondern mit Freyer, dem Lichtalfenheim voreinst als Zahngebinde verliehen war. Der allgeliebte Herrscher hatte noch vor seinem Scheiden den klagenden Freunden versprochen, ihnen aus der seligen Heimat seinen Sohn zuzusenden; der werde gleich ihm über das Reich walten. Er hielt Wort, wie dänische und angelsächsische Sagen berichten; aber dieser Sohn kam nicht zu den Angeln, sondern zu den kriegerischen Gerdänen im Lande Schonen.

König Skiold. Auch hier in Schonen, wie dort in Schleswig, standen einst viele Männer am Strande und sahen ein steuerloses Schifflein auf den Wellen einhertreiben. Sie stiegen, als es gelandet hatte, an Bord. Sie fanden daselbst, auf einem Schilde ruhend, ein nacktes, neugeborenes oder, wie die Sage lautete, ungeborenes Knäblein, dessen Hals, Brust und Arme mit glänzendem Geschmeide geschmückt waren. Sie nahmen es auf, pflegten und erzogen es sorgsam. Es wuchs und gedieh wunderbar und ward ein starker, kühner Held, den das ganze Volk zum König wählte. Er gab gute und strenge Gesetze und hielt sie mit starker Hand aufrecht, daß Sicherheit im ganzen Lande herrschte; aber unähnlich dem friedlichen Skeaf suchte er seine Herrschaft auszubreiten und durch kriegerische Taten Ruhm zu erwerben. Er war aber ein gewaltiger Krieger, siegreich in jeder Feldschlacht, unwiderstehlich im Holmgang, wenn einer oder mehrere es wagten, ihn zum Kampfe zu fordern. Er brachte in jedem Sommer große Beute heim und verteilte den Raub unter seine Streiter; »denn«, sagte er, »dem Könige muß der Ruhm genügen«. Ringsum in allen nordischen Landen zahlten ihm Jarle und Fürsten Zins und gehorchten seinen Geboten. Man nannte ihn Skiold oder Skyld, das heißt Schild, weil er auf einem Schilde gekommen war. Man erzählte von ihm, wie von Skeaf, er habe verboten, ihn nach dem Lande zu fragen, von welchem er als Knabe ausgegangen sei; das habe seine Ehegattin einstmals vergessen und die verhängnisvolle Frage an ihn gerichtet. Als dies geschehen, berief er sogleich die Kronvasallen und eröffnete ihnen, daß er in sein eigentliches Vaterland zurückkehren müsse, daß sie aber seinen Sohn Beav zu seinem Nachfolger erwählen sollten. Darauf bestieg er das Schifflein, das noch in der Bucht lag, hängte ein strahlendes Banner am Topp des Mastes auf, und seine Waffengefährten schmückten ihn unter Tränen mit goldenen Spangen, Ketten und Kleinodien, wie man reichen Königen tut, wenn sie ihre irdischen Schätze verlassen. Das Fahrzeug setzte sich darauf in Bewegung und entschwand bald den Blicken des nachschauenden Volkes. Es hat seinen Heldenkönig niemals wiedergesehen. Beav, sein Nachfolger, regierte löblich; er förderte den Anbau des Landes, was auch sein Name ausdrückt, wie oben bemerkt. Er und seine Nachkommen hießen nach dem Stammvater Skioldungen und regierten lange und ruhmvoll über Danland.

DER SCHWANENRITTER. Der anderen Seite von Wali, dem rächenden Gotte, ist die mittelalterliche Sage vom Schwanenritter entflossen. Am Rhein saß auf hohem Turme des Kaisers Majestät zu Gericht, denn die Herzogin Beatrix von Kleve und Gelderland war wegen schwerer Schuld angeklagt, und der Kläger war ein mächtiger Graf, der sich als gefürchteter Krieger bisher bewährt hatte. Er brachte Zeugen vor, die nach allen Umständen ausführlich berichteten, wie die Fürstin ihren alternden Gemahl aus dem Wege geräumt habe, um einen jungen Ritter zu ehelichen. Vergeblich bewies die Fürstin, daß sie dem Gatten stets in Liebe und Treue ergeben gewesen sei; umsonst hob sie die Hände zum Himmel und erbot sich zum heiligsten Eid und zu jeglicher Probe; der Schein war gegen sie, und der Kaiser tat den Ausspruch, Gott solle entscheiden in einem Zweikampf zwischen dem Grafen und einem Kämpfer, den sie selbst erwähle. Sie wandte sich an die versammelten Ritter und Edlen, ob jemand den Kampf für die Unschuld aufnehmen wolle. Zwar ahnte mancher die Arglist des Klägers, der gerne die herzoglichen Länder durch seine Untat an sich gebracht hätte; aber sie scheuten alle den Kampf mit dem furchtbaren Manne. Dreimal rief der Herold die Kämpfer auf, welche für die Verklagte die Schwerter ziehen wollten, und stieß dreimal in die Trompete. Da schmetterten von ferne her Hornklänge; gleichzeitig vernahm man wunderbares Klingen und Singen, dergleichen noch kein menschliches Ohr gehört hatte. Es war ein Schwan, der so lieblich sang, und der zog ein reich geschmücktes Fahrzeug, auf dem ein stattlicher Ritter in blanker Rüstung mit leuchtendem Silberschilde stand, der den Kaiser ehrfurchtsvoll grüßte.

Er stieg ans Land und begehrte sogleich den Kampf mit dem falschen Ankläger der Herzogin. Der Kaiser winkte Gewährung, und die beiden Männer zogen die Schwerter, da sie das Lanzenspiel verschmähten. Wohl wußte der Graf die Wehre gut zu führen, doch schon nach wenigen Streichen unterlag er seinem Gegner und bekannte sterbend seine Missetat. Die gerettete Fürstin lud den unbekannten Helden ein, Gastfreundschaft in ihrem Schlosse anzunehmen, und er folgte ihr willig. Hier begrüßte die junge blühende Tochter, nachdem sie die Mutter umarmt, den tapferen Helden, und bald konnte die Herzogin beide als Verlobte segnen. Lange und glücklich lebte *Helias*, wie sich der Ritter nannte, mit seiner Gemahlin. Die Fürstin starb endlich hochbejahrt, aber sonst ward das Glück der Ehegatten nicht gestört. Nur eins bekümmerte die junge Fürstin, nämlich daß der Ritter gar nicht von seiner Vergangenheit erzählte. Er hatte ihr aber gesagt, sie möge ihn niemals fragen, von wannen er gekommen sei, und doch drückte es ihr fast das Herz ab, daß sie gerade davon nie etwas erfahren sollte.

Da endlich in einer traulichen Stunde, als er den Arm um sie geschlungen hatte und von den Wundern fremder Länder berichtete, tat sie die verhängnisvolle Frage. »Nun ist all unser Glück dahin«, sagte er traurig, »ich muß fort, weit, weit weg von hier. Wenn du Treue bewahrst, kommst auch du einstmals in das Land und zu dem großen Herrscher, der mich entsandt hat und nunmehr zu sich beruft; dann sehen wir uns wieder.«

Er wollte noch mehr reden, aber vom Rhein tönte wie bei seiner Ankunft melodisches Singen und Klingen, und da war auch der Schwan mit dem Schifflein schon am Ufer, der den Ritter zur Abfahrt mahnte. Noch ein Kuß der Liebe, noch ein Scheidegruß der Gattin, dann bestieg er das Fahrzeug.

Etwas abweichend wird die Sage in Brabant erzählt. Danach will der Herzog von Sachsen widerrechtlich die Witwe des verstorbenen Herzogs Gottfried von Brabant ihres Landes berauben und wird deshalb von Kaiser Karl auf den Reichstag zu Neumagen (Nijmwegen) beschieden. Die Erzählung verläuft wie in der Klever Sage, und traurig nimmt der göttliche Held Abschied von seiner Gattin und seinen zwei Kindern. Von diesen stammen viele erlauchte Geschlechter, die von Geldern und Kleve, auch die Rienecker Grafen und manche andere; sämtlich führen sie den Schwan im Wappen.

Wir möchten die Sage ein Lied nennen, das der Unsterblichkeit geweiht ist; denn der Name Helias bezeugt ihren Ursprung aus dem alten heidnischen Glauben und die Beziehung auf die unterweltliche Hel. Diese Beziehung bestätigt der Schwan, der nach dem noch jetzt auf Rügen und an anderen Orten herrschenden Glauben die Kinderseelen bringt und die der früh verstorbenen wieder entführt. Das liebliche Getöne des Singschwans im Sterben ist bekannt. Auch sagen wir im Gefühle einer bangen Ahnung heute noch: »Es schwant mir!«

Frühzeitig schon wird der Schwan in der obigen Heliassage als ein von seiner Stiefmutter samt seinen Brüdern verzauberter Mensch aufgefaßt, der seinen jüngsten wieder entzauberten Bruder auf dem Schifflein dahin zieht, wo ihre unschuldig angeklagte, verstoßene Mutter oder Schwester gerade den Tod erleiden soll. Zur rechten Stunde naht die Rettung, die Unschuld kommt an den Tag, die Brüder werden entzaubert, und die falsche Zauberin wird hingerichtet. Im deutschen Märchen und in nordischen Balladen werden die Brüder nicht in Schwäne, sondern in Raben verwandelt, und die Schwester versucht die Befreiung von der widrigen Verstaltung. In freilich arg getrübter Darstellung können wir diesen Zug wohl auch im »Sneewittchen« wiederfinden, wenn wir annehmen, daß die Brüder hier in Zwerge verwandelt sind.*

Noch häufiger und verbreiteter ist übrigens die Verwandlung des Stiefsohnes in ein Zauberroß, das von seinem Stiefbruder geritten wird, aber mit menschlicher Sprache begabt bleibt. Auch die Kelten kennen die Sage und erzählen von »Lohengrin«, der aus dem Lande entsandt wird, wo der Gral, die Demantvase mit Christi Blut, aufbewahrt ist. Wir werden davon in der deutschen Heldensage reden.

Übrigens ist der Mythos schon zur Zeit des Tacitus bei den Germanen bekannt gewesen; denn dieser Schriftsteller fand bei ihnen nach seiner Meinung Spuren, daß schon Ulysses hier ge-

---

* Eine isländische Erzählung, die die Brücke schlagen würde zu dem schon erwähnten Kampfe des gewaltigen Hogne mit dem alfenkleinen Hedin, der wie die Zwerge in Stein verwandelt wird, scheint dazu vollauf zu berechtigen.

wesen sei, der ja auch, wie Skeaf, aus dem Totenreich, nämlich von Kalypso, der Verborgenen, zu Schiff ankam und schlafend von den Phäaken wieder in seine Heimat zurückgebracht wurde. Wir führen diese Ansicht Simrocks hier der Vollständigkeit wegen an, obgleich sie uns eine gewagte Hypothese scheint. Daß die Toten bei den Germanen und bei den nordischen Völkern teils verbrannt, teils begraben (im Berge beigesetzt), zuweilen auch im Schiffe den Wellen übergeben wurden, davon finden sich viele Nachrichten. Die letztere Art der Bestattung war eine Auszeichnung großer Könige und Helden. Nach niederländischem Glauben sollen die Seelen der neugeborenen Kinder auf einem Schiffe aus dem Lichtreich über den Wolken auf die Erde kommen. Anklingend an die Korngarbe oder den Schaub Stroh, auf dem Skeaf ruhte, sagt man heute noch am Niederrhein »auf dem Schof liegen« für »gestorben sein«, weil man die Toten so bettete.

Widar

Der Holmgang war vorüber, Asen und Einherier saßen selig in Walhalls weiten Räumen und leerten die Hörner, gefüllt mit schäumendem Met. Da hörte man Schritte, die sich näherten, und herein trat Widar, von allen froh begrüßt. »Heil dir, Widar«, sprachen Bragi und der strahlende Götterherold Hermoder, »Heil dir, Widar, du starker Schutz, du Schirm in jeglicher Gefahr! Nimm mit dem Gruße den Goldtrunk, der dir gebührt!« Mit diesen Worten reichten sie ihm das Horn, das er dankend leerte. Er war ernst und redete nicht viel. Da winkte ihm Odin, daß er zu ihm komme, und als er durch den Saal schritt, schien er vor allen groß und gewaltig, das breite Schwert klirrte an seiner Seite, und der Eisenschuh an seinem rechten Fuße tönte, daß es durch die unermeßliche Halle scholl. »Widar, mein schweigsamer Sohn«, sprach der Göttervater, »einst wirst du Rächer, Sieger, Bringer der Wiederkehr sein. Komm, folge mir zum Borne Mimirs, zu schauen in der Tiefe, was den Göttern und Menschen verborgen ist.« Darauf schritt Heervater voraus, und Widar, der Schweigsame, folgte ihm.

Sie wanderten fort durch die Heime zu Mimirs Borne. Da saßen die drei Schicksalsschwestern, und die Schwäne im Wasser zogen stumm ihre Kreise. Odin begehrte von den Nornen Sprüche der Weisheit. Da sagten sie eine nach der anderen: »Früh begonnen.« – »Fort gesponnen.« – »Einst zerronnen.« Dann schloß Urd: »Fröhlich wiedergewonnen.« Hierauf erhoben sich die Schwestern und sprachen zugleich:

»Es wandeln und wechseln die kreisenden Zeiten!
Geworden und Werden, Vergehen, Neubeginnen,
Es knüpft an das Ende der Anfang sich an.

Ist der Vater gefallen auf Wigrid, dem Felde,
Erscheint er in Widar, dem Rächer und Sieger,
Ein Wiedergeborner in seligen Sälen.«

Als die Nornen den Spruch getan hatten, rauschten die Blätter
des Weltbaums melodisch, und der Adler auf dem Wipfel sang
so laut, daß es klang wie Sturm- und Siegeslied, und schlug mit
den Flügeln, und der Drache Nidhogg blickte auf und vergaß,
an den Wurzeln zu nagen. Es war aber noch ein anderer Zeuge
genaht: Grid, das Riesenweib, die Mutter Widars, die einst
dem Thor Gürtel und Handschuhe und den Stab der Kraft ge-
liehen hatte, als er den Strom Wimur durchwatete auf dem
Wege nach Geirrodsgard. »Glückliche Mutter«, sprach Odin
feierlich, »einst mir angetraut, auch du wirst in dem Sohne auferstehen, wenn der Kampf auf dem Wigridfelde ausgekämpft
und Surturs Lohe erloschen ist.« Die drei Glücklichen blickten
auf Yggdrasil, die heilige Esche, deren Blätter noch lieblich tön-
ten, während ringsum die Wesen alle schwiegen; alle lauschten
sie den wunderbaren Melodien, die nicht vom Tode, sondern
von ewigem Wechsel sangen.

Widar schritt seiner Behausung zu durch üppig wucherndes
Gras und grüne Sträucher, die niemals welkten. Bald erreichte
er Landwidi, das Haus in tiefer Waldeinsamkeit. Er bestieg den
grünumrankten Hochsitz und saß da, schweigend wie immer
und sinnend über das Rätsel des Daseins. Wann und wie ist das
Unermeßliche entstanden? Wie dauert es fort? Wie und wann
wird es enden?

Ob der schweigsame Ase eine Lösung gefunden hat, darüber
gibt uns keine Mythe Auskunft; denn er selbst war ja, wie wir
gesehen haben, schweigsam wie das Grab und ging mutig dem
Kampfe auf dem Felde Wigrid entgegen, da er dem Ausspruch
der Nornen und seines Vaters vertraute. Wir haben ihn zugleich in vorstehendem näher kennengelernt, auch seiner Mutter Grid und seines Eisenschuhes erwähnt. Jene erscheint unter

dem Namen Graite als Herdengöttin in deutschen Sagen, da man sie bei der Rinderweihe anrief, daß sie die Vermehrung der Herden fördern möge. Der Eisenschuh wird in anderen Quellen als ein Schuh bezeichnet, der aus vielen Lederstreifen hergestellt wird, die fromme Hände sammeln. Man soll daher solche Streifen beim Fertigen der Schuhe sorgfältig beiseite legen und den Armen zur Fertigung ihrer Fußbekleidung schenken; denn es wird ebenso angesehen, als habe man sie dem schweigsamen Asen geweiht. Übrigens könnte der Idee vom großen Schuh auch der Schneeschuh der Nordländer zugrunde liegen, der an den rechten Fuß angeschnallt wird, wenn man im Winter von hohen Bergen niedergleiten will, was die Reise sehr fördert. Die Anwendung desselben war sicherlich schon in uralter Zeit üblich, und man mochte etwa die Erfindung dem Gotte zuschreiben.

Doch erscheint auch in der griechischen Sage Jason mit nur *einer* Sandale und heißt davon »Monosandalos«. Es liegt nahe genug, hier einen inneren Zusammenhang zu vermuten, wenn es auch bisher unklar ist, wie derselbe herzustellen wäre. Am nächstliegenden scheint es noch, das goldene Vlies und die griechische Helle mit dem Wolfsfelle zu vergleichen, das über Idun gespreitet wird. Wie aber Jason seine eine Sandale im Sumpfe verloren hatte, so ließ Perseus einen Schuh in Tarfos zurück, das davon den Namen erhielt.

Balder und Hoder

Zwei Brüder wohnen in einem Hause beisammen; der eine licht, schön und glänzend wie Sonnengold, der andere finster und unhold dem Anblick.

Niemals sieht man sie zusammen, denn ist der eine daheim, so hat der andere längst das himmlische Haus verlassen. Dieses heißt Breidablick, und die beiden Brüder sind Balder und Hoder, die beiden Odinssöhne.

Balder ist licht und schön von Angesicht, daß heller Glanz von ihm ausgeht. Daher heißt auch die heilsame Kamillenblume Baldersbraue. Seelengüte, Unschuld und Gerechtigkeit sind ihm eigen, und durch seine Rede weiß er alle Herzen zu gewinnen.

Hoder aber ist blind, finster und mürrisch.

Wenig erfahren wir von beiden Asen in der Edda. Sie gehören wie Hermoder, Widar und Wali fast nur der Dichtung vom Weltuntergang an, in der sie freilich um so mehr hervortreten. Eine Verehrung Hoders dürfen wir kaum voraussetzen, aber auch bei Balder wissen wir nichts Bestimmtes über eine solche, was jedenfalls auffallen müßte, wenn Balder von jeher mit all den Zügen ausgestattet gewesen wäre, die seinen Tod so beklagenswert machten. In der Fridthjofsage ist allerdings von einem Balderkult die Rede, aber die Sage ist jung, und es ist sehr wahrscheinlich, daß in ihr die Lichtgestalt Balders für Freyer eingesetzt worden ist.

Es ist auch unklar, ob wir den Namen Balders in Deutschland wiederfinden, da alle namhaft gemachten Spuren davon ganz unsicher sind. So alle Ortsnamen, in denen man den Namen finden will, und die Erwähnung desselben in einem der Merseburger Sprüche. Denn »Balder« braucht hier kein Eigenname zu sein. Der Spruch beginnt:

Phol ende Wodan
vuorun zi holza.
Do wart demo balderes volon sin vuoz birenkit.

Wir wissen also nicht, ob sich »balderes« auf Phol oder Wodan bezieht. Aber auch »Phol« ist ganz rätselhaft. Man hat gemeint, in diesem Namen Balder sehen zu dürfen, und hat Ortsnamen, in denen ein »Phol« vorzukommen scheint, die aber auch andere Erklärungen gestatten, als Beleg für die Bekanntschaft auch der Deutschen mit Balder angeführt. Vielleicht wäre die annehmbarste Lösung die, daß Wodan im Norden wie im Süden den Beinamen Balder führte, unter dem dann bei den Norwegern eine besondere Göttergestalt sich entwickelte. Auch dann bliebe es aber unklar, ob der Name ihn als den »hellen«, »leuchtenden« oder als den »Herrn« bezeichnete.
Die Ausgestaltung der Sage von Balders Tode könnte bereits christliche Einflüsse aufweisen. Aber diese Annahme, auf die man schon früh verfallen ist, hat auch nicht viel für sich. Der Zug, daß Balder nur mit einer bestimmten Waffe erlegt werden kann, scheint sehr alt, kommt ganz ähnlich auch im Iran vor, wo Spentodata auch nur durch einen Pfeil von dem Zweige eines bestimmten Baumes getötet werden kann. Wer aber Spentodata tötet, ist selber dem Tode geweiht. Den Zweig holt hier ein Adler, und wir haben bereits gesehen, wie oft Loki als Vogel auftritt, Loki, der auch den Mistelzweig für Hoder holt. Zu beachten ist aber ferner, daß Balder der einzige Ase ist, der vor dem letzten Kampf stirbt. Wenn wir freilich hören, daß auch Hoder nach ihm fällt, so wollen wir den Leser an Heimdall und Lokis letzten Kampf erinnern. Ist das Bild zwar nicht das gleiche, so sind doch die Gestalten dieselben. Hat der Schwarze oben am Himmel den Weißen ermordet, dann beginnt der Tod des Schwarzen mit der ersten Nacht nach der Geburt des neuen Weißen. Darum zieht Wali einnächtig in den Kampf und schießt mit dem Bogen, den wir noch heute am Himmel sehen.

Mit Balder stirbt aber auch Nanna, seine treue Gattin; wir werden noch sehen, daß in einer anderen Wiedergabe davon nicht die Rede ist.

Die Gattin des allbeliebten Gottes war Nanna, Neps Tochter, ihr und Balders Sohn aber war Forseti.

FORSETI. Zwölf im Lande der Friesen durch Weisheit und Gerechtigkeit hochangesehene Männer erhielten vom Volke den Auftrag, die Rechtsgebräuche und Gerechtsame zu sammeln, die seit der Väter Zeit Bestand hatten. Diese Männer, Asegen, das heißt Älteste, oder auch Schöffen genannt, gingen von einem Gau zum anderen, um überall nach den Vorrechten der freien Männer, nach Art, Herkommen und Gewohnheiten beim Scheiden und Schlichten von Rechtshändeln zu forschen. Sie fuhren auch nach den nordfriesischen Inseln und befragten sich mit den Ältesten und Vorstehern. Sie brachten aber eine solche Menge von Gesetzen und Weistümern in Erfahrung, daß sie fürchteten, ihr Leben und das längste Leben sterblicher Menschen werde nicht hinreichen, alles zu ordnen und festzustellen. Wie sie sich bei einer Überfahrt darüber beredeten, brach ein heftiger Sturm los, der sie weit in die unwirtbare See hinausschleuderte. Er hielt Tag und Nacht an; weder kam am Tage die Sonne zum Vorschein, noch leuchteten Mond oder Sterne des Nachts. Die Schiffer, die nicht mehr wußten, wo sie waren, ließen das Fahrzeug von Wind und Wellen treiben, ohne das Steuer zu handhaben. In ihrer Not beteten sie zu den Himmlischen, sie möchten ihnen einen Mann senden, der sie an die Küste brächte und ihnen auch helfe, das Rechtsbuch zum Heil und Segen des edlen Friesenvolkes aufzustellen. Kaum hatten sie mit gläubiger Seele das Gebet gesprochen, so saß ein fremder Mann ehrwürdigen Ansehens am Steuer und lenkte es mit gewaltiger Hand, und das Schiff fuhr gegen Sturm und Wogenbraus pfeilschnell fort und legte an einer hochragenden Felseninsel an. Der Steuermann warf das Richtbeil, das er auf der

Schulter trug, ans Land, und wo es den Boden schlug, sprudelte eine Quelle hervor. Um den entstandenen Brunnen waren Sitze in den Felsen eingehauen; darauf setzten sich die zwölf Asegen, und der Fremde, als der dreizehnte, nahm den Hochsitz ein.

Es herrschte tiefe Stille; da erhob er die Stimme erst leise, dann immer lauter, und lehrte die Männer das heilige Recht, das den Friesen gebührt. Sie lauschten alle staunend und tief bewegt; denn was sie nicht hatten finden und fassen können, das ward ihnen klar wie durch einen Götterausspruch. Sie blickten den Sprecher an; sie erkannten ihn nicht, und er schien doch bekannt; er glich jedem der zwölfe, und doch war ihm keiner zu vergleichen. Als er aber das Recht gelehrt hatte, waren nicht mehr dreizehn, sondern nur zwölf Schöffen, die um den Brunnen saßen. »Es war Fosite, Balders Sohn, der uns das Recht gelehrt hat, und hier ist Fosites Land, das heilige Land, wo den freien Männern ihr Recht gesprochen und zugeteilt wurde.« Also sprachen die Schöffen untereinander; das Gerücht aber breitete unter dem Volke aus, was geschehen war, daher ward das Eiland ein heiliges, dem Fosite oder nordisch Forseti (Vorsitzer) geweihtes Land geheißen. Kein Wiking wagte hier Raub zu üben, aus Furcht, der beleidigte Gott werde ihm den Tod im Sturme oder im Kampfe bereiten. Aus dem Brunnen, den der Unbekannte hatte entstehen lassen, schöpften die Richter, die hier Recht sprachen, schweigend Wasser zum Trunk, ehe sie den Ausspruch taten, der über mein und dein, über Leib und Leben entschied. Die Insel aber heißt bis auf den heutigen Tag Helgoland, das ist Heiligenland, und die daselbst einheimischen Schiffer verraten noch durch ihre kräftigen, ungemein muskulösen Formen, daß sie dem alten Friesenstamme entsprossen sind.

Nach der nordischen Mythe war Forseti der Sohn des Lichtgottes Balder und der blühenden Nanna; denn von der lichten Klarheit des Geistes und der fleckenlosen Reinheit des Willens geht die Gerechtigkeit aus, deren Schützer Forseti ist. In seinem Saale Glitnir, dessen Silberdach auf goldenen Säulen ruht, sitzt er den langen Tag und richtet und schlichtet allen Streit, und die da Recht verlangen, kehren befriedigt und versöhnt heim; denn wie niemand wagt, Balders Urteil zu schelten, so ist auch Forsetis Gericht so gerecht und weise, daß man darüber niemals Klage führt. Wie er aber nur eine Eigenschaft des Vaters ist, so scheint er auch mit demselben aus der Asen- und Menschenwelt zu verschwinden, wodurch die Wolfszeit hereinbricht und die unsittlichen, finsteren Gewalten mehr und mehr die Oberhand gewinnen, bis endlich Ragnarök, das Gottesgericht, das Drama des nordischen Glaubens zum Schlusse bringt.

Der Mord

In der lichten Heimat der Götter war die gewohnte Heiterkeit zurückgekehrt. Balders Leben schien durch den Eid aller Wesen und selbst der leblosen Dinge vor jeder Gefahr gesichert, wer sollte auch dem Liebling, dem Licht der Welt, Schaden bringen! Die Asen scherzten und lachten, sie spielten mit goldenen Bällen, schossen Pfeile, schleuderten Gere, zielten mit stumpfen Waffen nach Balder in harmlosem Spiele, und alle Waffen vermieden den heiligen Leib. Es war, als ob eine unsichtbare Gewalt im Fluge sie wende, daß sie von der Richtung abwichen, denn Holz, Erz und Stein waren beschworen, durch den Eid gebunden. Man versuchte das Spiel mit scharfen Waffen und zum Jubel der Spieler mit demselben Erfolge. Laut schallte das Lachen, wenn die Schwerter nicht hafteten, Speere, Steine, Pfeile, von starken Händen versandt, das Ziel verfehlten und in weiter Ferne sich verloren. Auch Frigg in den goldenen Sälen von Fensal vernahm das Lachen und Jauchzen und hätte gern in Erfahrung gebracht, was es bedeute.

Da humpelte mühselig des Weges ein altes Weib, auf ihren Krückenstock gestützt. Die Königin winkte ihr einzutreten und fragte sie dann, was sie wissen wollte. Die Alte berichtete redselig die Vorgänge und schloß mit den Worten, Balder stehe lächelnd und ruhig unter dem Hagel von Geschossen, als ob man ihm Blumen zuwerfe zum Siegeskranz. Des freute sich die Herrin und meinte, der Asen Macht sei groß, sie habe selbst das drohende Verhängnis besiegt, indem durch Beschwörung das Unglück nun abgewandt sei. »Aber«, fuhr sie fort, »alles, was im Himmel und auf Erden und unter der Erde ist, gelobte willig, dem Bringer des Lichts und der Freude, des Wachstums und Gedeihens nimmermehr Schaden zuzufügen.« – »Es war ein mühselig Geschäft«, erwiderte die Alte, »und die Blumen und

Gräser und viele unschädliche Dinge hättest du wohl unbeschworen lassen können.« – »Wie sollte ich die Mühe scheuen für unseren Liebling?« sagte die Göttin. »Nur an der kleinen Mistel, die vor Walhalls Tore auf der alten Eiche wächst, ging ich vorüber, weil sie zu schwach und zu jung ist, um Schaden zu tun.« – »Du bist eine sorgende Mutter«, bemerkte das Weib, »denn unklug wäre es gewesen, an den Blumen vorüberzugehen; sie hauchen oftmals mit dem Dufte auch tödliches Gift aus. Aber das zarte Mistelein, das nur im kalten Winter wächst und Samen trägt, vermag nicht dem lichten Asen Gefahr zu bereiten.«

Mit diesen Worten schied das Weib von der freudigen Herrscherin und wandelte auf einsamen Wegen weiter, bis sie vor Walhalls Toren an die alte Eiche gelangte, auf welcher die zarte Mistelstaude gewachsen war. Hier warf sie das Frauenkleid ab, und siehe, es war Loki, der jetzt in seiner dämonischen Gestalt erschien. Bisher hatte er über erlittene Einbußen der Asen heimlich sich gefreut oder ihnen durch listigen Rat Schaden zugefügt, zuweilen auch, durch Drohungen genötigt, aus der Not geholfen; jetzt trieben ihn Neid und Mißgunst zur grauenvollen Untat. Er zog Kreise, sprach magische Formeln, berührte mit dem Krückenstock das zarte Zweiglein, und es wuchs schnell zur Länge eines Speerschaftes. Darauf riß er es vom Baume los, schnitt die Nebenzweige und Knoten weg, und es war anzusehen wie ein Wurfger. »Du scheinst so jung und schwach«, sprach er hohnlachend, »laß sehen, ob du nicht stärker bist als alle Waffen der spielenden, schäkernden Asen, stärker als jener hochgefeierte, vielgerühmte Balder.« Er ging zur Versammlung, wo das fröhliche Spiel noch fortdauerte. Da stand zuäußerst im Kreise der starke Hoder, der an fröhlicher Kurzweil nicht Anteil nahm. »Warum stehst du müßig«, fragte ihn Loki, »du, der stärkste von allen Asen, willst nicht zu Balders Ehre deine Kraft versuchen?« – »Bin ich doch ohne Waffen und des Augenlichts beraubt«, antwortete der blinde

Gott, »um mich her ist Nacht, und Nacht vor mir und hinter mir. « – »Hier hast du einen Wurfger«, sagte der Versucher, indem er ihm die Mistel reichte, »ich will dir die Richtung geben; schleudere mit Macht!« – Hoder tat nach der Weisung, und – die Sonne verlor ihren Schein, die Erde wankte – der Mord, der Brudermord war vollbracht. – Balder lag, vom Speer durchbohrt, am Boden, sein Blut strömte über die verfinsterte Erde. Atemlos, sprachlos standen die Götter umher, sie konnten das Ungeheure, das Entsetzliche nicht fassen.

Es war, als hätten sie alle die Todeswunde empfangen. Als der erste Eindruck des Geschehenen vorüber war, als man Fassung gewann, die Tat und ihre Folgen zu erwägen, da drängten sich einige um die teure Leiche, und ihre Zähren vermischten sich mit dem Blutstrom, der wie Abendrot leuchtete, andere fragten nach dem Täter. »Der finstere Hoder hat den Ger geschleudert!« hieß es von allen Seiten. Der ungeliebte Hoder stand unter den Aufgeregten, wie immer, einsam, ohne einen Freund; denn Loki war eilends von ihm gewichen, wie ja allezeit der Versucher den Täter allein läßt in seiner Pein.

Finsternis umgab den Verlassenen, Finsternis herrschte in seiner Seele. Er hörte ringsum nur Verwünschungen, Drohungen, Klirren der Schwerter und Speere, die wider ihn gekehrt waren. Da erschien plötzlich vor der bewegten Menge Allvater selbst, ruhig, gefaßt, angetan mit göttlicher Hoheit und Majestät. Was geschehen war, hatte ihm längst die ahnende Seele, hatte ihm die vom Tode erweckte Volva verkündigt. Es war der Orlogschluß, den weder die Menschen noch auch die Asen bezwingen. Er ertrug ihn, der Göttervater, ohne feige Klage; er sah im Geiste Ragnarök hereinbrechen und war entschlossen, den hoffungslosen Kampf zu Ende zu kämpfen, wie ja auch sterbliche Helden im Grauen des Todes das Schwert nicht zaghaft senken, bis die letzte Kraft erschöpft ist. Er hieß die Klage schweigen, den Leib des Allgeliebten aufheben, mit reinen Gewändern bekleiden und den Leichenbrand bestellen. Da kam

Frigg, sein trautes Gemahl, die Augen vom Weinen gerötet. Sie weinte nicht mehr; wie so oft des Weibes kluger Sinn heilsamen Rat findet, wo der Feigling verzweifelt, der Held das Unvermeidliche erträgt und im Kampfe beharrt, so hatte sie einen Ausweg, eine Rettung erdacht, was, wie sie glaubte, nicht täuschen könne.

»Wer von den mutigen Asensöhnen will gen Helheim reiten«, sprach sie umherblickend, »wer will es wagen, die unterirdische Göttin anzurufen, daß sie Balder, das Licht der Welt, nach Asenheim zurücksende? Er wird sich meiner und Allvaters Gunst wie kein anderer erfreuen.« Alsbald erbot sich Hermoder, der Schnelle, Bote zu sein in das dunkle Schattenreich, an die sonst unerbittliche Hel. Er brach sogleich auf, sattelte und bestieg Sleipnir und ritt den Weg, den das edle Roß erst gekommen war.

Der Leichenbrand und Hermoders Helritt
Die Rache

Noch standen die Asen um die Leiche des teuren Genossen. Sie war in reine Gewänder gehüllt und lag oben auf Balders eigenem Schiffe Hringhorn, welches er oft durch die glänzenden Wasser des Himmels und durch die grauen Meereswogen gesteuert hatte, wenn er, Gaben spendend, die Küsten entlangfuhr. Auf Odins Gebot wurden auf dem Fahrzeug die Scheiter für den Leichenbrand hoch emporgetürmt, daß das Feuer weit über alle Länder leuchten sollte. Noch stand die blühende Nanna bei dem verblichenen geliebten Freund. Sie hatte keine Träne mehr, um ihn zu weinen; nur ihr Schluchzen verriet den Schmerz, der unstillbar in ihrer Seele wütete. Als aber die Fackel aufleuchtete, die den Holzstoß entzünden sollte, brach ihr das Herz vor Jammer; bleich, leblos, eine geknickte Blüte, sank sie neben der Leiche nieder. Da legten die trauernden Asen auch sie auf den Holzstoß, dazu das edle Roß des entseelten Gottes, das mit dem Gebieter sterben mußte. Odin selbst fügte noch den köstlichen Goldring dazu, dem in jeder neunten Nacht acht gleiche Ringe entträufelten. Er flüsterte auch dem Sohne ein Wort ins Ohr, das niemand vernahm, vielleicht das tröstende Wort: »Auferstehung zu einem neuen, schöneren Leben.«

Es war aber viel Volks versammelt, um dem schmerzlichen Schauspiel beizuwohnen und mit den Asen seine Teilnahme für den allgemeinen Liebling, den Wohltäter der Welt, zu bezeigen. Neben Odin stand Frigg, Balders Mutter, weinend um des Sohnes Tod und klagend, daß sie selbst aus Nachlässigkeit des Lieblings Ende herbeigeführt habe; da lehnte auf seinem von Gullinbursti gezogenen Wagen Freyer, der Wintersonnengott, in trübes Sinnen verloren; es ritt herzu Heimdall, der

Himmelswächter, auf seinem Rosse Gulltopp; auch Freya, die lichte Himmelsgöttin, fuhr heran auf ihrem Katzengespann. Da standen Walküren, auf ihre Speere gelehnt, und Disen, umwallt von dunklen Schleiern; auch Lichtalfen, Wald- und Meerminnen hatten sich eingefunden. Berg- und Reifriesen und selbst der Schwarzalfen lichtscheue Geschlechter waren aus ihren dunklen Wohnungen herbeigekommen; denn auch sie konnten der wohltätigen Wärme nicht entbehren, wenn sie aus der Tiefe den Frühlingsschmuck der Erde fördern sollten. Ängstlich flatterten die Raben Odins um das Schiff; sie wußten es wohl, welchen Verlust die Götter und Himmel und Erde erlitten hatten. Das Fahrzeug war auf den Strand gezogen und stand auf Rollen, um ins Meer geschoben zu werden, bevor die zündende Fackel angelegt wurde. Es war aber durch den aufgetürmten Holzstoß und die reichlich beigefügten Spenden so überschwer geworden, daß man es mit aller Anstrengung nicht von der Stelle rücken konnte. Da erklärten die Bergriesen, in Jotunheim sei ein Riesenweib mit Namen *Hyrrokkin*,* das sei so kraftvoll, daß es Berge fortschiebe; das werde auch dies Schiff ins Meer stoßen. Die Riesin ward gerufen und kam auch nach kurzer Frist herbeigejagt, auf einem schnellen, ungeheuren Wolfe reitend, den sie mit einer greulichen Natter aufgezäumt hatte und lenkte. Sie sprang von ihrem seltsamen Reittier herunter, blickte höhnisch auf die Versammelten, die ihr gegenüber wie Schwächlinge erschienen, und überließ das Tier den von Odin bestellten vier Berserkern. Während diese den Wolf mit Mühe bändigten, indem sie ihn zu Boden warfen, trat sie an das Fahrzeug und stieß es mit dem ersten Ruck ins Meer, daß die Rollen von der Reibung in Brand gerieten. Da ergrimmte Thor und schwang Miolnir, um ihr den Kopf zu zerschmettern; aber alle Asen baten für sie und traten dazwischen, weil Hyrrokkin sicheres Geleit erhalten und nur auf ihre Bitten

* Wohl die gleiche wie *Hyndla*. Hyrrokkin = die runzlig Gebrannte.

hilfreich erschienen war. Besänftigt bestieg er hierauf das Schiff und weihte mit dreimal erhobenem und gesenktem Hammer den Leichenbrand. Das Zwerglein Lit kam ihm dabei vor die Füße; er aber stieß es in das Feuer, daß es zugleich mit den Leichen verbrennen mußte. Hoch loderten die Flammen empor; Himmel, Erde und Meer wurden davon gerötet. Sie verkündigten den Tod des Gottes der Unschuld, der Liebe, der Gerechtigkeit und den Verlust seiner Segnungen.

HERMODERS HELRITT. Von allen Asen hatte die mütterliche Frigg allein noch Hoffnung. Sie glaubte, Hel werde sich durch Hermoder bewegen lassen, Balder zur Oberwelt zurückzusenden. In der Tat ritt auch der schnelle Götterbote eilends den unterirdischen Behausungen in Helheim zu. Neun Nächte trabte der unermüdliche Sleipnir durch grauenvolle, von keinem Lichtstrahl erleuchtete Täler und Klüfte. Ringsum herrschte Totenstille, welche nur des Rosses Hufschlag unterbrach.
Endlich gelangte der Reiter an den Giollfluß, der das Totenreich von dem der Lebendigen scheidet. Er wollte über die mit Gold belegte Giollbrücke reiten; allein da trat ihm die riesige Wächterin, die sich Modgud (Seelenkampf) nannte, entgegen und fragte ihn, was er hier suche. »Gestern«, sagte sie, »ritten große Haufen von Toten über die Brücke, und sie donnerte nicht so wie unter dir allein, und du hast auch nicht die Farbe des Todes. Darum sprich: Was suchst du, Lebender, unter den Toten?« – »Balder such' ich, den lieben Bruder, der erschlagen ward. Um seinetwegen reit' ich den Helweg, die Göttin anzurufen, daß sie ihn entlasse. Hast du ihn etwa gesehen, so zeige mir den Weg, daß ich ihn finde.« Also sprach Hermoder zu der Wächterin, und sie wies ihn nordwärts, indem sie sagte, wohl habe sie Balder über die Brücke reiten sehen, und er werde ihn bei Hel finden. Nach dieser Weisung ritt Hermoder unverzagt weiter, bis er an das verschlossene Helgitter gelangte. Da öffnete sich kein Tor, kein Durchgang war zu finden.

Aber es galt ja des Bruders Heil und Rückkehr; so war er auch zu jedem Wagnis entschlossen. Er sprang aus dem Sattel, gürtete den Hengst fester, stieg wieder auf, gebrauchte die Sporen, und hoch über das Gitter setzte Odins Roß mit dem kühnen Reiter. Er befand sich im Reiche der Schatten, überall von grauen Felsen umgeben, die wie hohläugige Gesichter ihn anstarrten. Er fühlte sich wie ein Träumender, als er, von seinem Rosse herabgestiegen, langsam einer Halle zuwandelte, die sich vor ihm öffnete. Er trat ein und stand staunend, denn

>»Erhellt ist das Gesteine, das wie ein Tempelhaus
Sich dehnet weit und weiter ins Unermess'ne aus.
Auf einem Thron inmitten ein wundersames Bild,
Die Riesenbrust umfangen von Goldschmuck, Flammen
    gleich,
Darin Demante prangen. Sie selbst, wie Tote bleich,
Schaut ernsten Blickes nieder: sie kennt Erbarmen nicht,
Weil nimmer sie beschienen der Sonne gold'nes Licht.
Im innern Grunde walten, vom Zufall wirr geschart,
Viel seltsame Gestalten, wie sonst das Leben paart,
Mit Kronen die gezieret und jen' in herber Not,
Die Häupter hier erhoben und dort gesenkt im Tod,
Und auf dem Ehrensitze ein göttlich schöner Held,
Verwelkte Blüt' im Haare, die bange Brust geschwellt
Von Gram, weil nimmer leuchtet des Lebens heller Strahl
Hier, wo nach Licht die Sehnsucht nur wohnt mit ihrer
    Qual.«

Es war Balder, der hier auf dem Ehrensitze saß; aber welk wie der Blütenkranz in seinem Haar, wie neben ihm Nanna, die mit ihm in den Tod gegangen war. Vor ihm stand der goldene Becher, gefüllt mit süßem Trank, aber noch unberührt von den Lippen des vom Todestraum befangenen Gottes. Wie aus wirren Träumen erwachend wandte sich Hermoder zu ihm. Er setzte sich neben ihn und sprach viel von der Wiederkehr gen Asenheim, die Hel wohl verstatten werde, da sich alle Wesen nach ihm sehnten. Balder bewegte nur verneinend das Haupt und deutete auf Nanna, als wollte er sagen: »Nimm diese mit dir, sie ist zu jung für die Welt der Schatten.« Sie schloß sich aber fester an ihn an und flüsterte kaum hörbar: »Tod und Grab scheiden treue Liebe nicht; die Blüte bleibt bei dem, der ihr Wesen und Leben gab. Ich will ewig in deinen Armen ruhen.«

Also unterredeten sich die drei während einer langen Nacht. Am Morgen trat Hermoder vor Hel mit dem Begehr, sie solle Balder die Rückkehr verstatten, weil nicht bloß die Asen, sondern alle Wesen im Himmel und auf der Erde in große Trauer um ihn versetzt seien. Da erhob sich die Göttin auf ihrem finsteren Throne; Gold und Demant auf ihrer Brust flammten heller als irdisches Feuer, und der Abgrund bebte. Sie sprach mit eintöniger Stimme:

> »Trauert um ihn das weite All,
> Weinen die Wesen allzumal,
> Weint, was Odem und Leben nicht hat,
> Wohl, so geschieht es nach ewigem Rat,
> Balder kehrt wieder zum lichten Tag.
> Ist ein Aug' ohne Trän' und Klag',
> Bleibt er ewig in Helheims Saal.
> Wähle, du hast nicht andere Wahl!«

Unabänderlich, das wußte Hermoder, war der Ausspruch der furchtbaren Göttin. Er nahm daher Abschied von dem Bruder und der liebenden Nanna. Beide gaben ihm das Geleit, und Balder überreichte ihm noch den Ring Draupnir für Odin, da dieses Symbol der Fülle im Totenreiche wertlos war. Nanna schenkte für die mütterliche Frigg einen Schleier und noch andere Gaben, für Fulla einen Goldring, einst die blühende Braut zu schmücken. Auf dem gewohnten Wege gelangte der Götterbote wieder zur Oberwelt und nach Asgard, wo er aussagte, was er gesehen und gehört hatte. Das schien nun den Asen eine gute Botschaft, und sogleich wurden Diener nach allen Weltgegenden ausgesandt, um Wesen und leblose Dinge, die selbst noch trauerten um den entschwundenen Bringer des Lichts, zum Weinen aufzufordern.

Da hingen die Tränen in Blumen und Kräutern wie Perlen; von den Zweigen und Blättern der Bäume troff der Tränentau; Erze und Steine wurden feucht von dem geweinten Naß.* Die Trauer um Balder, die Sehnsucht nach ihm tat sich in der weiten Welt durch die geweinten Zähren kund, denn die ganze Natur sucht das Licht. Auf dem Heimwege kamen die Boten an eine dunkle Höhle und fanden darin das Riesenweib Thokk (Dunkel), so finster und grausig anzusehen, fast wie Hel selbst, oder wie die Selbstsucht, die eine Welt kann untergehen sehen, wenn sie nur unberührt bleibt. Sie forderten dieselbe auf, eine Träne um den Tod und für die Wiederkehr des Lichtgottes darzubringen; aber die Riesin antwortete: »Thokk kann nur weinen mit trockenen Augen um Balders Tod. Weder im Leben noch im Sterben hat er mir Nutzen geschafft; daher behalte Hel, was sie hat.« Die Boten versuchten umsonst, den harten Sinn der Riesin durch Bitten zu erweichen; sie entschwand in der finsteren Tiefe der Höhle und war nicht mehr aufzufinden. Daher gingen sie traurig ihres Weges; doch meinte einer, er habe unter der weiblichen Hülle den falschen Loki erkannt. Da fiel es allen wie Schuppen von den Augen, und sie sprachen, er habe wohl recht gesehen. Als sie aber nach Asenheim die schlimme Botschaft brachten, war das Wehklagen so groß, daß man nicht weitere Auskunft begehrte.

* Noch heute sagt man in Island von betauten Steinen: »Sie weinen um Balders Tod.« Vielleicht stammt auch daher das Sprichwort: »Es hätte einen Stein erbarmen mögen.«

DIE BLUTRACHE. Tage vergingen, und jeder Tag machte den er-
littenen Verlust fühlbarer, und sooft sich die Asen an der heiligen Esche versammelten, ertönte aus jedem Munde das Wort
Blutrache. Es war das oberste Gesetz, die höchste Pflicht, das
älteste Recht, das von jeher geübt wurde. Doch hielt es schwer,
das Gebot der Gerechtigkeit zu vollbringen, denn Hoder mied
das Licht des Tages; er wandelte nur in finsterer Nacht umher,
und in der Finsternis wuchs ihm die Asenkraft, da konnte das
Auge dem Blinden gegenüber nicht nützen, noch Schwert,
noch Geschoß. Man wußte auch, daß er von Waldunholden ein
schützendes Zauberhemd und ein furchtbares Zauberschwert
erlangt habe, und man scheute sich, ihm in der nächtlichen
Dunkelheit zu begegnen. So schlich denn Hoder, fort und fort
freundlos und freudenlos wie der Geist der Mitternacht, dahin
durch die Waldeinsamkeit, ohne die Blutrache zu fürchten, die
auf den Brudermörder lauerte.

Einstmals schritt durch das Tor von Asgard ein junger Geselle
von blühendem, fast noch kindlichem Angesicht, aber von
kräftigem Gliederbau. Er blickte so frisch und lebensfroh um
sich her wie die Jugend selbst, die, ihrer Kraft vertrauend, nur
eine goldene Zukunft, nicht die darin verborgenen Kämpfe und
Schmerzen vor Augen hat. Sein lockiges Haar hing wirr und
ungekämmt herab; seine Hände, von Dorngesträuch blutig,
schienen ungewaschen. Auf der Schulter trug er den eibenen
Bogen, und die mit Schwanenfedern beschwingten Pfeile klirrten im ehernen Köcher. Er schritt geradeswegs, als ob er der
Straße kundig sei, auf Walhall zu; als er aber eintreten wollte,
hielt ihn der Torwächter an.

»Ein so blutjunger Geselle mit ungekämmtem Haar und unge-
waschenen Händen findet hier nicht Einlaß«, sagte der grämli-
che Hüter. Der Jüngling dagegen stieß ihn unsanft zurück und
trat unangemeldet in die Versammlung. Erstaunt, doch mit
Wohlgefallen blickten Asen und Einherier auf die blühende
Gestalt des Fremdlings. Odin berief ihn zu sich und sprach mit

lauter Stimme: »Es ist *Wali*, mein und der edlen Rinda Sohn, der zum heiligen Werke der Blutrache berufen ist.« Da sprachen die Asen untereinander: »Wie mag der Jüngling den starken Hoder bezwingen?« – »Jung bin ich zwar, erst einnächtig«, rief freudig der Ankömmling, »aber wie der junge Mai den harten Winter besiegt, so werde ich siegreich im Kampfe bestehen.«

Die Nacht war gekommen; Hoder wandelte durch die Finsternis bekannte Pfade. Da rief ihn eine Stimme an: »Wahre dich, Mörder Balders, der Rächer ist dir nahe!« Wohl gürtete der Finstere fester sein Zauberhemd und schritt mit gezogenem Schwert nach dem Ort, von wo der Ruf erschallt war, als ein Pfeil durch die Luft schwirrte, dem ein zweiter und dritter folgten; der letzte durchbohrte das Herz des blinden Gottes. Laut auf jauchzte der Schütze, daß es durch Asenheim schallte, und Götter und Göttinnen sammelten sich freudig um den, der das Rachewerk endlich vollzogen. Wohl war der finstere Gott blind, Loki, der Unheilstiftende, leitete seine unsichere Hand, daß sie traf, doch die Blutrache fragt nicht nach größerer oder kleinerer Schuld; sein Speer war die Ursache von Balders Tod, daher mußte er fallen.

Ägirs Trinkgelage

Die Zeit der Leinernte, der Spätsommer, war gekommen. Da wollten die Asen das Festgelage in Ägirs Kristallsälen feiern. Thor hatte dem Beherrscher der Meere den großen Braukessel aus Hymirs eisiger Behausung verschafft, und Ägir, obgleich nicht guten Willens, braute darin für das Fest schäumendes Bier und süßen Met in Überfluß. Sein Weib, die raffende Ran, die lieber raubte als gab, war auswärts mit ihren Wellenmädchen, um schiffbrüchige Menschen mit den Netzen in die Tiefe zu ziehen; daher hatte er nur zwei dienstbare Geister, den Fimafeng und den Eldir, die, wie sie sonst das wunderbare Leuchten der See* veranlaßten, so auch bei dem Feste für Licht und Bewirtung sorgen sollten. Er erwartete auch Beistand von den Dienstleuten seines Eidams Freyer, denn die schöne Gerda hatte er mit der Riesin Aurboda gezeugt, da er als Jote Gymir in Jotunheim wohnte. Zwei Dienstboten des lichten Wanengottes, Byggwir und dessen Weib Beyla, hatten ihm schon oft das wilde Meer besänftigen helfen; sie waren auch jetzt zur Aushilfe bereit.

Die Asen, noch immer vom Kummer niedergebeugt, hofften beim vollen Becher Schmerz und Sorgen zu vergessen; sie kamen daher in vollem Schmucke mit großem Gefolge von Lichtalfen und anderen befreundeten Wesen zum festlichen Gelage. Da erschien Odin, das Haupt mit dem Goldhelm geschmückt, und Frigg, als Himmelskönigin, mit dem Sternenreif, Freya, von Brisingamens Glanz umstrahlt, die goldgelockte Sif, auch Bragi, Niorder und sein Ehegemahl Skadi, Freyer, Heimdall, Widar und andere Asen. Diese alle zogen in Ägirs festliche Halle ein, deren Wände, von durchsichtigem Kristall, die au-

---

* Den phosphoreszierenden Glanz, nordisch *mar-ild* genannt.

ßen umherschwimmenden Meerwunder erkennen ließen, während das Goldlicht von den versunkenen, auf dem Grunde liegenden Schätzen ihre weiten Räume erleuchtete. Der starke Thor wohnte dem Mahle nicht bei; er hatte andere Geschäfte; Riesen und Unholde zu schlagen und seinen Bauern fruchtbaren Boden zu erkämpfen. Es mangelte aber noch einer, um den alle Leid trugen, der strahlende Balder; der weilte bei Hel, und mit ihm die liebliche, treue Nanna, sonst eine der schönsten Blüten bei dem sommerlichen Freudenfest. Dagegen schlich mit unhörbarem Katzentritt der schlaue Loki hinter dem langen Zuge her, um auch seine durstige Kehle mit dem Goldtrunk zu laben.

Als er eintreten wollte, hielt ihm Fimafeng, der zum Türhüter bestellt war, den Stab entgegen, indem er sagte: »Für dich ist kein Stuhl bestellt in Ägirs Halle; suche dir eine Stätte bei Angurboda, Fenrirs Mutter.« Lokis Zorn entbrannte, und das um so mehr, als er hörte, wie drinnen im Saale die Gäste den drohenden Fimafeng laut rühmten. Zu dem Ärger über die Abweisungen gesellte sich noch der Neid wegen der Lobeserhebungen; da entbrannte der Ase im heftigsten Grimm. Er schlug zu, und der arme Türhüter sank entseelt zu Boden. Ein wüstes Getümmel erhob sich, die Asen griffen nach Wehr und Schild, denn der Mord war an geheiligter Freistätte geschehen. Sie stürmten von allen Seiten herbei, aber Loki war in den nahen Wald entronnen.

Die Ruhe war wiederhergestellt; Byggwir und die Schaffnerin Beyla bedienten die Gäste, und das ward ihnen gar sehr erleichtert, da die Bier- und Metkannen so kunstreich angefertigt waren, daß sie die gute Eigenschaft hatten, sich ohne Beihilfe von selbst zu füllen und den Trinklustigen nach dem Wunsche eines jeden den köstlichen Trank einzuschenken. Während nun das Gelage seinen Fortgang hatte, schlich der üble Loki wieder herbei. Er fand Eldir mit dem Hüteramte betraut und redete ihn an, als ob nichts Schlimmes vorgefallen wäre. Er fragte ihn, wovon die Sieggötter beim Mahle redeten. »Von Waffen und tapferen Taten sprechen sie«, sagte der Angeredete, »von dir aber kein gutes Wort.« – »So will ich selbst hineingehen«, versetzte der Bösewicht, »und der Asen Schuld und Schande mit geschickter Rede aufdecken; keiner wird mich im Wortkampf besiegen.« Mit diesen Worten schob er den schüchternen Hüter beiseite und trat in die Halle. Da verstummte plötzlich die Rede, es entstand Totenstille. Aller Augen richteten sich auf den, der die heilige Freistätte mit Mord besudelt hatte; doch wollte man den Ort nicht durch gleiche Tat entweihen. Er war wie ein Geächteter in der Versammlung. Dennoch fragte er dreist, ob man ihm allein Sitz und einen Labetrunk verweigere, da ihm doch als einem ebenbürtigen Asen solches gebühre. Da erwiderte Bragi:

> »Sitz und Stelle schaffen dir bei dem Mahl
> Die Asen nun und nimmer.«

Er fügte hinzu, die Götter wüßten wohl, welch ein fluchwürdiger Bösewicht er sei. Ohne darauf zu antworten, wendete sich Loki an Odin selbst mit den Worten: »Gedenkst du nicht daran, wie wir beide in der Urzeit, unser Blut mischend, den Bruderbund schlossen und gelobten, keiner solle einen Labetrunk annehmen, der nicht auch dem anderen gereicht werde?« Diese Rede war nicht vergeblich gesprochen; Allvater gedachte der alten Zeit und des geschlossenen Bundes. Allerdings war der Blutbruder, der Miterschaffer aller Kreaturen, von der Höhe herabgesunken und durch Meintaten besudelt; dennoch hieß Odin seinen Sohn Widar jenem einen Sitz einräumen und schäumenden Trunk reichen. Als dem Gebot Folge geleistet war, leerte Loki den Kelch und rief mit lauter Stimme: »Heil euch, hochheilige Asen, und euch, edle Asinnen! Dem Bragi aber Ungunst und Unfrieden, da er dem Durstigen den Trunk mißgönnt!«

Der Sangesfürst schwieg eine Weile, dann entgegnete er, er wolle aus seinen Schätzen Schwert, Roß und Ring spenden, nur daß der Lästerer nicht neues Ärgernis gebe. Als darauf Loki versetzte, Bragi sei doch nicht gar reich an solchen Kleinodien und brauche das Schwert nicht, sondern das Roß, denn keiner fliehe feiger als er aus der Schlacht, erwiderte jener, wenn sie außerhalb der Halle wären, hätte er ihm schon für diese Lüge das Haupt vom Rumpfe getrennt. Der Lästerer verstummte nicht; er meinte, sein Gegner prahle nur, weil er sich in Sicherheit wisse; ein tapferer Mann säume nicht mit der Tat, wo er auch sei. Nun mischten sich auch die Asinnen in den Wortstreit, aber Loki häufte auf sie unerhörte Schmähungen. Freya, Gefion, Skadi bezichtigte er schnöder Untreue und Unzucht. Er trug nicht Scheu, der letzteren, welche ihm seine bevorstehende Bestrafung vorhielt, zu erwidern, daß er der eifrigste gewesen sei bei Ermordung ihres Vaters. Mit gleicher Dreistigkeit warf er dem Tyr den Verlust seiner Hand vor, dem Heimdall sein mühseliges Wächteramt; nicht weniger schmähte er Niorder, Freyer, den Diener Byggwir, der sich Asenkraft wünschte, um den Unhold zu züchtigen. Die goldlockige Sif hatte er bisher verschont; sie brachte ihm dafür freundlich den Eiskelch mit schäumendem Trunke. Zum schnöden Dank dafür erinnerte er sie daran, wie er ihr bei nächtlicher Weile das schöne Haar abgeschoren habe. Selbst Odin warf er vor, daß er ungerecht den Preis des Sieges verteile und, als Volva in die Häuser schleichend, das Menschenvolk durch Zauberei betrüge. Endlich wendete er noch den Stachel seiner Schmähsucht gegen Frigg, die einst in der Urzeit drei Männer gehabt habe, nämlich Odin, Wili und We. »Ha«, rief sie von Schmerz bewegt, »wäre mein Sohn Balder noch hier, der hätte längst deine Lästerzunge zum Schweigen gebracht.« — »Willst du, hohe Königin«, versetzte er mit giftigem Spott, »daß ich noch ferner meiner Meintaten gedenken soll, so wisse, daß ich es war, der den Mistelzweig dem blinden Hoder gab, daß er damit deinen lieben Sohn zu Hel sende.« Ein lauter Aufschrei der Asenkönigin, ein Klirren der Schwerter und Schilde folgte der entsetzlichen Rede. Denn nun war Gewißheit, was man bisher nur vermutet hatte. Ehe man über den Frevler herfiel, erschütterte ein furchtbarer Donnerschlag die ganze Halle, und Thor stand, Miolnir schwingend, mitten innen.

Noch wagte der Lästerer auch gegen ihn scharfe Reden, indem er ihm vorwarf, wie er sich einst in Skrymirs Däumling verkrochen habe. Als schon Hlorridi (Blutfahrer) mit dem Hammer sein Haupt bedrohte, rief er: »Den Asen sang ich ihr Preislied in Ägirs Halle, die bald vergeht, wenn die flackernde Flamme daherfährt. Zum letztenmal haben sie hier den kühlen Met getrunken; denn über alle kommt das Verderben. Ich aber weiche dem Stärkeren, der gern zuschlägt.« Nach diesen Worten nahm er die Gestalt eines Lachses an und sprang in die umrauschenden Fluten.

Der dreiste Lästerer hatte die Freude des Festes vergällt; der schäumende Trank wollte den Gästen nicht mehr munden; denn unter den Lügen, die Loki schmähend gehäuft, war auch bittere Wahrheit, war auch wirkliche Schuld der Götter enthalten, wie jeder sich selbst eingestand. Nicht minder schmerzlich erschien die Erinnerung an Balder, als dessen Mörder der letztere sich selbst angegeben hatte. Auf dem Heimweg verabredeten die Asen, wie sie ihn greifen und strafen wollten. Er solle nicht sterben, sondern leben, leben in namenloser Qual. Das, meinten sie, sei die gerechte Buße für die begangenen Frevel.

Loki in Ketten

Die Asen suchten und fahndeten weit umher nach dem Lästerer, der auch der Anstifter der an Balder verübten Untat war. Sie durchstreiften Asgard und Midgard, sie suchten ihn in Jotunheim, in den Tiefen der Schwarzalfen, und fanden ihn nirgends. Der Falsche straflos, die Rache an ihm unvollbracht, das quälte wie brennendes Feuer, daß sie nicht ruhen konnten bei Tag und Nacht. Odin saß auf Hlidskialfs Höhe und schaute über die neun Heime, da sah er jenseits auf hohem Berge ein einsames Haus und in dem weiten Gemache darin den, welchen man suchte. Er verließ den Hochsitz, berief die Asensöhne zu sich und zeigte ihnen den Weg, der zu Laufeyas Sohn führte. Der heillose Flüchtling hatte sich nämlich auf steiler Höhe über einem wild strudelnden Bergwasser eine eigentümliche Wohnung hergerichtet. Sie hatte nur ein großes Gemach mit vier stets offenen Türen. Da saß er nun Tag und Nacht und spähte nach den vier Himmelsgegenden, ob nicht seine Verfolger unvermutet aus irgendeinem Dickicht hervorträten. Nicht Reue, nicht ein böses Gewissen plagte ihn – die hatte er längst glücklich zur ewigen Ruhe gebracht –, ihn ängstigte nur die Furcht vor der unversöhnlichen Rache, die er herausgefordert hatte. Daher schlüpfte er oft in Gestalt eines Lachses in den Strom und schwamm oberhalb bis unter den Wasserfall, wo er sich vor allen Nachstellungen geborgen glaubte.

Wer konnte ihn dort im rauschenden Sturze der Wasser aufsuchen, oder auch nur vermuten? Dennoch ließ ihn die Sorge nicht ruhen; denn er hatte keinen Freund, er vertraute niemand, nicht einmal der eigenen Gattin Sigyn, welche ihm ungeachtet seiner Herzensstücke Beweise von Liebe und Treue gegeben hatte. Tagelang saß er im windigen Hause bei loderndem Herdfeuer und warf Späherblicke nach allen Richtungen.

Er bildete auch wohl mit kunstfertigen Händen allerlei nützliche Geräte, unter anderem ein Netz zum Fischfang, was damals eine unbekannte Sache war. Er erkannte sogleich den Wert dieser Erfindung und arbeitete mit solchem Eifer an der Vollendung dieses Werkes, daß er die Gefahr vergaß. Plötzlich flackerte die Flamme auf dem Herde hoch empor wie eine Säule, als ob sie ihm etwas andeuten wolle. Er sah auf, warf Späherblicke umher und gewahrte die Asen, welche mit reisigem Gefolge im Anzuge waren. Eiligst warf er das Netz ins Feuer, um jede Spur seiner Anwesenheit zu vertilgen, und eilte nach dem Wasserfall, wo er sich in Lachsgestalt verbarg. Arglist und Tücke des Herzens fangen sich oft im eigenen Netze.

Die anrückenden Asen fanden in dem windigen Gemache den Lästerer nicht, wie sorgfältig sie auch nach ihm suchten. Das Feuer war gleichfalls niedergebrannt und erloschen. Aber die Stelle war noch warm und verriet, daß hier jemand müsse gewaltet haben. Einer von ihnen, durch Weisheit und Runenkunde hervorragend, durchstöberte die Asche und entdeckte darin, was kein menschliches Auge wahrgenommen hätte, die Form und Beschaffenheit des Netzes.

»Gefunden!« rief der Entdecker. »Der hundweise Zauberer, im Traume der Gedanken mit Fischen beschäftigt, hat das Netz hergestellt, wieder verbrannt und steckt nun als Fisch da unten im rauschenden Strom.« Die mit dem Fischfange wohlvertraute Gefion hatte bald gemerkt, wie eine gleiche Arbeit gefertigt würde, und da alle mit geschickten Händen zu Werke gingen, so waren in kurzer Zeit die Fäden mit Knoten geschürzt und ein unzerreißbares Netz zustande gebracht. Dicht unter dem Wasserfall senkte man es ein; Thor zog auf der einen Seite, die übrigen Asen auf der anderen immer zu Tal, so daß das Netz die ganze Breite des Stromes einnahm. Wie sie an den tiefen, felsigen Grund kamen, fühlten sie ein Zucken der Leinen und erkannten, daß Lebendiges darunter gesteckt habe und zwischen den Steinen durchgeschlüpft sei. Sie beschwerten das

Gerät mit Eisen und Blei und begannen den Zug von neuem; aber dicht an der Mündung des Stromes schnellte ein riesiger Lachs über das Netz und schwamm pfeilschnell aufwärts. Man nahm also die dritte Kehre vor; aber Thor watete nun in der Mitte des Wassers, während die Asen verteilt auf beiden Seiten zogen. Sie merkten wohl, daß ein großer Fisch vor ihnen herschwamm; aber schon näherte man sich der See und mußte fürchten, daß er sich dort Rettung suche. Da sang Bragi ein Zauberlied; sogleich erschien, von Ägir entsandt, ein entsetzlicher Hai, der Wolf des Meeres, der sich vor die Flußmündung lagerte.

Es war in der Tat Loki, der bisher mit gewohnter Schlauheit alle Bemühungen der Asen vereitelt hatte. Als er jetzt hinter sich die Verfolger, vor sich das Ungeheuer sah, schnellte er noch einmal mit aller Kraft empor und wäre wiederum entronnen, wenn ihn nicht im Fluge Thor in der Mitte des Leibes erhascht hätte. Fast wäre er mit dem aalglatten Körper dennoch entschlüpft, allein die starke Faust hielt ihn noch am Schwanze fest; er war gefangen. Jetzt entpuppte sich der Fisch – und der Lästerer, der Mordstifter, der falsche Loki hing in Hlorridis Hand. Da war kein Erbarmen, da blitzte nur Frohlocken der Rache in den Augen der Asen. Sie schnürten dem Erzfeind Arme und Beine zusammen und schleppten ihn darauf in eine Höhle des Berges. Daselbst bereiteten sie ihm das Schmerzenslager, das ihm war geweissagt worden: drei scharfkantige Felsen, von denen der eine unter seine Schultern, der andere unter seine Lenden, der dritte unter seine Kniekehlen gelegt wurde. Es wurden auch seine beiden Söhne Wali und Narwi herbeigeführt, denen Sigyn, die weinende Mutter, nachfolgte. Ersterer ward in einen grimmigen Wolf verwandelt, der sogleich seinen Bruder zerriß. Die Asen banden mit den Eingeweiden des erwürgten Knaben den schuldigen Vater auf die scharfkantigen Steine fest und schafften, daß diese Bänder zu schweren Eisenketten erstarkten.

Skadi vollendete das Urteil; sie befestigte eine giftige Natter über dem Haupte des Übeltäters. Damit ihr Gift und Geifer beständig auf sein Angesicht heruntertropften, was ihm unerträgliche Schmerzen verursachte. Nachdem das geschehen war, kehrten die Asen in ihre Heime zurück. Dort grünten Bäume und Sträucher nicht mehr im Schmucke ewigen Frühlings, sondern erschienen im Gewande der Vergänglichkeit schlaff und welk. Loki, der Anstifter zu allem Bösen, lag stöhnend in seiner Pein; es war aber doch noch ein Wesen vorhanden, das Erbarmen mit dem Frevler hatte: *Sigyn*, die trauernde Gattin, obgleich oft gekränkt, blieb ihm zur Seite. Sie fing in einer Schale das von der Natter herabträufelnde Gift auf, damit Loki nicht davon berührt werde, und nur wenn das Gefäß voll war und sie es ausleerte, strömte die gräßliche Flut auf sein Angesicht, daß er vor Schmerz und ohnmächtiger Wut heulte. Dann wendete und reckte er sich, daß Mutter Jord in ihren Grundfesten erzitterte. Das nennen nun unkundige Menschen Erdbeben.

Das Verbrechen ist bestraft, die Götter haben das Urteil der Gerechtigkeit vollstreckt. Aber sie selbst sind nicht rein von Schuld. Viele Schmähungen des Lästerers sind begründet, und jede Schuld rächt sich im Himmel und auf Erden. Daher schreitet das Verderben fort, bis alle Bande der sittlichen Ordnung gelöst sind. Dann wird der arge Versucher, der zugleich Täter ist, von seinen Fesseln frei, und der allgemeine Untergang bricht herein.

Wir haben in Vorstehendem die Dichtung mit einigen Abweichungen gegeben, wodurch die Schuld des falschen Gottes an Balders Tod und die Beziehungen zu den Weltgeschicken deutlicher werden. Loki ist hier der Stifter alles Bösen, der sich ohne Scham dazu bekennt, aber zugleich das allgemeine Verderben voraussagt. Er ist der Verführer, der die Unschuld zur Sünde verlockt, der sich selbst dessen rühmt, obgleich er weiß, daß er mit den Verführten untergehen werde. Hatte er in der Urzeit mit Odin die Blutsverbrüderung geschlossen und als Gott der wohltätigen Herdflamme Heilsames gewirkt, so war er nun wie der gefallene Engel Luzifer ein vollendeter Bösewicht, der den Feuerbrand in das Haus wirft, worin er selbst mit Schuldigen und Unschuldigen verbrennen muß. In dem alten Germanentum war der Gedanke der Blutrache tief begründet. »Der mich geschädigt hat, muß büßen, obgleich ich weiß, daß ich mit ihm untergehe«, das war die Idee, nach welcher der Edeling wie der Knecht handelte. In Lokis Charakter aber lag mehr; das recht eigentlich teuflische Prinzip, zu schaden, seine Freude an dem Unglück anderer zu haben, auch wenn man nicht Schädigung empfangen hat, auch wenn man weiß, daß es zum eigenen Unheil gereicht. In der Schmähung der gütigen Sif, aber auch im ganzen Hergang der Dichtung ist diese Idee durchgeführt. Man glaube aber nicht, es sei nur eine Phantasie, sei nicht menschlich; die Geschichte lehrt, daß dergleichen Erscheinungen vorkommen.

In unserer Darstellung haben wir manche Widersprüche des Mythos beseitigt, freilich aber nicht alle. Wir ließen Bragi und Iduna der Sage gemäß wieder auftreten, obgleich sie in der Tiefe weilen sollen. Dagegen haben wir Kwasir, der das Netz in der Asche entdeckt, übergangen, weil sein Auftreten nicht notwendig war. Ähnliche Züge wie Lokis Gefangennahme mit dem Netz will man in christlichen Legenden entdecken. Da soll Petrus, der an Thors Stelle getreten ist, lange einen Fisch verfolgt und endlich gefangen haben. * Auffallend dürfte es ferner sein, daß sich Loki, der Feuergott, im Wasser zu bergen sucht; allein dieser Glaube, daß sich das Feuer ins Wasser flüchte, findet sich auch bei anderen Völkern. Vielleicht gab dazu Veranlassung, daß sich Sonne, Mond und Sterne sowie das flam-

---

* Er drückte ihm den Daumen hinter den Kopf, wovon er einen schwarzen Flecken erhielt, und rief aus: »Du bist mir ja ein rechter Schelm-fisch!« Daher heißt der Fisch noch heute »Schell-fisch«.

mende Morgen- und Abendrot im Wasser spiegeln. Ein finnisches Märchen, das wir Simrock nacherzählen, liefert dafür einen Beleg.

Louhi, Pohjolands Gebieterin, fängt die Sonne und den Mond ein, als sie herabgestiegen waren, um Wäinämoïnens wunderbarem Gesange zu lauschen. Sie verbirgt diese in finsteren Klüften, so daß nun jahrelang Finsternis herrscht. Da steigen Wäinämoïnen und Ilmarinen auf des Himmels Höhe, um zu sehen, warum die Gestirne nicht leuchten. In der Dunkelheit finden sie dieselben nicht, hoffen aber, mit Hilfe des Feuers sie aufzufinden. Ilmarinen schlägt daher mit dem Schwerte den Funken aus dem Gestein; allein dieser entweicht und birgt sich unten in einer goldenen Wiege, wo ihn eine Jungfrau in Schlummer singt. Da sie aber zu kräftig wiegt, fällt er heraus und fliegt, zum Feuerball anschwellend, durch alle Himmel und wieder herab zur Erde nach Tauris. Dort fährt er in ein Haus und verbrennt das Kind an der Mutterbrust. Durch ihren Fluch verbannt ihn die erzürnte Mutter in des Meeres Wogen, die nun, vom Feuer gepeinigt, siedend und aufschäumend in das Land hereinbrechen. Da verschlingt ein Barsch das Feuer und flieht in seiner Qual zwischen Holme und Klippen, bis ihn ein roter Lachs aufnimmt, der wieder die Beute eines Hechtes wird. Inzwischen haben sich die Götter Wäinämoïnen und Ilmarinen ein Boot gezimmert und segeln mit günstigem Fahrwind durch die himmlischen Räume. Da sie das Feuer da nicht finden, steuern sie nach dem Erdenland. Das ist nun mächtig groß, und die Fährleute wissen nicht, wohin sie sich wenden sollen. Zum Glück begegnet ihnen auf der Newa ein steinaltes, vielwissendes Weib, das ihnen den Ort anzeigt, wo sich der Hecht in seiner Pein herumtreibt. Ferner belehrt sie die Alte, wie man ein Netz stricke, um den Fisch zu fangen. Die Himmlischen säen am Abend den Leinsamen, fördern das Wachstum, daß der Flachs um Mitternacht reif ist, rupfen, verarbeiten ihn, und zur Zeit, da der Morgen anbrechen soll, ist das Netz fertig.

Zweimal ist der Fischzug vergeblich, aber mit dem dritten Zuge wird der Hecht gefangen. In seinem Magen findet man den Lachs, in diesem den Barsch; wie man aber denselben ausweidet, hüpft der Funken heraus und entgeht den Verfolgern. Der schwache Funke wächst, seiner Fessel ledig, mit erschreckender Schnelligkeit; er wird zum Landbrand; die ganze Erde droht unterzugehen. Indessen die Himmlischen bieten ihre ganze Macht gegen das wütende Element auf. Ilmarinen singt ein Zauberlied, das die Flammen bezwingt. Auch Sonne und Mond werden frei, daß sie wieder am Himmel ihre gesetzlichen Wege wandeln.

Der Weltuntergang

»Nichts Heiliges ist mehr, es lösen
Sich alle Bande frommer Scheu,
Das Gute räumt den Platz dem Bösen,
Und alle Laster walten frei.«

SCHILLER

Der Versucher, der Urheber des Bösen, war zwar auf die reif-
kalten Felsen festgebunden, aber die böse Saat wucherte fort,
und die Götter selbst, die sittlichen Mächte, welche die Welt-
ordnung erhalten sollten, waren nicht mehr rein und unsträf-
lich; daher mußten die heilsamen Bande der Gesetze brechen
und das gänzliche Verderben, der Weltuntergang, herbeigeführt werden. Im Himmel und auf Erden war bald weder Treue
noch Glauben mehr zu finden, und die heilige Liebe, welche
sonst Freunde, Eltern, Kinder, Geschwister miteinander verband, verlor ihre Kraft. Nur Selbstsucht, Eigennutz, rück-
sichtslose Habgier waren die Triebfedern, welche die Handlun-
gen leiteten; Mord, Brand und Blutvergießen nahmen überhand. Wer der Begierde im Wege stand, mußte sterben, der
Vater durch den Sohn, die Mutter durch die Tochter, der Gatte
durch die Gattin. Kein Heiligtum, keine fromme Sitte schützte
vor Beil und Schwert, vor Gift und Dolch. Empörung der Völker, fürchterliche Kriege ohne Schonung und Barmherzigkeit
zwischen Freunden und nahen Sippen verwüsteten die Länder;
Meuchelmörder lauerten im Finsteren; das gesprochene Wort
ward zur Lüge, der Eidschwur zum Betruge, zur Täuschung
dessen, der noch an Wahrheit glaubte. So würgten, mordeten,
vertilgten sich die Geschlechter, und wer bei dem entsetzlichen
Spiele gewann, vergeudete die Beute in schnöder Wollust und
ekelhafter Schwelgerei.

Es war das Beil-und-Schwert-Alter angebrochen, die Wolfszeit, da sich die Menschen wie Wölfe erwürgten, die Windzeit, da die Natur selbst, als ob sie mit der verderblichen Wut der lebenden Wesen übereinstimme, durch fürchterliche Stürme dies zu erkennen gab. (Ähnlich lauten bei den Griechen und Römern die Schilderungen vom Eisernen und Ehernen Zeitalter [bei Hesiod und Ovid].)

Die Sonne wandelte noch ihre Bahn, aber sie schien trübe wie durch einen Trauerschleier, sie verbreitete keine Wärme mehr während der sonst heiteren Jahreszeit, und früh fing der Winter an, der Fimbulwinter (Schreckenswinter). Da starrte alles in grimmigem Frost, der unaufhörlich rieselnde Schnee war von eisigen Stürmen zu Bergen aufgetürmt, in denen der Wanderer versank. Viele Höfe und Dörfer wurden hoch überdeckt, daß die Bewohner darin verderben mußten. Der Fimbulwinter aber schien kein Ende zu nehmen; er dauerte drei Jahre, ohne daß ein Sommer dazwischen eingetreten wäre. Da verdarben Bäume und Sträucher, Gras und Kraut, die Menschen starben vor Kälte und Hunger und ließen doch nicht von Eidbruch, Mord und Greueltaten ab. Dadurch wuchs Fenrirs Brut, die Wölfe, welche die alte Riesin im Eisenwalde fütterte, zu schrecklichen Ungeheuern heran; denn das Weib mästete sie mit dem Marke erschlagener Eid- und Ehebrecher, mit dem Blute gestorbener Giftmischer, Bruder- und Vatermörder, und an solcher Atzung war Überfluß.

Man fragte eine vielwissende Volva, was das bedeute, und sie sagte, Sonne, Mond und Mutter Erde trauerten über den Verfall der Menschen, und nun würden die Wölfe und feindlichen Mächte bald ihrer Fesseln ledig werden und das allgemeine Verderben herbeiführen. Es hat aber zu allen Zeiten weise oder gläubige Männer gegeben, welche der Meinung waren, die Natur habe ein Mitgefühl für die Leiden und Freuden der Menschen und gebe dies bei großen Ereignissen durch ungewöhnliche äußere Erscheinungen zu erkennen.

WAFTHRUDNIR. Noch einen letzten Versuch machte der sorgende Götterkönig, zu erfahren, was nun kommen müsse und was sich noch wenden ließe. Er wußte, daß der uralte Riese Wafthrudnir ein außergewöhnliches Wissen besaß. Aber es war bedenklich, aus ihm etwas herauszufragen, denn so viele Fragen man stellte, so viele legte auch der Riese dem Fragenden vor. Sein Leben verlor, wer eine derselben nicht zu beantworten wußte. Zuvor aber besprach sich Odin mit Frigg, der treuen Gattin. Anfangs widerriet sie die Fahrt, aber vielleicht fand sich ein Ausweg, den Riesen zu überlisten, wenn er mehr Wissen besaß als Odin, der sich schon so oft mit den Asen im Wissen gemessen hatte. So wünschte sie dem Gatten eine glückliche Fahrt und genügende Weisheit. Odin machte sich kühnen Mutes auf den Weg.

Als armer, unscheinbarer Wanderer trat er in des Riesen Halle. Auf der Schwelle stehend sagte er: »Ich heiße Gagnrad, bin gegangen weite Wege und nun der Bewirtung gewärtig und des Wettstreits in kluger Rede.« Ihm antwortete Wafthrudnir: »Was steigst du nicht von der Schwelle, Sitz zu nehmen im Saale? Du kehrst nimmer heim, so du nicht durch weise Rede mich überwindest. Es gilt zu werben Haupt um Haupt; versuche denn vom Golfe her dein Glück.«

Er fragt nun den Gast nach den Rossen, die den Tag und die Nacht am Himmel heraufführen, nach dem Flusse, der Asgard von Jotunheim trennt, und nach dem Felde, wo die letzte Schlacht einst geschlagen werden soll. Als Gagnrad seine Wissenschaft von allen diesen Dingen bewährt hat, bietet der Jote ihm einen Sitz neben sich an und beantwortet nun seinerseits des Gastes Fragen, von wannen Erde und Urhimmel ihren Ursprung nahmen, wie die Götter entstanden, wie Niorder von den weisen Wanen zu ihnen kam, was die Einherier schaffen in Odins Halle, woher die Nornen stammen, wer nach dem Weltbrand einst über das Erbe der Asen walten und wie das Ende des Göttervaters sein werde.

Nach Beantwortung dieser Fragen stellte der Gast die letzte Aufgabe:

> »Viel erfuhr ich, viel versucht' ich, befragte der Wesen viele;
> Was sagte Odin dem Sohn ins Ohr, bevor er die Scheiter bestieg?«

Den Göttervater an dieser Frage erkennend, rief der überwundene Jote:

> »Wer kann verkünden, was einst im Urbeginn
> Du leise sagtest dem Sohn ins Ohr!
> Das Schicksal hab' ich mir selbst beschworen,
> Der Asen Ausgang meldend,
> Da ich den Wettstreit mit Odin wagte.
> Du bleibst, Allvater, der Weiseste immer.«

Der Dichter schweigt darüber, ob der Sieger das Haupt des Überwundenen forderte. Auch das Wort, das Odin dem Sohne ins Ohr flüsterte, bevor er zu Hel fuhr, spricht er nicht aus; aber der Zusammenhang läßt erraten, daß es das Wort der Auferstehung, das Wort des höheren, seligen Lebens war, zu welchem Balder, der Gott des Guten, wiedergeboren werde, wenn aus der Asche der vergangenen sündigen Welt eine neue, geläuterte hervorgehe.

Wir haben den Inhalt dieses Eddaliedes hierhergestellt, da in ihm von Balders Leichenbrand die Rede ist und die letzte Frage die wesentliche ist. Mit ihr könnte Odin erproben, ob der Riese mehr wisse, als sich anderwärts erfragen ließ. Was Wafthrudnir bisher geantwortet hatte, ging ja nicht über das hinaus, was die Volva verraten hatte. Sie war verstummt, als sie Odin erkannte, vielleicht hatte sie den Ausweg verschwiegen, das Verderben abzuwenden.

DAS LIED VOM WELTUNTERGANG. Zu jener Zeit, von der die Voluspa ihr schauerliches Lied singt, geschahen viele Wunderzeichen. Der Sonne Schein dunkelte, unheilvolle Idisen sah man durch die Luft fliegen, der glührote Hahn in Asgard, der Fialar heißt, schrie laut auf, der dunkelrote bei Hel antwortete ihm, daß man es auf der Oberwelt vernahm. Eilenden Fluges jagen nun die gekräftigten Wölfe Skoll und Hati, jener der Sonne, dieser dem Monde nach; sie erreichen, fassen, verschlingen sie; da wird Finsternis im Himmel und auf Erden; da wankt und bebt die Erde selbst in ihren Grundfesten, daß alle Ketten und Banden brechen. Dadurch geschieht es, daß Loki seiner qualvollen Fesseln ledig wird, daß sein gräßlicher Sohn Fenrir sich losreißt und mit seiner Brut dem Vater anschließt, daß endlich Garm, der Höllenhund, von der Gnypahöhle mit anderen finsteren Scharen der Hel heraufsteigt, um das Verderben zu vollenden. Das Meer stürzt schäumend in wilden Wogen über seine Ufer und überflutet das Land. Aus seinem Abgrund erhebt die Midgardschlange ihr scheußliches Haupt und wälzt sich in Jotenwut, kampfbegierig, entsetzlich dem Anblick.

Jetzt stößt Heimdall ins Giallarhorn, und laut tönt der Schall durch alle Heime und weckt die Asen und Einherier, die sich rüsten zum letzten Kampfe der Entscheidung. Odin, den Goldhelm auf dem Haupte, die glänzende Brünne auf der Brust, Gungnir, den Zauberspeer, in der Hand, tritt an ihre Spitze. Er ist entschlossen, obgleich er das Schicksal kennt, in den Streit zu gehen und nicht ruhmlos zu fallen. Zuvor will er noch einmal die Kunde des bevorstehenden Geschicks an heiliger Stätte vernehmen. Er besteigt Sleipnir und reitet an Mimirs Born. Da rauscht und bebt der Weltbaum Yggdrasil in rasendem Sturme, seine Blätter fallen herab, seine Wurzeln drohen zu brechen; die drei Nornen sitzen da mit verhülltem Haupt. Odin murmelt mit Mimirs Haupt; niemand vernimmt, was er spricht und hört. Mimirs Söhne, das heißt die Wellen, spielen, der Mittelstamm entzündet sich, die Volva singt:

»Yggdrasil zittert, die Esche, doch steht sie,
Es rauscht der alte Baum, da der Riese frei wird.«

Indessen steuert Hrym, der Jotenkönig, sein Schiff von Osten
her über die unendliche See. Alle Hrimthursen, bewehrt mit
Keulen und Wurfgerät, sind an Bord. Zugleich wird das Toten-
schiff Naglfari flott, da die steigende Meerflut es emporhebt. Es
ist erbaut aus den Nägeln der Toten, welche die Liebe nicht be-
schnitten hat. In den Bruderkriegen war die Liebe erstorben,
und man versagte selbst den Toten den letzten Dienst. Loki
lenkt des Fahrzeugs Lauf. Mit ihm sind Surtur, das Flammen-
schwert schwingend, dessen Klinge heller leuchtet als die
Sonne, und die zahllosen Geschwader der Muspellsöhne, alle in
feurigen Rüstungen, die das geblendete Auge nicht anzuschauen vermag. Sie landen, besteigen die mitgeführten Rosse
und sprengen stürmischen Fluges über die Brücke Bifrost, die
unter den donnernden Hufschlägen bricht. Loki ist Führer und
geleitet die ganze Heerschar nach der Ebene Wigrid, die sich
hundert Rasten nach allen Seiten ausdehnt. Es ist das Kriegs-
feld (Kriegsfahrt), wo sich auch der Wolf der Vernichtung und
der Wolf der Meere nebst den Hrimthursen versammeln und
zur Schlacht ihre Ordnungen bilden.
Dahin rücken jetzt die mutigen Asen und Helden in unabseh-
baren Reihen. Odin voran, strahlend, als ob er zum gewissen
Siege gehe. Noch einmal tönt das Giallarhorn, der Vernichtungskampf beginnt. Der Wolf heult, der Wurm zischt und
speit Gift, daß die Luft davon erfüllt und verpestet wird. Wie
lodernde Flammen, die von einem ungeheuren Brand ausge-
hen, stürmen die Muspellsöhne unter Surturs Führung daher;
doch widerstehen die Einherier, denen Freyer vorankämpft,
und drängen die Feinde zurück. Thor schmettert mit dem
Hammer ganze Haufen Hrimthursen und höllische Ungeheuer
nieder; der Donner rollt, Blitze funkeln, der Weltbaum droht
zu sinken; in den Klüften der Berge, vor steinernen Türen,

stöhnen und ächzen die Zwerge. Durch dichte Geschwader bricht sich Odin Bahn; er sucht Fenrir, den gräßlichen Leichenwolf. Er erblickt ihn, wie er mit klaffendem Rachen, als wolle er die Erde verschlingen, durch die Menge rennt. Er allein greift ihn an, während alle Kämpfer vor dem Scheusal zurückweichen.

Kein Sänger verkündigt, wie der entsetzliche Kampf Siegvaters mit dem Wolf der Vernichtung sich begab. Die Volva selbst, die das alles in prophetischen Gesichten schaute, deckt den Schleier des Schweigens darüber, sie sagt nur, daß er, der allwaltende Vater, Friggs einzige Wonne, dem Ungeheuer erliegt. Ein gleiches Schicksal hat Freyer, der mutig gegen die feuersprühenden Söhne Muspells streitet; denn er trifft, während er siegreich vordringt, auf Surtur, den Schwarzen. Er hat nur das Hirschhorn, womit er den wild stürmenden Beli erschlug. Jetzt vermißt er sein Wunderschwert, das er einst um der Liebe willen an Skirnir verschenkte. Die lodernde Flamme des Surturschwertes trifft sein Haupt zum Tode. Von der anderen Seite der Walstatt rollt Schlag auf Schlag der Donner; denn Thor hat Jormungander angegriffen, die alte Todfeindin, das Scheusal, das er am meisten haßt. Miolnir in seiner Hand schmettert unaufhörlich, während der Wurm mit gähnendem Rachen ihn zu fassen, zu verschlingen sucht und Ströme von Gift und Geifer ihm entgegenspeit. Endlich trifft ein Schlag zerschmetternd den Kopf der Schlange; sie krümmt sich, sie schlägt die Erde mit dem Schweif; sie erliegt. Aber von ihrem giftigen Atem angehaucht, taumelt der Asenfürst neun Schritte rückwärts und sinkt tot zu Boden. Der starke Hort der Asen war gefallen; aber zur Totenklage ist nicht Zeit, denn die Schlacht wütet fort. Bisher hatte Widar nie fehlende Geschosse versandt; jetzt reißt er das Schwert aus der Scheide und stürmt, Hrimthursen und höllische Dämonen niederwerfend, gegen Fenrir, den Vater zu rächen. Er erfaßt mit starker Hand den furchtbaren Oberkiefer des Wolfes, ein Ruck – und der gähnende Rachen klafft weit auseinander. Dann stößt er nachbohrend ihm den scharfen Stahl ins Herz. Das schwarze Blut des Untiers besudelt in Strömen den Buben; der Leichenwolf sinkt, wie von Miolnir getroffen, mit gräßlichem Geheul nieder und deckt weithin die Walstatt. Heimdall kämpft auf Leben und Sterben mit Loki. Beide Kämpfer schirmen sich nicht mit den Schilden, sie schwingen die Waffen zu Todesstreichen und erliegen den Wunden, die sie sich gegenseitig schlagen. Gegen Tyr wütet der höllische Garm. Er schlägt ihm die spitzen Zähne in die Hüfte; aber der kühne Ase, obgleich zum Tode wund, faßt ihn mit der einen Hand, die ihm allein übrig ist, an der Kehle und erwürgt ihn.

Die Vorkämpfer der Asen und ihrer Feinde sind zwar gefallen, doch endet der Streit nicht; denn an Flucht, an Entrinnen vom Wigridfelde ist nicht zu denken, sondern nur daran, wie man das Leben teuer verkaufe.

Unter den Schrecknissen des tobenden Kampfes wankt fortwährend die Erde; Berge stürzen über Berge, Abgründe klaffen, bis hinunter zu Hels Reich; der Himmel spaltet sich und droht den Einsturz, die Esche Yggdrasil ächzt und stöhnt wie ein lebendes Wesen. Jetzt erhebt sich Surtur, der Finstere, Schreckliche. Riesenhaft wächst er zum Himmel empor, wie die Voluspa sagt:

> »Schwarz wird die Sonne, die Erde sinkt ins Meer,
> Vom Himmel fallen die hellen Sterne,
> Glutwirbel umwühlen den Weltenbaum.
> Steinberge stürzen, Riesinnen straucheln,
> Zu Hel fahren Helden, der Himmel klafft.«

Vor und hinter Surtur ist Feuer, und sein flammendes Schwert blitzt noch heller aus dem Dunkel hervor, in das er sich selbst gehüllt hat. Er ist anzusehen wie die Rauchwolke, die, von lodernden Bränden durchzuckt, aus dem heulenden Hekla himmelan steigt, während dem Krater unten feurige Lava entströmt. Er schleudert den Brand über Himmel und Erde, über das unendliche All, daß es ein Glutmeer wird und die lebenden Wesen und leblosen Dinge zumal in der glühenden Lohe untergehen. Das Feuer wütet, der Weltbaum ist von Flammenwirbeln umlodert, der Sturmwind rast, Erde und Himmel, die neun Heime sind nicht mehr, Surturs Lohe hat alles vertilgt.

> »Leer und öde ist die Stätte,
> Wilder Stürme rauhes Bette;
> In des Abgrunds finstern Höhlen
> Wohnt das Grauen,
> Und des Himmels Wolken schauen
> Hoch hinein – Angst und Pein
> Lagern auf der weiten Öde.«

Wie Surturs Lohe erlischt, ergießt sich das kochende Meer über die Greuel der Verwüstung. Kein Geschöpf, kein Leben regt sich in seinem Schoße, keine Wassermaid wiegt sich auf den schwarzen Wellen, kein Stern spiegelt darin sein strahlendes Angesicht; nur der gespenstische Spielmann zieht darüber hin und regt die schäumenden Wellen auf, zu raschem Tanze, zu rasendem Spiele.

Jahre vergingen, vielleicht Jahrhunderte – niemand hat sie gezählt –, da badete wieder der Morgenstern sein glänzendes Haar in den beruhigten Wellen, und der erste Morgen spiegelte seinen Purpur darin. Eine neue Sonne ging auf, die blühende, glühende Tochter der vorigen. Freudig wie die Jugend, wenn sie hinaus in das bewegte Leben zieht, fuhr sie auf ihrer Bahn dahin, und kein Skoll jagte ihr nach; sie ging friedlich in ihr feuchtes Bett zur Ruhe, um am nächsten Tage wieder ihre Bahn zu wandeln. Wohl war die Göttin schön in ihrer strahlenden Herrlichkeit, aber sie beschien noch kein lebendes Wesen, noch kein grünendes Land. Da endlich stieg aus der Tiefe herauf eine neue Erde, erst wüst und leer, bald aber von den Strahlen der Königin Sonne berührt, grün von Gras und Kraut und wohlschmeckendem Lauch. Auch Bäume und Sträucher wuchsen auf, und Blumen, mannigfaltig von Farben, erfüllten die Luft mit würzigem Wohlgeruch. Und siehe, in dem stillen Tale, wo einst der Urdborn quoll und Odin mit Mimir von der Vergangenheit und den Rätseln der Zukunft redete, da kamen aus Hoddmimirs Holze zwei Menschenkinder hervor, der Jüngling *Lif* und die Jungfrau *Lifthrasir*, schön und lieblich, harmlos und unschuldig, wie die duftigen Blumen, und geweckt, gleich ihnen, von den Sonnenstrahlen aus langem Traume. Sie hatten sich einst daselbst geborgen und mit Morgentau genährt. Sie waren entschlummert und hatten in kindlichen Träumen geruht, während der Vernichtungskampf tobte. Allvater hatte sie wunderbar vor Surturs lodernden Flammen und den wilden Meereswellen bewahrt.

Ahnungslos der Schrecknisse wie ein schlummerndes Kind, das die Mutter unter dem Krachen des einstürzenden Gebälks aus der brennenden Wohnung trägt, hatten sie bisher in den schützenden Armen Allvaters geruht und blickten sich nun staunend um in der neuen Behausung, auf der schönen blühenden Erde. Das Land gefiel ihnen wohl; denn da waren im Überfluß wohlschmeckende Früchte, da trugen die Felder ohne menschliche Arbeit Getreidegold und des Rebstocks labende Spenden. Auch mancherlei Getier weidete auf üppigen Triften, bunte Schlangen spielten unschädlich im Grase; nirgends aber war Fenrirs Brut zu finden. Lif und Lifthrasir bauten sich geräumige Wohnung, sahen Kinder und Enkel und sandten sie aus in nahe und ferne Gegenden. Von ihnen stammt das zahlreiche Geschlecht der Menschen, das weit und breit die Erde erfüllt. Über der Stätte, wo voreinst Asgards glänzende Hallen standen, breitet sich nun blühend und duftig ein weites Gefilde aus. Es ist das Idafeld, schöner als die grüne Heimat der versunkenen Götter. Da sammeln sich die heiligen Asen, die, gleich der

Welt, geläutert und gereinigt durch Surturs Lohe, hier wohnen sollen in seligem Frieden. Die Bande der Hel binden nicht mehr, denn das Reich des Bösen ist vergangen, die Finsternis in Tageshelle verwandelt. Da treten hervor Balder und Hoder, Arm in Arm, durch Liebe versöhnt, in Liebe vereint. Zu ihnen gesellen sich Widar und Wali, die rächenden Asen, nicht mehr der Rache gedenkend. Surturs Flammen haben sie nicht vertilgt, noch die wilden Wasserfluten. Da finden auch Modi und Magni, die Söhne Thors, Wohnsitze bereit. – Sie bringen Miolnir mit, nicht, um im erneuerten Kampfe zu streiten, sondern als Werkzeug, die Sitze der Götter in der verjüngten Welt und die neue Heimat der Menschen zu weihen. Auf dem Idafelde, dem Felde der Auferstehung, sammeln sich die Söhne der höchsten Götter, in denen die Väter selbst auferstanden sind. Sie reden zusammen von einst und jetzt; sie gedenken der Weisheit, der Runensprüche des Ahnherrn und seiner prophetischen Verkündigungen, die nun alle erfüllt sind. Sie spielen wieder mit den goldenen Scheiben, wie voreinst in der Zeit harmloser Unschuld, denn sie haben diese Scheiben im duftigen Grase wiedergefunden, wie sie den Frohsinn der Kinderzeit nach Kampf und Streit wiedergefunden haben. Ungesehen, nur im Geiste wahrnehmbar, ist ihnen dann nahe der Starke, der Mächtige von oben, der alles lenkt.

»Den Streit entscheidet er, schlichtet Zwiste
Und ordnet ewige Satzungen an.«

Sie ahnen ihn wohl, sie fühlen sein Wesen und Walten, aber sie wissen ihn nicht zu nennen. Wie auf sein Geheiß die neue Welt aus den Wassern hervorstieg, so hat er mittagwärts hoch über dem Idafelde einen anderen Himmel gewölbt, der Andlang heißt, und noch weiter einen dritten, den man Widblain nennt. Da steht auf Gimils Höhe ein wunderbarer Palast, ganz mit Gold bedeckt, der heller strahlt als die Sonne. Hier thronen die

Götter, wie sie sonst pflegten, der Wiederkehr froh und der heiteren Zeit. Von der Höhe blicken sie hinunter auf die glücklichen Menschen von Lifs Gesellschaft und winken ihnen, heraufzuklimmen. Diejenigen, die es versuchen und weiter streben in Erkenntnis und Weisheit, in frommer Sitte und durch Taten der Liebe, die gelangen von Stufe zu Stufe, von einem Himmel zum anderen, bis sie die Höhe erklommen haben und vereinigt sind mit den Göttlichen selbst im heiligen Hause Allvaters.

Das ist der Glaube unserer Vorfahren von Ragnarök, der Götterdämmerung.

Heldensagen

A. Kampf.

Wieland

So, wie es hier geschieht, berichteten die hansischen Kaufleute aus Soest und Bremen über Wieland, den Schmied. Anders als die alte Sage klingt es, und anders, als wir heute von Wieland erzählen.
Ich will indes die Weise jener Männer, die uns, zusammen mit den fleißigen Schreibern und Dichtern Islands, so vieles von unseren alten Sagen gerettet haben, hier wiedergeben, weil ich auch sonst ihren Erzählungen in manchem folge.

Einmal lebte im Norden ein König Wilt, der alles Land von Schonen bis zur Elbe und alle Reiche, die dazu gehörten, unterworfen hatte. Auch gegen Rußland zog er, siegte über Hernit, der damals den Osten unter sich gebracht hatte, und eroberte Holmgart, König Hernits Hauptstadt.

Als er nun heimsegelte und seine Schiffe in einer Bucht der Ostsee ankerten, um Wasser einzunehmen, ging der König ins Land hinein und verlor seine Mannen. Durch einen tiefen Wald irrte er und begegnete einer wunderschönen Frau, die er liebgewann.

Seine Leute suchten ihn und fanden ihn nach einiger Zeit nahe dem Ufer. Und weil sie guten Fahrwind hatten, stachen sie wieder in See. Schon waren sie auf offenem Meer, da tauchte neben dem Ruderbaum jene Frau aus dem Wald auf, hielt sich fest an des Königs Schiff und fragte, ob man Liebe so bald vergäße. Der König ahnte wohl, daß es eine Wasserfrau war, die ihn gewinnen wollte; er antwortete der Fremden: »Laß mich jetzt fahren, aber komm und sag mir, was du begehrst, wenn ich daheim bin.« Das Weib wurde traurig, es gab das Schiff frei und versank in den Wogen.

Bald danach kam die Frau zu König Wilt und sagte an, daß sie ein Kind von ihm trage. Er sorgte für sie, und sie gebar ihm einen Knaben, der erhielt den Namen Wade. Die Mutter blieb nicht bei den Menschen, man weiß nicht, wohin sie gegangen ist.

Wade wuchs auf und wurde riesengroß, aber niemand liebte ihn, obschon er ein genügsamer Mensch war. Der König fand ihn deshalb mit einigen Gehöften auf Seeland ab, die er ihm schenkte.

Der Riese Wade hatte eine Tochter Böta, die wiederum drei Söhne gebar; der stärkste von ihnen war Wieland.

Als Wieland neun Winter zählte, wünschte Wade, daß sein Enkel ein Handwerk erlerne. Von dem zwerghaften Schmied Mime im Falenland hieß es, daß er der tüchtigste aller Hämmerer sei. Der Riese zog also zu ihm und brachte seinen Enkel in die Lehre; er selbst kehrte nach Seeland zurück.

Um die Zeit lebte aber schon der junge Siegfried von Xanten bei Mime, der vertrug sich schlecht mit den Schmiedegesellen und schlug sie. Wade erfuhr, daß Wieland von Siegfried viel auszustehen hatte; er reiste hin und holte ihn zurück. Drei Jahre hatte Wieland im Falenland das Handwerk gelernt und übertraf alle Schmiede Seelands an Kunstfertigkeit.

Nach einiger Zeit hörte der alte Wade, daß in der Höhle des Felsens Balwe zwei Zwerge hausten, die noch prächtiger als Mime Schmuck, Schwerter und Helme zu fertigen vermöchten. Auch Gold, Silber und andere Erze gestalteten sie in hoher Kunst. Wade nahm deshalb Wieland mit sich, fuhr wieder ins Falenland und bot den Meistern an, ihnen seinen Enkel ein Jahr lang als Knecht zu lassen; wenn sie ihn aufnähmen, so sagte er, würde er zuzahlen, statt Lohn zu fordern. Die Zwerge verlangten eine Mark Goldes; es schien Wade reichlich viel, doch händigte er ihnen das Geld aus. Er hatte es ja eilig und wollte nach Seeland heim.

Wieland blieb ein Jahr bei den Zwergen und war so gelehrig,

daß er ihnen bald in allem gleich wurde. Als sein Großvater ihn holen kam, baten die Wichte, ihnen den Enkel noch einmal für zwölf Monate zu lassen; ja, sie wollten die Mark Goldes zurückgeben. Auch versprachen sie, den Jungen doppelt soviel an Kunstfertigkeit zu lehren, als er schon erworben hatte. Weil die albischen Gesellen aber fürchteten, daß Wieland einst besser als sie selbst schmieden würde, fügten sie hinzu: Käme der Großvater nach den zwölf Monaten nicht zurück, so wäre Wieland in ihrer Gewalt, und sie dürften ihm das Leben nehmen.

Dem alten Wade schien alles recht. Ehe er ging, rief er seinen Enkel noch einmal und trat mit ihm vor den Berg. Dort verbarg er vor Wielands Augen sein Schwert im Gestrüpp und sagte: »Wenn ich nicht zur rechten Stunde komme und man will dir etwas antun, so nimm die Klinge und wehre dich. Ich glaube aber nicht, daß ich den Tag verfehlen werde.«

Wieland lernte bei den Zwergen jetzt doppelt soviel wie vorher, er war bald geschickt wie seine Lehrherren, ja, vielleicht war er ihnen schon über. Treu diente er ihnen und war freundlich und gefällig gegen sie, obwohl die beiden seine Kunst mit Neid zu betrachten begannen. Sie sannen deshalb darauf, ihn in ihrer Gewalt zu halten.

Die zwölf Monate verstrichen rasch, Wade wollte seinen Enkel heimholen. Er machte sich eher zu früh als zu spät auf, um den bestimmten Tag nicht zu versäumen.

Der Berg war noch verschlossen, als der Riese eintraf; er vermochte den Eingang nicht zu finden. Müde war er von langer Fahrt, warf sich unter einen Fels vorm Tor und schlief schnarchend ein. Nun hatten die Zwerge jenen Hang aber weithin unterwühlt. Während der Riese schlief, löste sich unter ihrer Hand ein Steinschlag; Wasser, Geröll und Schutt stürzten nach und begruben den Schlummernden.

Am verabredeten Tag traten die Schmiede aus der Werkstatt und riefen laut, der Herr aus Seeland möge seinen Enkel holen. Wieland war mit ihnen nach draußen geschlüpft und wartete auf seinen Großvater. Dabei gewahrte er, daß eine Berghalde ins Tal niedergebrochen war, er sah auch, daß sie mit Gewalt abgeschlagen war, und fand, als er darauf zuschritt, Wades Mantelsaum im Rand des Schuttes. Zornig zog er das Schwert des Ahnen aus dem Gestrüpp. Unterm Mantel verbarg er die Waffe, trat zu den Zwergen, die noch immer taten, als ob sie nach Wade Ausschau hielten, und erschlug die Heimtückischen. Dann begrub er den Toten, ging in den Berg, nahm das Handwerkszeug der albischen Meister an sich, verließ das Falenland und wandte sich der Heimat zu.

Nach drei Tagen kam er zur Weser, sie war hoch geschwollen, er konnte nicht übersetzen. Wieland suchte sich deshalb am Flußufer den stärksten Baum, fällte ihn und höhlte ihn wie eine Kammer aus. Im Stammesende, nahe der Krone, verbarg er seine Schätze, im Wurzelende verstaute er den Mundvorrat. Dann brachte er ein Fenster in der Baumwand an, stieg ein, zog die Tür von innen zu und ließ den Einbaum den Strom hinab zum Meer treiben.

Nun herrschte nach Norden zu ein König Nidung, dessen Fischer warfen eines Tages das Netz aus. Sie vermochten es aber kaum wieder hochzuziehen und hatten, als es ihnen gelang, einen riesigen Balken in den Maschen. Der schien ihnen sonderbar gespalten und behauen, sie vermuteten eine Schatzkiste, weil der Fund so schwer war, und schickten einen Boten zum König. Der kam und befahl, den Einbaum mit Gewalt zu erbrechen.

Wieland merkte es, er rief von drinnen, schloß selbst das Fahrzeug auf und stieg aus. Dann schritt er auf den König zu. »Herr«, bat er, »ich bin kein Drull noch Unhold, sondern ein Mensch wie ihr. Ich bitte euch, daß ihr mein Eigen und mich schont. Gebt mir Schutz, und ich will für euch arbeiten.« Der König gewährte dem wunderlichen Gast die Bitte, und der Fremde folgte ihm auf seine Burg. In der Nacht aber verbarg Wieland den Einbaum und vergrub das herrliche Handwerkszeug der Zwerge in der Erde. Einer von des Königs Gefolge sah ihm dabei heimlich zu, das sollte noch viel Sorge bringen.

Der junge Gesell blieb nun als Tischhelfer bei König Nidung und war anstellig und willig. Unter anderem war ihm aufgetragen, das Tafelgeschirr zu hüten. Dabei stieß es Wieland einmal zu, daß, als er am See die Messer schleifen und waschen wollte, ihm eines von ihnen aus der Hand fiel und ins Wasser glitt. Er konnte es nicht wiederfinden.

Es tat Wieland leid, daß er seinem Herrn Verdruß bereitete, hoffte er doch, am Hof noch zu Ehren und Ansehen zu kommen. Er suchte deshalb den Eisenschmied des Königs auf, der hieß Amilias. Amilias war gerade zum Essen gegangen. Da machte sich Wieland eilig an die Arbeit, hämmerte ein Messer und schlich sich heim. Dem Hofschmied wurde gemeldet, daß der Fremde in seiner Werkstätte gewesen war; er dang einige Buben, die den Nebenbuhler überfielen und flüchteten, ehe er sich wehren konnte.

Am andern Tag diente Wieland dem König wieder bei Tisch wie zuvor. Als Nidung nun sein Messer nahm, um eine Scheibe Brot zu schneiden, war es so scharf, es glitt gleich durch den Laib und fuhr tief in den Tisch. Der König wunderte sich und fragte: »Wer kann das Messer geschmiedet haben?«

»Wer sonst als Amilias«, antwortete Wieland.

»Gewiß«, sagte Amilias, der das Gespräch hörte, »du hast keinen anderen Schmied, Herr, der so wie ich alles vermag, was du willst.«

Nidung aber schüttelte den Kopf. »Solch gutes Eisen hast du noch nie gefertigt, das ist nicht aus deiner Werkstatt.« Er blickte prüfend auf seinen Diener. »Hast du dies Messer gemacht?«

Der erwiderte rasch: »Wenn Amilias sagt, er hätte es geschmiedet, so wird es an dem sein.«

Der König wurde böse, er wollte die Wahrheit wissen.

»Nun ja, ich hatte ein Messer verloren und habe ein neues geschmiedet«, bekannte Wieland.

»Siehst du«, antwortete der König, »ich wußte wohl, daß mein Hofschmied ein solches Messer nicht zu hämmern vermochte.«

Amilias war sehr eitel. »Ich bin nicht schlechter als dieser«, murrte er, »und lasse mir nicht sagen, daß meine Arbeit geringer sei. Wir könnten ja um die Wette schmieden, dann mag der König entscheiden, wer von uns der Bessere ist. Was willst du einsetzen, Wieland?«

Der zögerte noch; er sei nicht begütert, antwortete er. Da geriet Amilias in Eifer. »So setz doch dein Haupt, wenn du Mut hast, ich setze meines dagegen.«

Wieland stimmte zu. »Wir setzen also jeder das Leben. Was für ein Werk wollen wir versuchen?«

»Schmiede du ein Schwert«, schlug der ehrgeizige Amilias vor, »ich will Brünne und Helm anfertigen. Schneidet dein Schwert meine Wappnung nicht, so nehme ich dir das Leben, sonst magst du mir den Kopf abhauen.«

»Das ist keine leichte Wette«, sagte Wieland und tat recht ratlos. »Wer bürgt mir für dein Wort?« Amilias sah sich um, und zwei Freunde, die seine Tüchtigkeit kannten, erhoben sich. »Du hast es leicht«, seufzte der Junge, »ich bin den Leuten hier unbekannt, wer soll wohl für mich bürgen?«

»Ich will für dich eintreten«, erbot sich Nidung; er hatte den kunstfertigen Tischhüter gern gewonnen.

Danach ging Amilias noch am gleichen Tag mit seinen Gesellen in die Schmiede und begann mit dem Werk. Ein ganzes Jahr hindurch arbeitete er an einer herrlichen Rüstung. Wieland aber stand wie immer an seines Königs Tisch und tat, als wenn nichts gewesen wäre.

Nach einem halben Jahr fragte der König ihn, wann er denn seine Arbeit aufnehmen wolle. »Bau mir eine Schmiede«, bat Wieland. Als Nidung ihm den Wunsch erfüllt hatte, wollte

Wieland sein Gerät ausgraben. Da fand er, daß ihm alles gestohlen war. Nun geriet er doch in arge Not. Er meldete dem König, was sich begeben, und zeigte auch an, daß er einen Mann hätte vorbeigehen sehen, als er sein Handwerkszeug verbarg. »Seinen Namen weiß ich indes nicht«, klagte Wieland, »vielleicht würde ich ihn erkennen.«

»Wir wollen's versuchen«, sagte Nidung.

Um die Zeit war gerade ein Thingtag des ganzen Volkes. Als alle Leute versammelt waren, gebot der König, daß Wieland durch die Reihen gehe und jeden einzelnen prüfe. Aber der Beraubte fand den Dieb nicht und fand auch keinen, der ihm ähnlich schien.

Nidung wurde böse, es war wohl zu merken, daß er sich ungern seines Einsatzes für Wieland erinnerte. Da machte der Schmied eines Mannes Bildnis, das war so täuschend nachgeahmt, daß nicht einmal die Haare auf dem Kopf fehlten, und stellte es heimlich in dem Gang auf, den der König betrat, wenn er zur Schlafkammer schritt. Als Nidung an jenem Abend sein Lager aufsuchen wollte, leuchtete ihm Wieland mit der Kerze. Dabei fiel des Königs Blick auf das Standbild. »Willkommen, Reginald«, redete er es an. »Seit wann bist du zurück? Hast du erfüllt, weswegen ich dich nach Schweden schickte?«

»König«, spottete Wieland, »dies ist ein hochmütiger Bursch, er wird dir keine Antwort geben. Aber ich weiß jetzt den Namen des Mannes, der mir mein Schmiedegerät stahl.«

Da staunte Nidung, lobte Wieland und versprach, ihm sein Handwerkszeug wiederzubeschaffen. Reginald kam bald danach von Schweden zurück, und Nidung ließ ihn fragen, ob er Wielands Gerät an sich genommen habe. Der Ritter leugnete es nicht, gab es heraus und entschuldigte sich damit, daß er dem Schmied einen Schabernack habe antun wollen.

Wieder diente Wieland dem König mehrere Wochen lang. Da wurde Herr Nidung ungeduldig und mahnte ihn, endlich sein Werk zu beginnen. »Du hast es mit einem geschickten Gegner zu tun«, drohte er. »Weißt du nicht, was für dich auf dem Spiel steht?«

Wieland ging in die Werkstatt und schmiedete in sieben Tagen ein schönes Schwert. Der König kam selbst zu ihm und meinte, kein schärferes gesehen zu haben. Wieland entgegnete aber: »Es gefällt mir nicht, es soll noch besser werden, ehe ich es erprobe.«

Er machte sich also an die Arbeit, nahm eine Feile, zerrieb das Schwert zu kleinen Spänen und mischte das Eisen mit Mehl. Dann ließ er gefangene Vögel drei Tage lang hungern und gab ihnen das Mehl als Speise. Ihren Kot tat er in die Esse, glühte das Eisen heraus und schmiedete ein neues Schwert. Als der König das sah, wollte er es gleich selbst behalten; ihm schien, daß er noch niemals eine größere Kostbarkeit in Händen gehabt hatte. »Herr«, entgegnete Wieland, »die Waffe ist gut, aber ich will eine bessere schmieden.« Nidung glaubte ihm, Wieland zerfeilte das Schwert noch einmal und gab die Späne wieder den Vögeln als Speise.

Nach drei Wochen war die Klinge gelungen; Wieland legte Gold in sie ein und goß und hämmerte einen herrlichen Knauf. Die ersten beiden Stücke, die er geschmiedet hatte, waren größer als üblich gewesen; das dritte war klein, es war gerade noch handlich für eines Königs Faust. Nidung prüfte die Schneide an Wollflocken, die er übers Wasser treiben ließ. »In der ganzen Welt«, sagte er, »wird man nichts Besseres finden. Ich selbst werde deine Waffe tragen, wenn ich kämpfen muß.«

Wieland antwortete: »Ich will dir ein Schwert schenken, mein König, aber ich will dir auch Scheide und Gehänge dazu herrichten. Laß es mir noch eine Weile.« Er setzte sich ans Werk und verfertigte ein zweites Stück, das dem ersten ähnlich war. Niemand konnte die beiden voneinander unterscheiden. Das zuerst geschmiedete schob er unter den Blasebalg. »Warte auf mich, Mimung«, sagte er und gab ihm den Namen. »Wer weiß, ob ich deiner nicht eines Tages bedarf.«

Danach stand Wieland wieder täglich hinter dem Stuhl des Königs und diente ihm und der Königin, bis das Jahr der Wette um war. An jenem Tag legte Amilias schon in der Morgenfrühe den Harnisch an, ging auf den Marktplatz, zeigte sich und vertrieb sich die Zeit. Die Leute bewunderten ihn und meinten, noch nie solch herrliche Rüstung gesehen zu haben; jeder Teil war von außen und innen aufs feinste abgearbeitet, es war ein Meisterstück der Kunst am Feuer. Dann trat Amilias an des Königs Tafel, und jeder erklärte die Brünne für eine unvergleichliche Wappnung. Auch den Helm setzte der Hofschmied auf, er blitzte und war hart und gut, daß dem König die Rüstung ausnehmend gefiel. Nach Tisch begaben sich alle auf einen freien Platz, Amilias ließ einen festen Stuhl bringen und hieß Wieland sein Schwert prüfen. »Schlag zu mit aller Wucht, wenn es nützen soll«, prahlte er, »sonst bist du mir verfallen.« Da holte Wieland aus, und seine Klinge schnitt durch Helm und Haupt, durch Brünne und Rumpf.

Und die Leute trugen Amilias fort.

König Nidung tat es leid um ihn; er war aber noch mehr auf das Schwert begierig. »Gib es mir, Wieland«, forderte er.

»Ich muß noch die Scheide holen«, sagte der Schmied, »ich möchte dir alles zusammen überreichen.« Dann ging er wieder in die Werkstatt, warf Mimung unter den Blasebalg, nahm die andere Waffe, schlug sie in den Knauf und brachte sie mit kostbarem Gehänge dem König. Der meinte, ein Kleinod zu besitzen, wie es wertvoller keines gäbe.

Wieland diente von da an seinem König in der Schmiede, sonst blieb alles wie zuvor. Die Jahre vergingen, Herrn Nidungs Knaben wuchsen auf, und um des Herrschers Tochter Baduhild warben die Freier und ritten wieder von Hofe. Der König hatte ihretwillen manchen Gram und wurde mit der Zeit hart und weniger freundlich.

Wieland kümmerte es nicht, er hämmerte Schmuck aus Silber und Gold und wurde so berühmt im ganzen Norden der Welt, daß es kein höheres Lob gab, als wenn man von einem Schmied sagte, er gleiche Wieland an Kunstfertigkeit. Dem König blieb er verbunden, er war seines Herrn geschicktester und bekanntester Mann.

Nun kamen eines Tages, als Nidung mit seiner Trucht bei Tisch saß, Flüchtige und Verwundete und erzählten, daß ein Nachbar verheerend ins Land eingedrungen sei. Der König rief seine Gefolgschaft zusammen, stieg mit den Seinen zu Roß und suchte den Gegner. Unterwegs fiel ihm ein, daß er ein Kleinod – seinen »Glücksstein« – zu Hause gelassen hatte. Er glaubte fest an jenen Zauber, und wie es so ist, wenn jemand etwas vermißt, wurde Nidung immer begieriger darauf, den Stein mit sich zu führen, und verlor den guten Mut.

Am Ende machte er sich so viel Sorgen, daß er seine Freunde und Ratgeber kommen ließ. Und er verkündete, daß er dem seine Tochter zum Weib geben werde, der ihm den Glücksbringer noch vor Sonnenaufgang herbeischaffen würde – sie standen damals dicht vorm Feind. Die Männer berieten, sie wußten, daß es nicht möglich war, den Weg in der kurzen Frist zurückzulegen.

Als niemand sich erbot, rief der König Wieland zu sich und fragte ihn, ob er den Ritt auf sich nehmen wollte. »Auf deinen Wunsch will ich es wagen«, antwortete der Schmied, »wenn du auch mir hältst, was du den andern versprochen hast.« Nidung sicherte es ihm noch einmal zu; da gürtete Wieland sein Schwert um, den Mimung, und sprengte auf seinem Roß Schimming von dannen. Es war ein herrliches Tier, schnell wie ein Vogel im Flug; der Kunstfertige hatte es einst aus Brunhilds Gestüt gegen eine Rüstung eingetauscht. In sechs Stunden legte Wieland die Strecke zurück, zu der ein gewöhnlicher Mann fünf Tage brauchte, hielt um Mitternacht vor der Burg, ließ sich den Siegstein geben und war vorm königlichen Lager, noch ehe die Sonne im Osten aufging.

Weil er nun noch Zeit hatte, tummelte er sein Roß. Dabei kamen ihm unter dem königlichen Truchseß sieben Reiter des Königs entgegen, die hatten über Nacht des Feindes Lager ausgekundet. Der Truchseß erkannte Wieland und fragte ihn, ob er wirklich den Siegstein bringe. Wieland bejahte es, da nahm ihn der andere auf die Seite und bot ihm Silber und Gold, soviel er wolle, wenn er selbst das Kleinod dem König überreichen dürfe.

»Für dich war der Weg nicht weiter als für mich«, versetzte der Schmied.

Da zischte der Truchseß ihn an: »Glaubst du, armseliger Knecht, daß du des Königs Tochter bekommst, um die die Edelsten des Landes vergeblich geworben haben?« Er schrie seinen Reitern zu: »Zieht blank, Freunde, dieser war über Nacht beim Feind!« Die Männer gehorchten und drangen auf Wieland ein, der aber riß den Mimung aus der Scheide, erschlug den Truchseß mit einem Streich und sah die Rücken der andern.

Dann ritt er vor des Königs Zelt, schwang sich aus dem Sattel und händigte Nidung den Glücksstein aus. Als er indes erzählte, was sich unterwegs zugetragen und daß der Truchseß ihm den Stein hatte abdrängen wollen, glaubte der König ihm nicht, und als Wieland bekannte, daß es zum Kampf gekommen sei, geriet Nidung außer sich. »Du hast mir den besten Freund erschlagen«, schrie er, »komm mir nie wieder unter die Augen!«

Wieland trat zurück. »Ist das dein Lohn, König?« murrte er. »Ist das ein Wort meines Herrn? Besinn dich, oder du wirst wenig Gefallen daran finden, daß du deine Ehre brachst.«

Nidung ergrimmte nur um so mehr. »Verrecken sollst du wie ein Dieb, wenn du dich nicht forthebst.« Da mußte Wieland in Schanden das Lager verlassen.

An jenem Tag stritt der König mit den Wikingern, die in sein Reich eingefallen waren, und siegte über sie. Unter großem Ruhm kehrte er heim und war mit seinen Taten zufrieden. Wo Wieland geblieben war, wußte niemand.

Friedlos irrte der Schmied durch Nidungs Land. Die Sehnsucht nach der Königstochter, die ihm verwehrt war, das Heimweh nach dem Leben bei Hofe und nach den Schmiedefeuern, aus denen die goldenen Ringe springen, ließen ihn nicht ruhen. Zur Rache trieben sie ihn, unheilig wurde ihm, was er verehrt hatte. Da schlich er sich verkleidet in des Königs Gehöft – auch auf die Kunst verstand er sich wohl – und verdang sich als Koch.

Als nun eines Tages die Schüsseln mit den Speisen vor den König und seine Tochter gebracht wurden, prüfte Baduhild wie oftmals mit ihrem Zaubermesser das gesottene Fleisch – es war ein Messer, dessen Griff klang, wenn sich etwas Unreines im Essen befand. An jenem Tag hörte sie einen warnenden Laut und sagte es ihrem Vater. Nidung wurde zornig, er hieß gleich nach dem Täter suchen, und weil die Häscher den alten Dienern trauten, nahmen sie den neuen Koch in Haft und führten ihn vor den König. Der erkannte Wieland, und der Schmied gab zu, daß er Gift in die Speisen getan habe.

Nidung war sich des Wortbruchs wohl bewußt, den er begangen hatte. »Du weißt, daß du den Tod verdienst«, sagte er, »aber um deiner großen Kunst willen werde ich milde sein. Ich will dich halten, als gehörtest du nicht mehr zu den Lebenden, sondern nur noch der Schmiede.« Dann befahl er, dem Gefangenen die Sehnen an beiden Füßen zu durchstechen, so daß er sich nur als Krüppel dahinschleppen konnte, befahl, eine Esse zu bauen, und fand es gut, daß er den kunstfertigsten der Menschen gefesselt und ein Recht über sein Leben hatte. Von Zeit zu Zeit ging er an Wielands Werkstatt vorüber und freute sich an den Kleinoden, die dem Schmied unter den Fingern wuchsen. »Herr«, sagte Wieland zu ihm, »ich bin mit allem zufrieden. Ich habe genug Böses getan, erst an Amilias, dann an dir; nun kann ich mich, solange ich lebe, nicht mehr von der Buße trennen.«

Nidung hörte die Worte der Reue und glaubte ihnen. Wieland

aber dachte allein an die Vergeltung. Maßlos war die Heimtücke und die Gier des Krüppels, sich an seinem Herrn zu rächen.

Drei Kinder hatte König Nidung, eine Tochter, um die viele Fürsten kamen, und zwei Söhne, die waren noch jung an Jahren. Eines Tages nun trollten die Knaben mit Pfeil und Bogen zur Schmiede; das Land war voll Schnee, als sie die Tür öffneten. Neugierig besahen die Brüder die Esse und das funkensprühende Werkzeug in Wielands Faust. Ob er ihnen auch Pfeilspitzen hämmern könne, fragte einer der beiden. »Ich darf nichts ohne eures Vaters Erlaubnis beginnen«, antwortete Wieland, »und habe Tag um Tag zu tun.« Dabei dachte der Schmied an seinen Haß, die Stunde der Vergeltung wurde ihm offenbar. »Wollt ihr, daß ich euch trotzdem helfe«, flüsterte er, »so müßt ihr vorsichtig sein und rückwärts schreitend in die Schmiede treten, sonst verraten mich eure Spuren, und man sucht euch bei mir.«

Nachts fiel Neuschnee vom Himmel. Im Morgengrauen kamen die Königssöhne, rückwärts schreitend, wie Wieland ihnen geraten hatte, und baten ihn, Pfeile zu hämmern. Da stieß der Furchtbare den Riegel zu, erschlug die Knaben und warf ihre Leichen in die Grube unterm Schmiedebalg.

Um die gleiche Stunde fragte der König nach seinen Söhnen, ihm hatte in der Nacht schlimm geträumt. Einige meinten, daß sie in den Wald gelaufen seien, um Wild oder Vögel zu jagen, andere glaubten, sie wären zum Fischen am Meer. Boten brachen auf, sie kamen auch zu Wieland und forschten nach den Vermißten; er sagte, die Knaben seien wohl da gewesen, seien aber zur Königshalle weitergegangen. Und die Leute sahen die Fußspuren, die die Schmiede verließen.

Dunkel war der Morgen und dunkel die Sorge über Nidungs Haus. Stunde um Stunde, viele Tage lang, ließ der einsame Vater nach seinen Söhnen rufen und klagte um sie. Freudlos wurde seine Halle.

Nach einiger Zeit hob Wieland die Leichname der Knaben auf, schuf aus den Schädeldecken zwei goldene Trinkschalen und sandte sie dem König. Das Gebein umkleidete er mit Erz und machte daraus Schlüssel und Kerzenhalter für seines Herrn Tisch; aus den Armknöcheln feilte er Messerknäufe. Entsetzlich war die Vergeltung Wielands und ohnegleichen unter den Menschen. Die Wildheit der Ahnin aus dem Wasser brannte in seinem Blut.

Einstmals auch spielte die Königstochter mit ihren Mägden im Garten des Königshofs. Dabei zerbrach ihr schönster Ring. Sie wagte es weder Vater noch Mutter zu erzählen und fragte eine Vertraute um Rat. »Ich will sehen, ob Wieland dir den Schaden behebt«, meinte das Mädchen. Es ging in die Schmiede und bat den Krüppel, den Reif auszubessern. »Ich schaffe nichts ohne den Auftrag des Königs.« – »Du könntest es seiner Tochter zuliebe tun«, antwortete die Magd, »sie möchte weder Vater noch Mutter wissen lassen, was mit dem Ring geschah.«

»Nur wenn Baduhild selbst hierherkommt, helfe ich ihr.« Da schlich sich die Königstochter heimlich zu Wieland und bat ihn, den Schaden am Ring zu heilen. Der tat sehr geschäftig und hieß sie warten. Er bot Baduhild auch einen Trunk. Es war aber ein Rauschtrank, der die Sinne verwirrt; Baduhild mußte es dulden, daß der Schmied sie zu seiner Gemahlin machte nach des Königs Auslobung.

Dann faßte der Mann den Ring neu, und er war köstlicher als vorher.

Um die Zeit traf es sich, daß Egil, des albischen Schmiedes Bruder, bei Nidung Dienst nahm. Er war ein Meisterschütze, deshalb hielt der König ihn in seinem Gefolge. Egil war aber auch ungebärdig gleich seinem Bruder. Einmal, als er gar zu laut mit seiner Kunst geprahlt und die Leute bei Hof aufsässig gemacht hatte, wollte Nidung ihn strafen; er ließ den Sohn des Schützen kommen, der war drei Jahre alt, befahl, ihm einen Apfel auf den Kopf zu tun, und verlangte vom Vater, daß er die Frucht treffe, nicht zu hoch und nicht zu tief. Einige der Männer baten den König um Schonung; Egil aber holte drei Pfeile aus dem Köcher, legte den ersten auf den Bogen und schoß. Wirklich fiel der Apfel in zwei Hälften auseinander.

Die Zuschauer rühmten den Meisterschuß, und auch der König lobte ihn. »Warum hast du drei Pfeile genommen, da du doch nur einen Schuß tun durftest?« fragte er den Schützen.

»Herr«, erwiderte Egil, »ich will nicht lügen. Hätte ich meinen Knaben mit dem ersten Pfeil getroffen, hätte ich dir den zweiten zugedacht. Sei gewiß, ich hätte mein Ziel nicht verfehlt.« Der König lachte über die Antwort.

Bald danach legte sich eine große Unruhe über Wieland; die Furcht vor der Rache Nidungs ließ ihn nicht schlafen. Er bat die Königstochter heimlich zu sich, und Baduhild kam. »Ich will keine andere zum Weib als dich«, sagte er zu ihr, »und du weißt, daß ich ein Recht darauf habe. Ich wünsche auch«, fuhr er fort, »daß es ein Sohn werde, den du gebierst. Wenn das Schicksal will, daß ich selbst ihn nicht mehr sehe, so gib ihm an, daß ich ihm Waffen geschmiedet und dort verborgen habe, wo das Wasser hinein- und der Wind hinausgeht.«

In der Folgezeit blieb Wieland in den Nächten wach, so sehr brach die Angst über ihn ein, immer glaubte er, daß seine Tat entdeckt sei. In seiner Not bat er seinen Bruder Egil, ihm viele Federn zu verschaffen, große und kleine, die knüpfte der Kunstfertige zu einem Fluggewand. Es sah aus wie das Federhemd eines riesigen Greifen.

Egil weilte bei ihm, als er mit dem Werk fertig war. »Laß mich's erproben«, verlangte der Neugierige.

»Du mußt dich gegen den Wind aufheben«, hörte er, »und mit dem Wind fallen lassen.« Der zweite Teil des Rats war falsch, Wieland fürchtete, daß der Bruder ihm das herrliche Kleid nicht zurückgeben würde.

Der Schütze versuchte das Federhemd, er wurde hochgetragen

wie ein rascher Vogel; aber als er zur Erde niederging, stieß er mit dem Kopf auf, so daß ihm dumm und schwindelig wurde. Da lachte der Schmied ingrimmig, schlüpfte selbst ins Kleid und schwang sich hoch in die Luft. Auf das Dach der Königshalle ließ er sich herab, und die Leute wunderten sich über ihn.

Auch Nidung trat auf das Geschrei aus der Halle, er sah Wieland und rief: »Bist du ein Vogel geworden, Schmied, ist das dein neuestes Wunder?«

»König«, antwortete Wieland, »ich bin ein fliegender und ein freier Mann zugleich. Niemals brauche ich mehr dein Erz zu hämmern. Zu einem Friedlosen machtest du mich, dem du die Tochter und dein halbes Reich schuldig bliebst. Glaubtest du, ich vergäße, was du mir angetan hast? So höre nur: Ich war es, der dir die Knaben nahm, aus ihren Häuptern hast du getrunken! Die Tochter raubte ich dir, König, sie trägt Wielands Kind. Nun ist die Fehde zu Ende, Nidung, gerächt ist dein Schmied. Nie wieder wirst du mich sehen!« Dann schwang der Fliegende sich hoch in die Luft, und der Wind faßte seine Flügel.

Die Leute erzählen, daß Wieland nach Seeland heimflog, wo die Höfe lagen, die sein Großvater Wade hinterlassen hatte, und daß Baduhild ihm folgte. Er wurde berühmt über alle Länder wegen seiner Kunst, die schier größer war als die der Menschen.

König Nidung aber starb vor Gram, und sein Reich verlor sich in den Stürmen der Kriege. Kein Erbe hielt es, und kein Feuer leuchtete in der Schmiede, in der Wieland gehämmert hatte.

Walther und Hildegund

Herr Etzel, König der Hunnen, machte sich einst mit einem gewaltigen Heer auf, um alle Welt seinem Reich zu unterwerfen. Schon huldigten ihm die meisten Völker, die man zu seiner Zeit kannte.

Als Etzel nun auch gegen den Rhein rückte, hörte König Dankwart von Worms von seinem Nahen; Flüchtlinge kamen und brachten Botschaft, daß die Feinde heranzögen, unzählbar wie die Sterne und wie der Sand am Meer.

Den reichen Dankwart war es leid um sein Volk und auch um seine Schätze; er hielt Rat mit seinen Freunden, und die sagten ihm, daß es besser sei, sich mit Etzel zu vertragen und ihm Geiseln zu geben, als ohne Hoffnung auf Sieg zu streiten, Land und Leute zu verlieren und für Frauen und Kinder den sicheren Tod zu gewinnen.

Den König dünkte der Rat gut, und weil sein eigner Sohn, Gunther, erst einige Wochen alt war, wählte er einen adligen Verwandten, den jungen Hagen aus dem Geschlecht der Tronjer, schickte ihn als Geisel mit reichen Schätzen an König Etzels Hof und bat um Frieden.

Das Angebot gefiel dem Hunnen, er nahm es an und zog an der Stadt Worms vorüber. Dafür brach der wilde Schwarm seiner Völker jetzt gegen das nächste Reich vor. Die Erde dröhnte vom Schlag der Hufe, und der Staub verdunkelte den Tag, so groß war die Macht der Hunnen; bis unter die Kimmung scholl das Klirren der Waffen, wie Wälder ragten die Speere gen Himmel, wo das Heer rastete.

Nun herrschte weiter nach Westen zu ein Frankenkönig, Herrich mit Namen. Er hatte eine einzige Tochter, Hildegund, die sollte einstmals Erbin seines Reiches werden. Volk und König wiegten sich in Frieden, bis jäh auch bei ihnen die Hörner der

Wächter vom Turm bliesen und fernhin Staubwolken aufstiegen und Waffen und Speere aufglänzten. Schnelle Boten kamen von König Dankwart und verkündeten Herrich, was sich am Rhein zugetragen habe und mit welcher Macht die Hunnen die Länder durchzögen.

König Herrich rief eilig seine Heermannen zusammen und fragte, ob sie wohl glaubten, den Hunnen widerstehen zu können; auch seine Ratgeber versammelte er. Als die hörten, was in Worms geschehen war, rieten sie ihrem König zum Frieden und meinten, man werde das Reich nicht schirmen können. Der König wurde traurig. Er wußte, was die Männer von ihm erwarteten, daß er nämlich sein einziges Kind, die Freude seines Alters, hergäbe; niemand sprach ihn davon los, als er fragte.

Da nahm Herrich sein Töchterchen und seine Schätze und ritt zu dem Hunnen, um Frieden für sein Volk zu erbitten. Aber mehr als der Verlust seines Goldes und allen edlen Gesteins schmerzte ihn, daß er Hildegund, seiner Augen Freude und Trost, als Geisel lassen mußte. Er wußte nicht, ob er sie je wiedersehen würde.

Als er nun auch König Herrich zum Frieden gezwungen hatte, zog Herr Etzel weiter nach Westen und fiel in die Reiche der Westgoten ein. König Alphart war der erste, auf den er traf. Er herrschte über das Waskenland, das auch Aquitanien hieß, und war berühmt wegen seines edlen Sinnes und wegen seines Reichtums. Einen Sohn besaß er, Walther mit Namen, den hatte er schon früh der Tochter König Herrichs angelobt; aus zwei Reichen sollte einmal ein einziges werden.

König Alphart erfuhr, daß die Hunnen anritten, er hörte auch, wie es den Burgunden und Franken ergangen war, und verlor allen Mut. »Was frommt es, zum Kriege zu rüsten«, klagte er, »wenn Stärkere sich nicht zu schützen vermochten? Soll ich allein des Siegers Wege sperren? Boten will ich an König Etzel schicken und ihm mein einziges Kind geben, damit er mein

Volk in Frieden läßt.« Er sandte den jungen Walther als Geisel zu den Hunnen, dazu alle Schätze, die er besaß. Mit unermeßlicher Beute beladen, zogen die fremden Völker aus seinen Marken und kehrten zur Donau heim. Sie freuten sich der ohne Streit errungenen Siege, sie freuten sich auch über die edlen Geiseln, Hildegund, Hagen und Walther.

Etzel unterließ nicht, für die gefangenen Kinder gut zu sorgen. Er pflegte die Knaben, als seien sie sein eigen Fleisch und Blut, und gab Hildegund seiner Königin, Frau Helke, in Hut. Alle Künste des Friedens lehrte er die beiden Fürsten und noch mehr den raschen Hieb und Stoß in der Schlacht. Bald sah man die Jünglinge wachsen an Kraft und adligem Sinn. Nicht viele Hunnen wußten ihnen im schnellen Wort gleichzukommen, noch ihnen im Ringen zu begegnen. Schon zog Etzel die beiden seinen eignen Leuten vor, er ernannte sie zu Scharmeistern, und es war auch an dem, daß kein Feind ihnen widerstand, wenn sie für den König in den Kampf ritten.

Hildegund erlangte Frau Helkes Gunst und wurde ihr unentbehrlich durch Fleiß und Treue. Sie wartete nicht mehr auf ihrer Herrin Geheiß, Helke vertraute ihr vor allen Frauen die Schlüssel an und ließ sie des Kämmerers Amt verwalten. Wie eine Königin durfte Hildegund schalten und schaffen. Aber alle Freundlichkeit hinderte nicht, daß sie unter den Hunnen eine Fremde blieb und daß sie sich durch den Eid ihres Vaters dem jungen Walther von Waskenland verbunden fühlte.

Als nun viel Zeit vergangen war, starb König Dankwart von Worms, und sein Sohn, der junge Gunther, bekam die Krone. Dem gefiel es nicht, den Hunnen weiterhin Zins zu schicken, er nahm sich vor, den Vertrag des Vaters zu kündigen. Hagen an Etzels Hof erfuhr davon, ihn verlangte sehr nach der Heimat; an einem frühen Morgen entfloh er.

Hagens Flucht machte der Königin Helke viel Sorgen, sie riet Herrn Etzel, sich vorzusehen, damit nicht auch der andere seiner Heerführer ihn verließe. Die Stärke der Hunnenmacht sei

Walther, warnte sie, und des Freundes Beispiel könnte ihn verleiten. »Sprich mit ihm«, empfahl sie ihrem Gemahl, »rufe ihn,
lobe ihn und mahne ihn an alles, was er hier empfing und gewann. Sag ihm, zum Lohn für seine Dienste dürfe er eine der
jungen Fürstinnen wählen, mit einem Herzogtum wolltest du
sie ausstatten. Wenn er erst eine Hunnin zum Weib hat, wird
Herr Walther bei uns bleiben.«
Der König tat, wie ihm Frau Helke geraten hatte, er ließ Walther kommen und erlaubte ihm, unter seinen Fürstinnen zu
wählen. Der junge Degen vergaß nicht, daß Hildegund und er
einander versprochen waren, er war klug und überlistete seinen Herrn. »Ich habe soviel Lohn noch nicht verdient«, sagte er
zu Etzel. »Wer erst sein Haus bestellt und hinterm Pfluge geht,
vergißt gar zu leicht den Weg zu Hofe. Wenn die Welt eines
Tages meinem König gehört, werde ich wohl die rechte Gemahlin und auch die Zeit finden, ihr zu dienen.«
Um die gleiche Stunde kam Botschaft, daß ein Grenzvolk im
Osten sich in Waffen gegen König Etzel erhoben hätte. Die
Kunde gefiel Herrn Walther, er musterte seine Scharen,
nannte die Männer bei Namen, die früher unter ihm gefochten
hatten, und sprengte schon bald vor den Rittern her ins wilde
Feld. Noch einmal heftete er den Sieg an die Fahnen seines Kö-
nigs. Während die Gere blitzten, die Pfeile wie Flocken im
Wind flogen, brach sich Herr Walther eine breite Gasse und
mähte zur Rechten und zur Linken nieder, was ihm nahe kam.
Da nahmen die Feinde die Schilde auf den Rücken und flohen;
singend, unter wehenden Fahnen, kehrten die Recken heim.
Des Siegers Stirn war mit grünem Laub umkränzt; seine Mannen hatten sich mit Reisern und Maien geschmückt, so daß es
schien, als wanderte ein Wald die Straße zur Burg hinauf.
Um die erste Tagesfrühe trat Herr Walther in Etzels Haus. Er
wollte ihm den Sieg melden, fand aber nur Hildegund in der
Halle. Das Mädchen grüßte ihn, füllte Wein in einen Becher
und bot ihn dem Reiter.

Ohne Zeugen standen die beiden im Königssaal einander gegenüber. »Wir Heimatlosen«, sagte da Herr Walther, »wir, die die Fremde hält, warum schweigen wir voreinander? Haben wir nicht das gleiche Leid um unsere Eltern, sind wir nicht Verlobte nach unserer Väter Willen? Kaum je hast du mir ein Wort vergönnt, Hildegund, nie hat dein Mund von Liebe gesprochen. Würde es nicht unsere Einsamkeit mildern, wenn wir einander trösten dürften?«

Leiser sprach Herr Walther und zog die Schöne zu sich. »Mich ekelt der Prunk dieses Hofes. Mit Hagen hätte ich fliehen können, Hildegund. Aber wie sollte ich das Hunnenland lassen ohne die Braut? Bist du kühn genug«, fragte er, »die Flucht mit mir zu wagen?«

Da wurde Hildegund demütig. »Ich heische nichts anderes zu tun, als was du willst, ob's zum Tode geht, ob in die Freiheit. Ich lebe dir allein, mein Liebster, und meine, es wäre auch nicht schwer, mit dir zu sterben.«

Mit Mund und Hand verbürgten sie's einander.

Herr Walther war klug; er lud die Hunnen, Herren und Knechte, zu einer großen Siegesfeier in sein Haus. Mit Sammet ließ er die Halle behängen, mit Seide und Purpur wurde der Hochsitz Etzels und Frau Helkes beschlagen.

Er selbst empfing die Eintretenden; bald saßen die Geladenen nach heimischer Sitte an hundert kleinen Tischen. Diener eilten mit den Schüsseln ein und aus und reichten den Gästen Speisen und köstliche Weine. Das Gold der Becher glänzte auf den weißen Decken.

Als das Mahl beendet war, beurlaubten sich die Frauen, und Herr Walther ließ Ungarwein auftragen. Als erster nahm er selbst einen gewaltigen Humpen, in den die Sagen alter Zeiten eingegraben waren, füllte ihn und bot ihn dem König. »Seid der Väter würdig, Herr«, lachte er. »Sie haben kein Gelage beschlossen, ohne daß diese Kanne die Runde gemacht hätte; jedeiner leerte sie bis zum Grund. « Herr Etzel wagte nicht, den Trunk abzulehnen; leicht wurde der Humpen, schwer wurde das Haupt des Königs. Auch die Köpfe der Recken sanken bald auf die Tische, als der Krug die Runde gemacht hatte; manch einer, der fest im Kampfe stand, sang oder weinte, manch edler Greis lallte unter dem Dunst des Weines wie ein Kind. Selbst die Diener und Wächter feierten mit; da war kaum einer, der noch seiner Glieder sicher schien.

Der kluge Wirt ließ die Herren bis in die tiefe Nacht zechen. Höflich geleitete er jeden der scheidenden Gäste bis zur Tür; den anderen aber, die zu trunken waren, um sich vom Tisch zu erheben, befahl er, den Schlaf bequem zu machen. Auch Herrn Etzel, der sonst jedem Becher standhielt, war das Haupt auf die Brust gesunken.

Stiller und stiller wurde es im weiten Saal, einsam schritt Walther im Kerzenschein zwischen den Schläfern. Dann verließ er die Halle.

Im Hof wartete Hildegund, sie brachte aus Etzels Kammern das Beste von dem, was die Väter den Hunnen einst an kostbaren Steinen und Ringen hatten spenden müssen. Schon zog der Gote sein gutes Pferd aus dem Stall; es wieherte hell beim Aufzäumen, meinte wohl, es solle seinen Herrn zu neuem Streit tragen. Statt dessen mußte es zwei Schreine mit Schätzen und Reisegut auf den Rücken nehmen. Dann wappnete sich Walther, schloß die Schienen um die Schenkel, warf den rotbebuschten Helm über und gürtete das lange Schwert und den kurzen Saß. Die Wächter schliefen, und die Recken König Etzels schnarchten. Lautlos führte Hildegund das stolze Roß – es hieß der Leu wegen seiner goldgelben Mähne – aus dem Königshof über die Brücke.

Die Flüchtigen durchwanderten die erste Nacht, sie suchten in der Frühe ein Waldversteck auf und schlummerten über Tag. Und das treue Roß wachte über sie.

Als Herr Etzel in der Frühe des Fluchttages die Lider auftat, war ihm der Kopf wie Blei so schwer. Stirn und Schopf hielt er mit beiden Händen, hob sich vom Hochsitz und verlangte nach Herrn Walther. Noch ehe der Diener aussenden konnte, kam Frau Helke, sie wollte ihrem Gemahl klagen, daß Hildegund nicht aufzufinden sei. Jeden Morgen hatte die Junge ihr die Kleider gebracht, ach, aber heute habe sie ihre Königin warten lassen. Beim Eintreten hörte Frau Helke Etzel und die Seinen nach Walther rufen; da wußte sie, was sich begeben hatte, und verwünschte das Fest. »Hätten wir nie seinen Wein getrunken, hätten wir uns nie von ihm zum Mahl laden lassen!«

König Etzel aber klagte um seinen besten Feldhauptmann; er raufte sich das Haar, er zerriß seinen Rock und wollte nicht essen noch trinken. Ruhelos wachte er in den Nächten, die alle Müden mit ihrem Schlummer bedecken; im Dunkel wanderte er durch die Säle der Burg, rief nach Walther oder versprach, den, der ihn lebend oder tot heimbrächte, in Gold einzuhüllen. Aber von seinen Degen wagte keiner, Herrn Walther zu verfolgen. Niemand, das wußten sie, vermochte den Schwertgewaltigen zu überwinden, auch war keine Schar groß genug, um den Listigen in den Bergen aufzuspüren. Vergeblich waren König Etzels Schwur und Auslobung; die Hunnen blickten einander mit Schweigen an; böte Etzel goldene Berge, keiner würde Herrn Walther nachreiten.

Durch viele Wälder ging der Weg der beiden Flüchtlinge. Sie mieden die Dörfer und das bebaute Feld; pfadlose Dickichte suchten sie auf und trugen manch Ungemach um ihrer Heimat willen.

Nach vierzehn Tagen stiegen sie vom Odenwald zum Rhein hinab. Jenseits des Stroms lag, dunkel gegen das letzte Abendrot, die Stadt Worms, in der König Gunther gebot. Ein Ferge setzte sie über, dem gab Herr Walther als Fährlohn zwei seltene Fische, die er oben in den Waldseen gefangen hatte.

Als in der Frühe nun der Ferge die Fische dem Küchenmeister des Königs feilbot, ging König Gunther vorbei, sah die Männer beim Handel und wunderte sich über den Fang. Da erzählte der geschwätzige Schiffer, daß er am Abend zuvor einen hohen Wanderer mit Schild und Spieß, mit Roß und Wehr übergesetzt hätte. Ein Mädchen sei bei ihm gewesen; das hätte zwei Reiseschreine gehabt, in denen es wie eitel Gold und Edelstein geklungen habe. Hagen von Tronje kam hinzu, er forschte nach dem Aussehen des Fremden und wurde froh. »Freu dich mit mir, König«, rief er, »Walther, mein Gesell, ist den Hunnen entflohen. Wir wollen ausreiten und ihm Glück wünschen.«

»Ausreiten wollen wir wohl«, murrte der König, »aber vielleicht sind die Schätze mein, die Herr Walther führt? Meines Vaters Zins wird es sein, den er den Hunnen gesandt hat. Warum reitet er sonst heimlich durch unser Land? Aus dem Stall die Hengste, ihr Knappen! Zwölf meiner Besten sollen mich begleiten!«

Hagen erschrak, er dachte der alten Treue zu Walther und hoffte, den König von seinem Plan abzubringen. Sein Wort war indes vergeblich; Gunther befahl ihm, bei seiner Mannespflicht zu reiten, und prahlte schon von den Kleinoden, die man gewinnen würde.

Walther und Hildegund hatten inzwischen den dichten Wasgenwald erreicht; in einer Schlucht zwischen zwei Bergen rasteten sie zur Nacht. Sie waren fröhlich und priesen ihr Geschick, das sie glücklich bis über den Rhein gebracht hatte; zum erstenmal wagte es Herr Walther, den Harnisch loszuschnallen. Bis weit über die Mitternacht hielt er Wache, dann rief er Hildegund. Lang saß die auf dem Wasgenstein, während ihr Vertrauter schlummerte. Waldtäler lagen voll Friedens unter ihr. Im Osten graute der Tag, schon wurden die Sterne blasser.

Währenddessen war König Gunther auf die Spur des Tragtieres

gestoßen, er fand auch die Schritte der beiden Eilenden im Moosboden des Waldes und trieb die Freunde an. Hildegund sah die Fremden, sie erschrak und berührte den Schlafenden. »Kommt ein Gast?« fragte er traumbefangen. »Eine Schar Gerüsteter naht, erhebe dich, Walther!« Sie umfaßte seine Knie: »Wenn's die Hunnen sind, so gib mir den Tod, ehe ich ihnen in die Hände falle.«

Er versuchte, ihr die Furcht zu nehmen. »Das sind die Hunnen nicht!« Schon erkannte der Spähende die Helmzier der Männer. »Hagen ist unter ihnen, mein alter Gesell will mich grüßen. Die Wormser kommen, die Herren des Wasgenwaldes!« Froh trat er vor die Pforte der Felsenburg, da sah er das Eisenkleid der Reiter schimmern. »Noch glaube ich nicht, daß sie zum Kampfe kommen«, tröstete er Hildegund, »und wär's an dem, so fürchte ich nur einen, den Freund an Etzels Hof.«

Die Verfolger hatten Herrn Walther jetzt erspäht und hielten die Pferde an. Herr Hagen rief sie ingrimmig zurück; noch einmal mahnte er: »Ich kenne Walther im Kampf, mein König; trau mir, es ist nicht leicht, ihm den Hort abzujagen. Ich weiß, wie stark sein Schild ist und wie seine Waffe Helm und Harnisch schneidet.«

Herr Gunther blieb taub. »Bedenke«, warnte Hagen, »nicht mehr als einer kann in dieser engen Schlucht kämpfen. Ach, vielleicht läßt er dir freiwillig seine Schätze.«

Der König gab nach, er sandte Herrn Ortwein von Metz und befahl, den Fremden nach seinem Weg zu fragen. »Wollt ihr es wissen und ist es der Brauch«, spottete der junge Held, »so melde deinem Herrn, zwei Geiseln kehrten vom Hunnenland heim. Ich sei Walther der Gote und bäte um Frieden und Geleit für meine Verlobte Hildegund und mich.«

Herr Ortwein hörte ihn an. Er forderte, daß der Flüchtige dem König Roß und Mädchen und die zwei Schatzschreine zusende, dann werde man ihm den heimlichen Ritt durchs Land verzeihen.

»Dein König verlangt, was er nie besaß«, antwortete Walther. »Sag ihm, daß ein Schwert zwischen ihm und dem stünde, was mein eigen ist.« Als er so sprach, dachte Herr Walther an Hagen, seinen Freund. »Weil ich aber Frieden haben will«, fuhr er fort, »biete ich König Gunther hundert Spangen; das sei mein Zins dafür, daß ich durch sein Erbland ritt. Oder sag ihm, ich brächte sie ihm aus König Etzels Raub.«

Hagen hörte die Antwort, er beschwor den jungen Gunther, Herrn Walther freundlich einzuladen.

»Du gleichst deinem albischen Vater, Hagen«, schmähte der König. »Der wußte auch mit schönen Gründen den Kampf zu vermeiden.«

Das Wort war Hagen leid. »So versucht's, ihr Herren«, schrie er grimmig, »ich riet euch ab! Keinen Anteil will ich an eurem Raub.« Er sprang vom Pferd und setzte sich abseits der Freunde auf einen Stein.

»Beginne«, befahl Gunther Herrn Ortwein von Metz, »gibt er den Schatz nicht her, nimm dir die Beute!«

Die Rede war guten Mutes, er ritt den Feind an und schleuderte den Speer. Walther fing ihn mit dem Schild auf und sandte die Waffe zurück; sie zerschmetterte des Gegners Wehr und heftete seine Hand, die nach dem Schwert greifen wollte, an das Roß. Das wunde Tier bäumte sich und warf Herrn Ortwein ab; schnell war der Gote heran und brachte ihm den Tod.

Der Neffe des Erschlagenen klagte laut und lief den Gegner an. Die Gesellen wollten ihm folgen, doch war das Felsentor zu eng, sie mußten ihm den Kampf lassen. Zwei Speere schleuderte der kühne Jüngling auf Herrn Walther, aber der schüttelte sie aus dem Schild und warf den Anlaufenden zu Boden. Es tat ihm leid, daß er dem jungen Recken das Leben nehmen mußte. – Der Bogenschütze Werinhard sprang vor, er verschoß sausende Pfeile, blitzschnell. Der Gote fing sie lachend auf; als der Schütze seinen Köcher geleert hatte, durchbohrte Walther ihn mit dem Speer.

Auf scheckigem Wallach sprengte Herr Eckefried aus Westfalen heran. »Du Schelm, du Luftgebild«, schrie er, »nun will ich sehen, ob du Leib und Blut hast oder ein Spuk bist, der in der Wildnis aufleuchtet!«

»Wenn ich dir ein Skelm skeine«, spottete Walther, »so versuch's!« Den furchtbaren Speer fing er auf, der war so gewaltig geschleudert, daß sich die Spitze im Schild bog. Mächtiger noch warf der Gote, sein eigener Speer stach den Gegner durch Schildrand und Panzer, so daß Eckefried sterbend vom Roß ins Gras sank.

König Gunther sah wohl, daß es Ernst für ihn und die Seinen wurde. Herr Haduward bat um den Kampf; er war nächst Hagen der stärkste der Hofmannen. »Laß mir den Schild Walthers, wenn ich gewinne«, verlangte der Recke heftig; die bessere Wehr des Gegners schien ihm der Grund, daß tapfere Männer hatten umkommen müssen. Aus dem Bügel sprang er und ging den Feind mit dem Schwerte an; der Wald dröhnte und scholl, wie wenn eine Eiche niederkracht. Stark wie der Sturmwind waren die beiden Helden, der Fels leuchtete vom Blitz ihrer Waffen. Mit einem gewaltigen Schlag versuchte Haduward, dem Gegner das Haupt zu spalten; Herr Walther aber zerhieb ihm die Klinge in der Luft, singend flog sie ins Gebüsch. Dann traf er Haduward. »Nimm den Schild«, rief der Gote und warf seine Wehr über den Sterbenden. »Hier hast du, was Gunther dir als Beute versprach.«

Hagen saß abseits des Streits, er grollte dem König, der seines Vaters Ehre verwundet hatte. Da drängte sich seiner Schwester Sohn, der junge Patefried, zum König und bat ihn, den Kampf bestehen zu dürfen. Klagend sprang Hagen auf und versuchte ihn anzuhalten. »Auch dich, blühender Knabe, opfert Gunther«, schrie er. »Was soll ich deiner Mutter sagen, was treibt dich aus dem Leben?« Tränen fielen ihm auf Brust und Schoß, er packte des Neffen Arm, aber der rang sich los.

Herr Walther hatte den Schmerz seines Schwurbruders gesehen, er hätte den Jüngling gern geschont. Den Speer, den ihm der Ansprengende entgegenwarf, ließ er durch eine Wendung des Schildes abgleiten; die Waffe fuhr aber in die Schlucht ein und drang vor Hildegund in den Rasen. Die schrie auf, als hätte das Eisen sie versehrt; Walther hörte es, er sprang erschrocken vor und rief den Tod über den Feind. Herwig, Patefrieds treuer Freund, folgte dem Blutsbruder. Er wie auch der starke Randolf, der Dritte im Schwurbund der Jungen, mußte seine Kühnheit mit dem Leben büßen.

Nun waren außer Hagen und Gunther nur noch wenige der Recken übrig; Helmnot war unter ihnen, der einen eisernen Dreizack mit Widerhaken zu schleudern wußte. Lange Ketten waren daran geschweißt, mit ihnen riß er dem Feind, wenn die Haken sich im Schild verbissen hatten, die Wehr aus den Händen. Wirklich gelang es Helmnot, mit einem furchtbaren Wurf den Dreizack in des Goten Schild zu bohren. Dann zog er an der Kette und rief die Freunde. Der König selbst half; mit vier Mannen versuchten sie, Herrn Walther die Wehr aus dem Arm zu reißen. Der Gote hielt stand; die Füße gegen einen Fels gestemmt, sah er zu, wie die Feinde schleppten und sich mühten. Dann, jäh, ließ er den Schild fahren, so daß die Männer ins Gras stürzten, rannte hinzu und trug den Tod so furchtbar unter sie, daß nur Herr Gunther entkam.

Sechs ledige Rosse trieb Walther vom Waskenland in die Schlucht.

Der König von Worms war einsam geworden; Trauer und Grimm um die toten Freunde bewegten ihn. Bittend trat er zu Hagen, der abseits des Kampfplatzes grollte, und drängte ihn, es gegen Walther zu versuchen. Er sei der einzige, der es vermöge, sonst würden die Burgunden für immer in Unehren heimkehren.

»Sagtest du nicht, ich wüßte gleich meinem Vater dem Kampfe auszuweichen«, drohte Hagen. »Ach, welchen Kummer hat uns dein falscher Mut angetan. Hättest du auf meinen Rat gehört!«

Herr Gunther ließ nicht nach. »Vergib, was ich ohne Bedacht geredet habe; ich will dir mein rasches Wort mit Burgen und Städten bezahlen.«

Hagen antwortete nicht. In seinem Herzen wogte es hin und her. Die Treue, die er dem Jugendfreund zugeschworen hatte, stand wider die Treue zu seinem Herrn. Noch einmal flehte Gunther, aber der Tronjer blickte nur finster vor sich hin. Seines Königs schämte er sich und hatte den Gotenfürsten lieb. »Denk mit mir an die toten Genossen. Erinnere dich deines Schwurs«, flehte Gunther von Worms und sank vor dem Lehnsmann in die Knie.

Da endlich erhob sich der Tronjer. »Des Königs Ehre ist mehr als mein Leid«, dachte er. »Ich muß ihm folgen.«

Die Klugheit brach in ihm durch. »Glaube nicht, daß wir Herrn Walther in dieser Schlucht überwinden, wir müssen warten, bis er die Felsen verlassen hat.« Gunther schloß Hagen in seine Arme; ihm war zu Sinn, als böte ihm der Freund erst heute den Bund der Treue an.

Walther sah die Wendung, er sah sie an der Umarmung des Königs, und ihm wurde ernst zumut. Bis zum Abend wartete er auf die Gegner, aber die Männer kamen nicht.

Da glaubte er, daß Hagen und der König nach Worms geritten seien, um neue Kämpen zu holen. Es schien ihm feig, sich ohne Frieden von dannen zu machen, stolz blieb er auf der Höhe, versuchte, die Straße zu verbauen, und trat noch einmal zu den Toten, die, so wie sie gefallen waren, unterm Felstor lagen. Erde streute er über sie, kniete nieder, das Antlitz gen Osten gewandt, und bat Gott, der alles weiß und sieht, ohne dessen Willen auf Erden nichts geschieht, ihm zu gewähren, daß er die Toten im andern Leben verjüngt wiederschauen und ihnen Genoß sein dürfe.

Die Nacht sank. Herr Walther trieb die Pferde zusammen und

löste die Rüstung. Abwechselnd mit der Geliebten hielt er die Wacht am Wasgenstein. Als der Tag graute und noch vorm ersten Sonnenlicht ein kühler Tau die Gräser netzte, belud er die Rosse und ritt mit der Braut gen Westen.

Sie waren kaum tausend Schritt weit, das Feld wurde licht und weitete sich, da gewahrte Hildegund, daß zwei Männer ihnen in eiligem Trab folgten. Sie riet zur Flucht, Walther aber wies sie an, mit den Rossen in den Wald einzureiten, und stellte sich den Gegnern.

»Du Tor«, schrie Gunther, »der du die sichere Höhle verließest, jetzt kommt deine Stunde.«

Walther antwortete ihm nicht, er sah nur den Tronjer. »Was stahl mir deine Freundschaft, Bruder«, fragte er, »was tat ich dir zuleide?« Und nach einer Weile: »Ich hätte wohl gedacht, daß du mir mit dem Freundeskuß entgegenkommen, daß du mich in dein Haus laden würdest. Viel fremde Lande durchstreifte ich; zu Worms, so meinte ich, fände ich keinen Feind, solange Hagen lebt. Reich mir die Hand, Eidbruder; an unsere Jugendspiele denke ich, an unsere Kinderfreude. Wenn wir gegeneinander kämpfen sollen, so wäre es besser, wir hätten uns nie gesehen!«

Hagen erwiderte nicht gleich, die Antwort wurde ihm schwer. »Du hast mir den Neffen erschlagen, Walther«, sagte er dann und zwang sich zum Grimm. »Jetzt muß ich in Ehren sterben oder ernten von deinem Tod.«

Von den Rossen sprangen die Herren und schritten hinter ihren Schilden gedeckt gegeneinander, zweie wider den einen. Herr Hagen warf den Speer als erster, gleich nach ihm König Gunther. Walther fing beide, er ließ einen an seinem harten Schildrand abgleiten und schüttelte den zweiten aus dem zerspellten Holz. Näher drangen die Männer; noch hielt Walther die Gegner auf Lanzenweite. König Gunther versuchte, seinen eignen Speer vom Boden aufzuheben, er hoffte damit rascher zu bestehen. Als er nach ihm griff, trat Walther das Eschenholz nieder, so daß der König stolperte. Blitzschnell hieb der Gote zu. Hätte Hagen den Schlag nicht abgefangen, sein König wäre des Todes gewesen.

Härter wurde der Kampf, schwer ging der Atem der Männer. »Ich will's zu Ende bringen«, dachte Walther und entließ jäh den Speer aus der Faust; in des Tronjers Eisenkleid blieb er stecken. Hurtig, mit entblößtem Schwert, setzte der Held der Waffe nach, hieb Gunthers fangenden Schild zur Seite und traf des Königs Schenkel. Gleich hob er die Klinge, um ihn zu töten, da warf Hagen sich dazwischen; mit dem harten Helm hielt er den Streich auf, so daß Walthers Schwert zersprang.

Der Waffenlose schleuderte das Heft zornig dem Tronjer entgegen, und der erspähte sofort den Augenblick der Schwäche und traf des Goten ungedeckte Hand; schon glaubte er gewonnen zu haben. Noch schneller aber gelang es Walther, den blutenden Stumpf der Rechten in den Schildrand zu schieben und mit der Linken das kurze Schwert aus dem Gürtel zu reißen. Als Hagen gegen ihn vorstürzte, wußte der Gote sich schon wieder so gut zu wehren, daß der unbesiegte Tronjer Auge und Zahn verlor.

Da waren nun alle drei des Kampfes nicht mehr mächtig. Sie mußten sich ausruhen, gleichwie Gewitter, die einander begegnen, zusammenprallen und der Blitze müde werden. Mit Blumen trocknete Herr Gunther den heißen Bach seines Blutes; bald kam Hildegund und half den Feinden, die einst Freunde gewesen waren.

»Nun werden die Goten wohl gleich ihrem König linkshändig zur Jagd reiten«, spottete Hagen.

»Ich werde nach einem Königreich der Blinden ausschauen«, erwiderte Walther, »sie werden den Einäugigen zum König wählen.«

Die schöne Hildegund versöhnte die Streitenden, sie schenkte Wein aus zum Lindern der Wundschmerzen. »Biete ihn Hagen zuerst«, verlangte Walther, »dann mir. – Aber Herrn Gunther zuletzt«, grollte er. »Zu viele haben für ihn streiten müssen, zu kurz war sein eigener Kampf.«

Hagen trank indes nicht, ehe nicht Walther vor ihm den Becher an die Lippen geführt hatte. Er klagte über die Toten der Wasgenschlucht, und die Männer wurden ernst. Sie erinnerten einander auch an das, was sie in der Jugend gesprochen hatten, und es schien ihnen besser, dessen zu gedenken und versöhnt voneinander zu scheiden.

Dann hoben sie König Gunther aufs Pferd, sein Freund Hagen brachte ihn heim. Die schöne Hildegund aber ritt mit Walther gen Westen in ihres Vaters Reich.

Hochzeit feierten zwei Völker miteinander; mehr als dreißig Jahre herrschten die beiden Flüchtlinge aus dem Hunnenland über die Lande ihrer Väter, über Franken und Goten.

Und wenn meine Sage hier auch ein Ende hat, so lebt doch ewig, so weit man von Helden singt, der Ruhm der Königskinder Walther und Hildegund und das Lied vom Kampf des Gotenkönigs im Wasgenwald.

Jung Siegfried

In Xanten am Rhein herrschte einst ein König, Siegmund mit Namen. Er war ein mächtiger Fürst über viele Reiche.

Siegmund war einsam geblieben, und weil seine Freunde sich um das Land Sorge machten, sandte er eines Tages zu König Nidung von Spanien und ließ fragen, ob er ihm seine Tochter Sieglinde zum Weib geben wolle. Nidung nahm die Boten gut auf, er sagte auch, daß er von König Siegmund viel Rühmens gehört hätte, daß er seine Tochter aber nicht in ein unbekanntes Reich noch zu unbekannten Herren reisen lasse. Siegmund möge selbst kommen und werben.

Da brach der König mit vierhundert Rittern auf und wurde festlich empfangen. Und Nidung verlobte ihm seine Tochter.

Als nun die junge Sieglinde als Königin in Xanten Einzug gehalten und im Kerlingervolk – so nannten sich die Leute am Niederrhein – schon viel Freunde gewonnen hatte, kam Botschaft von Siegmunds Schwestermann; er ließ sagen, daß er eine Heerfahrt nach Osten unternehmen müsse und daß er in Bedrängnis sei. König Siegmund konnte ihm die Hilfe nicht abschlagen, er befahl den Großen seines Reiches, nach vier Nächten zu ihm zu stoßen, und berief inzwischen seine Ratgeber zu sich, die Grafen Hartwin und Hermann. Und er besprach seine Sorgen und vertraute ihnen sein Weib, seine Reiche und sein ganzes Gut an. Er gebot den beiden aber, vor allem nach dem Willen der Königin zu handeln.

Dann führte Siegmund sein Heer gen Osten, und bald trafen manch gute und auch manch böse Nachrichten von jenem Feldzug ein.

Nach einiger Zeit wurden die Reichsverweser von ihrer Macht trunken. Hartwin, dem die schöne Sieglinde gefiel, ging eines Tages zu ihr und sagte: »Wer weiß, ob der König zurückkehrt.

Ich bin nicht schlechter als er, ich werde sein Reich für mich gewinnen und dich zur Königin begehren.«

»Wie wagst du mir das zu bieten«, zürnte Sieglinde. »Und wenn du die halbe Welt besäßest und Siegmund wäre ein geringer Mann, ich wollte niemanden als ihn.«

Da ging Hartwin hin und gewann seinen Gesellen Hermann für seinen Plan. Er erzählte auch, was die Königin beim erstenmal geantwortet hatte, und brachte Hermann dazu, ihm mit seinem Rat zu helfen. Sieglinde aber dachte an das Kindlein, das sie von ihrem Gemahl erwartete, sie bedrohte den Versucher, und die Ritter vermochten ihre Treue nicht zu brechen.

Wieder nach einiger Zeit wurde ruchbar, daß Siegmund heimkehrte. Die Grafen fürchteten, daß Sieglinde ihre Anschläge verraten und daß man sie beide für ihre Untreue strafen würde. Sie ritten deshalb dem Heer entgegen, und weil der König sie freudig empfing und gleich nach dem Land und nach seiner Gemahlin fragte, erzählte erst der eine und danach der andere: »Herr, wir möchten dir Gutes berichten. Aber wir dürfen dir nicht verhehlen, daß, als du kaum ausgeritten warst, dein Weib, unsere Königin, ein schlimmes Leben mit einem Knecht begann. Und sie hat gedroht, uns zu verleumden, wenn wir nicht verschwiegen wären. Wir kommen, es dir zu sagen.«

König Siegmund hörte die Männer an, denen er vertraute, er ergrimmte vor Scham und Leid und beschloß, seines Weibes Untreue mit dem Tod zu strafen. Die Grafen taten, als hätten sie Mitleid; sie rieten, der Königin Zunge verstummen zu machen und sie in einem finsteren Wald auszusetzen. Da gab der König ihnen die Macht dazu.

Sieglinde wartete unterdes voll Freude auf die Heimkehr der Boten, schon blickte sie vom Burgfried in die Weite und horchte auf alles Pferdetraben. Als die Verräter kamen, war sie froh, glaubte ihnen auf ihr Wort und rüstete sich, als die Grafen ihr sagten, daß sie dem König entgegenreiten solle.

Einen weiten Weg ritt sie voll guten Mutes mit den Herren, und erst als der Wald dichter und der Fluß zur Seite immer wilder wurden, begriff die Königin, daß man sie verlockt und getäuscht hatte. Nach Siegmund rief sie, klagte dem Wind den Verrat und weinte in tiefem Kummer um das Kindlein, auf das sie wartete. Schon hielt Graf Hartwin ihr Pferd an, gebot abzusteigen und verkündete ihr, was der König befohlen hätte.

Dem anderen Reiter, Graf Hermann, tat es leid um die Unschuld der armen Herrin. Sein Sinn wandelte sich, er wollte Hartwin von seinem Tun abbringen; ja, als es ihm nicht gelang, zog er das Schwert. So gerieten die ungetreuen Gesellen in Streit und fochten hart miteinander, bis Hartwin zu Tode verwundet wurde.

Während die beiden kämpften, war aber über die Königin die schwere Stunde gekommen; sie genas eines Knäbleins, hüllte es ein und bettete es in ihren Sattelkorb. Weil ihr indes niemand half, glitt der Korb mit dem Kindlein ins Wasser. Die Königin sah es, ihr Herz ertrug das Leid nicht; sie wurde ohnmächtig und starb.

So kehrte Graf Hermann allein zur Königsburg zurück. Und er meldete Siegmund den Tod der Königin und ihres Knäbleins und erzählte auch, daß er mit Hartwin in Streit geraten sei. König Siegmund, den der Zorn gegen sein Weib schon reute, mißtraute allem, was der Bote vorbrachte. Er riet dem Grafen Hermann, den Hof zu verlassen, und der flüchtete in der Nacht mit Mann und Roß. Da ahnte Siegmund die Wahrheit und betrauerte Sieglinde tief.

Währenddessen schwamm der Korb mit dem Kind zum Meer hinab. Als die Ebbe kam und das Wasser schwand, blieb die Wiege am Ufer zurück, und das Knäblein weinte. Eine Hirschkuh hörte es, nahm den Jungen auf, trug ihn in ihr Lager und säugte ihn. Bei ihr weilte er zwölf Monate; da war er so stark wie ein Kind von vier Jahren.

Ein zwerghaft gestalteter Schmied namens Mime wohnte in der Nähe der See, der war wegen seiner Kunst berühmt landein und landaus. Zwölf Gesellen standen bei ihm in Dienst. Er hatte aber keine Söhne, das verdroß ihn sehr.

Nun war da wohl ein Bruder Mimes namens Fafnir, der hatte Kinder genug. Er war aber jemand, der viele Zauber kannte, und hatte es so arg getrieben, daß er, zum Drachen verwunschen, im tiefen Wald hausen mußte. Niemand außer dem Zwerg Mime kannte sein Lager.

Eines Tages ging der Schmied wieder in den Hagen, um Holz zu brennen. Als er den Meiler zur Glut geschürt hatte und sich umsah, sprang ein schöner nackter Knabe auf ihn zu. Mime fragte ihn, wer er sei; das Kind konnte jedoch seine Zunge nicht brauchen. Auch lief eine Hirschkuh ängstlich herbei und leckte dem Jungen Kopf und Gesicht. Da verstand Mime, daß der Knabe bei den Tieren aufgewachsen war; er nahm ihn mit sich, brachte ihn seinem Weib und nannte ihn Siegfried. Und er behielt ihn bis zum zwölften Winter; aber der Bursche wurde ungebärdig und zauste sich oft mit Mimes Knechten, so daß keiner bei dem Schmied bleiben wollte.

Einmal schlug er sich arg mit dem Altgesellen Eckehard, packte ihn am Haar und zog ihn aus der Schmiede; Mime mußte die beiden trennen. Er wunderte sich über Siegfrieds Stärke und wollte ihn prüfen, ob er schon zum Handwerk tauge. Eine große Eisenstange legte er ins Feuer, hob sie mit der Greifzange aus der Esse, wies Siegfried zum Amboß und gab ihm den schwersten Hammer. Siegfried versuchte seine Kraft, er schwang den Hammer mit solcher Macht, daß der Amboßstein barst und der Amboß tief in den Boden fuhr. Das Eisen aber war zersprungen, die Zange zerbrochen und der Hammer vom Schaft geflogen. Mime erschrak. »Du taugst nicht zum Handwerk«, schrie er, »nie sah ich einen Menschen furchtbarer und ungeschickter zuschlagen!«

Als er hörte, daß Mime ihn nicht in die Lehre nehmen wollte, wurde der Knabe unmutig, maulte, saß bei der Ziehmutter in der Stube und sprach mit niemandem, so daß Mime sich vor ihm zu fürchten begann und glaubte, daß Siegfried ihm Unglück bringen würde. Er überdachte deshalb arglistig, wie er sich seiner entledigen könnte.

In den tiefen Wald sandte er den Knaben; da hauste in einer Höhle ein Riese namens Küperimloh, mit dem mochte der rauflustige Bursche sich messen. Am besten schien es dem Meister, sie blieben beide auf dem Platz.

Um die gleiche Zeit lebte zu Worms König Dankwart, der hatte drei Söhne und eine Tochter Kriemhild – ein kleines Mädchen noch.

Als Kriemhild eines Tages vorm offenen Fenster stand, kam am hellen Mittag auf Drachenflügeln ein Unhold in die Königsburg. Der packte das Kind, trug es durch die Luft von dannen und brachte die Beute in sein Geklüft. Dort wollte er warten, daß das Mädchen wüchse und zur Magd erblühe. Der Unhold war aber jener Küperimloh, zu dem der albische Schmied seinen Ziehsohn gesandt hatte, damit einer von ihnen sein Ende fände.

Siegfried wanderte wacker den Pfad, den Mime ihm gewiesen, bis die Dunkelheit fiel. Ein Schwert trug er bei sich, das nahm ihm jede Furcht.

Auf einmal sah er neben seinem Weg einen Zwerg reiten; dessen Roß war schwarz wie die Nacht. Das Kleid aber war aus köstlicher Pfeidelseide und mit Gold und Zobel gesäumt. Eine Krone schmückte sein Haupt. »Nun sagt mir, Herr, wer brachte euch in den Tann«, drohte der Reiter. Der junge Siegfried antwortete, erstaunt über den Fremden; denn er hatte bislang niemand anders als Schmied und Schmiedgesellen gekannt. Er bat den Zwerg auch um seinen Namen, und der Kleine verriet, daß er Eugel heiße und der König des Waldes sei. Da faßte der Bursch Vertrauen und fragte, noch traurig über Mimes Schelten, den winzigen Zauberer, ob er nicht erforschen könne, woher er, Siegfried, komme und wessen Kind er sei. In einem Wald sei er gefunden und aufgewachsen, weder Ziehvater noch Ziehmutter wüßten von seiner Herkunft.

Der Zwerg beantwortete die Frage nicht. »Ich kam, um dir von deinem Weg abzuraten«, sagte er, »ein Unhold bahnte sich den Pfad, dem du folgst. Weißt du das nicht?«

Siegfried schritt unbekümmert vorwärts, so daß Eugel eiliger reiten mußte. »Schon hat er ein Königskind gefangen und in den Wald geschleppt«, mahnte der Kleine. »Mir tut edles Blut leid, das jung verderben muß.«

»So weißt du also, wer ich bin«, drohte Siegfried.

Der Zwerg wurde ängstlich. »Siegmunds Sohn bist du und der seiner treuen Sieglinde. Kehr um, Königssohn von Xanten, es könnte dir wie der jungen Kriemhild ergehen.«

Als er so von seiner Herkunft erfuhr, stieß Siegfried das Schwert in die Erde und schwur, daß er den Wald nicht eher verlassen würde, bis er eine gute Tat vollbracht hätte. »Wenn hier eine Gefangene, eines Königs Tochter, wohnt und ich bin eines Königs Sohn, so will ich nicht ruhen, bis ich sie befreit habe. Zeig mir den Weg!«

Der Zwerg ritt ängstlich weiter, und Siegfried folgte. Vor einer hohen Felswand hieß Eugel den Königssohn halten und anklopfen. Es dauerte auch nur einen Augenblick, da sprang ein Tor auf, mit einer großen Eisenstange trat Küperimloh hervor und brüllte den Burschen an: »Wer hat dich hergewiesen, Knabe? Warum störst du mich? Es wird dein Ende sein!«

»Ist es wahr, Räuber«, schrie Siegfried, »daß du ein Mädchen gefangenhältst?«

Der Riese antwortete gar nicht erst, er hob die Stange und hieb blind nach dem fremden Knirps; fünf Klafter weit mußte Siegfried zurückspringen, eines Armes Länge tief fuhr das Eisen in den Boden. Während Küperimloh sich nach der Stange bückte, brachte der Bursche ihm eine Wunde bei, daß sein Blut wie ein

Quell aufschoß. Nun fuchtelte der Riese wild um sich; bald pfiff das Eisen durch die Wipfel der Bäume, bald fegte es über den Boden. Immer aber griff der Junge den Riesen gerade zwischen den Hieben an und schlug ihm eine Wunde um die andere, bis der Unbeholfene aufheulend in seine Höhle in der Felswand flüchtete.

Als er in Sicherheit war, dachte Küperimloh wieder an das Kind, das der Fremde von ihm gefordert hatte; es tat ihm leid, es herzugeben. Er verband also seine Wunden, wappnete sich mit einer Brünne, setzte den Helm auf und nahm den Schild – der war schuhdick und von eines Stalltors Größe. Dann packte er eine neue Eisenstange, die war an vier Kanten geschärft, und trat wieder vor den Fels. Siegfried wartete nicht; er lief den Riesen an und schlug zu, daß Feuer aus dem Schild stob. So gut wußte er den Unhold zu treffen, daß ihm Helm und Wehr Stück um Stück zersprangen; von Blut ganz überronnen, sank Küperimloh auf die Knie und mußte um Gnade bitten. Die Brünne bot er dem Sieger, danach ein herrliches Schwert, das er verborgen hielt. Endlich versprach er auch das Kind Kriemhild, das er in Worms geraubt hatte.

Den jungen Siegfried dauerte das Jammern des Riesen. Er nahm den eignen Rock her und half dem Feind die Wunden verbinden. Dann raffte er den Schild auf und fragte nach dem Weg zu der Gefangenen.

Als der Ungelenke, Humpelnde nun die Richtung wies und der junge Bursch voraneilte, hob der Riese heimlich noch einmal die Eisenstange und schlug damit nach dem Vertrauenden. Furchtbar stürzte Siegfried, Blut schoß ihm aus Mund und Nase. Und wahrscheinlich wäre es mit ihm zu Ende gewesen, hätte nicht der Zwerg Eugel, der allem zugesehen, rasch dem jungen Degen eine Nebelkappe übergezogen, um ihn vor dem Feind zu bergen. Der Riese brüllte vor Wut, als Siegfried jäh versunken war, und suchte hinter allen Bäumen. Zwerg Eugel richtete währenddes den Betäubten auf und labte ihn, bis die

Kraft zurückkehrte. Wieder riet er ihm voll Sorgen, ungesehen zu flüchten und das gefangene Kind zurückzulassen. Siegfried aber streifte die Kappe ab, nahm den Schild und griff den Unhold so heftig an, daß der bald von neuem um Gnade flehen mußte. »Laß mich leben«, schrie er, »ich allein kann dir doch den Weg zur Gefangenen zeigen.«

»Geh vor mir her«, befahl Siegfried, »dann will ich's überdenken.« Der Riese zog einen Schlüssel, vor dem öffnete sich der Stein. Acht Klafter weit führte eine Treppe in die Tiefe. Da fand sich wieder eine Tür, auch die sprang auf vor des Schlüssels Macht. Bergauf hob sich der Weg ins Freie, schon sah Siegfried ein Mädchen, das weinte vor Freude, lief auf ihn zu und fragte nach Vater und Mutter zu Worms.

»Bursche, du vergißt das Schwert, das ich dir versprach«, mahnte der arglistige Küperimloh, »Gram ist sein Name, es ist stärker als Drachenkraft. Mich dünkt«, schmeichelte er, »du bist vom Schicksal berufen, damit einen Lindwurm zu bestehen.« Siegfried hörte das Lob, er sah, wie sich vor seinen Füßen eine steinerne Truhe öffnete, in der lag die Waffe, in zwei Stücke zerspellt. Ohne Vorsicht bückte er sich.

In dem Augenblick versuchte der Riese zum letztenmal den Kampf; Siegfried spürte unterm Schild die Wucht der Eisenstange, daß er sich kaum aufrecht zu halten vermochte. Dann aber gelang es ihm, dem Verräter nahe zu kommen und ihm die Wundränder aufzureißen; das Blut schoß gleich Brunnen aus dem ungeheuren Leib. Müde wurde Küperimloh, taumelte und wollte sich bergen. Siegfried aber drängte ihn zu einer Felskante und stürzte ihn in die Tiefe.

So war der Streit entschieden. Der Held konnte todmatt der Ruhe pflegen, und das Mädchen küßte und umhalste ihn. Zwerg Eugel, dem der Riese ein schlimmer Nachbar gewesen, war nicht weniger froh als der Sieger; er lud ihn und Kriemhild in sein Reich unterm Berg und brachte der Befreiten Speise und Trank und alles, was nur ihr Herz begehrte.

Dann verlangte das Mädchen heim nach Worms, und Siegfried führte es schützend auf seinen Weg. Kurz bevor sie an den Rhein kamen, verließ er Kriemhild; er wollte keinen Dank und scheute sich vor dem Königshof. Zur Schmiede kehrte Siegfried heim, um das Handwerk zu lernen, aus dem die Schwerter fallen; es schien ihm sinnvoller, als Mädchen zu geleiten.

Zu Mime ging der junge Held. Der Schmied fürchtete sich nur noch mehr, als er vernahm, was alles Siegfried angerichtet hatte. Vom Schwert Gram aber hörte er gern, ließ sich neugierig die Stücke weisen und gab nach, als Siegfried bat, der Ziehvater möge ihm eine neue Waffe aus beiden Teilen schmieden. Lust am Meisterwerk packte auch Mime, Tag um Tag hämmerte er das Eisen. Als er endlich das Schwert aus der Esse hob, da war es, wie wenn Feuer aus seiner Schneide brannte. Siegfried versuchte die Waffe, er durchhieb den Amboß bis zum Grund, und die Schneide hatte keine Scharte. Zum Fluß ging er, warf eine Wollflocke in die Strömung und hielt ihr die Klinge entgegen. Sie durchschnitt die Flocke, als sei es ein Nebelstreif.

Da kam die Freude über den jungen Helden und mit ihr neue Furcht über Mime. In der Nacht schlich der tückische Schmied sich zu seinem Bruder Fafnir, dem Drachen, erzählte ihm seine Not und sagte, er werde ihm den Burschen senden, und der Bruder dürfe mit ihm tun, was er wolle. Dann kehrte Mime heim, und als wieder einige Tage vergangen waren, meinte er: »Ich hab' es mir überlegt und bin bereit, dich das Schmiedehandwerk zu lehren. Wir können gleich beginnen; heut sollst du in den Wald gehen und Kohlen brennen.« Damit zeigte er ihm den Weg dahin, wo Fafnirs Lager war.

Diesmal gürtete Siegfried sich mit Schwert und Schild; wer wußte denn, ob er nicht wieder einem Riesen begegnete?

Er durchquerte ein wildes Dickicht; zwischen Sumpf und Felshang fand er wirklich den glühenden Meiler seines Ziehvaters

Mime und begann Bäume zu schlagen, um einen zweiten zu bauen. Als er dabei einmal von seinem Werk aufblickte, sah er zu seinem Schrecken einen jungen Lindwurm neugierig näher kriechen; rasch sprang der Held zum Feuer, nahm den Schürbaum und hieb auf das Untier ein, so daß sein Gift niemand mehr versehren konnte. Es war aber nur einer der Wurme gewesen; schon hoben sich aus dem Sumpf viele Brüder des Erschlagenen auf. Sie schnappten nach dem Schmiedgesellen, schossen empor und peitschten die trübe Flut mit ihren breiten Zageln. Siegfried mußte sein Schwert hart brauchen; bald färbte sich der Morast vom Blut. Viele Unholde kamen um, die anderen bargen sich im Schlamm. Da riß der junge Held Schürholz und schwelende Bäume aus dem Meiler und warf sie über den Sumpf, kreuz und quer, so daß die Brut erstickte.

Es hatte lange gedauert, bis Kampf und Brand den Drachenherrn weckten; zu spät kam er, seinem Gewürm beizustehen. Sein Zorn und sein Grimm waren jedoch um nichts geringer. Während Siegfried sich noch der Flammen freute, kroch vom Fels in ungeheuren eklen Windungen Fafnir der Alte selbst herab. Feuer drang aus seinem Rachen, wie drei heiße Spieße schoß die Glut vor ihm her. Siegfried zückte das Schwert Gram, barg sich vor der Lohe hinterm Schild und begann harte Schläge auszuteilen. Aber das Eisen schnitt nicht, und der Wurm schob die Klauen vor und entwand dem Helden seine Wehr. Blau und rot fuhren die Flammen zugleich aus des Drachen Schlund; der Stein fing an zu glimmen vor seinem Feueratem, schon mußte Siegfried vor der Glut in eine Höhle flüchten. – Noch einmal faßte er Mut, sprang vor und stritt mit dem Ungeheuer, daß der Fels bebte und die Zwerge der Berge aus ihren Spalten flohen. Der Wurm versuchte, seinen Feind mit dem Schweif zu umschlingen. Siegfried hatte Mühe, sich frei zu ringen. Vergeblich schlug er den Drachen auf das gehörnte Haupt, er schlug indes so furchtbar, daß der Panzer weich wurde und zu schmelzen begann.

Noch einmal mußte der Held sich bergen; in eine Grube duckte er sich, um der Glut zu entgehen. Fafnir suchte den Erliegenden, er ringelte sich fauchend und ausspähend über ihn hin. Da stieß Siegfried ihm das Schwert unter dem linken Bug ins Herz, daß die Klinge bis an den Griff eindrang; das Blut rann dem Burschen über die Arme bis zu den Achseln.

Der Wurm war zu Tode getroffen; noch sterbend schlug er mit Haupt und Schweif um sich, daß der Wald weithin zerbrach.

Da hob Siegfried sich auf und wollte heimkehren. Er war aber sehr müde, auch waren ihm Mund und Leib vom Flammenruß schwarz überdeckt und der Hals versengt. So ging er zum Quell, schöpfte Wasser, nahm des Köhlers Kessel vom Meiler und hieb mit einer Axt ein Stück vom Drachen ab, um es zu sieden und seinen Hunger zu stillen.

Als der Bursche glaubte, das Fleisch könnte weich sein, stieß er mit der Hand in den Kessel, um es zu prüfen; er verbrannte sich und legte den Finger auf die Zunge, um ihn zu kühlen. Kaum hatte Siegfried das getan, da waren seine Ohren offen, hörte er, wie die Vögel in den Zweigen sich Worte zuzwitscherten: »Wenn dieser Mann wüßte, was ich weiß, dann würde er jetzt Mime, seinen Ziehvater, erschlagen«, schwätzte der eine.

»Warum denn?« fragte der andere.

»Begreifst du's nicht? Der Drache war Mimes Bruder und sollte diesen Jungen umbringen, so hatte der Schmied ihm geraten. Deshalb hat er Siegfried hierhergewiesen. Jetzt wird der Schmied seinen Pflegesohn töten müssen«, fuhr der Vogel fort, »um Fafnir zu rächen.«

Während Siegfried die Hand hob, um besser zu lauschen, fühlte er, daß sie, soweit er sie in die Brühe getaucht hatte, hart und hörnern wurde, ohne daß die Haut gilbte. Da fiel ihm ein, was man vom Drachenblut erzählte, der Bursch erkannte den Vorteil, der sich ihm bot, und den Dank, den das Schicksal ihm für Fafnirs Tod bestimmt hatte. Eilig streifte er Rock und Hemd ab und bestrich den ganzen Leib mit dem Sud des Wur-

mes. Nur zwischen seine Schultern war ein Lindenblatt nieder-
gesunken, Siegfried erreichte die Stelle nicht in seiner glück-
vollen Hast. Dann legte er die Kleider wieder an, schlug des
Drachen Haupt ab und schleppte es quer durch den Wald bis
zum Schmiedepfad.

Die Gesellen Eckehard und Wieland sahen Siegfried kommen.
Rasch eilten sie zu Meister und Gefährten, warnten alle und
flüchteten zum Wald. Mime allein ging dem Pflegesohn entgegen und hieß ihn willkommen.

»Nichts von Willkommen«, drohte Siegfried. »Sterben mußt
du! Aber vorher solltest du dies Wurmhaupt abnagen, darum
brachte ich's dir!«

Der Zwerg begann zu zittern. »Wenn du weißt, was ich vorhatte«, bat er, »so kann ich's doch sühnen. Hör, ich schenke dir
Helm, Brünne und Schild, die ich für König Siegmund von
Xanten schmiedete.« Mime lief schon hin und her, um dem
Helden die Rüstung zu suchen; als Siegfried nicht antwortete,
wurde ihm unheimlich zu Sinn. »Und mein Roß Grone sollst
du auch haben; es ist aus der Königin Brunhild Gestüt und
grast auf ihren Weiden.«

Siegfried wappnete sich. Eine Brünne, leuchtend wie Silber
und hart wie Stahl, schnallte Mime ihm an. Als der Held aber
das Schwert gürtete und das Heft packte, sprang die Waffe ihm
schier von selbst aus der Scheide, er versetzte dem heimtückischen Zwerg den Todesstreich.

Danach machte Siegfried sich auf, um den Hengst Grone zu suchen, von dem Mime gesprochen hatte. Ihn dünkte ja, ein
Recke müßte auch reiten lernen.

Der Weg war lang. Weit über Land und Meer nach Norden
müsse er fahren, erklärten ihm die Leute.

Als der Wanderer schon der See nahe war, wo die großen Flüsse
zusammenströmen, kam er an einem Hügel vorüber, aus dem
eilte viel kleines Volk, so wie es einst dem König Eugel ange-

hört hatte. Der Bursch wunderte sich. Er hielt einige der Wichte an; er sah auch, daß sie aus einer Höhle sprangen, die, schier ohne Ende, mit Gold und Spangen, mit Gefäßen, Ringen und Ketten angefüllt schien. Siegfried war nämlich hinzugekommen, als sich gerade zwei Königssöhne der Zwerge, Schilbung und Nibelung, um einen Schatz zankten, der ihr Erbe war. Hohe Himmlische hatten ihn einst als Sühne zahlen müssen. Während die Brüder noch keiften, gewahrten sie Siegfried, erkannten den Wanderer wohl und einigten sich dahin, daß der Königssohn aus Xanten in ihrem Streit Richter sein solle. Sie traten also zu ihm und baten ihn, den Schatz zu hälften und nach seinem Gutdünken zu verteilen. Als Lohn solle er das Schwert Balmung haben, das reichste und köstlichste auf dem Erdenrund.

Dem Wanderer gefiel der Vorschlag; er mühte sich um eine gerechte Teilung. Die Zwergsöhne waren aber nicht zufrieden, jeder glaubte, er sei unrecht behandelt. Wie es so kommt, richtete sich ihr Zorn bald gegen den Schiedsmann, und als der auf seinem Lohn bestand, boten sie ihr Gefolge auf, um Siegfried zu strafen.

Der Recke wehrte sich indes seiner Haut; obwohl das kleine Volk blindwütig auf ihn eindrang und sich in seinem Grimm kaum zu meistern wußte, gelang es dem Kühnen, die Fesseln, die Nibelungs Krieger ihm überwerfen wollten, immer wieder zu sprengen und die Schwerter von Schilbungs Männern aufzufangen und stumpf zu machen. Elend mußten die beiden Zwergfürsten gegen den Helden den Tod erleiden.

Ihren besten Mann vermochte Siegfried aber nicht zu bezwingen. Alberich hieß er und war ein zauberkundiger Gesell; als er sah, wie die Seinen unter der Klinge des bärenstarken Fremdlings stürzten, schlüpfte er in eine Tarnkappe, die ihn vor aller Menschen Blicken verbarg. Bald erhielt Siegfried von einem unsichtbaren Feind Hieb auf Hieb, so daß er sich nur mit Not zu wehren wußte. Wütend ließ er sein Schwert Gram kreisen, das doch Felsen und Eisen zu klüften vermochte. Es half ihm nicht viel; hageldicht prasselten die Schläge auf ihn nieder, kaum konnte er sich mit blitzschnellen Wendungen des Schildes nach allen Winden decken. Er gab dabei aber acht, woher die Hiebe kamen, warf jäh den Schild gegen den Unsichtbaren, sprang nach und konnte dem Kleinen die Tarnkappe abreißen.

Da mußte der tapfere Zwerg um Gnade bitten. Er versprach dem Sieger, nach dessen Willen ein getreuer Statthalter zu werden, und schwur, den Hort für ihn zu verwalten mit seinem ganzen Volk. Siegfried traute ihm, er schenkte ihm Freiheit und Leben, und Alberich hielt sein Wort. Er rief mit seinem Horn die Flüchtigen zurück und befahl ihnen, dem neuen König zu huldigen und die Schätze in den Berg zurückzuführen.

Die Unterirdischen sind dem treu geblieben, sie haben den Hort gehütet, weit über ihres Herrn Tod hinaus.

Danach zog Siegfried ungeduldig weiter, um den Hengst Grone aus Brunhildens Zucht zu gewinnen. Unterwegs kehrte er bei König Helferich ein, der damals über die Dänen herrschte, und hörte von Nornegest, dem Uralten, ein Lied über jene Brunhild, zu deren Weiden er fuhr. Ihm kam die Lust an, auch die Herrin der Rosseherden kennenzulernen.

Herr Helferich lieh dem Recken ein Schiff und Mannschaft für die Fahrt, bald schwollen die Segel im Südwind, und die Wogen klafften vom Bug.

Als Siegfried sich dem Isenland näherte, sah er schon von weitem ein großes Feuer; der Schein ging bis zum Himmel. Davon hatte Herr Nornegest nicht gesungen. Aber auch die Rosseweiden fand Siegfried, trat zu den Hütern und ließ sich Grone zeigen, den Hengst aus Mimes Erbe. Die Knechte waren willfährig, sie wollten dem Recken das Tier einfangen, verbrachten aber den ganzen Tag vergeblich damit, es zu locken. Schließlich forderte Siegfried selbst Halfter und Zaumzeug und rief Grone. Da lief das edle Roß ihm entgegen, als wüßte es, wem es bestimmt war; der Held konnte sich ohne Mühe auf seinen Rücken schwingen.

Näher kam Siegfried dem brennenden Isenstein; das Feuer raste, die Erde zitterte, flammend stieg die Lohe zum Himmel. Kein Menschlicher, so schien es, durfte je wagen, den Ring zu zwingen.

Es war aber an dem, daß die junge Brunhild, deren Schönheit Nornegest besungen hatte, erwählt gewesen war, den Göttern als Kampfkürerin zu folgen. Manchen sterbenden Helden hatte sie von der Walstatt aufgehoben.

Einstmals war ihr jedoch ein Befehl der Himmlischen unbillig erschienen, sie hatte dem Verstoßenen beigestanden und seinem Feind den Speer ins Herz gesandt. Da hatte der zornige Richter sie mit dem Dorn berührt. Und er hatte ein waberndes Feuer um ihre Burg gelegt und Brunhild zum Schlaf bestimmt, bis jemand kühn genug sei, den Brand zu durchreiten.

Der junge Siegfried spornte das Roß Grone; hell blinkte der Brand in seiner Rüstung. Noch scheute der Hengst; der Recke ermunterte ihn, preschte an und setzte in ungeheurem Sprung in den Flammenring.

Unter ihm wich die Lohe, das Feuer schrumpfte vor dem wagefrohen Roß und erlosch. In einem Burghof fand Siegfried sich wieder, als er den Feuerkreis durchritten hatte.

Aber niemand grüßte den Gast, niemand begegnete dem Fremden mit seinem Willkommen; ohne Lied und Atem waren die Gemäuer. Der Bursch band sein Roß an einen der Pfosten, sprengte ein Tor und durchschritt suchend Gemach um Gemach.

In der Mitte einer Halle traf er auf einen Schlafenden und wollte ihn wecken. Das Kinnband löste er ihm und schob den Helmsturz zurück. Da erkannte Siegfried ein Mädchen unter der Rüstung. Der Held löste die Brünne mit dem Schwert Gram, da richtete sich die Ruhende auf und strich sich die Locken aus der Stirn. »Lange schlummerte ich«, sann sie, »und war ohne Traum. Wer brach den Bann, wer brach meinen Schlaf?«

Mählich gewannen ihre müden Augen die Reinheit des Lichts.

»Sag, wer du bist«, fragte sie, und es war, als wollte der Traum noch einmal über sie fallen. »Hat dich Grone, Mimes Roß, getragen? Noch wagte es keiner, die Lohe zu durchreiten.«

»Siegfried heiße ich«, antwortete der Recke und hatte Nornegests Lied in den Ohren. »Niemand sandte mich, ich selbst suchte den Weg!«

Ein Rufen und Freuen scholl währenddes durch die Burg. Die Schlummernden in Herbergen und Höfen erwachten, Frühling fiel über das Land weithin, und die Sonne leuchtete. Da erhob sich Brunhild, blickte um sich, nahm Becher und würzigen Wein vom Gesims und grüßte den Gast.

Dankbare Bewirtung fanden Siegfried und sein Roß auf der Burg Isenstein, und der junge Held hatte Gefallen an Brunhild. Aber nach einiger Zeit trieb es ihn, nun, da er Schwert und Roß und Schätze ohne Zahl besaß, seinen Vater aufzusuchen, um das Erbe zu sehen, das auf ihn wartete. König wollte er sein, nicht ohne ein Reich durfte man um die Herrin auf dem Isenstein werben.

Freundlich waren Recken und Volk zu Siegfried, und edel zeigte sich Brunhild gegen den, der sie vom Schlafbann erlöst hatte. Stolzer war Siegfried; die Bitte der jungen Königin, bei ihr zu bleiben und mit ihr zu herrschen, konnte er nicht erfüllen.

Eines Tages bat er um Urlaub, schwang sich auf Grones Rükken, ritt zum Strand, rief Helferichs Leute und ließ das Segel hissen.

Brunhild blickte ihm nach; ihr Herz schlug, sie wartete, daß der Held sein Reich gewänne und wiederkäme.

Das Nibelungenlied

Von vielen Wunderdingen melden die Mären alter Zeit, von hochgerühmten Helden, von herrlichem Mut, von Freuden und Festen, aber auch von Weinen und Klagen und vom Streit der Recken und ihrer Mannen.

Zu Worms am Rhein, so heißt es, wuchs eine Königstochter, Kriemhild mit Namen. Von ihrer Schönheit wurden schon früh viel preisende Lieder gesungen, ihre edle Sitte war die Zier des Hofes. Und doch sollte manch tapferer Degen um ihretwillen Leib und Leben verlieren.

Drei kühne Brüder schützten Kriemhild. Gunther war der älteste der Könige, nach ihm kam der starke Gernot und endlich der junge Giselher, der Liebling seiner Schwester. Reich war das Land der Burgunden, und reich waren die Stadt Worms und die Königsburg. Noch sorgte Kriemhilds Mutter, Frau Ute, für den Hof am Rhein; viel gute Helden standen ihr und den jungen Königen zur Seite. Da war mit seinem Bruder Dankwart Herr Hagen von Tronje, der an König Etzels Hof als Geisel aufgewachsen war und jetzt in Worms seine Verwandten beriet; da waren die Markgrafen Gere und Eckewart, da war der Sänger Volker von Alzen, einer der kühnsten der Degen.

Klug und mahnlich hütete Frau Ute ihre Tochter. Einst träumte Kriemhild, sie zöge einen Falken auf, der ihr Liebling wurde, stark, schön und wild, wie er war. Als sie ihn eines Tages auffliegen ließ, packten vor ihren Augen zwei Adler den stolzen Vogel und zerrissen ihn. Da schien es ihr, als wenn auf Erden größeres Leid nicht geschehen könnte. Sie erzählte den Traum ihrer Mutter, Frau Ute. Die deutete ihn der Tochter: »Der Falk, den du dir zogst, war ein edler Ritter, den du gewinnen wirst. Möge Gott ihn behüten, sonst ist es um ihn getan!«

Kriemhild glaubte der Deutung nicht. Ach, niemals wollte sie einem Mann zu eigen gehören, niemals sollte ihr aus Liebe Kummer blühen. »Ohne Reckenminne will ich leben«, sagte sie der Mutter. »Bei dir will ich bis zu meinem Tode bleiben.«

»Sprich nicht so«, mahnte Frau Ute. »Freude bringen Mutter und Brüder, größeres Glück bringt ein lieber Gemahl. Meine Tochter ist schön; ich werde Gott bitten, ihr unter allen Rittern den wackersten zu geben.«

»Laß ab, liebe Mutter«, flehte Kriemhild, »ich habe von der Minne zuviel Bitteres gehört. Ach, alle Lieder singen davon, wie Liebe mit Leid belohnt wird. Ich will sie beide meiden.«

Fern vom Spiel der Verliebten am Hofe hielt sich Kriemhild. Die Zeit ging, keiner der Ritter wagte, sich ihr zu nähern, bis sich eines Tages das Geschick auch an ihr erfüllte und sie einen der Kühnsten gewann, den Falken ihres Traumes. Ach, er mußte früh sterben, und blutig hat die milde Kriemhild den Tod des Mannes gerächt, dessen Liebe sie hatte fliehen wollen.

Zu Xanten im Niederland lebte um die Zeit Siegfried, König Siegmunds Sohn. Viele Recken hatten sich um ihn gesammelt; mit ihnen zog er von Land zu Land, um Ruhm zu erwerben. Noch ehe er zum Mannesalter gereift war, hatte seine Hand schon manche Wunder getan; hohe Ehren fielen ihm zu, und die Frauen dachten in Minne an den jungen Königssohn. Oft rühmte man das Niederland nur um dieses einen Recken willen, der rechtlich, redlich und in guter Zucht mit seinen Freunden lebte. Auch beriefen König Siegmund und Siegfried viel kluge Männer an ihren Hof, denen die Vergangenheit und die Namen aller Völker wohlbekannt waren. Die erzählten wiederum überall von dem zu Xanten, sie erzählten von Siegfrieds Stärke und Schnelligkeit, die so gewaltig waren, daß kaum ein anderer Mensch ihm gleichzukommen vermochte.

Als es nun soweit war, daß der König sich altern fühlte, da schickte er Boten aus, die luden nach seinem Befehl Ritter aus aller Herren Ländern zu einem großen Hoflager und suchten edle Knappen, die würdig wären, mit dem jungen Siegfried zusammen zum Ritter geschlagen zu werden. Alle Gäste aber, die in Xanten einritten, erhielten Roß und Gewand vom König, dazu Wein und Brot; ohne Sorge sollten sie die Woche des Festes verbringen. Mägde nähten silberne Borten auf die Kleider der jungen Degen und faßten Steine ein, die Spangen und Gewänder schmückten; an jenem ersten Tag dienten auch die Herren den Knappen in Kurzweil und Freude.

König Siegmund hatte das Fest auf die Sonnenwende gelegt. Bald nachdem sich der Morgen erhoben, zog man ins Münster, um Gott zu ehren. Von dort eilten die Herren zu den gesattelten Rossen, und auf dem Burghof begann das Waffenspiel. Bis in die Säle der königlichen Burg drang der Lärm vom Brechen der Schäfte; von hohen Gerüsten schauten die Frauen dem Lanzenkampf der Knappen zu. Dann befahl der Wirt, das Stechen zu enden, und führte die Gäste zu Tisch. Wein bot er den Ermüdeten, fahrende Meister sangen ihre Lieder und priesen Siegmunds Land. Als die Freude am höchsten stieg, rief der ritterliche König die Knappen zur Schwertweihe.

Am Abend des Tages – schon sammelten sich die Gäste zum Nachtmahl – erhob sich der König noch einmal und sagte, er sei seines Amtes müde; bald werde er Siegfried, seinem Sohn, Herrschaft und Burgen verleihen. Frohlockend hörten es die Jungen, und selbst die Alten meinten, diesem Königssohn würden sie mit Freuden untertan sein.

Einige Tage danach, als das Fest beendet und die Gäste heimgeritten waren, trat Siegfried vor seinen Vater. Er dankte ihm für Burgen und Erbe und sagte doch, er wolle die Krone nicht tragen, solange der König selbst noch rüstig sei. Durch viele Lande möchte er reiten, um der Gewalt zu begegnen, das Recht zu schützen und Abenteuer unter fremden Völkern zu bestehen.

Von der schönen Kriemhild sprach man viel rheinauf und rheinab. Auch nach Xanten drang die Kunde von ihrer adeligen

Zucht. Aber man wußte, daß es bis dahin noch keinem gelungen war, Kriemhilds Huld zu erringen. Ach, die wenigsten hatten sie gesehen.

Siegfried hörte des Rühmens viel: Er erinnerte sich wohl des Mädchens, das er einst aus der Höhle des Riesen gerettet hatte; eines Tages redete er mit seinem Vater über die Königstochter in Burgund. Ehe er die Krone trüge, so sagte er, wolle er ein Weib gewinnen. Nach Worms werde er reiten, Siegmund solle sich der Wahl seines Sohnes nicht schämen.

Der Vater kam in Sorge. Er kannte König Gunther und seine Macht und versuchte, den Jungen von der Werbung um Kriemhild abzubringen. Aber allem, was man ihm vorhielt, wußte Siegfried zu begegnen. »Niemals werde ich ohne einer edlen Frau Zucht über das Niederland herrschen, und keine Krone werde ich tragen, wenn ich nicht nach eignem Herzen wählen darf.« Da besann sich der König und bot dem Sohn an, ihm ein Heer auszurüsten, um gegen die Burgunden zu ziehen. »Es sind starke Degen am Hof, sie könnten dir deine Werbung verübeln«, warnte der alte Siegmund. »Von Hagen hörte ich, daß er übermütig im Wort und hoffärtig im Sinn sei.«

»Erlange ich Kriemhild nicht im guten, kann ich immer noch zum Kampf rufen«, versetzte Siegfried. »Was soll mir ein Heer von Recken? Mit denen, die meine Sippe werden sollen, will ich keinen Krieg, auch bringen große Heerfahrten viel Frauenleid. Ich werde mit zwölf Gesellen Kriemhild aus Herrn Gunthers Land holen.«

Der König wurde betrübt, aber er mußte, da Siegfried im guten oder schlimmen nach Worms ziehen wollte, schließlich seinem Wunsch willfahren und rüstete ihm die Reise. Mit rotem Gold ließ er das Reitzeug des Sohnes beschlagen, lichte Panzer, feste Helme und schöne Schilde waren der Recken Schmuck. Als der Reisetag nahte, klagten viele im Volk; Frauen und Männer fürchteten, die jungen Degen nie wiederzusehen. Siegfried aber war guten Mutes; er suchte den König auf, um Urlaub zu nehmen, und tröstete ihn. »Ihr sollt euch nicht um mich sorgen, Herr Vater, ich reite, um euch die edelste Tochter zu bringen.« Es blieb indes ein großes Weinen unter Frauen und Mägden, gleich als ahnten sie, daß man die Fahrt nach Worms noch schwer werde entgelten müssen durch lieber Freunde Tod.

Sieben Tage brauchten die Männer, dann ritten sie in die Burg der Burgunden ein, kaum sah man ihnen, ihrer Wehr und ihrem Gewand die lange Reise an. Herrn Gunthers Knappen eilten sich, die Fremden zu empfangen, so wie es Sitte war; die Pferde wollten sie ihnen abnehmen und die Schilde. Siegfried aber befahl seinen Leuten, im Sattel zu bleiben; seine Rast sei vielleicht nur für kurze Zeit, sagte er und schickte einen Boten zu Gunther.

Währenddessen war dem König gemeldet, daß auf dem Hof unbekannte Herren in kostbarer Wehr eingeritten seien.

»Sendet nach Hagen«, rief er, »dem sind alle Reiche und fremden Länder kund.« Der Tronjer schritt ans Fenster und prüfte Waffen und Rosse, aber er kannte die Männer nicht. »Der da kam, scheint mir einer der besten Degen, die ich jemals sah«, übersann Hagen. »Es wird Siegfried von Xanten sein; er ist der letzte, dem ich noch nicht begegnete. Ja, der Niederländer ist's«, erklärte er den Fürsten, »Siegfried, der die Nibelungen zwang, ihm den Hort der Götter herauszugeben, Siegfried, der das Schwert Balmung aus der Hand der Zwerge nahm und Alberich die Tarnkappe entriß. Noch ein Abenteuer ist mir bekannt; ich weiß, daß Siegmunds Sohn einst einen Lindwurm erschlug und hörnene Haut bekam. Empfangt ihn königlich, das ist mein Rat!«

»Wir wollen ihm entgegengehen«, sagte Gunther.

»Daran tust du recht, König!« lachte Herr Hagen mit harter Stimme. »Dieser Mann hat eine Gebärde an sich, als sei er nicht um Kleinigkeiten eingeritten.«

Höflich schritt der Wirt mit seinen Recken auf den Gast zu. Der sprang aus dem Sattel und grüßte, wie es sich vor Königen geziemt.

»Was sucht Ihr in Worms?« fragte Gunther. »Seid willkommen, Fremder!«

»Ich bin Siegfried, König Siegmunds Sohn«, antwortete der vom Niederland, »spreche ich mit dem König der Burgunden?«

»Herr Gunther«, fuhr er fort, »ich hörte, daß Ihr einige der kühnsten Recken aller Länder gesammelt hättet, und möchte erfahren, ob es Wahrheit ist. Ich fordere Euch deshalb zum Wettkampf und will, daß Ihr Euch mit mir und den Meinen meßt. Laßt uns beide Land und Leute, Haupt und Ehre gegeneinander einsetzen. Wer dem andern unterliegt, mag ihm zukünftig als Lehnsmann dienen.«

Den König von Worms verdroß die Rede, seine Degen brausten auf. »Wie könnt Ihr glauben, Siegfried«, antwortete Gunther, »daß ich Euch im Frieden etwas überließe, was mein Vater in vielen Kriegen gewann? Laßt uns ritterliche Nachbarschaft pflegen, aber gebt Euer Begehren auf, mit mir um Land und Leute zu spielen.«

Die Mannen des Königs riefen schon nach ihren Schwertern, sie wollten den Übermut des Fremden strafen, und wenn er ein ganzes Heer heranführte.

»Warum zürnt Ihr mir«, fragte Siegfried. »Setzte ich nicht gleich gegen gleich? Ich will doch auch Euch untertänig sein mit all meinem Erbe, wenn Ihr mich bezwingt.«

Gernot, Gunthers Bruder, fürchtete, daß der Streit der Könige heftiger würde. »Siegfried, uns steht der Sinn nicht nach dem Gewinn neuer Länder«, mahnte er. »Wir haben genug an unserem Erbe.«

Herr Hagen hatte geschwiegen. »Es tut mir leid«, sagte er jetzt, »daß Ihr zum Kampf rheinauf geritten seid, Siegfried. Ich hatte meinem Herrn geraten, Euch mit hohen Ehren zu empfangen.«

»Laßt uns als Freunde auseinandergehen«, bat der starke Gernot von neuem. »Noch ist nichts geschehen, was nicht zu schlichten wäre.«

Als er die Worte hörte, dachte Siegfried an die Frau, um derentwillen er sich zum Streit erboten hatte. »Warum zögern die Könige, warum zögert Ihr, Hagen? Wir kamen mit wenig Rekken und wollten wenige von euch bestehen. Ist das nicht besser, als mit einem Heer gegen Worms zu fahren?«

Wieder drohten Herrn Gunthers Mannen, der König mußte ihnen Schweigen gebieten. »Seid unser Gast, Siegfried«, lud der junge Giselher die Fremden ein. »Tretet ein und trinkt unsern Wein, dann sprechen wir miteinander.«

Der Niederländer zögerte.

»Alles, was uns gehört«, fügte König Gunther hinzu, »soll auch Euer sein; Gut und Habe wollen wir mit dem Fremden teilen, wenn er es in Freundschaft verlangt.« Da dachte Siegfried wieder daran, daß die Brüder der schönen Kriemhild mit ihm sprachen; er nahm den Trank entgegen, befahl seinen Knappen, in die Herberge zu gehen, und ließ sich mit den Recken an Gunthers Tisch führen. Wie eilten sich die Burgunden, dem vom Niederland alle Ehre anzutun, die man hohen Gästen zollt. Könige und Lehnsmänner gaben ihr Bestes her.

Während die Herren ritterlich miteinander verhandelten, sahen die Frauen bei Hofe den Fremden und fragten, wer er sei.

»Reich ist sein Gewand; und stark scheint sein Mut«, sagte Kriemhild, »mir ist, als kennte ich ihn.«

»Es ist der junge König der Nibelungen«, antworteten ihr mehrere Frauen zugleich. Da fiel die Schöne in Schweigen.

Aus dem fremden Ritter war bald ein höflicher Gast geworden; was man ihm vorschlug, nahm Herr Siegfried dankbar an. Das kam daher, daß er aus vielen Fenstern die Blicke von Frauen und Mädchen sah; seine streitfrohen Gedanken wichen, nun er sich in Kriemhilds Nähe wußte. Ach, hätte er geahnt, daß sie ihm zuschaute, er hätte sich keine bessere Freude gewünscht.

Siegfried und die Seinen ließen sich bereden, bei den drei Königen zu Gast zu bleiben. Als Freund Gunthers weilte Siegfried zu Worms und schob die Heimkehr auf, von Woche zu Woche. Während all der Zeit dachte er: »Wie soll es wohl geschehen, daß ich Kriemhild begegne?« Aber so heftig die Liebe in seinem Herzen brannte, so ging doch ein Jahr ins Land, bis er die Königstochter zum erstenmal wieder erblickte.

Um die Zeit nämlich beschlossen die Herren Lüdiger vom Sachsenland und Lüdegast von Dänemark, die einander Freund waren, gegen die Länder im Süden vorzubrechen und insbesondere gegen die Burgunden in Worms einen alten Streit auszufechten. Boten kamen an den Rhein, die kündigten Gunther an, daß ihre Herren nach zwölf Wochen gegen ihn heerfahrten würden.

Dem mächtigen König von Worms war die Kriegsansage leid. Er berief Hagen und seine Brüder Gernot und Giselher, klagte ihnen, was er gehört hatte, und fragte sie, was er zur Antwort geben sollte. Gernot wollte die Fehde annehmen. Hagen Tronje dagegen warnte vor den beiden starken Feinden im Norden. »Am besten ist's, Ihr besprecht Euch mit Siegfried«, riet er seinem König.

Gunther schwieg; er ließ den Boten gute Herberge in der Stadt anweisen, behielt aber seine Sorge für sich. Siegfried selbst fragte den König eines Tages, warum er so düster dreinblicke und warum die frohe Weise vergangen sei, die bis dahin am Hofe herrschte. »Ich kann nicht jedermann mein Leid klagen.«

»So verratet es dem Freund«, bat Siegfried, »ich will's Euch wenden.«

»Lohne Gott Euch die Antwort«, sagte Gunther und begann zu erzählen, was ihn bedrückte. Siegfried aber hatte kaum von Streit und Heerfahrt vernommen, da packte es ihn, seine Freundschaft zu erweisen. »Gebt mir einige tausend aus Eurem Volk, ich will den Krieg für Euch führen. Um Eure Brüder, um Hagen bitte ich Euch und um Volker, den Sänger; er soll die Fahne tragen.«

Am andern Tage verkündete Gunther den Boten, daß er die Fehde annähme, dann schickte er sie, reich beschenkt, zu Lüdiger und Lüdegast zurück. Der Däne erfuhr bald, daß Siegfried dem König Gunther zur Seite stehen wollte, und es tat ihm leid; er hätte den von Xanten nicht gern zum Feind gehabt. All sein Heer bot er auf und ließ König Lüdiger ansagen, daß der Zug ins Burgundenland ihnen nicht leicht werden würde.

Vom Rhein aus ritt inzwischen Herr Siegfried mit Gunthers Recken gegen den Feind; er fiel ins Sachsenland ein und suchte die Könige. Lüdiger und Lüdegast rüsteten noch, die Heere kamen einander nur langsam nahe. Eines Tages strebte Siegfried weit vor den Seinen her. Auch drüben war ein Wohlgewappneter auf dem Weg, um die Burgunden auszuspähen. König Lüdegast von Dänemark war es, am hellen Gold des Schildes konnte man ihn erkennen. Kaum hatte Siegfried ihn gesehen, da ritt er ihn an; die Schwerter flogen aus der Scheide, und die roten Funken stoben aus den Helmen. Die Schilde zersplitterten ihnen beiden; dann aber wurde das Schwert Balmung gewaltiger als des Dänen Wehr, Herr Lüdegast mußte um sein Leben bitten.

Hart traf die Sachsen die Niederlage des Dänen. Lüdiger, der sein Heer in den Wäldern sammelte, rückte sogleich gegen die Burgunden vor, um den Freund zu befreien. Es war jedoch ein schlimmer Anfang gewesen, und so war auch das Ende. Als über den staubigen Straßen die Schildränder blinkten und die Gegner einander anfielen, kämpften die Sachsen, von König Lüdiger und ihren Scharmeistern geführt, aufs tapferste. Gegen die Burgunden, gegen Herrn Siegfrieds hürnene Haut und gegen den Balmung vermochten Dänen und Sachsen indes nur mit Mühe standzuhalten; dreimal durchritt der vom Rhein die Reihe der Feinde, und Herr Hagen half ihm.

König Lüdiger sah, wie ein Unbekannter Klüfte in sein Heer schlug, er suchte den Gegner, um ihn zu bestehen. Von beiden Seiten drängten die besten Haufe zusammen, aber die Schwerter senkten sich, als die Könige aneinandergerieten. Gleich zu Anfang hieb der Sachse so hart auf Siegfried ein, daß ihm das Pferd unterm Sattel niederbrach und Hagen, Gernot und Volker ihn schützen mußten. Noch einmal sank in Sturm und Gegensturm manch tapferer Mann vom Roß; über die Helme flogen die Speere, und die Ränder der Brünnen waren vom Blut gerötet. Wieder traf Lüdiger auf den unbekannten Feind und griff ihn an. Vor Siegfrieds Balmung zerspellte des Königs Schildrand, aber auch des Sachsen Schwert schälte das Eisen vom Schild des Niederländers. Als Herr Lüdiger jedoch unter dem Beschlag das Wappen des Feindes erkannte und wußte, daß er dem Hürnenen gegenüberstand, rief er seinen Recken zu: »Der Böse hat uns einen geschickt, den kein Eisen versehrt. Senkt die Fahne, es ist ungleicher Kampf und unnütz, daß wir uns mit ihm messen.«

Da schollen die Hörner, und der Streit ging zu Ende. Viele zerschlagene Helme und Schilde bedeckten das Feld, Herr Lüdiger mußte gleich seinem Freund Lüdegast als Geisel nach Worms folgen.

Die Männer ritten nun an den Rhein zurück, und König Gernot sandte einige Boten voraus, um die gute Kunde nach Worms zu bringen. Frauen fingen die Reiter ab, ihre bangen Sorgen wurden bald in große Freude verwandelt. Auch Kriemhild ließ einen der Eiligen verstohlen zu sich kommen: »Sag mir liebe Märe«, bat sie, »und verbirg mir nichts.« Nach ihren Brüdern Gernot und Giselher fragte sie angstvoll, und wer von den Freunden gefallen sei, wollte sie wissen. Der Bote begann von der Schlacht zu berichten, er gab Siegfried den Ruhm, der ihm gebührte. »Was Dankwart, Hagen und alle Lehnsleute Gunthers erstritten«, erzählte er, »war doch nur ein Windzug gegen die Taten des Königs von Xanten. Viele Bräute der Sachsen wurden einsam durch ihn, und die Frauen im Norden werden weinen müssen. Der kühnste und beste Kämpe war unser Gastfreund und hat den Burgunden zu Sieg und Ehre verholfen. Gefangen bringt er zwei Könige, noch niemals kamen solche Geiseln in unser Land.« Als der Bote so sprach, erblühten Kriemhilds Wangen, ihr schönes Antlitz wurde vor Freude rot.

Auch Herrn Gunther berichtete man, wie der Streit ausgelaufen war; bald kam das Heer und führte ihm die Gefangenen zu. Er versöhnte sich mit Lüdiger und Lüdegast, kündete eine große Siegesfeier an und hieß die Wunden der Feinde pflegen. Die zerhauenen Schilde wurden in die Rüstkammer gebracht und die blutgefärbten Sättel verborgen, damit die Frauen nicht mehr weinten. Gut ließ der König die Schwerverwundeten durch seine Ärzte versorgen und gab all den Seinen Urlaub. Nach sechs Wochen sollten sie zu Hof kommen.

Herr Siegfried sprach davon, zu seinem Vater heimzukehren, aber Gunther bat ihn zu bleiben, und der von Xanten dachte an Kriemhild.

Nun errichteten die Zimmerleute auf dem Sand zu Worms Zelte und Schaugerüste, und die Königin Ute befahl, die Kleider aus den Schränken zu heben. Frauen und Mädchen bereiteten das Fest vor; zum erstenmal, so verkündete Herr Gunther, werde auch seine Schwester Kriemhild vor aller Recken Augen dem Spiel zuschauen.

Schon ritten von allen Seiten hohe Herren an den Rhein; zweiunddreißig Fürsten hatten sich zum Hoflager gemeldet. So groß wurde die Erwartung, daß sie, die wund gelegen hatten, ihre Not vergaßen, die Siechen und Kranken klagten nicht mehr, jeder freute sich auf die festlichen Tage.

An einem Pfingstmorgen schritten die Gäste zum Rheinsand. Neugierig drängte sich das Volk, um sie alle zu sehen, aber am dichtesten wurde das Gewühl, als die Königin und ihre Tochter das Frauentor verließen; hundert Mannen führten Kriemhild, mit hundert Frauen kam die Königin Ute.

Wahrlich, die junge Königstochter war schön, wie wenn das Morgenrot sein Licht aus trüben Wolken wirft. Wer sie erschaute, vergaß die Not, und die Sorgen fielen ab von einem jeden, der die Herrliche schreiten sah. Auf ihrem Kleid leuchtete edles Gestein, aber köstlicher war der Schein ihrer roten Wangen. Was immer ein jeder träumend sich wünschte – es gab nichts Schöneres auf Erden. Wie das Gestirn vor den Sternen, so glänzte Kriemhild vor allen Frauen des Hofes.

Der junge Siegfried erblickte sie, er mußte die Lider sinken lassen, sein hoher Mut verging. »Wie hoffte ich je, daß sie mich gern haben könnte«, dachte er. »Müßte ich sie aber meiden, so wäre ich lieber tot.«

Gernot hörte den Seufzer. Während das Geleit Mühe hatte, den Gästen den Weg freizugeben, sagte er zu Gunther: »Erinnere dich an das, was Siegfried für uns getan hat, befiehl ihn zu unserer Schwester! Wir wollen mit ihm Freundschaft halten.« Schon eilte ein Bote und lud den vom Niederland ein: »Der König bittet Euch, Kriemhild zu grüßen!«

Hochgemut trat Siegfried vor die Schöne und vernahm ihr Willkommen. Er verneigte sich, er spürte auch den sanften Druck von Kriemhilds weißer Hand – ach, wenn jemand sagt, sie hätte es nicht getan, ich würde ihm nicht glauben; wer so redet, hat Liebe noch nicht gemessen. Siegfried aber hatte weder in Sommerszeit noch in Maientagen je solche Freude empfunden wie in dieser Stunde, als er mit Kriemhild zum Sande schritt. »Um dieses Grußes willen«, seufzte Herr Lüdegast, »liegt mancher wund und tot von Siegfrieds Hand. Möge Gott ihn für immer von unserm Land fernhalten!«

Nachdem sie den Festplatz besichtigt hatten, gingen die Gäste zur Kirche. Kaum konnte Herr Siegfried das Ende des Meßgesangs erwarten, kaum konnte er das Glück verbergen, das er im Herzen trug.

Nach dem Gottesdienst geleitete er Kriemhild noch einmal. »Wir alle haben Euch dafür zu danken«, sagte sie ihm, »wie Ihr für Burgund gestritten habt.«

»Stets will ich Euch dienen«, antwortete Siegfried, »und will mein Haupt nicht eher zur Ruhe niederlegen, bis alle Wünsche Eurer Brüder erfüllt sind. Das tu' ich um Euretwillen, Kriemhild!«

Zwölf Tage währte die Feier am Hof, täglich sah man die schöne Kriemhild und den jungen Recken beieinander.

Der Hall der Schwerter und der Lärm des Spieles schollen über Worms dahin; Kranke und Wunde wagten sich wieder in den Sommerwind, der König selbst sorgte für ihre Pflege. »Nehmt unsere Gaben«, bat er sie. »Ich will euch vergelten, was ihr für uns tatet, verschmäht mein Gut nicht.«

Um die Zeit sprach Gunther auch mit den Geiseln über einen festen Frieden. »Was ratet Ihr mir?« fragte er Siegfried. »Lüdegast und Lüdiger bieten mir fünfhundert Rosse mit Gold für ihre Freiheit an.« Es dünkte Siegfried übel, sich den Frieden mit Gold bezahlen zu lassen. »Mögen die Könige von hinnen ziehen«, rief er, »wenn sie auf Handschlag versprechen, mit Eurem Land Frieden zu halten.« Herr Gunther folgte dem Rat und gab die besiegten Gegner frei. Da ritten sie heermüde heim, voll Leids um die toten Freunde.

Danach begannen die letzten Gäste zu reisen. Auch Siegfried wollte sich von den Frauen verabschieden, von Ute und von Kriemhild zumal. Als er die Seinen schon mahnte, den Aufbruch vorzubereiten, nahm Giselher ihn beiseite: »Wohin, edler Siegfried? Hört meine Bitte, und bleibt bei meinem Bruder. Hier sind Frauen, die Euch nicht gern missen möchten.«

Da befahl Siegfried voll Freude den Knappen, die Rosse im Stall zu lassen und die Schilde zurückzutragen. Die zehrende Not seiner Liebe zwang ihn zum Verweilen.

Hätte er es nimmer getan!

Damals hörte man rheinauf, rheinab auch viel Rühmens von der wilden Brunhild im Isenland. Jenseits des Meeres wohnte sie auf ihrer Burg, hieß es, und sei über die Maßen schön. Und so stark sei sie, daß sie alle Degen überwunden hätte. Den Speer würfe die jungfräuliche Königin weiter als die Besten, den Stein schleudere sie höher als irgendeiner und spränge ihm nach. Jeder aber, der um sie würbe, müsse drei Spiele gewinnen. Verlöre er die, hätte er es mit dem Leben zu bezahlen.

Die Mär von der spröden Brunhild kam auch zu König Gunther. Eines Tages, als er mit seinen Leuten beisammen saß und die Freunde ihm rieten, ein Weib zu nehmen, sagte er: »Jetzt habe ich so viel von der auf dem Isenstein gehört, daß ich um sie Leib und Leben wagen möchte.«

Herrn Siegfried schien es nicht gut, daß der König gen Norden fahren wollte. »Es könnte Euch schlecht zu stehen kommen, Freund, um Brunhilds Minne zu werben! Allzu rauhe Sitten pflegt man da oben.«

Herr Gunther aber hatte die Lieder im Ohr, die man über Brunhild sang. »Ich will sie sehen und werde sie überwinden mit dieser meiner Hand.«

Noch einmal mahnte Siegfried: »Warum sucht Ihr den Tod, Gunther? Laßt ab von jener Furchtbaren, laßt uns in Frieden zu Worms bleiben!« König Gunther aber war trunken von Wein und Liedern. Er verschwor sich, die Reise zu wagen, einerlei, was geschähe.

Da geriet auch Hagen in Sorge um seinen Herrn. »Bittet wenigstens Siegfried, uns zu begleiten, weil er von Brunhild, wie es scheint, gutes und arges Wissen hat.«

Gunther beugte sich über den Tisch zu dem Nibelungenkönig: »Wollt Ihr mir Helfer sein?« fragte er. »Wünscht Euch als Lohn für die Fahrt, was ich zu geben vermag.«

Siegfried zauderte, dann ging ihm durch den Sinn, warum er, König Siegmunds Sohn, Jahr und Tag in fremder Herren Dienst vergeudete. »Ich will Euch helfen, Gunther, eine Königin zu bezwingen, wenn ich um Eure Schwester Kriemhild werben darf.« Er dachte, während er es sagte, an Worte, die er einst mit Brunhild getauscht hatte; es schien ihm gut, als Kriemhilds Verlobter zum Isenstein zu fahren und den mächtigen König Gunther zu der Verlassenen zu führen. Wieder riet Hagen seinem Herrn zu, und die Könige banden sich mit festen Eiden als Blutsbrüder.

Als sie sich in den nächsten Tagen zur Reise rüsteten, besprachen sie auch sorgsam miteinander die Gefahren am Weg. Von den Zwergen erzählten sie sich, die unter hohen Bergen wohnen und Tarnkappen tragen, und von anderen Unterirdischen, deren Kräfte im Kampf vielfältig wachsen. Aber Herr Siegfried selbst besaß eine Kappe, die ihn, wenn er wollte, unsichtbar machte und ihm eine gewaltige Stärke gab.

»Nun rate mir weiter, Siegfried«, bat Gunther, »wieviel Degen sollen wir zu unserem Schutz mitnehmen? Ich vermag dreißigtausend aufzubieten.«

»So viele du auch um dich hast«, antwortete Siegfried, »sie müßten alle sterben vor Brunhilds Schwert und Heer. Laß es uns lieber mit wenigen Freunden wagen. Hagen nehmen wir mit und Dankwart und nicht mehr als ein kleines Gefolge. Dafür wollen wir schöne Waffen und Gewänder tragen, das gewinnt die Menschen da oben.«

»So müssen wir Mutter und Schwester um Rat fragen«, lachte Gunther und bat Siegfried, mit ihm die Frauen aufzusuchen. Kriemhild und Ute begrüßten die Gäste und wollten wissen, wie sie ihnen helfen könnten. Ruhedecken mit goldgewirkten Bildern schmückten die Frauenkammern; lieblich stand der Jungen das buntgestickte Gewand, das sie trug. »Ihr sollt uns raten, Frau Mutter«, begann Gunther. »Wir wollen um eine Braut in fernes Land fahren.«

Ute erschrak: »So sagt, wohin ihr reist!«

»In Brunhilds Land«, antwortete der König und wollte seiner Schwester von ihr erzählen. Aber die tat, als habe sie allein

Herrn Siegfried zu Gast. Und hatte den noch eben die Sorge bedrängt, wie die Fahrt zum Isenstein ausfallen möchte, so wußte er jetzt, für welchen Lohn er sie unternahm und daß seines Lebens höchster Gewinn die schöne Tochter König Dankwarts war.

Dann fragten Herrn Gunthers Mutter und Schwester, wie viele Herren sich rüsteten, wieviel Gewänder sie brauchten und mit welchem Gestein und mit welchen Seiden die Recken sich Brunhild zu Ehren schmücken wollten. Schon anderntags gingen dreißig Mägde an die Arbeit – Kriemhild selbst hatte sie ausgewählt. Mit eigner Hand schnitt sie die Seide, weiß wie Schnee und grün wie Klee. Mit seltener Fischhaut säumte sie die Bezüge und holte fremdartige Stoffe, in fernen Ländern gewebt, und köstliche Hermelinfelle aus den Truhen. Sieben Wochen lang nähten die Frauen.

Währenddes hatten die Zimmerleute ein starkes Drachenschiff gebaut und die Waffenmeister Schwert und Wehr gerüstet. Als die Herren Abschied nahmen, wurde manches Auge vom Weinen trüb; auch Kriemhild ergriff die bange Sorge. »Ach, lieber Bruder, warum wirbst du nicht um eine andere. Ich fürchte mich vor Frauen, die wie Ritter Leib und Leben wagen.« Sie ahnte vielleicht ein künftiges Ungemach, ihr Brusttuch wurde naß von Tränen.

»Herr Siegfried«, flehte sie, »laßt Euch den Bruder befohlen sein, daß ihm nichts zustößt in Brunhilds Land.«

Da schwur er der Lieben in die Hand: »Solange ich am Leben bin, mögt Ihr von Sorgen frei sein!«

Als sie an Bord stiegen, blickten von allen Fenstern der Burg Männer und Frauen den Scheidenden nach, dann füllte der Wind das Segel. Die Rosse standen wohlgestallt an Deck, und die starken Taue streckten sich unter der Brise vom Süden.

»Siegfried«, befahl Gunther, »führ du das Ruder, als Niederländer weißt du mit den Fluten Bescheid.«

Viele Meilen reisten sie schon in der ersten Nacht, sicher

brachte der Schiffshauptmann den Drachen rheinab bis zum Meer. Dann wendete der Bug, Herr Siegfried legte das Steuer nach Norden.

Am zwölften Morgen sah König Gunther ein Land mit hoher Burg und weiten Marken aus der See aufsteigen. »Sagt mir, Freunde, wem gehört dies Ufer? Wer es gewann, muß ein mächtiger Herrscher sein.«

»Dies alles ist Brunhild zu eigen«, antwortete Siegfried – er kannte das Land wohl –, »und mich dünkt, wir werden heute noch viel schöne Frauen sehen. Ich rate euch aber, Männer, daß wir uns vor der Königin halten, als sei Gunther mein Lehnsherr und ich ihm untertan. Dann nur kann uns gelingen, was der König wünscht.« Sie taten, wie er es hieß, und übten sich voll Übermuts in Rede und Anrede.

Siegfried allein blieb in sich gekehrt. »Ach, Freund Gunther«, dachte er, »dies alles geschieht nicht dir zuliebe. Deine Schwester möchte ich gewinnen, sie ist mir mehr als mein Leben. Um ihretwillen diene ich dir!«

Das Schiff war inzwischen dem Hafen unter der Burg so nahe gekommen, daß die Reisenden Maiden und Frauen an den Fenstern erkannten. »Sag, welche möchtest du zum Weib?« scherzte Siegfried.

»Eine in schneeweißem Kleid sehe ich«, antwortete Gunther, »die scheint mir die schönste.«

Siegfried spähte hinüber, aber die Mägde hatten die Fenster verlassen, Brunhild hatte die Gafferinnen hart fortgetrieben. Als die Männer nun an Land stiegen, hielt Siegfried, wie sie es verabredet hatten, des Königs Roß, bis Gunther aufgesessen war. Dann erst zog er das eigne auf den Sand.

Brunhild hatte den Mann, der am Stegreif des anderen stand, wohl erkannt. Sie sah auch die Sättel, mit Steinen bestickt, und die schneeblanken Rosse der Könige – rabenschwarz waren nur Hagens und Dankwarts Pferde und trugen Schellen von rotem Gold.

Sechsundachtzig Türme hoben sich über Brunhilds Burg, drei weite Pfalzen dehnten sich vor den Ankommenden. – Höflich empfingen die Mannen der Königin die fremden Gäste. »Gebt uns Schwert und Brünne«, verlangte der Kämmerer. »Die behalten wir bei uns«, murrte der Tronjer.

Siegfried hatte Mühe, den Brauch bei Hofe zu erklären. »Hier betritt niemand die Burg mit Waffen, die Gastfreiheit sichert uns.«

Als er die Waffen entgegengenommen, ging der Kämmerer aus, der Königin die Gäste zu melden. »Ich dachte mir's«, sagte sie, »einer unter ihnen hat Siegfrieds Art. Auch der andere muß ein mächtiger Herrscher sein.« Dann legte Brunhild ein Festkleid an und rief wohl hundert Mägde zu sich, dazu fünfhundert Recken. Mit ihnen trat die Königstochter aus der Burg, schritt auf den Nibelungen zu und sprach ihn an: »Seid willkommen, Siegfried; sagt mir, was Eure Reise bedeutet.«

Der von Xanten verbeugte sich: »Ich danke Euch für den Gruß. Dies aber ist mein Lehnsherr, König Gunther vom Rhein, dem die erste Ehre gebührt. Euch zuliebe fuhren wir her und werden nicht heimkehren ohne Braut.«

Brunhild lächelte: »Will Euer Herr die Spiele bestehen, so kennt er auch die Gesetze. Wir halten es so: Bleibt er Meister, werde ich sein Weib; gewinne ich, so seid ihr alle mit ihm des Todes.«

»Nennt mir die Spiele, Königin«, sprach Hagen hart.

»Den Stein soll er werfen und danach springen, weiter als ich. Dann wollen wir uns im Speerkampf messen. Bedenkt euch, Herren, ehe ihr eure Ehre verliert!«

»Ich will dich wohl behüten«, flüsterte Siegfried verstohlen und mahnte den König, ohne Furcht zu bleiben. Da ermannte sich Gunther und nahm das Spiel an. Gleich befahl die Königin, ihre Leute zum Wettkampf zu rufen. Einen goldenen Panzer und ein seidenes Waffenhemd ließ sie sich anlegen, das sahen Hagen und Dankwart voll Unmut. Siegfried aber schritt zum

Schiff, als müsse er, der Hauptmann, sich um einen guten Liegeplatz kümmern. In Wirklichkeit schlüpfte er in seine Tarnkappe; niemand gewahrte ihn, als er voll List zum Kampffeld zurückkehrte.

Schon war der Ring gesteckt, siebenhundert Bewaffnete umgaben ihn. Gerade brachte das Gesinde der Königin einen riesigen Schild, der war aus rotem Gold geschlagen und mit Stahl überspannt; vier Mann schleppten ihn mit Mühe herbei. »Das geht uns ans Leben«, warnte Herr Hagen, »wer riet uns diese Fahrt zur Teufelin?« Danach holten die Knappen einen Wurfspieß, der war wohl hundert Pfund Eisen schwer; drei Mann trugen ihn, so daß dem König bang zumute wurde. »Ach, wäre ich wieder am Rhein«, dachte er, »wie schütze ich mich vor diesem Drullenweib?«

Herrn Hagen aber wollte schier der Sinn vergehen, und selbst Dankwart geriet in Sorge. »Mich reut die Fahrt«, murrte er, »hier verlieren um einer Frau willen viel wackere Recken das Leben. Ach, hätten Bruder Hagen und ich das Schwert in der Hand, wir würden lieber das Weib erschlagen, als unsern Herrn umkommen sehen.«

Brunhild hörte seinen Unmut. »Wenn diese Männer sich so kühn dünken«, sagte sie, »so bringt ihnen, was sie wünschen. Ich habe noch nicht gelernt, jemanden zu fürchten!« Dankwart wurde rot vor Freude. »Nun spielt, was ihr wollt«, dachte er. »Unbezwungen bleibt Gunther, da wir gewappnet sind.«

Inzwischen trug man einen schweren Stein zu Brunhild hinüber. Zwölf Männer schleppten ihn. »Um wen hat der König geworben«, seufzte der grobe Hagen. »Eine Höllenbraut ist's, in deren Reich wir gerieten.« Brunhild lachte, sie wand die Ärmel von ihren weißen Armen hoch und wog den Spieß in der Hand.

Währenddes trat Siegfried verstohlen zum König, der hörte getröstet des Freundes Stimme. »Ich bin es, Siegfried, dein Gesell! Du sollst die Gebärden, ich will das Werk ausführen.

Schweig aber für immer darüber. Ach, wie kühn die Königstochter wider dich aufsteht!«

Brunhild stellte sich Gunther gegenüber, sie rief ihn an, schleuderte den Speer und traf seinen Schild so hart, daß ein Feuer aufsprühte und die Degen strauchelten. Gleich jedoch sprang Siegfried wieder auf die Füße und packte den Schaft, der im Schildrand haftete. »Ich will ihr nichts antun«, dachte er und warf mit der gewendeten Speerstange. Brunhild vermochte seiner Kraft nicht standzuhalten und sank in die Knie. »Ein adliges Spiel, König Gunther, Dank für den Schuß!« Zornig trat sie zum Stein, hob ihn auf, wuchtete ihn und warf. Dann sprang sie, daß ihre Rüstung laut aufklang.

Zwölf Klafter weit fiel der Stein zu Boden, aber noch weiter war Brunhilds Sprung; den Rittern schlug das Herz. Nun führte Siegfried Herrn Gunther dahin, wo der Fels lag, es schien, als höbe ihn der König selbst auf. Und sieh, noch weiter als Brunhild schleuderte Siegfried den Stein und sprang, obschon er König Gunther trug, noch darüber hinaus, so daß es alle wie ein Wunder dünkte. Die schöne Brunhild wurde rot vor Unmut, sie mußte indes anerkennen, daß ein Stärkerer gekommen war und gewonnen hatte. Laut rief sie ihr Gefolge und alles Gesinde zur Huldigung des Siegers. »Nun sollt ihr, meine Lieben, dem König Gunther untertan werden. Legt eure Waffen ab, legt sie nieder vor den Herren von Burgund!«

Freundlich dankte der König. Er führte Brunhild an seiner Rechten in die Burghalle; sie mußte es ihm erlauben. Siegfried war inzwischen zum Schiff geeilt und hatte die Tarnkappe versteckt. Dann kehrte er zurück, tat, als wüßte er nichts von dem Geschehenen, und drängte seinen König: »Erst die Spiele, Herr, danach ist es Zeit zum Feiern!«

Brunhild lachte zornig. »Habt Ihr Euch nicht angesehen, Siegfried, wer unterm Isenstein gewann?«

»Verzeiht, Herrin«, bat Hagen rasch. »Siegfried ist unser Schiffshauptmann, er war am Strand.«

»So grüße ich meine Königin«, sagte der Niederländer. »Mich freut, daß jemand Euer Herr wurde! Wann wollt Ihr uns an den Rhein folgen?«

»Nicht so bald, wie Ihr glaubt«, erwiderte zögernd Brunhild. »Erst muß ich meine Lehnsmänner rufen und meine Vettern in ihre Ämter einsetzen. Auch sollen meine Freunde euch begrüßen.«

Schon ritten viele Boten von der Burg, und Hagen geriet in Sorgen. »Wer kennt der Königin Gedanken«, warnte er, »was werden die Mannen tun, die sie aufbietet?«

Auch dem Niederländer gefiel das Zaudern nicht. »Ich will Hilfe holen. Tausend der besten Degen bringe ich euch.«

»Bleib nicht zu lange«, bat der König.

Heimlich eilte der Freund zum Strand; ein schnelles Boot segelte von dannen, niemand sah den Steuermann unter der Tarnkappe. Zum Land der Nibelungen fuhr Siegfried, es war wohl hundert Rasten weit, und doch brauchte er kaum einen Tag zur Reise, um die Burg auf dem Werder zu erreichen.

Als der unbekannte Gast an die Tür pochte, trat ihm ungefüge der Wächter entgegen. Dabei kam Siegfried in den Sinn, ihn auf seine Treue zu prüfen; mit verstellter Stimme rief er: »He, ein Wegmüder verlangt Eingang; eilt euch und schließt auf!«

Der Pförtner vernahm die grobe Stimme, er legte die Rüstung um, lief den starken Siegfried an und zerhieb ihm ohne ein Wort den Schildbeschlag. Auch Alberich, der Statthalter, der tief im Berg wohnte, hörte den Lärm; als er kampfbereit hinzurannte, war der Fremdling schon dabei, seinen Wächter zu binden. Lachend ging Siegfried auch ihm entgegen, schlug ihm die Wehr aus der Faust und packte den Alten beim Barte. »Wer seid Ihr?« schrie der Zwerg. Da gab der Gast sich zu erkennen. »Wohl wird mir bei der Kunde«, sagte Alberich. »Ihr allein dürft durch dies Tor, mein König! Seid uns gegrüßt, was ist Euer Befehl?«

»Ich brauche tausend Degen!« Der Zwerg beeilte sich; er weckte all seine Mannen und hieß sie sich rüsten. Bald führte er eine Schar der Eisenkerle nach der andern in den Burghof. Fackeln ließ er anzünden und lohnte die ausziehenden Männer aus dem Hort.

In der Morgenfrühe begann die Fahrt. Auf raschen Schiffen segelten die Scharen zu Brunhilds Land. Die Königin sah sie nahen. »Wem mögen die reichen Segel gehören, die übers Meer kommen? Weißer als Schnee scheint ihr Linnen.«

»Mein Heergeleit ist's«, antwortete Gunther. »Grüßt Eure Gäste, Frau Brunhild!« Da gehorchte sie und sandte den Landenden ihr Willkommen – Siegfried vor allen andern.

»Herr«, sprach die Königin dann, »wie soll ich mein Eigen verteilen? Wieviel davon soll ich nach Worms mitführen?«

»Kümmert Euch nicht um Gut und Gold«, prahlte Hagen, »der König vom Rhein hat dessen genug, er braucht Eure Habe nicht.«

»Gebt mir Raum für zwanzig Reiseschreine«, bat sie, »damit ich mein Gefolge aus eigenem Gut lohnen kann.«

Brunhild wurde traurig, je mehr sich der Tag der Reise näherte. »Wem lasse ich nun Land und Burgen?« fragte sie den König.

»Heißt Eure nächsten Freunde kommen«, riet Gunther, »und prüft sie.« Da begabte Brunhild ihrer Mutter Brüder mit Burg und Lehen. Aus ihrem Gesinde aber wählte sie die besten Rekken und bat sechsundachtzig Frauen, die ihr am liebsten waren, dazu wohl hundert Mägde, ihr nach Burgund zu folgen. Es war immer noch ein reicher Zug, der an Bord der Schiffe stieg, und sie, die bleiben mußten, weinten um die Ihren.

Bald hob sich der rechte Wind, der den Schiffen vom Lande half. Mit Freude und Spiel reisten die Könige über See und zum Rhein. Aber die Lippen versagte Frau Brunhild dem Gemahl. Zum Hofgelage vertröstete sie ihn, zum großen Fest in Worms.

Als sie schon rheinauf reisten – lange währte die Fahrt gegen den Strom –, schlug Hagen von Tronje vor, einen Boten zu Lande nach Worms vorauszuschicken. »Reite du«, bat ihn Herr Gunther, »ich gebe dir den Auftrag, Hagen!«

»Bitte Siegfried«, antwortete der Tronjer. Auch der zögerte indes, es dünkte ihn besser, in des Königs Nähe zu bleiben.

»Reite zu Ehren Kriemhilds«, lockte der König. »Sie wird dir die gute Nachricht vergelten.« Da war Herr Siegfried rasch erbötig um des Mädchens willen, das er im Herzen trug. »Sag meiner Mutter«, bat Herr Gunther noch, »daß ich frohen Mutes sei, sag meinen Brüdern an, wie wir geworben haben, grüße meine Schwester auch von Brunhild, und laß Zelte schlagen auf dem Sand vor Worms.«

Siegfried nahm Urlaub bei Brunhild; er sprengte am Rheinufer hinauf mit vierundzwanzig Recken. Einige Leute erkannten ihn, und weil er ohne König einritt, verbreitete sich ein großes Klagen. Viele meinten, Herr Gunther habe den Tod gefunden. Giselher und Gernot eilten herbei. »Laßt eure Sorge«, lachte Siegfried. »Mein Heergesell entbietet euch seine Grüße, ich verließ ihn wohlgeborgen. Vor allem laßt mich die Königin und eure Schwester sehen, ich habe ihnen Gutes zu berichten von Gunther und Brunhild.«

Fröhlich wurde der junge Giselher. »Sie werden dich wohl empfangen, Siegfried, sie warten in großer Sorge auf den Boten.« Er lief voran und verkündete den Seinen, wer Einlaß begehrte. »Unser Bruder Gunther hat Herrn Siegfried geschickt. Ladet ihn vor, er bringt euch Mär vom Isenland.«

Wie eilten sich da die Frauen, ein höfisches Gewand anzulegen und Siegfried zu rufen. Kriemhild hieß ihn noch vor ihrer Mutter willkommen. »Wo bleibt mein Bruder Gunther? Ach, wie sehr fürchtete ich, daß er auf dem wilden Isenstein unterliegen würde!«

»Zwei schöne Königinnen weinten ohne Not!« Siegfried grüßte sie lachend. »Ich verließ Herrn Gunther gesund und

wohlgeborgen bei seiner Herrin. Nun gebt mir Botenbrot!«
Schon lange hatten die Frauen nicht so liebe Kunde vernommen. Ihr Tüchlein führten sie zu den Augen und dankten
Herrn Siegfried. »Da man Euch nicht mit Gold belohnen
kann«, seufzte Ute, »werden wir immer in Eurer Schuld bleiben.«

»Was Ihr auch begehrt, alles wollen wir erfüllen!« Kriemhilds
Wangen röteten sich. Hätte Herr Siegfried sie zu küssen gewagt, sie hätte ihm Antwort gegeben.

»Ich soll Euch ferner ankündigen«, sprach Siegfried, »Ihr
möchtet den Schiffen bis ans Gestade entgegenreiten und
Brunhild freundlich grüßen.«

Nun erhob sich ein eifriges Schaffen und Werken auf dem Ufer
vor Worms. Sindold, Hunold und Rumold, und wie die Herren
der Ämter hießen, mußten Holzgerüste und hohe Schaustühle
errichten; fleißige Schaffer räumten die Burg leer, Säle wurden
gemalt und mit Tuchen ausgeschlagen. Von allen Seiten
strömten die Freunde der Könige herbei; weither und weithin
sammelte sich das Volk, um Gunther und Brunhild einreiten
zu sehen.

Schon kam ein Teil des Trosses zu Roß am Ufer herauf; der
Rhein führte wenig Wasser. Auch Frauen aus Brunhilds Gefolge waren dabei. Schemel brachte man ihnen zum Absitzen
und scherzte mit den fremden Schönen. Kriemhild selbst ritt
ungeduldig vor das Tor der Burg. Junge Burgundinnen folgten
ihr; kostbare Gürtel trugen sie, über lichte Kleider strichen ihre
Hände. Gelblockig lugte ihnen das Haar unter hellen Stirnborten hervor. Mit breiten Schilden und eschenen Speeren schritten Männer hütend neben den Frauen einher.

Dann kamen die Schiffe den Rhein herauf; die Herren lenkten
sie selbst gegen die rasche Strömung, sie waren darin wohlerfahren. Am Sand vor Worms legten sie an und ließen die Laufbrücken fallen.

Der König betrat als erster das Ufer, reichte Brunhild die Hand und führte sie den Seinen zu. In höfischer Zucht schritt Kriemhild ihr entgegen und küßte die Fremde; liebreich klang ihr Gruß: »Ihr sollt uns in diesem Land willkommen sein, meiner Mutter, mir und allen, die uns getreu sind.« Vielmals umfingen die Frauen einander, und auch die Königin Ute küßte die Braut.

Währenddes scherzten Brunhilds Maiden mit den Mannen der Burgunden und grüßten sie, mancher Mund ward noch an dem Tag geküßt. Immer wieder aber schweiften die Blicke der Rekken zu Brunhild und Kriemhild, prüfend und vergleichend. Nicht der geringste Trug war an beider Schönheit zu sehen. Die einen flüsterten, König Gunthers Weib sei nun die lieblichste der Königinnen. Andere stritten sich mit ihnen und gaben den Preis an Kriemhild; niemand wußte indes seine Meinung zu begründen.

Das Uferfeld war reich mit Zelten und Hütten bestanden. Die Frauen verlangten nach Schatten; unterdes begannen die Mannen ritterliche Spiele, saßen zu Roß und verstachen Lanzen gegeneinander, Burgunden und Recken vom Isenland.

Vor seinen Nibelungen ritt Siegfried einher; mit tausend Degen zeigte er sich.

Endlich ließ der König den Kampf der Lanzen einstellen; die Rosse wurden beiseite geführt, und die Herren traten in die Zelte, um mit Frauen und Mägden zu plaudern und sie in fröhlicher Kurzweil zu zerstreuen. Als die Kühle aufs Land niedersank und die Sonne unterging, brachen Gäste und Ritter, Maiden und Knappen zur Burg auf; Scherzworte fielen, ein jeder suchte sie, der er diente, mit den Augen und gab wohl acht, daß er ihr nahe blieb und sie vom Pferd heben durfte. Während die Frauen sich zum Abend kleideten, wurden die Tische gerichtet und das Mahl bereitet.

Brunhild schritt mit Herrn Gunther zur Tafel. Es war das erstemal, daß sie zu Worms die Krone trug. Schon wies der Truchseß die Stühle an; eilig, in goldenen Becken, brachten die Kämmerlinge den Gästen das Handwasser.

Da stand Siegfried an des Königs Weg. »Muß ich dich mahnen an das, was du mir versprachst, ehe wir nach dem Isenland fuhren? Denk an deine Schwester, Gunther!«

Der Wirt nickte und rief Kriemhild; sie kam mit ihren Mägden. Giselher, der Schelm, verscheuchte ihr Gefolge; feierlich traten Brüder und Freunde hinzu, als Herr Gunther lächelnd bat: »Helft mir, bei Kriemhild für Siegfried zu werben!« Er wandte sich an die Schwester: »Löse mich vom Eid, den ich meinem besten Recken schwur, und nimm ihn zum Mann. Dann hast du auch meinen Wunsch erfüllt.«

»Lieber Bruder«, antwortete Kriemhild leise, »es ist diesmal nicht schwer, dir gehorsam zu sein.« Siegfried vernahm, was sie sagte, und sah ihre Befangenheit; seine Wangen wurden rot von solch lieber Augenweide. Im Kreis der Mannen standen die beiden jetzt. Noch einmal fragte der König die Schwester laut, ob sie den Herrn der Niederlande zum Gemahl haben wolle. Kriemhild war so scheu, daß sie nicht zu antworten vermochte. Da sprach Siegfried für beide; die Braut nahm sein Gelöbnis an, umfing ihn mit den Armen, und er küßte sie vor allen Leuten.

Auf den Ehrenplatz der Nibelungen führte der junge König Kriemhild. Gunther und Brunhild saßen unter ihren Burgunden. Mit Lautenspiel und guten Liedern begann das Mahl. Nach einer Weile aber fiel ein Schatten über die Freude. Brunhild sah, wie Siegfried Kriemhild bediente, und das Herz pochte ihr vor Kummer. Ihr wurde so schwer zumute, daß Tränen über ihre Wangen rannen; kaum wußte sie, wie es kam.

Herr Gunther erschrak. »Was hat Euch betrübt? All mein Land und all meine Burgen sind Euer!«

Brunhild schwieg, er mußte noch einmal fragen. Dann antwortete sie: »Eurer Schwester wegen trage ich Leid. Ich sehe sie bei einem, der geringer ist als Ihr. Warum gabt Ihr sie an einen Eurer Lehnsmänner?«

»Schweigt davon«, bat Gunther, »ich sag' Euch ein andermal, warum ich die Schwester dem Freund verlobte.«

»Mich jammert ihr hoher Adel«, fuhr Brunhild fort. »Ach, nimmer kann ich Euch, König, zu eigen sein, solange ich nicht weiß, weshalb ihr Siegfried Eure Schwester Kriemhild versprach t.«

Gunther erschrak und versuchte auszuweichen. »Er hat Burgen wie ich und weites Land; er ist ein reicher Fürst, das dürft Ihr mir glauben. Warum soll ich ihm nicht die Schwester zu eigen geben?« Was immer er indes sagte, es genügte Brunhild nicht; kein Lied noch Spiel erheiterte sie, und den König verdroß das Fest. Endlich befahl er Aufbruch und Ende, sah Brunhild freundlich an und erhob sich. – Noch einmal grüßten sich die Königinnen, die Kämmerer brachten Licht, und die Freunde geleiteten die beiden Hochzeitspaare mit vielen Segenswünschen bis an die Türen ihrer Gemächer. Nun gewann Siegfried den Preis, um den er gedient hatte, jahraus, jahrein. Die schöne Kriemhild durfte er herzen; nicht um tausend andere hätte er die eine gegeben.

Hört, wie es Herrn Gunther erging; ach, er hätte es bei einer anderen wohl besser gehabt. Diener und Frauen hatten die Türen verschlossen, schon glaubte er, freundlich empfangen zu werden. Es sollte noch lange währen. Statt der Freude, um die er gedient hatte, fand er Abwehr und Feindseligkeit. »Sagte ich Euch nicht«, drohte Brunhild, »daß ich Euch nicht angehören würde, bis ich um Euer Geheimnis wüßte? Verratet mir, warum Ihr Kriemhild und Siegfried verlobt habt.« Gunther wollte nicht antworten, er versuchte, die Königin in seine Arme zu zwingen; Brunhild aber war stärker als er, sie packte ihn, daß es schier um sein Leben ging, band ihn schmählich an Händen und Füßen und hing ihn in Fesseln. Bis zum frühen Morgen mußte er so gefangen bleiben. Erst als die Mägde pochten, um Brunhild zu kleiden, befreite sie ihn.

In der Frühe schritten König und Königin, wie es die Sitte war, zur Messe ins Münster; dabei begegneten ihnen Siegfried und Kriemhild. Schön und adelig sah man die vier Neuvermählten unter den Kronen stehen.

Danach nahm das Fest seinen Fortgang. Sechshundert Knappen empfingen den Königen zu Ehren das Ritterschwert. Viel Volk schaute dem zu, in den Fenstern saßen die Mägde und suchten die Schilde ihrer Liebsten. Nur Gunther blieb traurig; was immer man auch begann, er blickte finster drein. Siegfried bemerkte es wohl, er fragte Kriemhildens Bruder nach seinen Sorgen. Der König wußte sich keinen anderen Rat, als dem Schwager heimlich anzuvertrauen, was ihm geschehen war. »Sieh meine Hände an, die hat sie gepackt, als wäre ich ein Kind. Ach, mein Leben wird nicht lange währen, wozu tauge ich noch?«

Der Starke sagte ihm Hilfe zu. »Mir ist deine Schwester so lieb wie Leben und Leib. Nun du sie mir gegeben hast, muß ich's für dich zu Ende führen, Gunther! Höre, ich komme zur Nacht in der Tarnkappe. Schick die Kämmerlinge rechtzeitig fort. Wenn den Knappen die Lichter in den Händen erlöschen, bin ich nahe.« Der König lächelte, kaum konnte er abwarten, daß die Sonne sank.

Wieder riefen die Kämmerer zur Nachtruhe, Herr Gunther und Siegfried erhoben sich mit ihren Frauen und gingen. Da geschah es Kriemhild, daß, während sie heimlich mit ihren weißen Fingern ihren Liebsten streichelte, er vor ihren Augen unsichtbar wurde, sie wußte nicht, wie. »Ach«, klagte sie, »wer hat seine Hände aus den meinen genommen?« Niemand vermochte ihr zu antworten.

Herr Siegfried war Gunthern gefolgt; er löschte die Lichter der Knappen und wartete, daß Mägde und Frauen die Gemächer der Königin vom Isenstein verließen. Als sie mit ihrem Gemahl allein war, warnte Brunhild wieder: »Begebt Euch nicht erneut in Not, Gunther, oder erzählt mir erst von Kriemhild.« Siegfried war zugegen, er sprach kein Wort; als Herr Gunther aber noch einmal Brunhild gewinnen und die ihn in Banden schlagen wollte, packte der Getarnte die Hände der Königin. Noch rang sie ihn in die Knie; Gunther vermochte nur mit Mühe auszuweichen und wußte nicht, wie er dem Freund helfen sollte. Dann wurde der vom Niederland übermächtig; er zwang Brunhild gegen das Lager, bis die Todesfurcht über sie kam und sie um Gnade bat. Den Gürtel und einen Ring von Gold zog er ihr ab, dann ließ er Gunther und sein Gemahl allein. Nun, da sie seine Stärke gespürt, hatte Brunhild nicht mehr Kraft als andere Frauen auch.

Währenddes kehrte Siegfried zu Kriemhild zurück; er wich allen Fragen aus und verriet nichts von dem, was geschehen war. Im Übermut aber schenkte er seinem Weib, was er Brunhilden geraubt hatte. Das sollte manchem Degen und ihm selbst das Grab bereiten.

Nach einigen Tagen, als die Gäste die Stadt verlassen hatten, dachte auch Siegmunds Sohn an die Heimkehr. Kriemhild hörte es gern, sie wollte nur noch der Brüder Erbe teilen. Siegfried hielt es nicht für nötig, obwohl die Könige selbst ihm ein Gleiches anboten. »Gott lass' euer Erbe gesegnet in eurer Hand«, antwortete er, »mein Weib kann ihres Teils entraten. Reicher als ihr werden Kriemhild und ich sein, wenn wir einst die Krone tragen; auch ohne euer Gut will ich euch gern als Freund zu Diensten bleiben.«

»Wenn Ihr mein Erbe nicht braucht«, bat Kriemhild ihn, »so möchte ich doch nicht auf das Geleit der Burgunden verzichten.«

»Nimm alle, die mit dir reiten wollen«, lachte König Gernot, »wähle sie dir selbst!« Die junge Königin sandte nach Herrn Hagen und anderen. Der Tronjer wurde zornig. »Gunther kann uns an niemanden vergeben«, drohte er, »wählt andere zu Euren Diensten, Kriemhild!« Da mußte sie sich begnügen mit denen, die zu ihr kamen. Fünfhundert Mannen und dreißig

Mägde schieden von Burgund, um ihrer Herrin ins Niederland zu folgen.

Boten gingen nach Xanten und meldeten, daß der junge König heimkehre mit der schönen Kriemhild, Frau Utes Kind. Da freute sich Siegmund, der Alte, daß er dem Sohn nun endlich die Herrschaft übergeben konnte. Vor den Toren von Xanten füllten sich die Festwiesen mit Menschen, noch einmal wurde Hochzeit gefeiert.

Danach lebten Kriemhild und Siegfried zehn Jahre in ihrem Land und wurden hoch geehrt. Als die Königin einen Sohn gebar, nannten sie ihn Gunther nach seinem Oheim.

Auch die Königin Brunhild schenkte ihrem Gemahl den Erben. Aber reicher als die Herren zu Worms war der Fürst des Niederlands. Keiner der Könige jener Zeit besaß größere Schätze als Siegfried, dem der Hort der Nibelungen zu eigen war. In hohem Sold hielt er seine Recken und wurde selbst von den Männern seiner Zeit der beste genannt, der auf Rosses Rücken ritt. Frieden gewann er für sein Volk, weil alle seine Stärke fürchteten.

Brunhild dachte in jenen Jahren häufig an Xanten. »Frau Kriemhild ist unfreundlich«, sagte sie zuweilen zu ihrem Gemahl. »Wie ist es nur möglich, daß Siegfried, unser Lehnsmann, uns nun schon so lange nicht mehr gedient hat?« Oftmals kehrte ihr der Gedanke wieder; sie forschte auch nach dem Grund, warum Siegfried Herrn Gunther keinen Zins zahlte gleich anderen Lehnsmännern.

Endlich fragte sie den König, ob es nicht geschehen könnte, daß Kriemhild und sie einander wiedersähen. Ihrem Gemahl gefiel die Frage nicht. »Meine Schwester wohnt uns zu fern«, meinte er, »ich darf sie nicht zu solch weiter Reise laden.«

»Wäre eines Königs Mann noch so mächtig, so hat er doch zu tun, was sein Herr gebietet«, sagte Brunhild hoffärtig. Gunther mußte über ihr Wort lächeln; er nähme es nicht als Dienst, käme Siegfried nach Worms. »Wenn Ihr mich liebhabt«, bat die Königin, »so sorgt, daß Siegfried und Kriemhild uns besuchen. Heißt es nicht, Eurer Schwester Güte und edle Zucht mache die Menschen mild? Auch mir würde ihre Nähe wohltun und mein Herz wärmen.«

Brunhild bat den König so lange, bis der zaudernd nachgab. »Keine Gäste sähe ich lieber als Siegfried und Kriemhild. Ich werde sie einladen, den Rhein hinauf zu reisen.«

»Wann wollt Ihr die Boten aussenden?« drängte die Königin. »Ich will mich rüsten, die Gäste würdig zu empfangen.«

Dreißig Männer unter dem Markgrafen Gere berief Herr Gunther. »Reitet aus, sucht Siegfried und meine Schwester auf«, befahl er den Herolden, »und sagt ihnen, daß uns, mein Weib und mich, verlangte, sie wiederzusehen. Bittet Frau Kriemhild, ihren Gemahl zu begleiten. Und sagt, meine Mutter Ute und alle Frauen von Worms entböten ihr die Grüße der Heimat.«

Rasch zäumten die Recken die Rosse, legten die rechten Gewänder an und gelangten nach zwölf Tagen zu einer Feste der Nibelungen im Lande Norweg, wo Siegfried und Kriemhild damals hofhielten. Man erkannte die Reiter an ihrer Tracht als Burgunden, ihre Ankunft wurde dem König und der Königin gemeldet. Kriemhild lief gleich ans Fenster; sie gewahrte den Markgrafen Gere unter den Ankommenden, ihr Herz schlug. »Gesandte meines Bruders Gunther«, rief sie dem König zu. »Den starken Gere sehe ich!«

Da wurde den Burgunden ein freudiges Willkommen geboten; ihre Rosse fanden gute Ställe, Küche und Keller öffneten sich. Schon wurde Herr Gere zur Königin gebeten; kaum fand er Atem, so viele Fragen hatte Kriemhild. »Herrn Gunther und Brunhild geht es wohl«, meldete der Markgraf, »und Frau Ute läßt grüßen, dazu Giselher, der Junge, und Gernot und alle Freunde und Mägde.«

»Gott lohne Euch die gute Zeitung«, dankte auch Herr Siegfried. »Sagt, hatten die Brüder meiner Frau Kummer, seitdem wir schieden? Haben sie Not gelitten? Es bleibt dabei, daß ich heute wie einst gegen ihre Widersacher stehe!«

Markgraf Gere wehrte ab. »Stark sind die Herren zu Worms, nicht aus einer Bedrängnis kam ich zu Euch. Eine andere Botschaft bringe ich den Nibelungen.« Er verbeugte sich klug vor Kriemhild. »Eure Brüder laden Euch ein, zwischen Wintersende und Sonnenwende rheinauf zu reiten.«

Siegfried schüttelte lächelnd den Kopf, er hatte zuviel Sorgen um sein Reich. Kriemhild aber gefiel das Wort, das nahm Herr Gere wahr. »Eure Mutter Ute hat mich so sehr gemahnt, und auch Euer Bruder Giselher läßt Euch bitten, ihr dürftet Euch nicht versagen.«

Der König antwortete nicht, er befahl, den Herolden Speise und Trank zu bringen, und bewirtete sie viele Tage lang. Währenddessen sandte er Boten zu seinen Freunden und fragte sie um Rat. »Wenn Ihr mit tausend Recken reitet, so tut's«, hörte er. »Aber hütet Euch auf dem Weg, Ihr kommt durch das Land von dreißig Herren.« Sogar der alte König Siegmund wollte den Sohn mit hundert Degen geleiten.

Nach neun Tagen baten die Gesandten aus Worms um Antwort; Frau Kriemhild gab ihnen reiche Geschenke, und der König befahl ihnen, anzusagen, daß die Niederländer in zwölf Tagen aufbrechen würden. Viele Grüße ließ er den Schwägern entbieten und hatte guten Mut, nun die Reise beschlossen war.

Wie eilten sich die Boten, die Kunde heimzubringen. Groß und klein drängte sich hinzu, als sie zu Worms in die Burg einritten. Zum König hastete Herr Gere; Brunhild sprang vom Sessel, sie konnte die Nachricht nicht abwarten.

»Wie gehabt sich Siegfried?« wollte Gunther wissen.

»Er wie Eure Schwester wurden vor Freude rot, als ich Eure Botschaft brachte«, erzählte der Markgraf.

»Kommt Kriemhild bestimmt?« fragte die Königin. Aber Herr Gere mußte zugleich Frau Ute antworten und ihr von Kriemhild, ihrer Tochter, Grüße aufgeben. Er pries auch, wie reich die Niederländer Boten zu beschenken wüßten.

»Die mögen wohl mit vollen Händen austeilen«, murrte Hagen. »Wenn Siegfried ewig lebte, er vermöchte nicht, den Hort der Nibelungen zu erschöpfen. Ha, wenn der an die Burgunden fiele!«

Bald mußten Hunold und Sidold wieder die Gestühle vor der Stadt aufschlagen; Truchseß und Schenken hatten wenig Muße. Rumold, der Küchenmeister, herrschte für einige Tage über die Burgunden und bot Kessel und Häfen und Pfannen auf. Am eifrigsten aber hatten die Frauen zu tun, Kleider zu schneiden und zu wirken, zu nähen und zu säumen.

Währenddes ritten Frau Kriemhild mit ihren Mägden und Siegfried mit seinen Degen schon den Rhein hinauf. Auch der alte König Siegmund war bei ihnen; nur ihr Kindlein hatten sie in der Heimat gelassen – noch wußten sie nicht, daß es Vater und Mutter nie wiedersehen sollte.

Nach einigen Tagen kamen ihnen Frau Utes erste Boten entgegen, und des Königs Lehnsleute begrüßten die Gäste. Um die gleiche Zeit ging Herr Gunther, der Wirt, zu Brunhild. »Denkt daran, wie meine Schwester Euch empfing, als Ihr an Land stiegt; seid herzlich gegen Siegfrieds Gemahl!«

»Gern soll das geschehen«, sagte Brunhild. Ihre Gefolginnen schmückten sich, und der König von Worms gebot den Recken, seine Gemahlin zu geleiten.

Auf weiter Ebene begegneten die Scharen einander. Die Ritter schwenkten ein – kaum vermochte man die Frauen vorm Staub und vorm Gedränge der Neugierigen zu bewahren. Dann grüßte Herr Gunther vor allen anderen Siegmund, den Alten.

»Seitdem mein Sohn Siegfried Euch zum Freund gewann«, antwortete der Greis, »hatte ich immer im Sinn, Kriemhildens Bruder zu sehen!«

»Zu unser aller Freude erfüllt es sich«, rief Gunther und wandte sich Siegfried zu, dem jungen König des Niederlands.

Auch die Gefolgsleute und das Gesinde grüßten einander. Viele alte Bekannte trafen sich wieder, in adliger Zucht traten die Frauen aufeinander zu und küßten sich.

Was für ein Fest begann danach unter den Mauern von Worms! Die Ritter ließen die Schilde hallen und die Speere klingen, und die hohen Herren zeigten ihre Kunst im Reiten. Einen langen Nachmittag trieb man das Spiel, den Frauen zu Ehren. Dann kamen Mägde, um die Königinnen, die sich umkleiden wollten, in die Gemächer der Burg zu geleiten. Noch einmal blickte Brunhild zu Kriemhild hinüber und sah, daß sie schön war. Aber edler noch als Gold und Schmuck waren das Licht und der Glanz über ihrem Antlitz.

Die Gefolgsleute feierten weiter – der Wirt war reich, keinem wurde verwehrt, was er sich wünschte. Dann führte auch sie des Königs Marschall, Dankwart, in ihre Herbergen. Herr Gunther aber sammelte zwölfhundert Recken an seine Tafel, begrüßte sie und hob den Becher auf das Wohl der Gäste.

Bis zur Morgenfrühe blieben die Herren beieinander; sie fanden nicht viel Zeit zum Schlummer, viel zu rasch läutete es zur Messe. Schon suchten der Frauen Hände die Gewänder in Truhen und Laden. – Dabei bedachte die Königin Brunhild, daß wohl noch niemals ein Dienstmann reicher geehrt worden sei als Siegfried von König Gunther zu Worms.

Früh war auch die Stadt wach zu neuem Spiel, zu neuer Feier. Posaunen erschollen, Flöten und Drommeten machten die Menschen froh. Abermals klangen die Glocken vom Dom, als die Königinnen aus ihren Gemächern schritten; sie trugen ihre Kronen auf dem Haupt, als sie zur Messe gingen, miteinander traten Brunhild und Kriemhild in das weite Münster. – Brunhild war freundlich gegen alle. In ihrem Herzen aber zwang es sie, Kriemhild zu fragen, warum Siegfried sich wie ein König feiern ließ, da er doch Gunthers Dienstmann war. Diese eine Frage, schien ihr, durfte sie sich nicht versagen, sie bedrückte ihr Herz. Einmal mußte das Wort über ihre Lippen.

Hätte sie es nie getan, allzuviel Jammer kam dadurch über die Lande!

Vor einer Vesper war es, da Frauen und Herren den Ritterspielen zusahen. Auch die Königinnen saßen beieinander, und jede dachte an ihren Gemahl, der ihr der beste von allen Recken schien. »Ich habe einen Mann«, scherzte Frau Kriemhild, »dem sollten alle Reiche willig sein!«

»Wie könnte das sein, solange Gunther lebt«, verwies sie Brunhild. »Du sprichst, als gäbe es keinen König zu Worms!«

Kriemhild hörte nicht auf sie. »Sieh doch, wie herrlich er vor seinen Recken reitet, gleichwie ein helles Gestirn vor den Sternen. Immer bin ich fröhlich, wenn ich ihn anschaue.«

»Stattlich und bieder ist er«, sagte Brunhild, »doch stärker und adliger ist dein lieber Bruder. Auch du mußt ihn über alle Könige stellen.«

»Ich lobe Siegfried nicht ohne Grund«, lachte Kriemhild. »Er ist meines Bruders Genoß und nicht geringer.«

»Leg es mir nicht arg aus, Kriemhild, aber ich hörte von beiden Herren, daß Siegfried des Königs Lehnsmann sei. Aus seinem eignen Mund erfuhr ich es.«

»Ich bitte dich, verschone mich mit diesen Fragen.«

»Das werde ich nicht tun«, antwortete Brunhild, »wie sollte ich auf die Aufgebote an Rittern und Herren verzichten, die mit Siegfried uns untertan sind.«

Jetzt wurde die schöne Kriemhild zornig. »Lange und vergeblich wirst du warten müssen, bis Siegfried den Wormsern auf Befehl zu Diensten steht. Ich bin deiner Reden satt, laß uns von anderem sprechen!«

»Du überhebst dich, Kriemhild! Ich werde dir beweisen, wen von uns zweien man höher in Ehren hält!«

Kriemhild schwieg. »Ich werde heut vor Brunhild ins Münster gehen«, dachte sie. »Ich will zeigen, daß mein Mann höher steht als der ihre.«

Brunhild wartete noch auf Antwort. »Es dünkt mich besser«, sagte sie endlich, »daß wir unser Gefolge scheiden, wenn wir aufbrechen.«

»Wohlan«, kam es zurück, »das mag geschehen!«

Als Kriemhild in ihre Gemächer trat, rief sie flink die Ihren zu sich. »Nun kleidet euch feiertäglich, ihr Maiden. Eilt euch, Brunhild soll leid werden, was sie redete!« Leicht ist es, Frauen zum Schmücken zu raten; schnell suchten die Gefolginnen ihr reichstes Gewand. Auch die Königin tat ein Gleiches – einen Gürtel fand sie in der Truhe, den sie lange nicht mehr angelegt hatte.

Dreiundvierzig Maiden, die ihre Herrin nach Worms begleitet hatten, folgten Kriemhild in Seide und lichten Stoffen. Die Leute wunderten sich, daß man die Königinnen nicht beieinander sah wie vordem, viele Degen machten sich Sorgen.

Vor dem Münster stand Gunthers Gemahlin mit den Ihren. Als der Gast, da es schon spät war, eilig in die Kirche treten wollte, befahl Brunhild ihr, zu warten. »Es soll vor des Königs Weib nicht das des Lehnsmanns gehen!«

Kriemhild wurde bleich. »Hättest du geschwiegen«, drohte sie. Dann vermochte sie nicht mehr an sich zu halten. »Wie will eine Kebse sich des Königs Weib nennen?«

»Von wem sprichst du?« fragte Brunhild; ohne Blut waren ihre Lippen.

»Dich meine ich«, schalt Kriemhild. »Ach, Königin, nicht mein Bruder war es, der dein Magdtum gewann; Siegfried hat dich bezwungen!«

»Wahrlich«, sprach Brunhild, »das muß ich Herrn Gunther sagen!«

»Es wird mich nicht gefährden«, lachte Kriemhild, »du hast mich zum Reden gebracht. Leid ist es mir um unsere Freundschaft.« Unter solchen Worten schritt sie an der Königin vorüber und trat als erste ins Münster mit allem Gefolge. Aber manche Augen wurden trüb vor Furcht.

Viel zu lang dünkte Brunhilden der Dienst und das feierliche Amt; vor der Kirchentür wartete sie schon auf Kriemhild. »Sie muß bekennen«, dachte sie. »Hat Siegfried sich dessen gerühmt, so soll er mit seinem Leben dafür büßen.«

»Hör mich an«, sagte sie, als Kriemhild vorüberging, »du hast mich eine Kebse gescholten und wirst es beweisen müssen.«

Die schöne Kriemhild blieb stehen: »Warum läßt du mich nicht vorbei? Warum zwingst du mich? Nun du mich fragst, mög' dir's der Reif an meiner Hand bezeugen; Herr Siegfried brachte ihn mir, als er von dir kam.«

Nie hatte Brunhild solch Leid erlebt wie an diesem Tag.

Kriemhild lachte. »Auch der Gürtel, den ich trage, wird's dir erweisen: Der Nibelung war der erste, der dich umfing!«

Brunhild erkannte den Gürtel und mußte laut weinen.

Während sie so sprachen, kam König Gunther vorüber. »Liebe Frau«, fragte er begütigend, »wer hat Euch ein Leid zugefügt?« Er sah die Neugier der vielen. »Folgt mir in die Burg.« Brunhild aber blieb. »König, Eure Schwester hat mich aller Ehren beraubt, Siegfrieds Kebse soll ich gewesen sein!«

»So hat Kriemhild Euch Unrecht getan«, drohte Gunther.

»Sie trägt einen Gürtel, den ich verlor, und meinen roten Reif. Mich reut, daß ich geboren ward.«

»Ruft Siegfried«, befahl der König, »er soll bekennen oder leugnen.« Da trat der vom Niederland aus dem Münster; er wußte noch nicht, was sich begeben hatte.

»Warum weinen die Frauen?« fragte er.

»Viel Leid fand ich hier«, drohte König Gunther. »Dein Weib schreit aus, Brunhild wäre dir, Schwager, zu Willen gewesen. Hast du das behauptet?«

»Niemals«, antwortete Siegfried erschrocken. »Und wenn Kriemhild so sprach, will ich nicht eher ruhen, bis sie es bitter bereut, und will mich reinigen vor den Deinen.«

»Wenn du den Eid leistest«, entschied Gunther, »so sollst du von aller Klage frei sein.«

Herr Siegfried hob die Hand und beschwor sein Wort.

»Ich glaube dir«, sagte der König.

»Es tut mir leid«, versicherte Siegfried, »wenn mein Weib das deine betrübt hat. Wir Männer sollten uns des Übermuts der Frauen schämen!«

Als die Könige auseinandergingen, schluchzte Brunhild so sehr, daß Herr Gunther sie nicht zu trösten vermochte. Und weder seine Lehnsleute noch ihre Herrin konnten die Demütigung vergessen. In ihrer Kammer verborgen, verbrachte Brunhild die Tage.

Einmal trat Hagen von Tronje bei der Königin ein; er fragte, warum sie weine. Sie erzählte, was geschehen war, sie wiederholte die Worte, die vorm Münster gefallen waren, und bat ihn, Vergeltung zu üben. »Wie soll Kriemhild büßen, wessen andere schuldig sind«, versetzte Hagen. »Er selbst, Siegfried, muß für das Wort zahlen, oder man wird uns nicht mehr ehren.« Die Könige kamen hinzu, und Gernot stand Hagen bei. Giselher aber klagte: »Was tut ihr, gute Recken? Wenn die Frauen einander schelten, ist das ein Grund zum Haß der Männer?«

»Wer sich rühmt, meine Herrin gewonnen zu haben«, drohte Hagen, »der soll des Todes sein, oder ich darf nicht mehr leben!«

Herr Gunther selbst wandte sich gegen ihn. »Er hat uns nur Gutes getan. Wie sollte ich ihn hassen?«

Der Tronjer aber mahnte von da an jeden Tag seinen König, Strafe und Rache nicht zu vergessen. Er zählte auch auf, welche Lande den Burgunden untertan würden, wenn Siegfried nicht mehr lebte.

»Dämpfe deinen Wunsch nach Vergeltung, mein Schwager hat uns zu Ehren und Reich verholfen«, antwortete der König. Nach einer Weile fuhr er fort: »Wer wollte sich an ihn wagen, stark, wie er ist, und wunderkühn?«

»Ich denke nur an das eine, an Brunhildens Weinen. Das soll ihm leid werden!«

»Was hast du vor?« fragte König Gunther endlich.

»Ich habe einen Plan«, sagte Hagen. »Wie wäre es, wenn wir Boten nach Worms kommen ließen, die uns einen neuen Krieg meldeten? Siegfried wird mit uns reiten wollen. Haben wir ihn allein, können wir ihn im Streit erschlagen.«

Der König hörte seines Dienstmannes Rat. Sein Weib weinte, seine Mannen wichen ihm aus. Er begann zu sinnen und Pläne zu schmieden, nicht anders als Hagen. Ach, so sollte durch zweier Frauen Streit manch tapferer Held das Leben verlieren!

An einem der nächsten Morgen sah man Boten zu Hof reiten, die gaben vor, von Lüdiger gesandt zu sein, und sagten Herrn Gunther einen neuen Krieg an. Noch einmal, hieß es, wollten Dänen und Sachsen sich mit den Burgunden messen. Viel Leid kam da über die Frauen.

Auch Herr Siegfried hörte von der Botschaft. Als er darauf eilig zu Gunther ging, fand er den in schwerem Gespräch mit Hagen. »Warum ist der König traurig?« fragte der Recke. »Habe ich nicht immer geholfen, wenn jemand die Burgunden angreifen wollte? Konnte ich nicht schon einmal Lüdiger und Lüdegast für euch überwinden? Ich werde die Burgen der Dänen und Sachsen stürmen und ihr Land wüstlegen.«

»Ich danke dir«, sagte der König, als wäre er des Freundes Hilfe allen Ernstes froh.

Bald boten die Herren Gefolgsleute auf, um Siegfried und die Seinen zu täuschen. Auch die Recken des Niederlands rüsteten ihr Streitgewand. »Ihr, Vater Siegmund«, bat der Sohn, »bleibt zu Worms; es wird nicht lange dauern, und ich bin wieder am Rhein.«

Unterdessen – während man nämlich Panzer und Helme auf die Rosse legte und Degen aus dem Reich zum Heer stießen – suchte Hagen Tronje Frau Kriemhild auf und erbat Urlaub von ihr. »Ich bin froh«, versicherte die Königin, »daß mein Gemahl seine Freunde zu schützen weiß. Hört, Hagen, ich habe noch

eine Sorge und will's Euch verraten. Nie habe ich Euch gekränkt und hoffe, daß Ihr meinen Mann nicht entgelten laßt,
was ich selbst Brunhilden tat.«

»Herrin«, antwortete Hagen, »wenn Siegfried heimkehrt, werden sich auch die Königinnen versöhnen. Sagt mir nur, wie ich
Eurem Gemahl dienen darf.«

»Ich wäre ohne Sorgen um ihn, wenn er den Kampf recht
führte und nicht seinem Übermut folgte.«

»Fürchtet Ihr, daß er irgendwo verwundbar ist, so vertraut es
mir an. Ich will im Kampf neben ihm reiten.«

Frau Kriemhild sann nach: »Ihr gehört zu meiner Sippe, Hagen, und in Eurem Schutz will ich den Gatten wissen. Hört: Als
er den Lindwurm schlug und in seinem Blut badete, so daß
keine Klinge ihn zu versehren vermag, da fiel ihm ein Lindenblatt zwischen die Achseln. Dort allein kann ihn die Waffe treffen.«

Herr Hagen sagte listig: »So näht ein kleines Zeichen auf sein
Gewand, damit ich ihn schirme.«

»Das will ich tun«, antwortete Kriemhild. »Wo ich ein Kreuz
von Seide sticke, dort sollt Ihr ihn hüten, Hagen!«

Der Tronjer verabschiedete sich und ging von dannen. »Jetzt
könnt Ihr den Krieg absagen«, rief er dem König zu. »Nun weiß
ich, wo Siegfried sterblich ist. Befehlt einen Jagdzug, darum
bitte ich Euch.«

Am andern Morgen stellte sich der Niederländer mit tausend
Mannen. Herr Hagen ritt zu ihm, besah sein Gewand und erkannte das Zeichen. Da schickte er zwei Leute zu König Gunther, die gaben an, Herr Lüdiger habe um Frieden gebeten.
Siegfried ließ ungern vom Kampf ab; er wolle die Wortbrüchi-
gen züchtigen, erklärte er. Gunther aber tat, als müsse er seinem wallenden Mut einen anderen Weg zeigen. »In den Odenwald reiten wir, Schwager! Auf Bären und Wildschweine wollen wir jagen! Halte dich in der Frühe bereit, Siegfried. Oder ist
es so, daß du bei den Frauen bleiben möchtest?«

»Wenn Ihr mir Jäger und Bracken leiht, reite ich mit Euch.«
Während nun Siegfried zu seinem Weib ging, besprachen Hagen und der König, wie sie den Freund verderben könnten. Giselher und Gernot blieben daheim. Sie wollten nicht jagen; aber sie warnten auch nicht, so wurden sie schuldig und den Mördern gleich.

Schwer wurde Siegfried der Aufbruch am anderen Tag. »Gebe Gott, daß ich dich gesund wiedersehe und mich deiner Augen freuen darf«, grüßte er Kriemhild. Die aber dachte an das, was sie in ihrer Not Hagen verraten hatte, und begann sich zu fürchten. »Laß die Jagd, mein Gemahl«, flehte sie, »ich habe geträumt, daß zwei Eber dich über die Heide hetzten, das machte mich weinen.«

»All die Deinen sind freundlich gegen mich«, antwortete Siegfried. »Wie sollte jemand Haß oder Neid gegen mich hegen.«

»Mir träumte noch ärger«, klagte Kriemhild. »Ach, zwei Berge stürzten über dich, und ich sah dich nimmermehr.«

Aber Siegfried lachte, er nahm Kriemhild in seine Arme und küßte sie. Dann machte er sich auf, den anderen zu begegnen. Von rotem Gold war sein Horn, ein schwarzes Pirschgewand hatte er angetan und trug einen Hut von Zobel.

Bald ritten die Herren in einen tiefen Tann. Saumrosse folgten ihnen, die Brot und Wein schleppten. Auf halbem Weg riet Hagen: »Wir wollen uns trennen, da sehen wir, wer der Beste von uns ist. Jeder jage für sich, Leute und Hunde teilen wir.«

Siegfried wählte einen alterfahrenen Jäger und einen Spürhund. Mancherlei Wild stöberte er auf; nicht viel entrann dem raschen Recken, so geschwind waren er und sein Roß. Einen Wisent schlug er, dazu zwei Ure und den seltenen Schelch. Mit dem Schwert erlegte er einen Wildeber, der ihn anstürmte.

»Herr«, rief der Jäger, »Ihr wollt uns den ganzen Wald ausleeren!«

Als Siegfried soviel Beute zur Raststelle sandte, freuten sich die Köche. Dicht vorm Lager sprang noch ein Bär vor den Heim-

kehrenden auf, in einer Schlucht stellte Siegfried das starke
Tier, fing und band es. Auf zwei Sätteln hieß er es zur Feuer-
stätte führen, schon waren die Gesellen beisammen. Während
die Leute ihm entgegenliefen, um ihm Roß und Beute abzunehmen, löste der Niederländer lachend Meister Petz die Fesseln. Die Hunde heulten, der Bär aber, der zum Wald fliehen
wollte, geriet in die Küche, warf die Kessel um und schleuderte
den Brand auseinander. Noch einmal griffen die Herren zu Bogen und Spieß; so stark wurde das Getöse, daß vom Laut der
Rüden und vom Ruf der Jäger ringsum der Bergwald scholl.
Endlich schlug Siegfried selbst den flüchtigen Bären mit dem
Schwert und brachte ihn auf dem Nacken zurück.
Die Könige setzten sich nunmehr auf dem Anger zum Mahl, da
fehlten die Schenken, die für den Wein zu sorgen hatten. Siegfried schalt lachend die Wirte; Gunther entschuldigte sich,
Herr Hagen trüge die Schuld, der wolle die Könige verdursten
lassen. Der Tronjer wiederum erklärte, der Wein sei in den
Spessart gesandt; dort, so habe er geglaubt, werde die Jagd
stattfinden. Wenn die Ritter indes trinken wollten, so wüßte er
bergauf unter einer nahen Linde einen Quell.
Der Rat gefiel Siegfried, er sprang vom Tisch auf, um das Wasser zu suchen. »Wer wird ihn als erster erreichen?« forderte
der Tronjer heraus. »Ich höre, niemand könnte Kriemhildens
Gemahl einholen. Das möchte ich wohl wissen!«
»So wollen wir wettlaufen«, schlug Siegfried vor. »Wer den
Quell als erster findet, der hat gewonnen. – Halt, ich will es
euch leichter machen! Gewand und Jagdwaffen will ich am Leib
behalten, auch Schild und Spieß!«
Da warfen die anderen die heißen Kleider ab. Wie Panther liefen die Herren durch den Klee bergauf zur Linde. Dennoch gelangte der schnelle Siegfried als erster zur Quelle; rasch legte er
die Waffen ab, lehnte den Spieß an den Lindenstamm und wartete höflich, bis der König getrunken hätte. Währenddes zog
Hagen heimlich Bogen und Schwert an sich und trug sie zur

Seite. Als Siegfried sich niederbeugte, schlich er zum Wurf-spieß. Das Zeichen am Gewand erspähte der Tronjer, packte den Speer und stieß ihn dem Knienden zwischen die Achseln. Den Schaft im Herzen, erhob sich Siegfried, er sah Hagen flie-hen und suchte, der Todwunde, nach Bogen und Schwert. Als er sie nicht fand, raffte er den Schild vom Boden, folgte Hagen und traf ihn, daß er strauchelte. Dann verging dem starken Ni-belungen des Lebens Kraft; der Schatten des Sterbens fiel über ihn, er stürzte in die Knie und sank vornüber in die Blumen. »Weh euch«, ächzte er, »was hatte ich euch getan?«

Viele Ritter kamen herbei; wer Treue und Ehre kannte, klagte, am lautesten König Gunther. Der Sterbende hörte es. »Nicht nötig«, stöhnte er, »daß der weine, von dem ich den Tod ge-wann!«

»Wen reut die Tat?« drohte Hagen und scheuchte die Männer zurück. »Wohl uns, daß dies Leben zu Ende ist, wohl uns, daß die Königin der Burgunden nicht mehr zu weinen braucht!«

Noch einmal öffnete Siegfried die Lider. »Kriemhild, mein Weib«, seufzte er. »Wenn du noch Treue kennst, König, so steh ihr bei! Ach, euch andern hilft mein Tod nicht, ihr habt euch selbst erschlagen.«

Als er gestorben war – die Blumen allenthalben waren vom Blute naß –, betteten die Männer den Helden auf seinen Schild und berieten, wie sie es machen könnten, daß niemand von Ha-gens Tat erführe. »Schreit aus, ein Unglück hätte uns betrof-fen«, sagte Herr Gunther, »als er allein durch den Wald ritt, hätten Räuber ihn von hinten erstochen.«

»Nichts da«, sprach Hagen, »ich selbst reite mit dem Toten nach Worms und werde nicht fragen, wer um ihn weint.«

In der Nacht führte Hagen den Leichnam wohlverhüllt vom Odenwald über den Rhein nach Worms. Er trug ihn in die Burg und legte ihn vor der Tür zu Kriemhilds Gemach nieder; sie sollte ihn finden, wenn sie zur Messe ging.

Das Morgengeläut weckte die Königin; sie ließ sich Licht und Gewand bringen. Dabei stürzte ein Kämmerer über den Toten im dunklen Gang; er fühlte, wie seine Hand naß vom Blut ward. »Fraue«, rief er zitternd, »ich glaube, es liegt ein Erschlagener vor Eurer Tür!« Da schrie Kriemhild auf. Noch ehe sie den Leib gesehen hatte, wußte sie, wer es war. An Hagens Frage dachte sie, ahnte ihr Leid und sank ohne Macht und Wort zur Erde. Gleich aber erwachte sie wieder, Glut brach ihr von den Lippen vor Herzenspein. »Es ist ein Fremder«, tröstete die Magd. »Nein«, stöhnte die Königin, »ich weiß, daß es Siegfried ist! Brunhild hat es geraten, und Hagen hat es getan!« Vor die Tür stürzte sie, ließ sich niedergleiten, hob des Toten Haupt – rot von Blut war es – und wußte, in ihren Armen lag der Held vom Niederland. »Nun muß ich wohl immer einer langen Rache leben«, seufzte sie. »Das wird mein letztes Amt.« Laut weinte das Ingesinde.

Boten liefen zu Siegmund und den Recken vom Nibelungenland. »Auf, auf, mein König«, pochte es an des Greises Tür, »die Königin, unsere Herrin, klagt!«

»Worüber klagt die schöne Kriemhild?« fragte der Alte. Da schrie der Mann: »Erschlagen liegt Siegfried vom Niederland! Wollt Ihr's nicht glauben, hört unserer Königin Weinen.« Die Nibelungen eilten zu den Waffen, sie drangen zu ihrem toten Herrn. »Weh über die Reise!« stöhnte der alte Siegmund. »Hattest du mich nicht zu Freunden geführt, Kriemhild?«

»Wüßte ich erst gewiß, wer es tat«, sagte die Königin, »ich würde nicht nur ihn zur Hölle senden. All die Seinen möchte ich jammern und weinen sehen!«

Siegmund richtete die Leichenfeier; er selbst wusch dem Sohn die Wunde. Elfhundert Recken der Nibelungen warteten, daß er Rache geböte. Aber Kriemhild dachte weiter. »Meidet den Streit zu Worms, er wäre umsonst«, riet sie. »Es wird sich einmal besser fügen. Helft mir Herrn Siegfried begraben, dann mögt ihr an die Vergeltung denken.«

Während des kamen Bürger aus der Stadt, um den Edlen noch einmal zu sehen; Frauen weinten, weither vom Lande eilten die Bauern herbei und klagten über Siegfried, den guten König.

Um die Stunde kehrte auch Herr Gunther vom Odenwald heim. Er meldete sich mit Hagen bei Kriemhild, als wollte er ihr sein Beileid ansagen.

»Wenn dich dieser Tod betrübt«, antwortete sie, »so wäre er nimmermehr geschehen. Ach, lieber wäre mir, ihr hättet mich erschlagen als ihn, der unschuldig war!«

Gunther fragte, ob sie so sicher wisse, wie Siegfried umgekommen wäre.

»Wer ohne Teil an seinem Tod ist, der mag zu ihm treten.« Nun ist es oftmals so, daß, wenn ein des Mordes Schuldiger vor der Bahre steht, der Ermordete zu bluten beginnt. Als Hagen Herrn Siegfried nahte, da strömte die Wunde von neuem.

Der König suchte den Oheim zu schützen. »Räuber erschlugen ihn, das sag' ich dir, Kriemhild!«

»Ich kenne die Räuber. Ihr, Gunther und Hagen, habt es getan!«

Gernot und der junge Giselher wollten die Schwester trösten. Sie weinten um Siegfried. »Wir werden ihn dir ersetzen, solange wir leben«, versicherten sie. Die Königin hörte sie an, aber niemand vermochte ihren Schmerz zu lindern, niemandem antwortete sie.

Als Siegfried begraben werden sollte, kam das Volk von weit her; man sah wohl, daß er Freunde ohne Zahl gehabt hatte. Bis über das Münster hinaus hallten die Gesänge der Klagenden.

»Wacht mit mir«, verlangte Kriemhild, »drei Tage und drei Nächte will ich ihn noch über der Erde wissen. Ach, vielleicht ruft auch mich der Tod, ehe sein Grab sich schließt, dann wär' mein Leid zu Ende!«

Keine Speisen nahm sie zu sich, Stunde um Stunde blieb Kriemhild schweigend vor Siegfrieds Bahre – mit ihr das Gefolge und alle, die den König liebgehabt hatten. Als dann aber die Träger nahten und den Sarg schlossen, um ihn zur Feier ins Münster zu bringen, wurde Kriemhilds Leid übergroß; sie hieß den Schrein noch einmal öffnen und hob des Toten Haupt; Blut brach aus ihren Augen, vor Gram wollte sie sterben.

In Ohnmacht lag die Königin den langen Tag, den Abend und die Nacht dazu.

»Laßt uns heimziehen«, drängte Siegmund, »uns hält nichts mehr im Land der Burgunden.«

Zu Kriemhild und ihrem Gefolge ging der alte König. »Bietet Eure Lehnsleute auf«, sagte er, »und rüstet Euch, wir wollen zur Nacht reiten.« Es war den Niederländern und ihrem Markgrafen Eckewart recht, sie holten ihre Rosse, um nicht eine Stunde länger als nötig in Worms zu verweilen.

Inzwischen bat Frau Ute aus ganzem Herzen die Tochter, bei ihr zu bleiben; sie hatte viel Furcht um den Zwist zwischen ihren Kindern.

»Wie sollte ich wohl bleiben«, antwortete ihr Kriemhild, »ich müßte vor Leid sterben, wenn ich Hagen sähe.«

Die jungen Brüder kamen zu ihr. »Wir wollen dir Siegfrieds Tod mit all unserer Liebe vergelten.« Kriemhild hörte nicht auf sie; schon mahnte König Siegmund zum Aufbruch.

In der Stunde aber, als sie das Zaumzeug der Rosse klirren hörte, dünkte es Kriemhild, daß sie von Siegfried nicht lassen könnte. Sie bat Herrn Siegmund, für ihr Kindlein zu sorgen, und nahm Wohnung in der Nähe des Grabes.

Arm an Freuden kehrte der alte König heim, Giselher und Gernot ritten eine Strecke an seiner Seite.

Die schöne Brunhild lebte im Übermut. Sie fragte nicht, wieviel Nächte die Königin Kriemhild weinte. Ach, nicht lange dauerte es, und auch ihre Hoffart mußte vergehen.

Kriemhild wohnte fortan zu Worms am Münster nahe der Stätte, wo Siegfried begraben lag. Täglich ging sie zu ihm, und weder Frau Ute noch der getreue Eckewart, der zu ihrem Schutz in Worms geblieben war, vermochten ihren Gram zu wenden. Drei Jahre lang sprach sie nicht mit Gunther noch mit Hagen.

Damals sorgte sich der Tronjer um den Schatz, der der Königin als Morgengabe gehörte. »Laß Gernot und Giselher die Schwester bitten, daß sie den Hort nach Worms bringe«, riet er. Aber Kriemhild wies die Brüder ab.

Wieder verging die Zeit.

»Laß Gunther zu dir kommen«, baten Gernot und Giselher. »Er will dir schwören, daß er Siegfried nicht erschlug.«

»Das weiß ich wohl«, entgegnete Kriemhild, »Hagen erschlug ihn. Wenn ihr wollt, werde ich ihn begrüßen; nimmer aber kann mein Herz ihm vergeben!«

Der König vernahm die Antwort, er besuchte die Trauernde; in Tränen schieden Schwester und Bruder voneinander. Und es war danach, als vermöchte Kriemhild Herrn Gunthers Wort und Rat wieder zu dulden. Sie befahl auf seine Bitte, den Hort, Siegfrieds Morgengabe, vom Nibelungenland rheinauf zu bringen. Mit vielhundert Mannen zogen Giselher und Gernot zu Alberich, der ihn in seiner Macht hielt. Er gab die Schlüssel den Brüdern, und die ließen die Schätze ohne Zahl auf Schiffe schaffen. Vier Tage und vier Nächte schleppten die Knappen Gold und Edelgestein.

Als sie aber den Hort in Gunthers Land gebracht hatten, strömten viele Fahrende und viele Recken der Königin zu, um in ihren Dienst zu treten. Arme und Reiche begaben sich zu ihr, so daß ihr Anhang groß wurde.

»Laßt ihr sie so weiter schalten«, warnte Hagen seinen Herrn, »so wird es uns übel ergehen.«

»Der Hort gehört meiner Schwester«, entgegnete Gunther, »ich darf ihr nicht raten, an wen sie ihr Gut verteilt.«

»Gold sollte man Frauen nicht anvertrauen«, drohte Hagen, »es könnte die Burgunden reuen!«

»Ich schwur ihr zu«, versetzte Gunther, »daß ich ihr nie wieder ein Leid zufügen würde.«

»So will ich noch einmal der Schuldige sein«, lachte Hagen. Er hatte Sorge, daß die Königin eines Tages mächtiger als ihre Brüder würde. Als Gunther aus der Stadt geritten war, raubte der Furchtbare der Witwe die Schlüssel und nahm ihr das Gold.

Gernot und Giselher erfuhren davon, sie eilten zornig zum Tronjer und drohten ihm, mit Gewalt das Recht ihrer Schwester zu schützen. Da ging Hagen hin und versenkte heimlich in vielen Nächten den unheiligen Hort im Rhein. Dem König Gunther erzählte er davon und sagte, es solle nunmehr des Goldes und des Haders für immer ein Ende sein. Er verriet ihm auch, wo der Schatz ruhte; die beiden schwuren einander, niemandem den Ort zu entdecken, solange einer von ihnen lebte.

Nun war Kriemhild noch einmal ohne Gut und Recht. In Lorsch, einem Kloster unweit von Worms, wohnte ihre Mutter. Zu ihr flüchtete die Schutzlose. Weil sie indes nicht fern von Siegfried bleiben wollte, ließ sie den Schrein mit dem Toten nach Lorsch bringen, um ihn und ihr Leid vor der Welt zu verbergen.

In jenen Zeiten starb am Hof der Hunnen Herrn Etzels Gemahlin, die gütige Frau Helche. Und der König trauerte um sie. Seine Freunde wollten, daß bald wieder eine Königin herrsche, und einige rieten, er möge um Kriemhild, die Witwe Siegfrieds vom Niederland, werben.

Etzel bedachte sich: »Ich habe einen anderen Glauben als sie!« Die Ratgeber aber empfahlen ihm, es zu versuchen; bei seinem hohen Namen und bei seinem großen Gut würde Frau Kriemhild ihn nicht abweisen.

Wem das Volk und die Stadt der Burgunden bekannt sei, fragte Etzel. Rüdiger von Bechelaren erhob sich: Er kenne die drei Könige, sagte er, und seit ihrer Kindheit auch deren Schwester Kriemhild. Rühmend pries er ihre Schönheit und höfische Zucht und ihre milde Liebe gegen Freunde. Da hieß Etzel Rüdiger ausreiten und um Frau Kriemhilds Hand bitten. Was der Markgraf aus seinem Schatz begehre, möge er nach Worms als Geschenk bringen.

»Dein Bote werde ich gern«, antwortete der stolze Rüdiger. »Werben aber will ich aus eignem Gut. Mit fünfhundert Degen werde ich vor Siegfrieds Witwe treten.«

Rüdiger sandte nach Bechelaren und ließ seinem Weib ansagen, daß er für den König auf Werbung auszöge. Die schöne Gotelinde mußte an die tote Frau Helche denken, leid tat es ihr um die liebe Königin. Währenddes ritten die Herren schon über Wien, rüsteten sich dort mit Kleidern, mit Waffen und mit fröhlichem Mut. Dann grüßte Rüdiger in Bechelaren sein Weib und seine Tochter.

»Möge deine Reise zum Guten ausschlagen«, seufzte die Markgräfin. »Nicht leicht wird es für die Königin sein, an Helches Stelle zu herrschen.«

Mit Geschenken reich beladen, ritten die Herren danach durch Bayern an den Rhein und nahmen in der Stadt Worms Herberge. Das Volk fragte neugierig, wer die Fremden seien, und in den Straßen drängten sich die Menschen, um die unbekannten Gäste zu sehen. Der Tronjer war es, der sie zuerst erkannte.

»Rüdigers Wappen tragen sie! Er ist einer der kühnsten und wackersten Grafen aus König Etzels Reich.« Noch während Hagen es sagte, ersah er Rüdiger selbst, trat auf den Freund zu und hieß ihn mit lauter Stimme willkommen.

Danach schritt der Markgraf mit seinen Mannen in den Saal der Burg vor den Hochsitz der Könige, und Gunther stand auf und ging ihm entgegen. Bald hob ein Fragen an nach der schönen Gotelinde und ihrer Tochter, nach Krieg und Frieden im Hunnenland. Dann bat Rüdiger, seine Botschaft vortragen zu dürfen, um derentwillen er in der Burgunden Land geritten sei, und begann:

»Mein großer König entbietet Euch seine Freundschaft. Er

klagt, daß seine Völker ohne Freude leben, seitdem die Königin gestorben ist; die Jungfern am Hof sind verwaist, und die Fürstenkinder, die Frau Helche erzog, haben keine Mutter. Betrübnis und Verwirrung herrschen im Lande, niemand ist da, der dem König die Sorgen abnimmt.«

»Gern wollen wir ihm helfen und die Grüße, die er uns sandte, verdienen«, antwortete Herr Gunther. »Sagt, was er von uns begehrt!«

»Die Welt beklagt weithin den Tod unserer Königin Helche«, begann Rüdiger noch einmal. Hier unterbrach ihn Hagen und gab ihm seine Trauer kund.

»Aber nicht recht ist es«, fuhr Rüdiger fort, »immer nur Kummer um die Toten zu hegen. Als deshalb mein Herr, König Etzel, erfuhr, daß Siegfried gestorben sei und die schöne Kriemhild als Witwe lebe, ging es ihm durch den Sinn, um die Königin zu werben. Ihr möchten Herr Etzel und seine Recken die Krone antragen. Das ist meine Botschaft!«

Auf die Worte schwiegen die Könige der Burgunden. Dann bat Gunther um drei Tage Frist. Er werde Etzel keinen Wunsch versagen, fügte er hinzu, aber er wisse nicht, wie Kriemhild darüber denke.

In Freundschaft verbrachten Rüdiger und Hagen die nächste Zeit; der Tronjer wollte dem Markgrafen von Bechelaren vergelten, was er einst von ihm an Etzels Hof empfangen hatte. König Gunther befragte währenddes seine Räte, ob er es zulassen solle, daß Kriemhild Herrn Etzels Weib würde. Es dünke sie gut, antworteten sie ihm.

Hagen allein widersprach. »Sei vor ihr auf der Hut«, mahnte er Gunther.

»Sie ist meine Schwester! Was kann ihr an besserem Trost werden, als wenn sie noch einmal eine Krone trägt?«

»Unbedacht bist du, König«, warnte Hagen. »Ich kenne Herrn Etzel und seine Macht. Ich kenne auch den Haß der Königin, und ich weiß von einer Stunde, wo du über ihn klagen wirst!«

Der Tronjer blieb der einzige, der widerriet. Dem jungen Giselher wurden seine Einwände leid. »Neidisch bist du, Hagen, und fürchtest Vergeltung für das, was du Kriemhild zugefügt hast – ach, selten tat jemand einer Frau so viel Gram an wie du. Mich dünkt gut, daß meine Schwester über viele Mannen und Völker herrschen soll.«

»Wenn wir nicht selbst in Etzels Land zu reiten brauchen«, lachte Gernot, »was sollte uns wohl an Bösem geschehen?«

Noch einmal warnte Hagen. »Frau Helches Krone ist schwer und reich. Denkt an mein Wort, viel Kummer wird uns Kriemhild schaffen.« Giselher aber drang in seine Brüder, Kriemhild die Treue zu halten, die sie gegen Siegfried vergessen hätten. Hagen schwieg; Ungutes war ihm auf der Stirn zu lesen.

Gernot und Giselher ritten zur Königin. »Liebe Schwester, nun soll alles Leid ein Ende haben! Für fremde Boten sprechen wir. Ein hoher Fürst wirbt um dich, das Glück will wiederkehren.«

Die Königin wurde zornig. Wußten die Brüder nicht, daß sie nur noch der Trauer um Siegfried lebte und sich allen Freuden für immer versagt hatte?

»Höre den Boten selbst, es ist der Markgraf von Bechelaren; solch edlen Gesandten muß auch Kriemhild empfangen!«

In der Frühe des andern Morgens sah man Herr Rüdiger vor der Frauenburg halten und manchen Degen mit ihm. Er fand die Königin nicht höfisch geschmückt, sie hatte ihr Trauerkleid angelegt; wohl aber ging sie den Reitern bis zur Tür entgegen und führte den Freund ihrer Brüder ins Haus. Verweint vom Kummer der Nacht war ihr Auge, und ihre Witwentracht trug die Spuren der Tränen.

Da begann Herr Rüdiger: »Mit fünfhundert Recken kam ich im Auftrag Etzels in dies Land, Königin! Wie sehr mein Herr einst Frau Helche liebte, ist Euch wohlbekannt. Einsam ist er jetzt und bittet um Eure Freundschaft. Euch allein, so dünkt ihn, gebührt die Krone, die eine große und gütige Frau durch den Tod verlor.«

Kriemhild blieb ungerührt. »Markgraf Rüdiger«, antwortete sie, »wer mein Herz kennt, würde mir nicht raten, mich wieder zu binden. Wißt Ihr nicht, daß ich den Besten besaß, den je ein Weib gewann?«

»Was tröstet im Leid mehr als freundliche Liebe? Wer die gewähren und nehmen kann und hat sich den Rechten dazu erkoren, dem wird das Leben noch einmal gesegnet. Vergeßt nicht, Herrin, daß Etzel zwölf Kronen trägt und über dreißig Fürsten herrscht. Schier ohne Zahl ist das Gesinde, sind die edlen Frauen bei Hofe, die auf ihre Königin warten. Alle Mannen werden Euch untertan sein.«

»Mir ist so Bitteres geschehen, daß ich's nicht mehr zu verschmerzen vermag.«

»Denkt an die vielen, die Euch zur Herrin wünschen«, riefen Markgraf Rüdigers Begleiter und erzählten von ihres Königs Hof und Hofburg. Dann baten die Gesandten um Urlaub bis zum anderen Tag.

Bald danach kamen Giselher und Frau Ute zu Kriemhild. Als sie die Königin fragten, was sie geantwortet habe, sagte sie, ihr gezieme zu weinen, nichts anderes als das. Giselher wiegte den Kopf: »Von der Elbe bis zum Mittelmeer, vom Rhein bis in den fernsten Osten kennt man keinen gewaltigeren König als Herrn Etzel. Folg deiner Brüder Rat, schöne Schwester!«

»Um meine Schönheit ist es längst geschehen, Bruder. Verweint sind meine Augen.« Noch versuchte Frau Ute die Tochter umzustimmen, auch sie merkte indes, daß ihre Worte wenig halfen.

Eine lange Nacht lag Kriemhild voll Gedanken und schlief nicht, bis das Münster seinen Morgenruf tat. Die Könige kamen in der Frühe selbst, sie nahmen ihre Schwester an der Hand, um zur Kirche zu gehen. Aber als danach Rüdiger vor Kriemhild trat, beschied sie ihn kurz, sie wolle nicht noch einmal einem Mann angehören. So wies sie ihn ab.

Ehe er aufbrach, sandte Herr Rüdiger zur Königin und fragte, ob er ihr eine geheime Botschaft bringen dürfe – ihr zum Trost und zum Gedenken an Siegfried. Sie ließ ihn in ihr Gemach.

»Warum nehmt Ihr unseren Schutz nicht an, Frau Kriemhild«, mahnte er und flocht zwischen die Worte seinen klugen Rat. »Bedenkt, ich allein mit meinen Freunden bin stark genug, alles zu vergelten, was man Euch je an Leid antun könnte. Sollte es nicht noch mehr in Herrn Etzels Macht liegen?« Da horchte die Königin auf.

»Würdet Ihr mir schwören, Rüdiger«, fragte sie nach einer Weile, »alles Leid, was man mir zufügen könnte, zu rächen?« Der Markgraf war bereit, es für sich und seine Mannen zu beschwören. Feierlich versprach er, man werde der Königin keinen Wunsch versagen, den ihre Ehre heische.

Frau Kriemhild hörte seine Worte; sie sann vor sich hin, und es schien ihr gut, so treue Freunde zu gewinnen. Jäh kam ihr die Hoffnung, Siegfrieds Tod könnte einen Rächer finden.

»Schwer ist's, im fremden Glauben nebeneinanderzuleben. Wißt Ihr nicht, daß ich Christin bin?« seufzte Kriemhild.

»Meinem Herrn dienen viele Recken Eures Glaubens. Vielleicht gar werdet Ihr den König lenken können?«

Da nahm Kriemhild Etzels Werbung an; ehe der Markgraf die Königin verließ, bot sie ihm Ring und Hand.

»Bleibt nicht mehr lange in Burgund«, riet Rüdiger. »Meine Mannen und ich sind bereit, Euch zu geleiten. Sammelt Eure Mägde, und rüstet bald die Reise, Königin!«

Kriemhild begann ihre Kammern aufzuschließen und die Truhen zu öffnen. Was vom Schatz der Nibelungen gerettet war, verteilte sie, bis Hagen murrte. Rüdiger hörte davon, er ließ Kriemhild sagen, man habe zur Reise übergenug, und an Herrn Etzels Hof sei alles Gold, das den Burgunden verbliebe, nur ein Geringes.

An einem der Tage führte man die Rosse vor. Hundert Mägde saßen auf, um der schönen Königin zu folgen, Giselher und Gernot begleiteten die Schwester durchs Land. Rumold, der

Küchenmeister, und Volker, der Marschall, sprengten voran, um überall für gute Unterkunft, Speise und Trank zu sorgen. Viel Freunde, gebetene und ungebetene, gaben Kriemhild das Geleit, als sie von Worms aufbrach, um gen Osten zu fahren.

Inzwischen waren eilige Ankünder vorausgeritten, um nach Bechelaren und auch nach Etzels Hof die Nachricht von Kriemhilds Reise zu bringen. Reiches Botenbrot schenkte ihnen der Großkönig zu Ofen.

In Fergen an der Donau blieben Giselher und Gernot zurück. »Wenn du je unser bedarfst, Schwester, so kommen wir um deinetwillen gern in König Etzels Land.« Sie küßte die Brüder, auch ihre Mägde mußten Abschied nehmen von manchem jungen Degen. Dann durchritt Kriemhild das Bayernland; ihr Oheim, Bischof Pilgerin von Passau, empfing die schöne Nichte, besorgte ihr gute Herberge in seiner Stadt, und die Kaufherren erwarteten Herrn Etzels Braut in hohen Ehren. Weiter ging es der Ostmark entgegen. Frau Gotelinde hatte auf halbem Wege zu Ense Hütten und Gezelte aufschlagen und das Feld für Spiele abstecken lassen. Herzlich grüßte sie den Gatten, den sie lange entbehrt hatte. Kriemhild aber sprang vom Roß, umarmte die schöne Markgräfin und bat sie um ihre Freundschaft.

Fenster und Türen standen weit auf, als man in Bechelaren einritt. Des Markgrafen Tochter war unter den Gastgebern und führte die kommende Königin in den Saal. An offenen Fenstern saßen Wirte und Gäste zum Imbiß, unter ihnen strömte die Donau entlang.

Und alle suchten die neue Herrin vergessen zu machen, was das Geschick ihr an Leid einst angetan hatte.

Bei Treismauer, so hieß die erste Feste Etzels, wartete des Großkönigs Brautzug; aus vieler Herren Ländern war man da beieinander. Vielfältig waren Glauben und Sitten der Völker; der milde Etzel erlaubte einem jeden Gebrauch und Gebet nach seinem eigenen Sinn. Polen und Walachen, Reußen und Grie-chen, ja selbst Männer aus dem Land zu Kiew nahten sich grü-ßend der neuen Königin.

Inzwischen hatte sich auch König Etzel mit vierundzwanzig Recken auf den Weg gemacht, um der Fürstin entgegenzurei-ten. Ein ruhmvolles Gefolge geleitete ihn. Da war der gewal-tige Dietrich von Bern, da waren Hawart und Iring von Däne-mark wie auch Irnfried, der kühne Thüringer, und Horneborg, der schnelle. Noch mächtiger als sie war Etzels Bruder Blödel, der mit dreitausend Hunnen dem König folgte. Der Staub lag auf den Straßen; rund um Treismauer wirbelte er wie über ei-nem Brand auf allen Wegen.

»Herrin«, sagte Rüdiger, »hier will Euch der König empfan-gen. Laßt Euch von mir raten, wen Ihr küssen dürft. An Etzels Hof könnt Ihr nicht allen Degen gleiche Ehre erweisen.«

Zwei Fürsten trugen Kriemhilds Schleppe, als sie König Etzel entgegenging und ihm den Brautkuß gab. Dietrich und seine zwölf Recken küßte die neue Königin, dazu Iring, Irnfried und Herrn Etzels Bruder Blödel. Dann grüßte sie die Ritter, die zu ihr traten. Schon begannen die Kampfspiele zwischen den bur-gundischen Gästen und Etzels Reitern.

Unterdessen führte der König Kriemhild ins Gezelt, um für Rast nach dem langen Ritt zu sorgen. In Etzels Rechter ruhte ihre weiße Hand.

An einem Pfingsttag hielt der Großkönig zu Wien mit Kriem-hild Hochzeit. Siebzehn Tage währte das Fest, aus allen Völ-kern waren die Recken zusammengekommen, um den mächti-gen Herrscher zu ehren. Siebzehn Tage lächelte Kriemhild und weinte doch heimlich, wenn sie an den Toten am Rhein dachte. Aber niemand sah es, und niemand durfte es sehen, da sie so-viel der Ehren trug.

Am achtzehnten Morgen ritten die Degen weiter gen Osten. Über Heimburg gelangten sie nach Missenburg, dort warteten Schiffe auf die wegemüden Frauen. Sorgsam waren Boote zusammengebunden und Gezelte darüber errichtet. Es war, als hätten die Reisenden noch immer Land unter den Füßen.

Sieben Königstöchter empfingen Frau Kriemhild, als sie in die Stadt Ofen einritt, unter ihnen war Helches Nichte, die schöne Herrat. Sie wartete auf Etzels Gemahl, mehr aber noch auf Herrn Dietrichs Heimkehr.

Danach übernahm Frau Kriemhild die Herrschaft über den Hof zu Ofen. Die Freunde des Königs waren ihr ergeben, sie wußte gerecht zu handeln und wohl zu gebieten. Großen Ruhm gewannen Burg und Land, aber auch Freude und Kurzweil fanden ihre Stätte, wie Herz und Sinn es verlangen. Des Königs Liebe sorgte dafür und der Königin Klugheit.

So lebten Kriemhild und Etzel in hohen Ehren beieinander. Nach einigen Jahren genas Kriemhild eines Sohnes; damit schien des Königs größter Wunsch erfüllt. Nach christlichem Brauch wurde das Kind getauft und Ortlieb genannt. Und Frau Herrat stand der Königin zur Seite.

Wieder gingen die Jahre; schon waren dreizehn Winter verstrichen, seit Kriemhild ins Hunnenland eingeritten. Niemand war ihr feindlich gesinnt, wie es sonst wohl vorkommt, daß Recken unfreundlich über die Frauen ihrer Herren denken. Und dennoch vergaß die Königin nicht des Leides, das ihr einst angetan war. »Wenn ich Hagen in dies Land bringen dürfte«, dachte sie und verwand nicht den ungesühnten Mord. Zuweilen träumte sie von Giselher, ihrem jungen Bruder, und küßte ihn im Schlaf. Auch war sie in Frieden von Gunther geschieden; aber wenn man von Worms sprach, fielen Tränen auf ihr Gewand. All ihre Macht und all ihre Freude schafften nur, daß sie niemals vergaß, warum sie Etzel gefolgt war.

Der Hof hatte die Königin Kriemhild gern, keiner vermochte ihrem Wunsch und Willen zu widerstehen. Als sie das sah, dachte sie: »Jetzt will ich den König fragen, ob er nicht meine Gesippen ins Land lädt.«

Einmal, als Herr Etzel ihr Liebe erwies, sagte sie zu ihm: »Wenn ich Eure Burg so gut führte, wie Ihr's rühmt, so sendet auch den Meinen von Eurem Dank.« Arglos versprach der König es ihr.

»Ich habe hohe Freunde und Verwandte gehabt«, seufzte Kriemhild, »und es betrübt mich, daß sie mich nicht besuchen. Den Herren und Frauen hier bei Hofe bin ich nur bekannt als die Fremde, die freundlos zu ihnen kam.«

»Liebe Frau, deuchte es mich nicht zu fern, so hätte ich all die Euren längst zu Gast geladen!«

Da freute sich Kriemhild. »Wenn es Euer Ernst ist, lieber Herr, so sendet Boten nach Worms, und laßt die Meinen bitten, mit Rittern und Degen in unser Land zu reiten.«

»Eure Freunde will ich willkommen heißen, als wären es die eigenen. Oft, wenn Ihr von ihnen erzähltet, tat es mir leid, daß wir uns so fremd waren.«

»Laßt mich selbst die Boten nach Burgund senden«, bat Kriemhild und küßte den König.

Nun wartete sie nicht mehr lange. In der Frühe befahl sie die Fiedler Schwemmerl und Werberl zu sich und schickte sie zu Etzel. Der bestellte vierundzwanzig Reisige zu ihrem Schutz und ließ die Gäste auf die Tage der Sonnenwende zu sich entbieten. Danach beschied Kriemhild die Boten noch einmal zu sich. »Verratet niemals«, bat sie, »daß ihr mich je traurig oder betrübten Mutes gesehen hättet. Bittet die Könige auch recht von Herzen, daß sie der Einladung folgen. Gernot richtet aus, daß er mir unsere besten Freunde zuführe, und sagt Giselher, daß er mir noch nie einen Wunsch abgeschlagen habe und daß ich ihn gern in unserm Land sähe. Erzählt auch meiner Mutter, wie man ihre Tochter ehrt, und gebt vor allem acht, daß Hagen von Tronje sich der Reise nicht entzieht! Die Wege im Hunnenland sind ihm von früh auf bekannt; wer sollte sonst den Burgunden die Straße zeigen?«

Die Spielleute verstanden nicht recht, warum sie Hagen von

Tronje laden sollten, aber sie schieden mit reichen Geschenken von der Königin. Brief und Siegel trugen sie bei sich.

Daß Etzel seine Fiedler zum Rhein gesandt hatte, war bald von Land zu Land bekannt. Auch Rüdiger gab ihnen Grüße auf an Gunther und Gunthers Gemahlin. In zwölf Tagen erreichten Werberl und Schwemmerl die Stadt Worms.

»Seht an, Gäste!« rief der Tronjer. »Sind das nicht Etzels Fiedelspieler? Mich dünkt, die hat euch, Königen, eure Schwester geschickt!« Freundlich empfing Gunther die beiden, und auch Hagen erhob sich vom Sitz und trat ihnen entgegen. Er hatte den Hunnenhof und seine Lieder noch gut im Gedächtnis. Hin und her flogen Frage und Antwort, bis Werberl endlich seine Botschaft vortrug.

Viele Grüße von Kriemhild bestellte er und erzählte, wie es ihr im Land der Hunnen erginge. Dann brachte er vor, daß König und Königin die Recken in Worms bäten, nach Ofen zu Gast zu kommen. »Warum ihr noch nicht eure Schwester besucht habet, fragt Herr Etzel, ob ihr seinem Hofe grollt? Selbst wenn euch die Königin eine Fremde wäre, so würde er sich freuen, wenn ihr in sein Land reiten wolltet.«

Herr Gunther hörte die Boten an, er war der Antwort nicht sicher und suchte die Augen der Freunde. »Nach der siebenten Nacht will ich euch bescheiden«, sagte er schließlich. Da bat Werberl, Frau Ute von ihrer Tochter Kunde geben zu dürfen. Giselher brachte die beiden zur Mutter. Wie mußten die Fiedler erzählen und berichten!

Inzwischen hatte König Gunther zu seinen Freunden gesandt, er fragte sie Mann für Mann, was sie über die Botschaft dächten. Keiner riet ab, alle waren froh über Kriemhildens Einladung und freuten sich auf den Ritt. Nur Hagen zog seinen Herrn beiseite. »Du bist mit dir selbst im Streite, das weiß ich, und ich mahne dich, vor Kriemhild in Sorge zu bleiben. Hast du vergessen, was ihr durch uns geschah? Reite nicht, König!«

Gunther antwortete: »Meine Schwester küßte mich, als sie dies Land verließ; sie hat uns verziehen. Nur dir, Hagen, grollt sie.«

»Du trügst dich«, drohte der Tronjer. »Leben und Leib könntest du verlieren. Kriemhild verzeiht nimmermehr!«

Gernot hatte die Worte vernommen, er fuhr herrisch auf. »Sollen wir deinetwegen unsere Schwester meiden, Hagen? Wir wissen wohl, warum du dich vorm Hunnenreich scheust gleichwie vorm Tod.«

»Bleib im Lande, Hagen«, rief Giselher, »wahr deine Haut, aber laß sie, die sich's getrauen, zu den Hunnen reisen!«

Der Tronjer wurde unmutig. »Auch ich wag's, zu Kriemhild zu reiten!«

Rumold, der Küchenmeister, zog die Brauen hoch. »Laßt Kriemhild bei Herrn Etzel! In Worms seid ihr vor euren Feinden verborgen, ihr lieben Könige! Für gute Speise will ich sorgen, ölgesottene Schnitten back' ich euch, die besten Weine sollt ihr trinken und schöne Frauen minnen. Nur bleibt im Lande! Niemals vergab euch Kriemhild!«

Als er das hörte, geriet Gernot in Zorn. »Nun werden wir gewiß reiten, sag' ich euch. Zu meiner Schwester will ich. Wer Furcht hat, der bleibe daheim!«

»Mich bringt niemand über den Rhein«, grinste Rumold, »ich will mich selbst so lange am Leben lassen, wie ich kann.« Jetzt wurden auch andere bedenklich; dieser und jener gab Arbeit und Aufgaben in Hof und Heimat vor. Herrn Gunther mißfielen die Trägen und Vorsichtigen, die sich vor dem Abenteuer zu bergen trachteten.

»Willst du durchaus reiten«, mahnte Hagen, »so suche aus den Besten deines Heeres tausend Ritter aus, die um dich sind, wenn du vor Kriemhild trittst.« Dem König schien der Rat gut. Unter dreitausend Aufgebotenen wählte er die stärksten Degen aus, Volker, den Spielmann, Dankwart, Hagens Bruder, und sie alle, die in Stürmen ihre Könige beschützt hatten.

Brunhild sah die Vorbereitungen, sie fragte ihren Gemahl erschrocken, was er beschlossen habe, und bat ihn zu bleiben. Aber niemand hörte auf sie.

Inzwischen verdroß Kriemhilds Boten der lange Aufenthalt; jeden Tag hielten sie um Antwort an. Herr Hagen war indes vorsichtig, er ließ nicht zu, daß sie noch vor den Burgunden ritten. »Hat man Arges gegen uns vor, so weiß man wenigstens nicht, wann wir kommen.« Erst als alles zum Aufbruch bereit war, entboten die Könige die Gesandten vor ihren Hochsitz. Noch einmal durften Werberl und Schwemmerl zu Frau Ute gehen. Brunhild bewahrte der kluge Volker vor einer Begegnung mit den Gästen. Dann wurden die Fiedler reich beschenkt entlassen.

Mit aller Macht spornten die beiden ihre Rosse. In der Stadt Granen trafen sie auf König Etzel; er wurde rot vor Freude, als er die Antwort erfuhr. Auch Kriemhild ließ sich eilig berichten. »Erzählt mir, wer von meinen Freunden reiten wird. Was sagte Hagen?«

»Er riet den Königen nicht zur Fahrt«, lachten die Boten, »von der Todesreise sprach der grimme Tronjer. Eure Brüder waren erfreut, auch Volker, der kühne Spielmann.«

»Den könnte ich entbehren, da wir euch beide haben«, scherzte Kriemhild. »Herrn Hagen bin ich gewogen. Daß er kommt, tut mir von Herzen wohl. Wonach mich je verlangte, soll nun vollendet werden!«

Tausend Ritter, dazu neuntausend Knappen aus seinem Heergeleit kleidete Herr Gunther ein. Viele Waffen und Geräte trug man zu Worms über Hof und Straßen.

»Mögen unsere Freunde gut fahren«, seufzte der alte Bischof von Worms.

Frau Ute war voller Sorge. »Ach, wenn ihr doch hierbliebet«, bat sie die Söhne. »Von viel Not hat mir geträumt; alle Vögel in unserem Lande lagen tot, so dünkte mich.«

»Schwach ist, wer sich an Träume hält«, antwortete Hagen. »Möge ein jeder vor anderm auf seine Ehre sehen!« Der Tronjer drängte jetzt zur Reise, er vergaß nicht, daß Gernot ihn an Siegfrieds Tod gemahnt hatte.

Jenseits des Rheins war das erste Lager der Burgunden. Hier nahm Brunhild Abschied von Gunther, dann saßen die Reiter auf. Flöten und Drommeten erschollen. Die Mannen, die zum Schutz der Burgen befohlen waren, grüßten noch einmal ihre Herren, und die Königin wies Gunther seinen kleinen Sohn. Als er schon anreiten wollte, brach sie in herbe Klagen aus. »Ach bleib, mein Gemahl! Ach, daß du uns beide verwaisen läßt!« Sie ahnte wohl, daß man für immer voneinander schied.

Die Ritter folgten dem Weg am Mainstrom entlang und kamen am zwölften Morgen an die Donau. Die Flut war über die Ufer getreten, die Fähre ins Bayernland war nicht zu sehen.

»Gefährte Hagen, such eine Furt im Strom«, bat König Gunther.

»Mir ist mein Leben noch nicht leid«, lachte Hagen. »In diesem Wasser möchte ich nicht ertrinken!« Er saß ab, schritt am Ufer entlang und rief nach einem Fährmann, der die Burgunden in Herzog Gelfrads Land hinüberbrächte. Den Schild trug der Tronjer bei sich, sein Helm war aufgebunden.

Als er nun so allein suchte, badeten einige Wasserfrauen in der Donau, die seiner nicht gewahr geworden waren. Hagen schlich sich leise hinzu und raubte ihnen die Kleider, so daß sie nicht von dannen konnten. Sie begannen zu klagen; Hadburg, eine der Nixen, rief: »Wir kennen dich, Fremder, und wollen dir verkünden, was du auf der Reise zu den Hunnen erlebst. Versprich uns, die Gewänder wiederzugeben!«

Sie schwammen wie Vögel schwebend auf der Flut. »Ihr werdet heil in Etzels Land gelangen«, sagte Hadburg ihm an. »Noch niemals ritten Helden zu so hohen Ehren.« Herr Hagen war froh über ihre Weissagung, er legte die Kleider am Ufer nieder.

Kaum hatten die Seejungfern sie wieder errafft, da fuhr eine andere von ihnen fort – Siegelind hieß sie und war Hagens Ahne verwandt: »Man wird euch in Ofen wohl empfangen, Freund Hagen, und danach verraten. Noch ist es Zeit, vorm Tode umzukehren.«

»Du belügst mich, Schwätzerin«, drohte der Tronjer und tat, als glaubte er ihr nicht. »Wer sollte wohl Groll gegen uns hegen?«

Sprach die eine zur anderen: »Es wird nun so geschehen, wie das Schicksal es will, keiner von ihnen wird die Heimat wiedersehen.«

»Einer doch«, lachte Hadburg, »der Kaplan des Königs.«

»Wendet eure Rosse«, mahnte Sieglinde, »noch ist es Zeit.«

»Zu spät«, dachte Hagen, »meine Könige werden nicht mehr umkehren.«

»Ich glaub' euch nichts«, rief er laut. »Weist uns lieber den Weg über das Wasser!« Da zeigten sie ihm das Haus des Fergen – der war ein getreuer Mann des Bayernherzogs, aber arg gegen Reisende.

»Brauch eine List, Hagen«, riet Hadburg, »sag, du wärst Amelrich, der vertriebene Freund des Herzogs. Er wird dich sonst nicht herüberholen.«

Herr Hagen dankte und schrie nach drüben: »Hol über!« Niemand antwortete. Da schrie er noch einmal: »Holt Amelrich über, ich bin es, Herzog Gelfrads Mann.« Als der Name erklang, kam der Ferge selbst, ergriff das Ruder und trieb die Fähre freudig über den Strom.

Gleich sprang Herr Hagen hinein. Der andere sah ihn und wurde zornig. »Ihr mögt wohl Amelrich heißen, aber der, auf den ich warte, seid Ihr nicht. Bleibt, wo Ihr wart!«

»Ich geb' dir guten Sold«, bat Hagen, »bring uns hinüber!«

»Ich fahre keinen Fremden ins Bayernland«, erwiderte der Ferge, »meine Fürsten haben viele Feinde. Verlaß mein Schiff!«

»Eine goldene Spange verspreche ich dir«, sagte Hagen, »fährst du uns über den Strom, Herren mit Knappen und Rossen.« Der Ferge hob das Ruder. »Geh aus dem Boot!« Er hieb auf Hagen ein, daß der auf die Knie sank; solch grimmigem Fährmann war er noch nicht begegnet. Noch einmal traf ihn die Ruderstange, daß sie zersprang. Da griff der Tronjer zum Schwert und erschlug den getreuen Wächter.

Im gleichen Augenblick glitt die Fähre in die Strömung zurück. Mit seinem Schild gelang es Hagen, das Schiff stromab zu steuern, bis er seine Herren erreichte.

Die sahen Blut auf der Fähre, sie fragten den Tronjer, wo der Fährmann sei. »Weiß ich's«, antwortete Hagen. »Ich fand das Schiff an einer Weide. Den Fergen spiel' ich selbst, das bin ich vom Rhein her gewöhnt.« Die Pferde befahl er ins Wasser zu jagen und ließ sie neben dem Boot einherschwimmen. Einige wenige trieben ab, die meisten kamen wohlbehalten über den Strom. Dann trugen die Herren Gut und Wehr zum Schiff, und Hagen ruderte es mit Freuden von Ufer zu Ufer, einmal und viele Male! Tausend Ritter und neuntausend Knechte schaffte er hinüber; ungeduldig führte der Tronjer sie alle auf dem großen ungefügen Boot nach drüben.

Als er nun auch Waffen und Reisegut über die Donau ins Land Bayern gebracht, dachte der Held an die Mär, die ihm die Wasserfrauen angesagt hatten. Er suchte nach dem Kaplan des Königs, packte ihn jäh und warf ihn in den Strom. Gernot und Giselher wollten auf Hagen eindringen. »Was tat er dir an, Tronjer? Mord ist's, was du begehst!«

Herr Hagen schwieg drohend und wehrte sie ab. Der Pfaff versuchte am Ufer aufzuklimmen, noch einmal stieß der Arge nach ihm. Da schwamm der Kaplan mit starken Armen über die Donau und erreichte wohlgeborgen das andere Ufer. Hagen aber erkannte, daß ihm das Meerweib unentrinnbare Wahrheit verkündet hatte. »Keiner von uns kommt zurück«, dachte er und schlug mit furchtbaren Hieben die Fähre leck. ·

»Wie sollen wir nun heimkehren?« schrie ihn Dankwart an.
»Keiner der Burgunden wird heimkehren, Bruder«, antwortete
der Tronjer. »Sie sollen es wissen und tapfer sterben.«
Währenddes rief Herr Gunther den Kaplan an, der drüben am
Strom stand. »Eile nach Worms zurück, der Teufel fuhr in mei-
nen Oheim. Bring meinem Weib Grüße, ich werde dir vergel-
ten, was Hagen dir antat.« Ach, da mußte das arme Pfäfflein zu
Fuß zum Rhein zurückwandern!

Als die Burgunden weiterritten, wählten sie statt Hagens den
kühnen Volker zum Wegführer.
Der Tronjer riet ihm zu Vorsicht und Wappnung. »Zwei Wasserfrauen entdeckten mir, daß von uns keiner die Stadt Worms
wiedersehen würde außer dem Kaplan. Nun wißt Ihr, warum
ich's erprobte.« Er ritt zu den Königen: »Noch eins habe ich
euch zu sagen. Ich mußte den Fährmann erschlagen, die Seinen
werden ihn vermissen. Reist deshalb langsam, so daß wir beim
Gefolge bleiben und der Bayer nicht meint, wir flöhen vor ihm.
Laßt Volker den Troß führen.«
Sie fügten sich drein; der schnelle Fiedelspieler band ein rotes
Fähnlein an den Lanzenschaft.
Währenddessen hatten, wie Hagen vermutete, die Markgrafen
Gelfrad und Else vom Tode ihres Fergen Kunde erhalten. Sie
zürnten den Fremden, die, ohne ritterlich zu fragen, ihr Gebiet
querten, und boten ihre Burgmannen auf, siebenhundert
kriegsgewohnte Recken. Eilig folgten sie den unwillkommenen
Gästen.
Unterm Schild ritten die Burgunden bei fallender Nacht durch
das Bayernland, Herr Hagen führte die Nachhut. Gar bald
hörte er Rossehufe beiderseits der Straße und hinter sich.
Dankwart, der Hagen begleitete, befahl, die Helme aufzubin-
den.
Als im Dunkel fremde Schilde aufleuchteten, fragte Hagen die
Verfolger nach ihrem Begehr.

»Stellt euch, ihr Herren! Ich suche den, der meinen Fergen erschlug«, rief der Markgraf von Bayern.

»Ich tat es, Hagen von Tronje«, kam die Antwort. »Euer Fähr-
mann wollte uns nicht übersetzen, obschon ich ihm Gold und
Gewand bot. Er drang auf mich ein, ich mußte mich wehren.
Hier steh' ich Euch zur Sühne.«

»Dachte ich's mir doch, daß uns, wenn Herr Gunther durchrei-
tet, von Hagen ein Leid geschähe«, gab Gelfrad zornig zurück.
»Wahr dich, Tronjer, du sollst für meinen Fergen büßen!«

Gelfrad und Hagen trieben die Rosse gegeneinander, Dankwart
und Else die ihren. Dabei traf der Bayer den Burgunden so hart,
daß Hagen rückwärts vom Pferd sank, der Brustriemen des Tieres war zerrissen. Als Gelfrad aber aus dem Sattel sprang,
wehrte sich Hagen. Den Schild zerschlug ihm der edle Markgraf, laut rief der Tronjer nach seinem Bruder Dankwart. Da
ließ der Herrn Else, mit dem er rang, sprang zu Hilfe und
schlug Gelfrad zu Tode. Else suchte den Freund zu rächen, es
gelang ihm jedoch nicht mehr, die Burgunden anzuhalten;
ohne Schaden konnten die Herren im hellen Mondlicht aufsitzen und den Weg fortsetzen. Zwar wurden die Troßleute sehr
müde, und Volker ließ fragen: »Wo kehren wir ein?« Es gab indes keine Nachtruhe, es gab kein Quartier, bis der Morgen auf-
stand und die Sonne ihre Strahlen den Bergen bot.

In Passau begrüßte der ehrwürdige Pilgerin die Neffen; Hütten
und Gezelte wurden für die Gäste aufgeschlagen. Als sie weiterritten, überraschte der Tronjer einen schlafenden Mark-
wart. Herr Eckewart war es, der Rüdigers Grenze bewachte.
Hagen hatte Mitleid mit ihm; er gab ihm das Schwert zurück,
das er ihm entwunden hatte. Dafür warnte Eckewart die Burgunden und riet ihnen, umzukehren.

»Müde sind unsere Rosse«, sang Volker. »Uns tut ein Wirt not,
der uns wohl versorgt und für unsere Nachtruhe sorgt.«

Da empfahl Eckewart ihnen Rüdigers Burg. »Ein milder Herr«,

pries er, »der wird mit euch verfahren wie der Mai mit Gras und Blumen.«

Eckewart führte die Gäste nach Bechelaren, er stieß schon halben Weges auf seinen Markgraf. »Was hast du's so eilig?« scherzte der. »Wer hat dir etwas angetan, Eckewart?«

»Mich schicken drei Könige«, eiferte der Wächter, »dazu Volker und Hagen.«

Da freute sich der Edle von Bechelaren. »Was täte ich lieber, als solche Gäste zu grüßen? Tausend Ritter und neuntausend Knechte? Nun wohl, heißt sie einkehren! Aber meiner Hausfrau will ich selbst verraten, wer zu uns kommt.«

Der Markgraf suchte Weib und Tochter auf und verkündete ihnen, wen sie zu erwarten hätten. »Die drei Könige sollt ihr mit einem Kuß empfangen«, riet er Gotelinde, »dazu auch Hagen und Volker, den Sänger!« Die Frauen versprachen es lachend und begannen zu sorgen und zu eilen. Kisten und Truhen sperrten sie auf, schoben sich Kränze ins Haar, damit die Locken nicht verwehten, und kleideten sich mit Fleiß und Eitelkeit.

Inzwischen war Rüdiger aufgebrochen, um den Herren entgegenzureiten. Er grüßte Hagen, der ihm aus jenen Kinderjahren lieb war, da sie beide an Etzels Hof gelebt hatten. Den starken Dankwart hieß er willkommen und befahl den Knechten, Zelte zu spannen für eine lange gastfreie Zeit. Dann ließen die Knappen die Rosse gehen und lagerten sich im Grase.

Freudig empfingen die Markgräfin und ihre Tochter Herren und Freunde. Wie Rüdiger ihnen geraten hatte, küßten sie die hohen Gäste. Als aber des Markgrafen Tochter vor Hagen stand, deuchte er sie so furchtbar, sie begann sich zu fürchten. Rasch nahm sie Herrn Giselher an die Hand und tat es ihrer Mutter nach, die König Gunther in die Halle führte. Dort hieß man die Gäste noch einmal willkommen und bot ihnen den Wein zum Gruß. Wem aber Rüdigers Tochter einschenkte, der wünschte sich wohl, er dürfte solch schöne Hand einmal in Freuden halten.

Bald sah man die Ritter heimlich nach Frauen und Mädchen spähen; Tische wurden gerichtet und Speisen aufgetragen. Herrn Rüdigers Tochter, nach der die Recken ausschauten, mußte bei den Maiden sitzen, so wollte es die Sitte. Da stand Volker, der Fiedelmann, auf. »Markgraf«, sagte er, »Gott hat Euch vieles an Gnaden getan. Das Beste aber, was Ihr besitzt, wird Euch nicht lange bleiben, so dünkt mich. Ach, wenn ich ein König wär' und dürfte unter Kronen werben, ich nähme Eure Tochter zum Weib!«

Herr Hagen fügte lustig hinzu: »Ho, haben wir nicht einen König unter uns, der nach der Schönsten sucht? Giselher, wenn du die Markgräfin wähltest! Viel gäb' ich drum, unter ihr zu dienen!« Während so die einen scherzten, besprachen sich die Herren, Markgraf und Burgunden; sie hatten wohl bemerkt, wie die Anmutige bei Giselher Schutz gesucht hatte, und horchten, was die Jungfrau von dem Gast dächte.

Am andern Morgen fand Giselher die Braut zu Bechelaren, und Rüdigers Tochter gewann den jüngsten der Könige. Nach dem Rechtsbrauch wurden die beiden in einen Kreis der Recken gestellt, feierlich wurde Frau Gotelindes Tochter nach ihrem Willen gefragt. Bald umschlossen des Königs Hände die Braut – ach, wie wenig Glück sollte ihnen werden!

Danach befahl Herr Gunther den Aufbruch; der Markgraf aber ließ ihn nicht frei. Vierzehn Tage wollte er die Gäste beherbergen; vier Tage gab der König zu. – Auch die verstrichen nur allzu schnell. Als die Burgunden die Weiterfahrt ansagten, brachten die treuen Wirte einem jeden das Gastgeschenk. Gernot erhielt eine Waffe, Gunther eine köstliche neue Rüstung.

»Was wünscht Ihr Euch, Herr Hagen?« fragte Frau Gotelinde.

»Von allem, was ich hier sah, ist mir nichts so lieb als der Schild, der dort an der Wand hängt; ihn möchte ich mit mir führen in der Hunnen Land.«

Der Markgräfin kamen die Tränen in die Augen, es war die Wehr ihres Sohnes, den der wilde Wittich erschlagen hatte.

»Ihr sollt haben, was Ihr wähltet«, sagte sie, »ach, wäre er noch am Leben, der einst den Schild trug!« Sie stand auf, nahm mit ihren weißen Händen des Sohnes Erbe und brachte es zu Hagen. Volker hob die Geige ans Kinn und tröstete Gotelinde, sang sein Lied und wußte die zartesten Töne zu finden.

Dann verabschiedeten sich die Gäste von den Frauen, der Wirt selbst begleitete sie mit fünfhundert Degen zum frohen Fest in der Etzelburg. Weithin standen alle Fenster offen und klangen von Grüßen, als die Mannen durch Bechelaren gen Osten ritten.

Kriemhild sah die Vorboten in den Burghof sprengen. Schon eilte Herr Etzel herbei und rief ihr zu: »Daß Ihr sie gut empfangt, Königin, zu großen Ehren nahen die Burgunden unserer Burg.«

»Wohl mir, daß sie kamen«, seufzte Kriemhild. »Ach«, dachte sie, »nun werde ich mit Gold belohnen, wer meine Schmerzen sühnt. Dies sind die Tage, da die Rache fällt.«

Auch der alte Hildebrand und Dietrich von Bern erfuhren von der Ankunft der Burgunden; sie ließen die Pferde vorführen, um den Gästen entgegenzureiten.

»Hebt euch von den Sitzen«, rief der Tronjer, als er die Amelungen kommen sah, »hier sind Männer, die uns in Ehren empfangen. Freunde sind's, die uns Freundschaft erweisen werden.«

Aus den Sätteln stiegen die Schwertbrüder und grüßten einander. Dietrich dachte an manch Leid, das dieser Fahrt entspringen könnte, er glaubte aber auch, Rüdiger werde die Gäste gewarnt haben. »Willkommen seid ihr, liebe Freunde, und doch nicht willkommen. Noch immer beweint Kriemhild Siegfried, den Nibelungen.«

»Mag sie lernen, den König der Hunnen zu lieben!« versetzte Hagen. »Seit manchem Jahr liegt meiner Herren Feind erschlagen, er kehrt nicht wieder.«

»Solange Frau Kriemhild lebt«, warnte der Berner, »rinnt Siegfrieds Wunde.«

»Wir haben das Gastwort Herrn Etzels«, antwortete Günther rasch, »wir haben die Botschaft meiner Schwester Kriemhild.«

»Laßt uns untereinander reden«, bat Hagen, »kommt in unser Zelt, Dietrich, edler Warner! Was haben wir von der Königin zu erwarten?«

»Nichts weiß ich, als daß sie oftmals des Morgens weint, und es ist immer noch um Siegfrieds Tod.«

»Es ist nicht mehr zu wenden«, sagte Volker. »Was soll uns, tausend Degen, am Hofe der Hunnen geschehen?«

Kühn ritten die Burgunden an, im Stolz ihrer Banner. Weithin an allen Wegen drängte sich das Volk, um Hagen zu sehen, der Siegfried erschlug. Die Leute zeigten sich den Grimmen. Schwarz war sein Haar, mit grauen Fäden gemengt. Hoch von Wuchs und schrecklich von Antlitz trabte er dahin.

Vorm Burgtor saßen die Recken ab. Kriemhild trat den Gästen entgegen; sie ging auf Giselher zu, küßte ihn und hielt seine Hand fest.

»Man grüßt die Fürsten ungleich«, spottete Hagen.

»Seid willkommen, Burgunden«, rief die Königin. »Sagt, was ihr von Worms an Gutem bringt!« Sie wandte sich dem Tronjer zu: »Ihr seid's, Herr Hagen? Ach, Ihr hattet wohl schwer zu tragen«, scherzte sie, »vielleicht brachtet Ihr gar den Hort aus dem Rhein in Etzels Land?«

»Keine Schätze bringe ich Euch, sondern Männer und Waffen«, erwiderte Hagen, »seht, mein Helm ist gut und auch das Schwert an meiner Seite.«

»Wohlan, ihr Herren, reitet ein!« bat Frau Kriemhild. »Aber wisset, daß man in des Königs Halle keine Wehr trägt.«

»Mein Vater lehrte mich, daß ich selbst Hüter meiner Waffen sei.« Hagen blieb vor des Saales Tür.

Die Männer zögerten. »Warum wollen meine Brüder ihre

Schilde nicht hergeben?« fragte Kriemhild. »Hieß jemand sie
mißtrauen? Wüßte ich, wer es getan hat!«

»Ich war's, der die Fürsten warnte.« Herr Dietrich von Bern
trat vor. »Straft mich, Königin!«

Da schämte sich Kriemhild, daß sie sich vom Berner schelten
lassen mußte. Ohne Wort ging sie von dannen.

»Eure Reise tut mir leid«, sagte Dietrich zu den Burgunden,
»begreift ihr, warum ich euch entgegenritt?«

Inzwischen hatte sich auch der Hunnenkönig mit hohem Gefolge bereitgemacht, die Gäste zu grüßen. »Gern wüßte ich,
mit wem Herr Dietrich dort so freundlich spricht«, fragte er die
Seinen und sah in den Hof hinab.

»Hagen von Tronje ist es«, rief einer von Kriemhildens Schar.
»Wir werden noch erfahren, welches Leid er bringt.«

Herr Etzel lachte; er wußte nichts vom Haß der Königin.
»Wohl kannte ich Hagen, als ich ihn zu Ofen aufzog. Gern will
ich vergessen, wie er nach Worms heimkehrte.«

Fern von den Herren brachte man die Knappen unter. Ihr Marschall war Dankwart, Hagens Bruder.

Hagen und Dietrich nahmen Abschied voneinander, die Könige
stiegen schon zu Etzels Saal hinauf.

Der Tronjer sah über die Schulter Volker, den Geiger, an, er
blieb mit ihm allein auf dem Hof. Da winkte er dem Freund, die
beiden schritten zur Treppe hinüber, die zu Kriemhildens Gemächern führte, und setzten sich auf die Bank, von der man
weit ins Tal blicken konnte. Hunnen gafften sie an und drängten neugierig vorbei.

Kriemhild sah den Tronjer ohne Gefolge, sie mußte weinen.
Einige von Etzels Degen gewahrten es, traten zu ihr und fragten, wer ihr Kummer bereitet hätte.

»Immer tat es Herr Hagen.«

»So befehl uns, ihn zu züchtigen. Er soll wohl den Tod erleiden,
so kühn er auch wäre!«

»Wer mein Leid rächt«, sagte die Königin, »dem werde ich geben, was immer er begehrt.« Sie ließ das Haupt sinken, es war, als wollte sie den Degen zu Füßen fallen. Da rüsteten sich sechzig der Besten vom Hof, um Hagen und dem kecken Fiedler zu begegnen. Sie verrieten ihren Plan der Königin.

»Ach«, klagte Kriemhild, »laßt ab! Mit sechzig Mann könnt ihr Hagen nicht zwingen.«

Die Männer riefen ihre Freunde, vierhundert an der Zahl.

»Wartet«, bat Kriemhild. »Einmal noch will ich dem Tronjer vorwerfen, was er tat. Von ihm selbst will ich hören, daß er den Mord beging, dann mag ihm nach Verdienst geschehen.«

Herr Volker, der Geigenspieler, sah die Königin die Stiege hinabschreiten. »Dort kommt sie einher, Freund Hagen, die uns ins Land lockte. Viele Mannen folgen ihr, unter seidenen Kleidern rasseln die Panzer, und die Waffen klirren unter den Tuchen.«

»Ich weiß wohl, daß alles um meinetwillen geschieht«, seufzte der Tronjer. »Vor denen aber, die nahen, reite ich noch gemach ins Burgundenland. Auf, Volker, zeigt Eure Treue!«

»Ich helfe Euch«, lachte der Spielmann, »und wenn Herr Etzel mit all seinen Heeren anrückte. Noch habe ich keine Angst gekannt.«

Als die Königin vorüberging, mahnte Volker: »Stehen wir auf, Frau Utes Tochter gebührt Ehre, auch wenn sie Etzels Weib wurde.«

»Bleibt sitzen«, murrte Hagen. »Diese Degen da könnten meinen, ich erhöbe mich aus Furcht. Soll ich dem Ehre bieten, der mein Feind sein will?« Er legte die lichte Waffe über die Schenkel. Ein Jaspis, grüner als Gras, glänzte vom Knauf; es war das Schwert, das einst Siegfried besessen hatte. Kriemhilds Blick haftete an dem Stein, er mahnte sie an das Leid, das sie trug.

»Sagt mir, Herr Hagen, warum Ihr zu Gaste kamt«, mußte sie fragen. »Habt Ihr vergessen, was Ihr mir antatet?«

»Warum ich zu Gast kam«, antwortete der Tronjer. »Nun,

man lud meine drei Herren an König Etzels Hof; die habe ich noch bei keiner Reise allein gelassen.«

»Ihr wißt, warum ich Euch frage, Hagen. Wart Ihr es nicht, der Siegfried vom Niederland erschlug?«

»Ja«, lachte der Tronjer, »ich bin Hagen, der Siegfried erschlug. Er büßte, daß Ihr, Frau Kriemhild, Herrn Gunthers Königin schaltet. Nichts leugne der Stolze. Ich, ja, ich bin schuld an Eurem Leid. Das räche, wer da wolle!«

»Ihr hörtet die Antwort«, sagte Kriemhild und wandte sich jäh Etzels Mannen zu. »Nun ist mir gleich, was ihm um deswillen geschieht.«

Die Hunnen aber ließen die Blicke zu Boden sinken, jeder wartete, daß ein anderer den ersten Streich täte. »Etzels Weib will uns verleiten«, flüsterte jemand.

»Und wenn man mir Türme aus rotem Gold gäbe«, knurrte ein zweiter, »mit diesem Fiedler möchte ich es nicht aufnehmen!«

»Vor Hagen warne ich«, riet ein dritter, »ich habe ihn in zweiundzwanzig Stürmen gesehen. Ach, damals, als er und Herr Walther für Etzel kämpften, war er noch ein Knabe, heut trägt er den Balmung, dem kein Schwert gleicht.« Niemand von den Hunnen versuchte den Streit, sie drängten sich an den beiden Männern vorüber und scheuten den Tod.

»Da wir's nun selber sahen«, lachte Volker, »wissen wir, daß wir hier Feinde haben! Laßt uns zu den Königen gehen und sie warnen.«

»Ein guter Rat!« Hagen warf das Schwert in die Scheide und trat mit dem Freund in den Vorsaal der Königshalle. Dort sammelten sich die Fürsten gerade zu feierlichem Einzug. Dietrich von Bern nahm König Gunther an die Hand, Herr Irnfried den kühnen Gernot, und mit Giselher schritt Rüdiger. Volker und Hagen aber trennten sich nicht mehr bis an den Tod.

Als Gunther, Vogt vom Rhein, nun unter die Tür des Saales trat, hielt es Etzel nicht mehr auf seinem Königsstuhl. Er sprang auf und eilte ihm entgegen.

»Willkommen sollt Ihr mir sein, Gunther, und Ihr, Gernot und Giselher! Mit dem Gruß der Treue lud ich euch von Worms jenseits des Rheins. Willkommen auch ihr, die ihr die Könige geleitet. Willkommen Hagen und Volker, mir und meiner Frau.«

Hagen von Tronje dankte ihm: »Gern hören wir Eure Botschaft! Und wäre ich nicht meines Herrn wegen zu Euch gekommen, wäre ich Euch zu Ehren geritten, Etzel!«

Der König nahm die Gäste an der Hand und führte sie zum ersten Imbiß. Met in weiten Schalen und goldenen Wein ließ er ihnen einschenken. »Nichts Lieberes könnte mir geschehen als euer Kommen, Burgunden«, sprach er noch einmal. »Ich wunderte mich oft genug, daß ihr eure Schwester, meine Königin, nicht besuchtet. Nun habt ihr mir und Kriemhild den Kummer genommen und unseren Sinn zur Freude gewandt.«

Der Mittsommer lag über dem Hof Etzels, des Reichen. Trank und Speise wurden auf- und abgetragen. Die Spielleute geigten, der Saal glänzte, und Gemächer ohne Zahl öffneten sich nach allen Seiten. Froher Zuruf erscholl von Tisch zu Tisch.

Dann neigte sich der Tag dem Ende zu, und die Wegemüden verlangten nach Ruh. »Laßt uns jetzt schlafen gehen«, bat Gunther den König. Höflich drängten auch die Hunnen hinzu, um Abschied zu nehmen.

»Wie wagt ihr's, uns vor den Füßen zu laufen«, brummte der grobe Volker sie an. Er pfiff sein Lied: »Es heißen sich alle Degen und haben nicht gleichen Mut!«

Als er den Fiedler zürnen hörte, lachte Hagen. »Geht in eure Herbergen, ihr Rächer Kriemhilds! Was ihr vorhabt, mag morgen geschehen; eine Nacht sollen die Könige ruhen.«

Man brachte die Gäste in einen weiten Schlafsaal. Lang und breit waren die Betten, die Decken waren mit Hermelin verbrämt und mit goldenen Borten geziert.

»So köstlich ist das Lager, als hätte es der Tod geschmückt«, scherzte Giselher.

»Wer weiß, was uns im Schlaf geschieht«, warnte Gernot, sein Bruder.

»Laßt eure Sorge«, tröstete Hagen. »Ich werde die Schildwacht halten und getraue mir, euch bis morgen zu behüten.« Da suchten die Müden die Ruhestätten auf. Der Tronjer wappnete sich und Herr Volker mit ihm.

»Lohn's Euch Gott, Spielmann! Bei dieser Wache wünsche ich mir niemanden lieber denn Euch!«

Die beiden traten unter die Tür der Halle. Volker lehnte den Schild an die Saalwand, suchte einen Stein als Bank und griff zur Geige. Hold fielen die Töne aus den Saiten, sanft scholl sein Nachtlied den stolzen Heimatlosen in den Schlaf. Als die Burgunden schlummerten, nahm der Degen den Schild wieder zur Hand und wachte mit Hagen.

Gegen Mitternacht war es, da sah Volker aus dem Dunkeln einen Helm aufglänzen; Kriemhild hatte ihre Mannen ausgeschickt. »Tötet niemanden als den einen«, hatte sie ihnen aufgegeben.

»Habt acht, Freund Hagen«, warnte Volker.

»Schweigt, laßt sie näher kommen; mich reizt es, einige Helme zu zerschlagen und Kriemhild einen Gruß zu senden.«

Ein Hunne wurde die Recken gewahr. »Der Fiedelmann steht Schildwacht«, mahnte er die anderen, »seht, wie seine Panzerringe lohen, seht Hagen ihm zur Seite.« Leise wandten sie sich wieder; das gefiel Volker übel. »Laßt mich ihnen folgen«, bat er seinen Gesellen, »ich muß Kriemhilds Mannen fragen, was sie uns zu sagen hatten.«

»Es könnte Euch in Not bringen, Volker; und wenn ich Euch hülfe, würden die Hunnen zu den Schlafenden dringen.«

»So sollen sie wenigstens wissen, daß wir sie sahen«, eiferte der Sänger. »He, ihr«, schrie er, »wenn ihr zum Mord auszieht, warum nehmt ihr uns nicht mit?«

Die Königin hörte, wie ihre Männer umkehrten. Neue Pläne knüpfte sie, das kostete viele Helden das Leben.

»Ich fühl' es an den Lüften, es ist nicht weit vor Tag«, sang Herr
Volker in der Frühe, »mir wird so kühl der Harnisch, nicht lang
mehr währt die Nacht.« Er weckte die schlafenden Könige und
Mannen; bald schien der helle Morgen in den Saal.

»Auf ins Münster«, mahnte Hagen, »und klagt Gott eure Not.
Steht noch einmal andächtig da, keine Messe werdet ihr mehr
hören.« Gewappnet gingen die Recken zur Kirche.

Als Herr Etzel und Frau Kriemhild in reichem Gewand anritten, sahen sie die Burgunden unter Helm und Schwert.

»Was beschwert euren Mut?« fragte der König. »Wem mißtraut ihr hier?«

Hagen gab ihm die Antwort. »Es ist unsere Sitte, im Harnisch
zur Kirche zu gehen.«

Die Königin starrte ihn an; sie wußte es besser, aber sie
schwieg. Keiner erzählte Etzel von ihrem Haß, noch von dem,
was in der Nacht geschehen war.

Inzwischen hatten sich an die siebentausend Hunnen gesammelt. Als man vom Gottesdienst heimkehrte, begannen die
Waffenspiele zwischen Gästen und Wirten. Etzel und die Königin schauten zu, wie die Burgunden den Buhurt mit Herrn
Dietrichs Recken ritten; dem Berner aber mißfiel an diesem
Tag das gefährliche Spiel, er brach es ab. Da nahmen Markgraf
Rüdigers Freunde die Herausforderung der Gäste an. Mit fünfhundert Schilden zogen sie heran, aber auch Herr Rüdiger bat
seine Mannen, aus dem Sattel zu steigen.

Die Thüringer und Dänen unter Irnfried und Hawart, tausend
Degen, wagten es; mancher Schild wurde durchbohrt, und
manche Lanze splitterte.

Nach ihnen sprengte Herr Blödel, Etzels Bruder, mit dreitausend Rittern an. Burg und Säle tosten vom Schall der Waffenspiele im Hof, den Rossen floß der Schweiß unter den Sattel-
decken herab.

Gut kämpften die Burgunden und gut die Hunnen. Noch zögerte die Königin, einer der beiden Scharen den Preis zuzutei-

len, wieder von neuem sammelten sich die Reiter gegeneinander. Einer aus Blödels Gefolge aber ritt zierig und geckenhaft und grüßte während des Spiels nach oben, er hatte wohl hinter einem der Fenster ein Liebchen stehen.

»Dem werde ich den rechten Stoß weisen«, murrte Volker, als sie sich zum Anritt ordneten. Herr Gunther warnte. »Laßt die Hunnen angreifen, wenn sie wollen«, mahnte er, »noch schauen Etzel und die Königin zu!« Aber der Spielmann rannte beim Getümmel dem Gegner seinen Ger durch den Leib. Ein wildes Geschrei stieg auf, die Hunnen riefen nach Rache. Schnell eilte Etzel herbei, um den Streit zu schlichten, auch die burgundischen Könige sprangen aus den Sätteln und drängten die Rosse zurück.

»Ich lasse den hängen, der mir den Fiedler erschlägt!« schrie Etzel. »Er strauchelte beim Reiten, so erstach er den Unseren.« Dann brach er das Spiel ab und geleitete selbst die Burgunden. Die Knappen nahmen die Rosse, und der Wirt bat die Gäste in den Saal. Es folgte aber manche Schar in Waffen. Die Hunnen wollten den toten Freund rächen; Herr Etzel hatte Mühe, sie anzuhalten.

Währenddessen trat Kriemhild zu Dietrich. »König von Bern«, sagte sie, »heute brauche ich Rat und Hilfe.«

Herr Hildebrand hörte das Wort. »Wer es mit den Nibelungen aufnimmt, der tut es ohne uns«, drohte er. »Kein Lohn wird uns verleiten!«

»Es geht mir nur um Hagen«, flehte Kriemhild.

Da wandte Dietrich sich zu ihr: »Wenig ehrt Euch die Bitte, Frau Königin! Als Eure Gäste kamen die Herren ins Land.«

Den starken Blödel hielt Kriemhild an und verhieß ihm den Gau, den Rüdigers Sohn einst besessen hatte. »Schwager«, drang sie ihn, »wer führt die Rache für mich?«

Aber auch Blödel zauderte. »Mein Bruder vergäße es mir nicht, täte ich den Burgunden ein Leid an.«

»Es geht nur um den einen Mann«, bat Kriemhild.

»Ihr werdet von mir hören«, sagte der Degen und verließ den Saal.

Da wurde Kriemhild froh und schritt mit Etzel zu Tisch. Könige kamen zu Gast, viele Fürsten mit hohem Gefolge. Der Hunnenherr wies den Burgunden ihre Sitze, er befahl auch, zu melden, daß die Knappen in der Herberge wohl bedient würden.

Als die furchtbare Königin nun sah, daß ihr Gemahl gleich freundlich gegen die Burgunden blieb, ließ sie ihren Sohn Ortlieb in den Saal bringen, und Etzel zeigte den Schwägern den Knaben. »Gerät er nach eurem Stamm, wird er ein starker Bursch«, pries er sein Kind. »Zwölf Reiche vererbe ich ihm.«

»Schwach scheint mir der junge König«, murrte Hagen. »Um seinetwillen würde ich nicht oft zu Hofe reiten.«

Etzel hörte das Wort, und das Herz wurde ihm schwer. Auch des Königs Freunde verargten dem Gast die Rede; nicht leicht war es ihnen, zu schweigen.

Währenddes zog Blödel mit tausend wohlgerüsteten Recken vor die Herberge, wo Dankwart mit den Knechten speiste. Er trat vor Hagens Bruder, der ihn höflich begrüßte. »Seid mir willkommen, und sagt, was Euch zu uns bringt.«

»Grüßt mich nicht«, antwortete Blödel, »mein Kommen ist bitterernst. Um Siegfried geht es, den Euer Bruder Hagen erschlug.«

»Herr Blödel«, lachte der Burgunde, »ich war ein Kind, als der von Xanten starb.«

»Ihr müßt Kriemhilds Leid büßen«, grollte der Hunne. »Wehrt euch, ihr Armen!«

Dankwart war indes rascher als sie alle. Während Blödel noch auf eine Antwort wartete, zog er blitzschnell die Waffe und traf Etzels Bruder, daß ihm Haupt und Helm vom Leib sprangen. Als Blödels Mannen sahen, was ihrem Herrn geschah, fielen sie über die Knappen her. Die wehrten sich mit Bänken und Schemeln und drängten die Hunnen zum Saal hinaus. Vor der Herberge aber hatten sich inzwischen Unzählige versammelt, die auf den Kampf harrten. Ohne daß der König in der Burg davon erfuhr, drangen seine Hunnen von überall in die Herberge. Ohne Erbarmen erstachen sie, was die Zeichen burgundischen Adels trug. Neuntausend Knappen mußten den Streit der Herren büßen.

Zuletzt war es Dankwart allein, der sich noch wehrte. An eine Mauer gelehnt, wirbelte er sein Schwert nach allen Seiten. »O weh der Freunde!« dachte er. »Einsam bin ich geworden. Wäre ich vor der Tür, daß die Lüfte mich Sturmmüden kühlten!« Von neuem liefen die Hunnen den einen an. »Ihr Feiglinge«, schrie er, »ach, wüßte mein Bruder Hagen, was hier geschah!«

»Die Botschaft müßt Ihr selbst bringen«, lachten die Feinde. »Bald werden wir Euch tot zu Eurem Bruder tragen.«

Dankwart hörte den Spott, und die Wildheit ergriff ihn; er schlug so gewaltig in Etzels Volk, daß keiner ihn zu bestehen vermochte. Die Hunnen warfen ihm den Schild voll Speere, er mußte ihn fahren lassen. Aber noch der Schildlose wehrte sich wie ein Eber vor der Meute. Quer durch die Feinde brach er sich eine Gasse, mit heißem Blut war die Straße zur Burg genetzt. Die Truchsesse und Schenken vernahmen den Schwerterklang; sie vergossen vor Schreck den Wein, verschütteten die Speisen und wollten den Gewappneten anhalten.

»Ihr solltet eure Gäste freundlicher behandeln«, rief Dankwart und tötete sie, die ihm den Weg zu sperren suchten.

In die Tür trat der Kämpe, mit Blut überronnen, das bloße Schwert in der Hand. »Zu lange saßt ihr in Frieden, Bruder Hagen«, schrie er in den Saal. »Dir klag' ich's und Gott im Himmel, daß alle Knechte in der Herberge erschlagen liegen.«

Hagen stand auf. »Wer hat das getan?« fragte er.

»Das vollbrachte Blödel mit seinen Mannen. Aber suche ihn nicht mehr; mit diesen Händen tötete ich ihn.«

»So hüte die Tür, Bruder Dankwart«, rief der Tronjer, »und laß keinen Hunnen hinaus. Ich räume mit den Wirten auf.«

»Die Stiege will ich wohl hüten«, verschwur sich Dankwart, »bei reichen Königen ist's gut, Kämmerer zu sein!«

Das Schwert zog Herr Hagen: »Was staunen die Gäste, nun zahlen wir Etzels Wein. Der junge Fürst der Hunnen soll mir der erste sein!« Dem Kind Ortlieb schlug der Furchtbare das Haupt ab, daß es in der Königin Schoß fiel. Dann traf sein Zorn Herrn Werberl, der vor Etzels Tisch die Geige führte. »Das habt für die Botschaft nach Burgund!« Volker sprang über die Tische herbei, laut klang der blanke Bogen in seiner Hand.

Noch wollten die Könige den Streit schlichten. Herr Volker und Herr Hagen aber hörten niemanden an, sie hieben nach rechts und links die hunnischen Edlen zu Boden.

Der Kampf war nicht mehr zu dämpfen. Da zog auch König Gunther das Schwert, Herr Gernot nach ihm; viel Wunder tat Giselhers Waffe. So gewaltig die Etzelmannen sich wehrten, sie konnten die Gäste aus Burgund nicht anhalten.

Dankwart ließ keinen die Stiege empor, er ließ keinen zur Halle hinaus. Volker eilte ihm zur Hilfe. »Schlag du nach draußen«, schrie er, »ich schütz' dir den Rücken.« Besser als tausend Riegel verschlossen zweier Helden Hände die Tür der Halle.

In große Furcht geriet Etzel, was half ihm, daß er König war? Auch der Berner sah voll Sorgen, wie der starke Hagen die Helme brach; er stieg auf eine Bank. »Ich warnte Euch, Etzel«, grollte er, »jetzt schenken die Burgunden Euch ein!«

Kriemhild hob die Hände: »Bei aller Fürsten Treue, Held aus dem Amelungenland, helft uns aus dem Haus.«

Mit lauten Befehlen rief da Herr Dietrich seine Mannen zu sich, wie ein Büffelhorn hallte seine Stimme.

Herr Gunther hörte ihn. »Ist das nicht Dietrich von Bern? Haltet ein, Vettern von Burgund, ein Freund spricht!«

Auf König Gunthers Verlangen senkten sich die Schwerter. »Was tat man Euch, Dietrich! Ich will es Euch sühnen!«

»Noch ist nichts geschehen«, antwortete der Berner, »laßt mich mit den Meinen in Frieden gehen.«

»Das klingt nach Bitten«, drohten Dietrichs Mannen, »wir schlagen den Fiedler wohl aus der Tür.« König Gunther aber sprach: »Führt Ihr, Herr Dietrich, aus der Halle, was Euch gefällt.«

Da umschloß der Berner mit einem Arm die Königin Kriemhild, mit dem andern Herrn Etzel. Sechshundert seiner Amelungen gingen mit ihnen.

Fragte Rüdiger: »Wen laßt ihr noch aus dem Haus, Burgunden? Haben wir Frieden, oder kämpft ihr mit uns?«

»Frieden habt ihr von uns«, rief Giselher. Da räumte auch Rüdiger mit fünfhundert der Seinen den Saal. Von den Hunnen versuchte mancher mitzuschlüpfen. Dem ersten aber schon gab der Fiedelspieler solchen Schlag, daß er den Freunden vor die Füße rollte.

Danach erhob sich in der Halle ein wildes Getümmel. Die Gäste rächten Leid und Schmach.

»Hör doch das Lied, Hagen«, schrie Gunther, »das Volker den Hunnen fiedelt!«

»Nie sah ich einen Spielmann so herrlich stehen«, antwortete der. »Durch Helm und Schildesrand hallen seine Weisen.«

Furchtbar ging der Streit durch den ganzen Saal. Aber so groß die Macht der Hunnen war, es blieb am Ende nicht einer von ihnen am Leben. Erst als der letzte gefallen war, entsanken den Recken die Schwerter.

Müde waren die Burgunden vom Kampf und saßen nieder. Nur Hagen und Volker konnten vom Übermut nicht lassen, sie traten vor die Tür der Halle, lehnten sich über ihre Schilde und spotteten über die Hunnen, die sich unterhalb der Treppe drängten. Giselher mahnte die beiden, sich auszuruhen.

»Ein guter Rat des jungen Königs«, lobte Hagen, wies aber vorerst die Mannen an, die Toten in die Tiefe des Burghofs zu werfen. »Wir müssen die Füße frei haben beim nächsten Kampf«, sagte er. Niemanden ließen sie nahe kommen. Ein Hunne, der seinen Vetter bergen wollte, fiel unter Volkers Pfeil; die Feinde mußten dem Tun zuschauen, sie wagten sich nicht in Speerwurfweite der Burgunden.

Auch Herr Etzel war unter ihnen. Als sie den König erkannten, spotteten Volker und Hagen wieder: »Wie schön ist es doch, wenn die Fürsten vor ihren Mannen einherkämpfen, wie es in Burgund Sitte ist.«

Etzel griff wütend nach Wehr und Schwert. Seine Leute mußten ihn am Schildriemen zurückziehen, sie wußten, was geschehen würde, wenn Hagens Waffe den König erreichte. Da höhnte der Tronjer: »Eine weitläufige Verwandtschaft, Siegfried und Etzel! Seht den feigen Hunnenherrn!«

Kriemhild hörte die Worte. »Wer mir Hagen erschlägt, dem fülle ich Etzels Schildrand mit rotem Gold. Burgen und Land habe er zu Sold«, gelobte sie.

Währenddessen kamen die Angehörigen der im Saal Ermordeten, viel Weinen erhob sich. »Schlecht helft ihr eurem König«, rief Volker ihnen zu. »Mit Schluchzen ist es hier nicht getan. Lange genug aßt ihr Etzels Brot; nun steht ihm endlich bei in seiner Schande!«

»Wahr ist Volkers Wort«, sagten sich die Besten. Markgraf Iring, der Däne, nahm als erster die Herausforderung an. »Ein Leben lang habe ich meinen Sinn auf Ehre gestellt«, dachte er und befahl, Waffen zu bringen.

Hagen hörte ihn rufen. »Kommt Ihr allein, Herr Iring, wie es ritterlicher Brauch ist?«

»Allein werde ich Euch bestehen«, gab der Däne zurück. Während er sich rüstete, rückten Irnfried und Hawart mit tausend Mannen an, die Helme aufgebunden, die Schilde zum Kampf bereit.

»Seht die Feiglinge«, schrie Volker, »eben noch prahlte Iring, jetzt hat er tausend Recken nötig!«

Die Dänen und Thüringer wußten, daß man mit den Burgunden nicht leicht fertig wurde. Iring aber hatte solchen Kampfeszorn, er warf sich Hawart und Irnfried zu Füßen und bat sie, ihm den Vortritt zu lassen gegen die Recken im Tor.

Ger und Schild hoch erhoben, stieg er die Treppe hinauf und nahm sogleich Hagen an. Beider Recken Speere zersplitterten an den Schilden. Da zogen sie die Schwerter. Hagen deckte sich gut, daß der starke Iring ihm keine Wunde schlagen konnte. Er ließ drum den Tronjer stehen und wandte sich gegen Volker, den Fiedelmann. Der Geiger wehrte sich besser als Hagen, er hieb Herrn Iring das Gespänge vom Schildrand. Nun kehrte sich der Däne zornig gegen Gunther; die Kämpen vermochten einander indes nichts anzutun, sowenig sie sich schonten, ihrer beider Rüstung war zu hart. Gegen Gernot lief Iring, ohne daß das Geschick zwischen ihnen entschied, danach gegen die Gefolgsleute der Könige. Von ihnen traf er vier vor ihrer Herren Augen zu Tode. Als Giselher das sah, sprang er ingrimmig dazwischen und hieb zu, daß der Däne strauchelte und wie betäubt niedersank. Ehe ihm der König, der ihn erschlagen glaubte, aber die Rüstung zu öffnen vermochte, hob Iring sich auf, lief durch den Saal gegen Hagen, ließ sein Schwert klingen und traf den Tronjer durch den Helm. Da griff ihn der Furchtbare so hart an, daß Iring über die Treppe entweichen mußte. Den Schild überm Haupt, schritt er die Stufen hinab; er konnte sich nicht gegen die roten Funken wehren, die ihm Hagen währenddes aus dem Helm hieb.

Von allen Kämpen hatte Iring den Burgunden am besten standgehalten. »Lohn's Euch Gott«, lobte Kriemhild. »Vom Blut gerötet sah ich Hagens Wehrgewand. Den ersten Trost empfing ich seit Siegfrieds Tod.« Sie selbst nahm Herrn Iring den Schild aus der Hand.

»Möge er's noch einmal versuchen«, rief Herr Hagen herüber. »Nun erst habe ich den rechten Grimm; das hat mir Irings Klinge getan!«

Der Däne kühlte seinen Harnisch, er öffnete den Helm, daß der Wind ihm um das heiße Haupt fuhr. Seine Mannen rühmten ihn. »Holt mir einen neuen Schild, Freunde«, schrie Iring. Bald war er zum andernmal gewappnet, den härtesten Speer suchte er, um Hagen zum drittenmal zu stehen.

Diesmal wartete der Tronjer nicht erst, daß der Feind ihn im Saal anlief. Mit Wurf und Hieb trat er ihm auf der Treppe entgegen. Die Männer schlugen in die Schilde, daß der Wind rot auflohte. Gleich stark schienen die Kämpen, bis Hagen eine Blöße des Feindes gewahrte; da traf er Herrn Iring durch Helm und Schildrand. Der Däne ergab sich nicht. Höher vorm Helm hielt er die Wehr; Hagen aber hob blitzschnell einen Speer auf und schoß ihn dem Feind ins Haupt, so daß Iring über die Treppe zu den Seinen zurücktaumelte.

Sie vermochten ihm den Helm nicht mehr zu lösen, der Tod war ihm näher als ihre Liebe. Harte Männer begannen zu weinen. »Laßt euer Klagen«, bat der Sterbende, »es soll nicht sein, daß ich den Freunden länger diene!« Hawart und Irnfried suchte er mit den Augen: »Trachtet nicht, das Gold der Königin zu erwerben! Hagen ist stärker denn ihr.«

Als Herr Iring gestorben war, wurde Dänen und Thüringern so zornig zu Sinn, sie sprangen ungeordnet, wohl tausend Mann, gegen die Treppe zum Saal. In ungestümem Braus stürmten sie gegen die Burgunden, schossen die Speere und zogen die Schwerter. Herr Irnfried nahm es mit Volker auf. Es war sein letzter Kampf, der Fiedelspieler schlug ihm allzu grimmig durch den Helm. Im Sterben aber traf der Thüringer den Spielmann durch den Ringpanzer; rote Funken tropften aus Volkers Harnisch über den toten Feind.

Hätte Hawart doch von Hagen abgelassen! So heftig er den Tronjer ansprang und so furchtbar sein Schwert war, er mußte sich dem Unüberwundenen beugen.

Als die Thüringer und Dänen ihre Herren fallen sahen, wurde ihr Zorn wilder als alle Klugheit.

»Laßt sie eindringen«, riet Volker. »Sie alle sollen den Tod ernten statt des Golds der Königin!« Stunde um Stunde tobte der Kampf zwischen Dänen, Thüringern und Burgunden, bis zum andernmal die Stille über den Saal sank und zum Abend der Lärm verscholl.

Wenig hatte den Stürmern ihr Mut geholfen, sie lagen erschlagen vom Wunder der Burgundenschwerter; aus ihren Brünnen quoll das Blut zu den Riegelsteinen. Erschöpft legten die Könige Schild und Waffen aus der Hand.

Volker trat vor die Tür der Halle; er spähte aus, ob wohl ein anderer den Streit gegen die Gäste wagte. Aber vom Hof kam nur des Königs Klagen; weithin breitete sich das Weinen durch die Herbergen der Burg. Nichts halfen Frau Kriemhild der Recken Opfer und das rote Gold.

»Nun bindet die Helme ab, Gunther, Gernot und Giselher«, mahnte Hagen. »Volker und ich warnen euch, wenn noch einmal Etzels Mannen kommen.«

Die Burgunden folgten dem Rat, sie setzten sich auf die Leichen, klagten den Tod an und waren doch selbst zum Sterben bereit.

Inzwischen bot Etzel an Hunnen auf, was er an Heerschilden zu rufen vermochte. Viele tausend stellten sich ihrem König und versuchten über die enge Treppe in den Saal zu gelangen. Wieder wehte ein wilder Sturm über die Gäste dahin.

Dankwart, Hagens Bruder, nahm diesmal als erster die neuen Feinde an. Hart und bitter war der Kampf. Aber die Angreifer richteten wenig aus, obwohl der Tag sommerlang war und die Nacht zu kommen vergaß. – Sonnenwende war es, als Kriemhild des Königs Freunde opferte. Nie wieder sollten die Mannen sie feiern, nie wieder sollte Herr Etzel Freude gewinnen – ach, und auch Kriemhild hatte nicht an solch Morden gedacht, als sie wider Hagen den Streit begann. Das Schicksal traf viele, da die Königin den einen meinte.

Die kurze Dunkelheit sank nieder. Sterbensmüde waren die Burgunden und berieten, ob es nicht besser sei, einen raschen Tod zu finden, als sich in endlosem Leid zu mühen. Sie riefen nach draußen, ob Etzel ihnen Antwort stünde. Geschwärzt vom Rost und Stahl, von Blut übersprengt, traten die drei Könige vor das Tor der Halle. – Kriemhild folgte dem Hunnenherrn, er hatte das Heer geordnet, das ihm aus dem Land zuströmte. »Was begehrt ihr«, fragte er die Gäste. »Vergaßt ihr, daß ihr mein Kind erschlugt, daß ihr mir die Freunde mordetet? Wollt ihr um Frieden bitten? Ich schlag's euch ab!«

»Ihr wart es, der uns überfiel«, versetzte Gunther, »wer tötete mein Gefolge in der Herberge? Kam ich nicht auf Treue und Gastrecht zu euch?«

»Was taten wir euch, ihr Herren«, rief Giselher, »als Freunde ritten wir in eure Mauern ein.«

Einer der Hunnen antwortete: »Eurer Freundschaft ist die Burg voll, und weithin klagt das Land über euer Würgen! Nun soll auch euer Volk verwaisen.«

»Und wären Recht und Unrecht bei beiden«, nahm Herr Etzel das Wort, »was ist euer Leben gegen die Schande an meiner Ehre?«

»Wenn wir denn sterben müssen«, schrie Gernot, »so laßt uns vor die Halle treten, ihr werdet uns Kampfmüde bald erschlagen!«

Kriemhild aber glaubte, die Könige wollten entfliehen. »Ihr werdet den Kampf verlieren«, riet sie den Ihren. »Lebte nur einer von Utes Söhnen, er käme wie der Tod über euch alle!«

Giselher erkannte seine Schwester. »Ludst du mich darum hierher, schöne Kriemhild, daß ich mein Leben unter den Hunnen lasse? Ich ritt als dein lieber Bruder ins Land; schenk uns letzten deine Freundschaft!«

»Ich darf euch keine Gnade schenken, Giselher, mir hat Hagen zuviel Leid getan. Gebt den Schuldigen heraus, dann seid ihr meine Brüder wie einst, der gleichen Mutter Kinder.«

Da antwortete ihr der starke Gernot: »Und wären wir hundert Brüder, wir wollten lieber sterben als dir zu Willen sein. Noch haben wir keinen Freund in der Not verlassen.«

Mit ihm meinten auch die anderen, Giselher, Dankwart und Hagens Freunde, daß Fürsten und Mannen unter gleichem Schicksal stünden. »Des sollt ihr inne werden, Frau Kriemhild!«

Die Königin rief die Hunnen auf. Sie gebot ihnen, näher zur Treppe zu rücken, und mahnte, keinen Degen aus dem Haus zu lassen. Zugleich befahl sie, die hohe Halle an vier Ecken in Brand zu setzen. Das Feuer qualmte und quälte die Helden bald, der Wind blies und trieb die Funken über das Dach und durch das Gebälk.

»Besser wäre uns«, seufzten die Burgunden, »wir wären im Sturm der Hunnen erschlagen!« Grimmiger als der Kampf schien ihnen des Durstes Not und das elende Ende im Feuer.

»Möge Blut trinken, wen der Durst zwingt«, rief Hagen. Wirklich band einer der Recken den Helm ab und trank das Blut aus eines Toten Wunde. Noch andere kamen, fanden ihre Kräfte wieder und packten das Schwert, das ihnen aus den Händen geglitten war.

Feuer fiel aus dem hohen Gebälk auf die Männer, sie hoben die Schilde über das Haupt. Rauch und Hitze schmerzten in Brust und Kehle. »Rückt an die Wände«, riet Hagen von Tronje, »damit die Brände eure Helmbänder nicht lösen, und stoßt die glimmenden Sparren ins Blut, bis sie erlöschen.«

In bitterer Not rann die letzte Nacht dahin. Noch hielt vor dem Haus der kühne Spielmann die Wacht, ohne Schlaf stand Hagen neben ihm. Dann fiel die Atemnot über alle, die Männer hatten nur an den Fenstern Luft. Aber so heftig der Brand tobte, er vermochte das Leben der in Eisen Gekleideten nicht zu enden. »Ich rate«, sagte Volker zu Hagen, »wir locken die Hunnen in den Saal. Sie werden bald nahen, wenn sie uns verbrannt glauben.«

Als der Morgenwind fuhr, weckten die Freunde die Niedergesunkenen und riefen die Müden von den Fenstern. »Es tagt zum letzten Tanz«, schrie Giselher. Die Recken sammelten sich und zählten, wer die Nacht überstanden hatte, da waren es immer noch sechshundert burgundische Ritter, die sich den Königen stellten.

Die Hunnen hatten erkannt, daß manche der Gäste trotz Feuer und Feuersnot lebten; einige der Fürsten rieten zur Gnade. Aber noch rascher waren die Männer, die für die Ehre ihrer Königin den neuen Angriff wagten. Scharfe Speere flogen in den Saal, kühn war der Mut von Etzels Heermannen. Spangen und Ringe ließ Frau Kriemhild aus den Schatzkammern holen und versprach sie den Siegern.

Der Fiedelspieler Volker sah die Feinde nahen, er trat als erster vor die Tür. »Wir sind noch hier«, rief er, »und noch immer streiten wir gegen alle, die für Gold ihr Leben wagen!«

»Heran!« schrien auch die anderen Burgunden. »Damit es rasch zu Ende gehe! Hier ist keiner, der nicht zu sterben weiß.«

Was soll ich von dem Kampf erzählen? Viele Todeswunden wurden geschlagen, tausend Hunnen fielen für ihren König. Schwer von Speeren waren die Schilde der Herren von Burgund, aber Etzel verlor mehr; die besten seiner Recken blieben in jener Schlacht um die Sonnenwende.

Während der Kampf noch tobte, schickte Rüdiger von Bechelaren zu Dietrich von Bern. »Weh uns, daß wir diesen Jammer nicht enden können. Wenn wir Frieden schüfen, Ihr und ich?«

Der Berner antwortete: »Es ist zu spät und vergebens, aller Friede erstickt im Blut.« Da ging Rüdiger bittend zu Kriemhild.

Einer der Hunnenfürsten sah ihn nahen und trat zur Königin. »Dieser da, den Ihr über unser Volk erhobt, hat heute noch keinen Hieb getan.«

Markgraf Rüdiger hörte des Hunnen Rede, er ballte die Faust und strafte den Fürsten, daß er vor Etzels Füße stürzte. »Wem ist denn schwerer zu Sinn als mir, der die Gäste in meines Herrn Land führte?«

Die Königin half dem Ohnmächtigen. »Schon lange wartete ich auf Euch, Rüdiger! Habt Ihr uns nicht allzeit verheißen, Ihr würdet Ehre und Leben für Euren König wagen? Oder muß ich Euch an die Treue mahnen, die Ihr mir zu Worms verspracht? Daß Ihr mir dienen wolltet bis an den Tod, habt Ihr mir armem Weib beschworen.«

»Ehre und Leben habe ich Euch zugeschworen«, antwortete der Markgraf, »meine Seele setzte ich nicht zum Pfand. War ich es nicht, auf dessen Wort die Fürsten zu diesem Hoffest ritten?«

Die Königin trat vor Rüdiger. »Denkt Eures Eids, daß Ihr all mein Leid rächen würdet! Habt Ihr so rasch vergessen?«

Nun begann auch Herr Etzel zu bitten. Rüdiger erschrak. »Was soll ich anfangen«, klagte er. »Treue zu den Freunden befahl uns Gott, Eide zu halten ist sein anderes Gesetz. Was ich lasse und was ich tue, immer handle ich wider ein Gebot. Dieses eine Mal zwingt mich nicht!«

Etzel aber und sein Weib mahnten ihn an seinen Schwur. Was immer Rüdiger einwandte, der König und die Königin drängten nur um so mehr. »Herr Etzel«, flehte Rüdiger, »nehmt alles zurück, was ich von Euch bekam, Land und Burgen. Zu Fuß will ich von Euch gehen, Weib und Tochter an der Hand. Doch zwingt mich nicht, ohne Treue gegen die Freunde zu handeln.«

»Ich gab Euch, was ich besaß, damit Ihr mir dienet, Rüdiger«, befahl Herr Etzel hart. »Die Stunde ist gekommen!«

»In mein Haus lud ich die Gäste! Meine Tochter versprach ich Giselher.«

Antwortete Frau Kriemhild: »Näher als der Freund dem Freund steht dem Bruder die Schwester. Wenn ich selbst Euch gegen die Könige aufbiete, wie wollt Ihr zaudern?«

Der Markgraf neigte das Haupt. »Heut muß ich mit dem Tod zahlen, was ich an Freundschaft nahm«, dachte er. Noch einmal setzte Herr Rüdiger Eid und Leben auf die Waage; da schien ihm das Leben gering. »Weh meinen Freunden«, klagte er, »ich muß den Lehnsschwur halten.«

Rüdigers Getreue hoben ihre Waffen, fünfhundert Mannen rüsteten sich. Den Helm band der Markgraf, Schilde wurden herbeigetragen und die Schwerter gegürtet.

Volker und Giselher sahen die Männer anrücken. »Nun habet frohen Mut«, rief der junge König, nun ist die Hilfe nicht weit. Meines lieben Weibes Vater kommt zu uns.«

»Euer Trost taugt nicht«, sprach der Fiedelmann, »saht ihr je Freunde mit aufgebundenen Helmen nahen? Heut muß der von Bechelaren Land und Burgen an uns verdienen, die Etzel ihm gab.«

Rüdiger hatte inzwischen die Treppe erreicht, er setzte den Schild vor den Fuß, ohne Gruß, ohne Frieden. »Ihr kühnen Nibelungen«, begann er, »jetzt wehrt euch allzumal. Freund waren wir einander, die Treue ist am End'!«

Viele der Bedrängten erschraken, wie sollten sie mit dem streiten, der ihnen so teuer war. »Verhüte Gott, daß wir kämpfen, Herr Rüdiger! Gedenkt unserer alten Freundschaft«, rief Gernot ihn an.

»Es ist nicht mehr zu wenden«, gab Rüdiger zurück. »Niemand entbindet mich meines Wortes, wehrt euch, ihr kühnen Degen!«

»So mag Gott Euch vergelten, was Ihr uns einst Gutes erwiest«, antwortete Gunther. »Eurer Gaben gedenken wir und Eurer Gastlichkeit.«

Noch einmal versuchte Gernot den Freund umzustimmen. »Trag' ich nicht Eure Waffe?« mahnte er. »Ach, Eure Wunden würden mir wehe tun, Markgraf von Bechelaren!«

»Wollt Ihr Eure Tochter so früh zur Witwe machen?« flehte Giselher. »Alle, die mit uns kamen, sind Euch lieb.«

»Besser wäre es, ich wäre tot oder Ihr am Rhein, Gernot«, versetzte Rüdiger. Zu Giselher wandte er sich: »Laßt meine Tochter nicht entgelten, was ich tat.« Er hob den Schild auf und wollte sich den Weg in den Saal erzwingen.

»Ein Wort, Herr Rüdiger«, mahnte Hagen, »hier ist kein gleicher Streit. Den Schild, den Frau Gotelinde mir gab, haben mir die Hunnen zerhauen.«

»Nehmt meinen«, rief Rüdiger, »ich wünsche Euch, daß Ihr ihn heimführen dürft nach Worms.«

Als der Markgraf so willig seinen eigenen Schild dem Feind reichte, da wurden manche Augen feucht. Selbst der harte Hagen sah auf den Estrich. Noch hatte niemand heimatlosen Degen solche Freundschaft geboten wie dieser Getreue. »Das schwöre ich Euch, Rüdiger«, sagte er, »meine Hand wird Euch im Streit nicht berühren, und erschlügt Ihr die Burgunden alle!«

Der Markgraf grüßte dankend den Tronjer; einigen der Männer kamen die Tränen über solch Leid, das niemand zu wenden vermochte.

Volker sprach als letzter. »Seht hier die Spangen Frau Gotelindes«, rief er, »der Sänger schwor ihr, sie immer zu tragen. Wißt, daß ich mein Wort gehalten habe.«

Danach traten die Männer zurück. Rüdiger hob den Schild, sein Streitmut begann. Hart schritt er auf die Gäste zu und hieb den ersten Schlag. Schon vor dem Saal fand Herr Rüdiger manchen tapferen Burgunden, der ihm den Weg sperren wollte. Gernot und Gunther aber befahlen, die Stürmenden ins Haus einzulassen, sie wollten, nun der Kampf nötig war, niemandem die Heimkehr erlauben.

Kühn liefen Herrn Rüdigers Mannen die Burgunden an; die brandschwarzen Streben des Saales widerhallten vom Toben der Waffen und vom Bersten der Helme. Noch kühner wehrten sich die vom Rhein. Zwei edle Heere rangen miteinander, wie eine Brandung klang das Tosen der Schwerter. Blutige Bahnen schlugen sich Volker und Hagen in die Reihen der Stürmenden. Härter schritt der Vogt von Bechelaren den Seinen voran; noch nie hatte Rüdiger gewaltiger gestritten. Endlich begegnete ihm einer der Könige im Kampfgewühl; Herr Gernot war's, der Zorn über die toten Freunde überwältigte ihn. »Ihr wollt wohl keinen der Meinen leben lassen, Rüdiger«, schrie er. »Bietet mir die Stirn, ich will Euch weisen, ob ich des Schwertes wert bin, das Ihr mir schenktet!«

Noch mußte hüben und drüben mancher Mann fallen, bis die Fürsten einander nahe waren; wie im Sturm schritten sie hin und her. Dann standen sie sich gegenüber und schirmten sich wohl. Es nützte indes nicht, ihre Klingen schnitten besser, als Schild und Panzer zu wehren vermochten. Herrn Gernot traf der Markgraf durch den steinharten Helm; der König schwang Rüdigers Gabe und schlug mit einem einzigen Hieb durch des Freundes Helmbänder und festen Schild. So starben Rüdiger und Gernot, einer von des andern Hand.

Als Hagen von Tronje sah, daß einer der Könige gefallen war und mit ihm Rüdiger, der ihm seinen Schild geschenkt hatte, kam der rote Grimm über ihn. So furchtbar drang er auf die Feinde ein, daß Menschen, die stürzten, ohne Wunden im Blut ertranken. Auch der junge Giselher kämpfte wie ein Rasender. »Weh mir um den Bruder, wie soll ich seinen Tod verwinden? Wie soll ich Euch vergeben, Rüdiger, Gotelindes Gemahl, Vater meiner Königin?«

Bald mußte der Tod ausspähen, wo er noch Leben fände; nicht einer von Rüdigers Mannen entging den Burgunden. Als die letzten gestürzt waren, sammelten sich die Sieger, suchten Giselher und Gunther, Hagen und Volker die toten Fürsten. Und manche Männer weinten.

»Laßt euer Klagen«, mahnte Giselher, »tretet vors Tor, damit die Panzer kühlen. Unser Leben neigt sich, trinkt den letzten frischen Wind!«

Die Recken ruhten aus; den einen sah man sitzen, den andern

gegen die Wand lehnen. So still war es im Saale, daß Etzel sich
zu sorgen begann.

»Ich fürchte, sie verhandeln miteinander«, sagte auch die Königin. »Wehe uns, wenn Rüdiger untreu wird. Gewiß will er die
Mörder an den Rhein heimgeleiten.«

Es war, als hätte der kühne Volker im Tor ihre Worte gehört.
»Ratet nur, Königin, und horcht, wo Rüdiger bleibt! Ach, er
und die Seinen sind heut um die helle Sonne betrogen. So wil-
lig hat er vollbracht, was Ihr ihm gebotet, daß sie alle den Tod
fanden, Markgraf und Mannen. Nun seht Euch um, Frau
Kriemhild, wem Ihr noch befehlen wollt, fragt, wer Euch folgt!
Der Treueste, Herr Rüdiger, hat Euch bis ans Ende gedient.«
Die Etzelmannen wollten es nicht glauben. Einige der Burgunden trugen drum Rüdiger vor die Tür, so daß der König den Toten sah. Da jammerte es die vom Hofe, daß nicht Erde, nicht
Wind, nicht Sturm je bitterer zu klagen wußten. Wie eines
Raubtiers Stimme scholl Etzels Wehruf durch die Burg. In tiefer Not weinte Kriemhild um Rüdiger, den besten der Königs-
treuen.

Bis in die Herbergen der Stadt drang Schreien und Jammern.
Dort vernahm es einer von Dietrichs Mannen. »Noch nie hörte
ich solch Leid auf der Todeshochzeit«, rief er. »Am Ende ist der
König oder Kriemhild von den wilden Gästen erschlagen.«
»Seid nicht so eilig, ihr Getreuen«, befahl der Berner, »und
bleibt in der Herberge. Was die Heimatfernen taten, dazu hat
die Not sie gezwungen. Ich habe ihnen Frieden versprochen.«
Der kühne Wolfhart erbot sich, nach dem Grund des Weinens
zu forschen. »Ihr fragt zu ungestüm, Wolfhart, Ihr wollt Zorn
und mahnt zur Unzeit. Helferich ist besonnen, er soll hören,
was es gibt.« Da ging der Recke und bekam zur Antwort, daß
Rüdiger erschlagen sei. Klagend eilte er zu Dietrich zurück.
»Was bringt Ihr uns, Degen Helferich?« Als der aber das Gerücht vom Tod des Markgrafen verkündete, schrie auch der

Berner auf. »Wie hätte Rüdiger das an den Gästen verdient, was alles hat er ihnen als Freund getan!«

Wolfhart sprang auf. »So wollen wir den Letzten der Burgunden an Leben und Leib. Schande brächte es uns, Rüdiger ungerächt zu lassen!«

Der Herr der Amelungen zauderte; das Herz war ihm schwer. Er glaubte den Gerüchten nicht und hieß Hildebrand noch einmal zu den Burgunden gehen, um die Wahrheit zu erfahren.

Der Waffenmeister trug nicht Schild noch Ger, er wollte als Freund vor die Gäste treten. Sein Neffe Wolfhart mahnte ihn: »Ungescholten kehrt Ihr nicht heim, und Schmach trifft den, der nicht antworten kann. Legt das Schwert an, Oheim, nur dann allein schweigt der Burgunde.«

Da rüstete sich der Alte nach des Neffen Rat. Zugleich suchten auch die anderen Recken Streitgewand und Schwert. Es gefiel Herrn Hildebrand nicht, er fragte sie, wohin sie wollten.

»Euch begleiten«, gaben sie zur Antwort. »Wir möchten hören, ob Hagen von Tronje seine Spottrede führt, wenn Ihr vor ihm steht.«

Der Spielmann sah die Degen des Berners in Waffen nahen; die Schwerter gegürtet, die Schilde vorm Haupt, rückten sie an. Er sagte es seinen Herren. »Seid wach, Dietrichs Mannen sind kampfbereit. Arg wird es uns Verlassenen in der Burg von Ofen ergehen.«

Es währte nicht lange, da trat Hildebrand vor. Er setzte seinen Schild vor die Füße. »Mich hat Herr Dietrich zu euch gesandt. Ist es wahr, so will er wissen, daß ihr den edlen Markgrafen erschlugt?«

Hagen erwiderte ihm: »Wahr ist, was ihr gehört habt; ach, ich möchte wohl, man hätte euch getrogen.«

Die Recken drohten. »Rüdiger«, rief einer, »Trost allen Heimatlosen, was tat man dir an?«

»Und wenn mein eigener Vater erschlagen wäre«, klagte ein anderer, »es wäre mir nicht bitterer als dieses Freundes Tod!«

»Heran und herauf!« schrie Wolfhart. Er, Helferich, Helmnot, Wolfbrand, und wie sie hießen, drohten zornig nach oben. Hildebrand hielt sie zurück. »Gebt uns Rüdiger heraus«, bat er die Burgunden. »Wir wollen, können wir den Lebenden nicht mehr ehren, an dem Toten vergelten, was er uns war.«

»Ein guter Dienst«, lobte Gunther, »den man dem Freunde leistet!«

»Wie lange sollen wir hier bittend stehen«, heischte der ungeduldige Wolfhart. »Wir sind auch Vertriebene, wir wollen Herrn Rüdiger weisen, wie lieb wir ihn hatten. Gebt Raum, daß wir ihn von hinnen tragen!«

Volker winkte dem Vorlauten. »Man bringt ihn euch nicht, holt ihn euch! Das erst heißt Rüdiger dienen!«

»Überhebt Euch nicht, Fiedelmann«, schrie Wolfhart. »Hätte Dietrich uns nicht den Streit verboten, Ihr wäret schon längst in arger Not!«

»Wer alles lassen will, was man ihm verbietet, der lebt seine Zeit nur in Fürchten«, spottete Volker.

Mit Mühe hielt Hildebrand den starken Neffen zurück.

»Laßt den Löwen los, Meister«, reizte Volker, »und wenn er die ganze Welt erschlagen hätte, bei mir würde er den Hieb vergessen!« Als er das hörte, warf Wolfhart den Schild hoch, um Volker anzulaufen; rasch folgte ihm die Schar der Freunde. Vor der Treppe holte der alte Hildebrand die Männer ein; er wollte nicht, daß jemand vor ihm den ersten Schwertschlag täte. Gegen Hagen wandte sich der Waffenmeister; furchtbar klang das Erz in der Helden Händen. Kämpfend wurde der Alte von Hagen getrennt, der wilde Wolfhart drängte sich nach vorn. Er nahm Volker an und schlug dem Fiedler durch die Helmspangen. Ihre Panzer sprühten vom Feuer, so hart hieben die beiden aufeinander ein. Kühn empfing auch Herr Gunther die Amelungen, und Dankwart, Hagens Bruder, wehrte sich grimmiger als je. Alles, was er an König Etzels Recken vollbracht hatte, war gering gegen seinen Streit wider die Amelungen.

Noch härter aber wiesen des Berners Mannen ihren Zorn um Rüdiger. Helferich, Helmnot und Wolfbrand rächten den Freund; Entsetzen breiteten sie unter den letzten Rittern der Burgunden.

Am ärgsten wütete der alte Hildebrand. Fürwahr, Rüdigers Tod wurde gesühnt!

An Volker geriet der Waffenmeister. Der hatte just Dietrichs Schwestersohn, Siegstab, einen blutigen Bach aus den Panzerringen geschlagen. Da flogen ihm die Späne vom Helmband, schwer und gnadenlos machte Hildebrands Schwert Volkers letztem Lied ein Ende.

Weiter ging der Streit, die eisernen Splitter wirbelten über die Häupter dahin, die Schwertspitzen glitzerten über den Kämpfenden. Furchtbar sprang Hagen dem alten Hildebrand entgegen, als er Volker fallen sah.

Helferich und Dankwart erschlugen einer den anderen. Zum drittenmal machte der starke Wolfhart die Runde durch die stürzenden Scharen der Burgunden. Giselher rief ihn an: »Wendet Euch hierher, statt die Schwachen zu töten, ich will's zu Ende bringen.«

Hildebrands Neffe hörte den Ruf, er drang so ungestüm zum König vor, daß unter seinen Füßen das Blut hoch aufsprang. Mit grimmiger Klinge empfing ihn Utes Sohn. Er hieb Wolfhart durch den Harnisch, er schlug ihm Wunde um Wunde, daß der Allzukühne wohl merkte, wie ihm der Tod blühte. Da ließ er den Schild sinken, hob ungedeckt die Waffe und traf Giselher durch Helm und Panzerringe. So gaben die beiden einander den Tod.

Als es nun zum letzten ging, lebte von den Mannen, die Dietrich untertan gewesen, nur noch der alte Waffenmeister. Er suchte Wolfhart, seinen Neffen, umschlang ihn mit den Armen und wollte ihn aus dem Haus tragen. Der Sterbende warnte. »Mir könnt Ihr nicht mehr helfen, hütet Euch vor Hagen! Und sagt den Freunden, sie brauchten nicht zu weinen.

Mit einem König kämpfte ich, mein Leben habe ich in Ehren gegeben und hab's vergolten, ehe der Tod mich fand.«

Gefallen waren auch alle, die von Gunther Lehen genommen hatten; Hagen war der letzte, der noch zu seinem Herrn stand.

Der Tronjer sah Hildebrand über einem Sterbenden. Er dachte an den toten Spielmann, Gram und Grimm überwältigten ihn. Mit Siegfrieds Schwert Balmung lief er Dietrichs Waffenmeister an.

Furchtbar wehrte sich der Alte; mit langer Klinge traf er den Tronjer durch den Harnisch, gierig schnitt ihm selbst Balmung die Brünne auf. Da kam die Todesfurcht über Meister Hildebrand, er warf den Schild auf den Rücken und entrann vor den Letzten der Nibelungen.

Wund und müde trat er vor Dietrich. Der Berner fuhr ihn an: »Habt ihr mit den Gästen gestritten? Du bist naß von Blut, Hildebrand.«

»Hagen tat es, kaum bin ich dem Teufel entkommen.«

»Recht ist dem geschehen, Hildebrand, der den Frieden brach. Mit dem Leben solltet ihr den Ungehorsam büßen!«

»Zürn uns nicht, Dietrich. Wir wollten Rüdiger aus dem Saal tragen, das gönnten sie uns nicht.«

»So ist es wahr, daß Rüdiger starb«, klagte Dietrich. »Welch ein Jammer zu aller anderen Not, wie sollen wir Gotelinde trösten?«

»Gernot und Rüdiger trafen einander zu Tode.«

Langsam erhob sich der Berner. »Sag meinen Mannen, daß sie sich wappnen! Ich selbst will Rüdiger von den Burgunden fordern.«

Da jammerte Hildebrand. »Wer soll mit dir gehen, Herr? Hier steht der letzte, der dir am Leben blieb. Die anderen alle sammelte der Tod.« Der Berner erschrak so sehr, nie hatte er in seinem Leben ein schlimmeres Leid empfunden.

Lange schwieg er. »Wenn sie alle starben, die sich mir verschwuren, hat Gott meiner vergessen. Nun bin ich arm und einsam wie zuvor. Ach, Hildebrand, wie konnte es geschehen, daß meine Mannen im Streit fielen? Mein Unglück wollte es, sonst hätte der Tod sie verschont. Sag, blieb von den Burgunden noch einer am Leben?«

»Weiß Gott, Herr, niemand außer Hagen allein und König Gunther!«

»Das war heut meiner Hoffnung letzter Tag«, klagte der Berner, »weh, daß man vor Leid nicht zu sterben vermag.« Herr Dietrich nahm selbst die Waffen auf; Hildebrand rüstete ihn. Als der Berner den Schild aufhob, kam der Ingrimm über ihn; er schritt eiliger durch die Gassen zur Burg, er schritt zu Frau Kriemhildens verbranntem Saal.

Hagen von Tronje sah die Männer nahen. »Heut endlich wird man wissen, wer der Stärkste und Beste ist. Erheb dich, König Gunther, der Berner will die Burgunden bestehen! Und dünkt er sich so furchtbar, und will er rächen, was alles ihm an Leid geschah, so bin ich doch bereit, den letzten Streit zu fechten.«

Vor dem Haus warteten die Recken, an die Pfosten gelehnt. Herr Dietrich sah sie, er setzte den Schild vor sich nieder.

»Was tat ich Euch, Gunther, daß Ihr mich verwaistet? War es Euch nicht genug an Rüdigers Tod? Nun liegt erschlagen, was mir auf Erden Freund geworden war.«

»Gewappnet kamen Eure Männer und hoben die Schwerter.«

»War es nicht so, daß meine Recken Herrn Rüdiger von Euch verlangten, und Ihr spottetet ihrer?«

»Herrn Etzel wollten wir den Toten versagen, da schalt uns Wolfhart.«

Der Berner stützte sich auf sein Schwert. »So muß das Letzte geschehen. Gebt Euch mir als Geisel, König Gunther, mit Hagen, Eurem Gesellen! Ich will Euch behüten, so gut ich's vermag, daß Ihr kein Leid erfahrt.«

»Keine Ehre wäre es«, sprach Hagen, »wenn wir in voller Wehr die Waffen senkten.«

»Noch einmal«, rief Herr Dietrich, »ergebt Euch, und ich selbst reite mit Euch heim nach Burgund.«

»Unehre wär's, den letzten Kampf zu fliehen«, antwortete der Tronjer hart.

»Hagen«, warnte Hildebrand, »Frieden schlug Euch mein König vor, bald wird er nicht mehr zu haben sein.«

»Seid Ihr nicht Hildebrand, der in Schanden vor mir von dannen lief?«

»Seid Ihr nicht Hagen, der am Wasgenstein abseits stand?« Herr Dietrich mahnte: »Es ziemt so starken Degen nicht, daß sie sich wie Weiber schelten.« Noch einmal wartete er. »Sagt«, wandte er sich dann zornig dem Tronjer zu, »rühmtet Ihr Euch nicht einst, Ihr allein wolltet mich im Streit bestehen?«

»Wenn mir mein Schwert nicht zerbricht, will ich es wagen!« Da hob der Berner den Schild und schritt auf Hagen zu. Nicht leicht war ihm der Kampf; furchtbar waren zum letztenmal des hellen Balmungs Streiche. Dann traf Dietrich den Tronjer und schlug ihm eine Wunde, tief und lang.

»Ihn schwächte die Not«, dachte der Berner, »sein Tod brächte mir wenig Ehre.« Sorglich näherte er sich dem Blutenden, ließ jäh den Schild fahren und umschloß den Überwundenen mit den Armen. So wurde Herr Hagen bezwungen und gebunden, und Dietrich führte ihn in den Burghof zu König und Königin. Den kühnsten Recken, der je Waffen und Wehr trug, gab er ihnen gefangen.

Da neigte nach viel Leid Kriemhild das Haupt vor Dietrich. »Nun habt Ihr die Not geheilt. Immer mög es Euch das Schicksal lohnen!«

»Ich geb' ihn Euch, doch bürgt Ihr mir für sein Leben, Königin! Er selbst soll sühnen, was er Euch angetan hat.«

Kriemhild hieß Hagen in ein Verlies führen, wo er vor allen geborgen war, und Herrn Dietrich schien es recht. Er ging König Gunther entgegen. Der wartete nicht, er trat vor den Saal und griff den Berner ritterlich an. So großen Ruhm Dietrichs

Schwert besaß, auch Herrn Gunthers letzter Streitzorn war stark, so daß er wohl jeden anderen überwunden hätte. Burg und Türme hallten von den Schlägen der beiden; noch einmal zeigte der König von Worms einen herrlichen Mut. Am Ende aber war des Berners Arm gewaltiger als all seine Kraft. Schon sah man Gunthers Blut durch den Panzer rinnen, da warf Dietrich die Waffen hin und packte den König. Er meinte, daß die Hunnen ihn töten würden, wenn er ungebunden bliebe. Zu Frau Kriemhild führte er den Herrn der Burgunden.

»Sei mir willkommen, Bruder«, grüßte sie ihn.

»Bitter war dein Mut, Schwester, und ohne Freude ist dein Gruß!«

»Frau Königin«, mahnte der Berner, »so gute Helden sah man noch nie gefangen. Nun bitte ich für die Heimatlosen um Freundschaft.«

Die Königin hörte seinen Rat, und Herr Dietrich wandte sich, die heiße Rüstung abzulegen. Währenddes hieß Kriemhild auch Gunther in ein zweites Verlies werfen, so daß die Degen nicht mehr umeinander wußten. Dann ging sie selbst zu Hagen.

»Was bleibt nun zu sühnen«, fragte sie. »Euer Trotz ist gebrochen, Hagen, Ihr büßtet genug.« Noch wartete sie auf Antwort. »Zeigt Reue, gebt zurück, was Ihr mir nahmt«, sagte Kriemhild.

Hagen wiegte das Haupt. »Wenn Ihr vom Hort sprecht, so ist die Rede umsonst, Frau Königin. Ich schwur, ich würde ihn nimmer verraten, solange meine Herren am Leben wären.«

Kriemhild ging zu Gunther, aber der König der Burgunden schwieg auf all ihre Worte. Da hieß sie dem Trotzigen das Haupt abschlagen.

Sie selbst trug es vor Hagen.

Der Tronjer erkannte seines Herrn Züge; die Wunden riß er sich auf, furchtbar scholl sein Lachen durch das Verlies. »Nach Eurem Willen, Kriemhild, habt Ihr's zu Ende gebracht. Wie ich's gedacht, ist das Geschick gekommen. Tot sind von Burgund die edlen Könige, verwaist das Volk, erschlagen seine Ritter. Vom Gold weiß jetzt auf Erden niemand denn Gott und ich. Euch aber, Teufelin, wird es für immer verhohlen bleiben!«

Frau Kriemhild zog ihm das Schwert aus der Scheide. Mit beiden Händen schwang sie den Balmung, Siegfrieds Waffe, der Zwerge Meisterwerk, und trennte dem Tronjer das Haupt vom Rumpf.

Herr Etzel und die Seinen schritten die Stiege zu den Gefangenen hinab; zu spät kamen sie, um die Königin einzuhalten. Der Hunne klagte laut. »Der Stärkste meiner Feinde starb von Weibes Hand. Es tut mir leid um Euch, Hagen, so gram ich Euch war.«

Hildebrand hörte den König klagen, der Grimm schoß ihm wie Feuer in die Augen. »Und brächt' es mir den Tod, ich muß den Kühnsten rächen, der je einem Herrn gefolgt ist.« In Zorn ohne Maßen sprang Hildebrand vor und zog sein Schwert. Gellend schrie Kriemhild auf, es half ihr nicht mehr gegen des Alten furchtbare Ehre.

Da lagen sie, die das Schicksal zu sterben bestimmt, beieinander. Dietrich und Etzel begannen zu weinen; in Jammer ohne Ende liefen Mannen und Freunde hinzu, klagten auf und fielen in die Knie; ihr Herz wollte anhalten vor Gram.

So war der Helden Herrlichkeit im Tod vergangen; in Leid verklungen war König Etzels Gastgelage, wie immer Leid die Freude in letzter Wende bricht. Schweigen will ich nunmehr von dem großen Sterben und auch davon, wie es danach den Völkern im Hunnenland erging. Zu Ende ist meine Mär – die Mär von der Nibelungen Not.

Dietrich von Bern

Um die Zeit, von der ich erzähle, lebten nördlich und südlich der Alpen drei starke Könige, Söhne der schönen Frau Hildisvith und ihres Gemahls, der Blut vom Geschlecht der Riesen trug. Der älteste von ihnen hieß Ermanrich, er herrschte von Romaburg aus über das Mittelmeer und die Inseln weithin. Der zweite war König Harlung, er saß nördlich der Alpen und hatte zu Breisach seine Burg. Der dritte, Dietmar, war König des Langobardenlandes. Er wohnte in Bern und hatte Otta, die Tochter Herzog Ilsungs, zum Weib. Ihnen wurde ein Knabe geboren, den sie Dietrich nannten.

König Dietmar zu Bern war ein kraftvoller Herrscher, klug, heiter und freundlich mit seinen Mannen, dabei ein gewaltiger Krieger. Sein Sohn Dietrich schien ihm nachzuschlagen. Er war aber von anderer Art als der dunkelhaarige König und im Äußeren seiner Mutter gleich. So hatte er ein langes Gesicht, scharfe braune Augen und helles Haar, kraus wie Hobelspäne. Als er heranwuchs, wurde er über Brust und Hüften sehr kräftig, schon glaubte man, das Riesenblut, das ihm die Ahnen vererbt hatten, würde in ihm wach. Seine Hände und Gliedmaßen blieben indes wohlgebildet; es war zu sehen, daß er groß und schön und zugleich über alle Menschen stark werden würde.

Früh schon schlug sein Vater Dietmar den jungen Dietrich zum Ritter und setzte ihn über die Mannen des Hofes. Und niemand hatte etwas einzuwenden, weil er fröhlich, leutselig und freigebig blieb, so daß alle ihn liebhatten.

Um die gleiche Zeit herrschte in der Stadt Garten Herzog Herbrand, der hatte einen Sohn, Hildebrand mit Namen. Hildebrand war klug und besonnen und übertraf an ritterlicher Kunst bald alle Recken seines Vaters. Insbesondere rühmte man ihm nach, daß er niemals einen Freund im Stich gelassen hätte, und von allen Mannestugenden gilt das als höchstes. Hildebrand blieb bis zu seinem dreißigsten Jahr bei seinem Vater, dann sagte er dem Herzog, daß er die Sitten anderer Höfe kennenlernen möchte. Von dem mächtigen König Dietmar zu Bern habe er gehört, dorthin verlange es ihn. Der Vater erlaubte ihm aufzubrechen, und Hildebrand machte sich mit fünfzehn wohlgerüsteten Freunden auf den Weg; es waren alles alles frische Gesellen.

König Dietmar nahm Hildebrand gastlich auf, er gab ihm einen Platz in seiner Halle und gewann ihn gern. Als er sah, daß der junge Dietrich – der war jetzt fünfzehn Jahre – dem Gast anhing, ernannte er Hildebrand zum Waffenlehrer des Sohnes und setzte ihn neben den Knaben, damit er ihn erzöge. Von da an blieben die beiden bis an den Tod zusammen; selten wird in der Geschichte berichtet von Männern, die einander ein langes Leben hindurch bei Taten ohne Zahl getreuer beigestanden und begleitet hätten.

Die Waffentreue sollte sich schon früh bewähren.

Einstmals, so heißt es, ritten Dietrich und Hildebrand gemeinsam aus Bern in den Wald, um mit Falk und Hund zu jagen. König Dietmars Sohn spürte einen Hirsch auf und folgte ihm. Dabei lief ihm ein Zwerg über den Weg; rasch wandte er sein Roß und sprengte ihm nach. Gerade bevor der Wicht in eine Höhle schlüpfen konnte, bekam Dietrich ihn zu fassen und hob ihn zu sich in den Sattel.

»Herr«, bat der Kleine, »laß mich doch frei! Ich will dir auch verraten, wo die Riesen hausen, die euer Land verwüsten.«

Dietrich wußte noch nichts von Feinden, die in seines Vaters Gaue eingefallen wären; aber als er, den Zwerg im Sattel, heimritt, kamen schon von vielen Seiten Flüchtlinge, die über zwei Räuber, über Grim und seine Frau Hilde, klagten. Da horchte Dietrich den Gefangenen aus, und der erzählte ihm von den beiden; er sagte auch, daß jeder der Feinde so stark sei wie zwölf Männer zugleich. Das Weib sei dem Mann schier noch über an Kraft und Heimtücke.

Der Zwerg erzählte, der Riese habe ein Schwert Nagelring bei sich, das sei härter als alle Waffen, die man kenne. Und niemand werde über Grim den Sieg erringen, so sei es bestimmt, der nicht vorher des Feindes Waffe gewonnen habe.

»Hör«, bot Dietrich dem Gefangenen an, »ich werde dich freigeben, wenn du mir noch heute das Schwert verschaffst.« Der Zwerg sagte es zu, und er hielt sein Versprechen. Gegen Abend, als Hildebrand und Dietrich vor der Stadt Bern lagerten, kam der Kleine und brachte wirklich eine herrliche Klinge, die er Dietrich übergab. Er beschrieb auch, wie man zu den Riesen hinausgelangen könne. Aber es tat dem Zwerg leid um den jungen Recken, er warnte, daß Menschenkraft selbst mit dem Schwert Nagelring nicht ausreichen würde, um Grim und Hilde zu überwinden. Dann sank er in die Erde und war spurlos verschwunden.

Hildebrand hielt es für besser, heimzureiten, er wollte des Königs Heer zu Hilfe holen und mit ihm gegen die Riesen ausziehen. Der junge Dietrich hatte jedoch keine Geduld, so sehr freute er sich über die Klinge, die er gewonnen hatte. Noch zur Nacht ritten die beiden den Weg, den der Zwerg ihnen gewiesen hatte.

Wirklich kamen die Degen in der Frühe zu einer Berghalde, so wie der Wicht sie beschrieben hatte, und zu einem großen Erdhaus. Dort stiegen sie von den Rossen, banden die Helme und spannten die Brünnen. Dann sprengten sie die Tür des Feindes auf.

Der Riese erwachte sogleich, sprang vom Lager, suchte nach seinem Schwert und fand es nicht. Da riß er ein brennendes Scheit vom Herdfeuer und stürzte damit auf die Eindringlinge los. Die wehrten sich, aber weil sie nur den Riesen Grim vor Augen hatten, gelang es Frau Hilde, Dietrichs Waffenmeister von hinten fest zu umklammern, so daß er sich nicht befreien konnte. Lange rang Herr Hildebrand mit ihr, bis er stürzte. Schon versuchte die Riesin ihn zu binden; sie stemmte ihre Fäuste gegen seine Brust, daß er den Atem verlor, und umkrallte seine Hände, so daß das Blut ihm unter den Nägeln hervorquoll. »Dietrich«, schrie er, »steh mir bei!«

Als der junge Held seinen Waffenmeister so sehr in Not sah, nahm er alle Kraft zusammen, und es glückte ihm, den Riesen Grim mit seinem eigenen Schwert zu treffen. Dann sprang er dahin, wo sein Ziehvater lag, und hieb der Riesin das Haupt vom Rumpf. Sie war aber eine Drullin; Leib und Kopf wuchsen wieder zusammen. Dietrich mußte noch einmal zuschlagen. »Tritt mit den Füßen zwischen Haupt und Rumpf«, riet Hildebrand und streifte die Fesseln von den Gliedern. Da erst starb die Riesin.

Die Recken fanden viel gestohlenes Gut, Gold und Silber in der Erdhöhle, darunter auch einen Helm, um den Hilde und Grim sich gestritten und den sie deshalb Hildegrim genannt hatten. Den Helm, der stärker war als alle, die man bisher gesehen hatte, trug Dietrich danach bei manchem Kampf.

Hildebrand und Dietrich gewannen großen Ruhm durch jenen ersten Sieg. Viele gute Degen ritten nach Bern und erboten sich, mit ihnen auf Abenteuer zu ziehen. Zwölf von ihnen wählte Dietrich aus und sammelte sie um sich. Von ihnen will ich vorerst erzählen.

Nördlich der Alpen gab es eine Burg Seegart. Die einen behaupten, daß sie in Schwaben lag, die andern, daß sie der schönen Königin Brunhild zu eigen war, die ihre Herrschaft noch weiter gen Mitternacht hatte. Jedenfalls gehörte der Wirt auf Seegart, Studas mit Namen, zum Gefolge der Königin.

Studas war in allen Ländern berühmt als Rossezüchter. Während bei Sachsen und Dänen die Pferde goldmähnig und schweren breiten Ganges dahinschreiten, waren die seinen grau, fahl oder schwarz; er ging darauf aus, sie einfarben zu halten. Mutig und feurig waren Studas' Tiere, aber leicht zu zähmen. Keiner indes verstand sie so zuzureiten wie der Züchter und die Seinen.

Nun hatte Studas einen Sohn, vierschrötig, mit dichtem Bart, dunklen Augen und dickem, kurzem Hals. Er war ungeheuer stark, aber starrköpfig und händelsüchtig und strebte von seinen Eltern fort. Man nannte ihn Heime – so hieß ein Drache, von dem die Rede ging, daß er bösartiger als andere Würmer sei. – Der Bursch besaß jedoch auch andere Eigenschaften; er hatte Freunde, für die er tat, was immer er ihnen an Gutem erweisen konnte.

Heime hörte viel von dem Berner Dietrich, der als der beste aller jungen Helden galt. Er trat deshalb eines Tages vor seinen Vater und kündigte ihm an, daß er fortreisen werde. Studas fragte nach seinem Weg. »Ich will zu Dietrich von Bern und will sehen, wer der Stärkere von uns beiden ist.« Da erschrak Studas. »Es ist schlimm, wenn man nicht Maß halten kann«, schalt er, »dein Dünkel wird dir noch Schaden bringen. Dietrich hat die Riesen Grim und Hilde erschlagen, wie darfst du es wagen, dich mit ihm anzulegen?« Der Sohn sagte dem Vater aber, daß er nicht sein Leben lang Pferde züchten, sondern lieber früh sterben oder mehr werden wolle als einer Königin Lehnsmann. Dann schwang er sich auf sein Roß Rispe und ritt geradeswegs bis zu den Alpen und von dort über die Berge nach der Stadt Bern. Da stieg er ab, befahl einem Knecht, das Roß zu halten, und trat vor Dietrich.

»Ich komme von weit her«, erzählte er, »und fordere dich zum Zweikampf heraus. Laß uns abmachen: Wer von uns beiden siegt, darf dem andern die Waffen nehmen.«

Dietrich wurde zornig über die Rede dieses jungen Fants. Er glaubte, ihn strafen zu müssen, ritt mit ihm vor die Stadt und wollte den dreisten Burschen, der es wagte, einen König herauszufordern, züchtigen. Sein Schwert Nagelring und den

Helm Hildegrim trug er, dazu einen roten Schild, auf dem sich ein goldener Löwe drohend erhob. Bald preschten Rosse und Reiter gegeneinander, indes durchstießen erst beim vierten Gang die Spieße die Schilde; Dietrichs Brünne wurde getroffen, und Heime wurde verwundet. Der Berner staunte aber so sehr über die Kraft des Fremdlings, der ihm, dem Unüberwindlichen, getrotzt hatte, daß er ihn zu seinem Gefolgsmann machte.

Um die gleiche Zeit war auch Wittich, des wilden Wielands Sohn, zu einem starken Jüngling erwachsen. Er hatte den kühnen Sinn des Königs Nidung geerbt und von seinem Vater die Härte und Verwegenheit zu Meer und zu Lande. Als Wieland ihn jedoch in die Schmiede rief und meinte, sein Sohn müsse gleich ihm der Meister aller Feuer werden, da verlangte Wittich einen guten Hengst, einen Spieß und ein scharfes Schwert, um in die Welt zu reiten und hochgeborenen Fürsten zu dienen.
Wieland war traurig und forschte ihn nach seinem Vorhaben aus. Der junge Wittich antwortete, er wolle zu Dietrich dem Amelungen, der über Bern herrsche. Darüber geriet sein Vater in Sorgen. »Wenn du durchaus eine Heldentat vollbringen willst, so geh in den Wald, suche die Räuber auf und kämpfe mit ihnen. Unser König hat das halbe Reich und seine Tochter dem versprochen, der mit ihnen fertig wird.« Wittich aber meinte, es sei lächerlich, um einer Frau willen zu kämpfen, auch möchte er zu den Helden bei Hofe gehören. Da holte Wieland ihm, was er verlangte.
Mimung hieß das Schwert, das der Zauberkundige dem Sohn schenkte. »Ich habe es einst für einen König geschmiedet, der seiner nicht wert war«, sagte Wieland. Dann setzte er Wittich einen stählernen Helm mit einem Schlangenbild aufs Haupt und reichte ihm einen weißen Schild, auf dem waren Hammer und Zange abgebildet zum Zeichen, daß der Vater des Recken ein Schmied war. Die edelste Gabe aber schien der Hengst

Schimming. Elfenbeingeschmückt war sein Sattel und mit züngelnden Schlangen geziert.

Als Wittich nun ausritt und über die Eider wollte, konnte er die Furt nicht finden. Er entkleidete sich deshalb und suchte sorgfältig den Strom ab, den er doch kannte. Währenddessen kamen drei Männer zum Ufer und sahen ihn im Wasser. Es waren Hildebrand, Heime und der Recke Hornboge von Wendland, den die beiden andern als Schwertbruder für Dietrich gewonnen hatten. »Da scheint ein Zwerg zu schwimmen«, lachte Hildebrand, »es wird Alberich sein, der Nibelung, wir wollen ihn fangen.« Wittich hörte seine Worte. »Laßt mich an Land«, drohte er, »dann will ich euch Rede stehen.« Die drei Recken merkten, daß es ein Mensch gleich ihnen war, sie gaben ihm Zeit, sich zu rüsten.

Hildebrand und Heime nahmen andere Namen an, sie wollten nicht, daß ihre Fahrt ins Nordland bekannt würde. »Ich bin Wittich, Wielands Sohn«, erklärte der Fremde, »und will König Dietrich aufsuchen, um mich mit ihm zu messen.« Der Waffenmeister geriet in Sorge; er fürchtete, daß Wielands Sohn oder sein Schwert zauberkräftig und daß sie übermenschlich stark wären. Aber er hieß ihn doch mitreiten, um ihn zu prüfen.

Als sie dann berieten, welche Straße sie ziehen sollten, sagte Meister Hildebrand: »Zwei Wege führen nach Bern; der eine ist lang und schlecht, der andere kurz und gut. Es ist nur, daß an dem besseren eine Burg mit Räubern liegt, die legen einen hohen Zoll auf die Wegfahrer; auch Herr Dietrich hat die Feste noch nicht brechen können.«

»Wählen wir den kürzeren«, schlug Wittich vor, und die andern Degen folgten ihm. Nach einigen Tagen hob sich die Burg in der Ferne. »Wartet auf mich«, bat Wielands Sohn, »vielleicht lassen sie uns ohne Zoll durch.«

Wittich ritt nun gemach auf die Burg zu; die Räuber – es waren ihrer ein Dutzend – lugten schon über die Mauer und spotteten. Der eine sagte, der Schild würde ihm zustatten kommen, der andere meinte, er könnte dieses Mannes Schwert gut brauchen, der dritte wollte die Brünne haben, der vierte den Helm, der fünfte das Roß.

Der Hauptmann schickte drei der größten Kerle Wittich entgegen.

»Willkommen, ihr Herren«, grüßte Wittich.

»Nichts von willkommen«, antworteten die Grobsäcke, »zahl deinen Wegezins, dazu die rechte Hand. Dann werden wir dich mit dem Leben davonlassen.«

Der Fremde sah indes so grimmig aus, daß die Reiter den Ihrigen zuriefen, dieser würde freiwillig nichts hergeben. Der Hauptmann eilte deshalb mit den übrigen vors Tor und ermunterte seine Leute, sie sollten sich holen, was sie untereinander verteilt hätten. Wittich vernahm den Rat, er zog blitzschnell das Schwert Mimung, erschlug den Sprecher und griff gleich die nächsten an.

Hildebrand hörte die Schwerter klingen, er erinnerte die Freunde daran, daß man dem Fremden Weghilfe versprochen hatte. Heime zögerte. »Wir wollen nur näher reiten«, meinte er, »und sehen, ob Wittich sich durchkämpft. Sollen wir wegen eines Unbewährten unser Leben einsetzen?« Hildebrand und Hornboge aber sprengten Wittich zu Hilfe.

Es waren nur noch sieben Räuber übrig, die anderen hatte Wielands Sohn schon mit dem Mimung erschlagen. Als die letzten die Reiter kommen hörten, flohen sie an ihrer Burg vorbei und über den Strom.

Hildebrand sah sich an, was Wittich, Wielands Sohn, ausgerichtet hatte, er sorgte sich wieder um seinen Herrn. Und weil er glaubte, daß im Schwert des anderen ein Zauber wohnte, stand er in der Nacht auf, zog Mimung und seine eigene Klinge aus der Scheide und vertauschte Griff und Knauf der beiden Schwerter kunstgerecht. Dann schlief er getrost bis zum Morgen.

Bei Tagesanbruch verriet der Waffenmeister Wittich seinen wirklichen Namen und sagte auch, daß man zukünftig gute Brüderschaft halten wolle. Die vier Männer versprachen es einander, legten Feuer an die Raubburg und ritten zum Weserfluß.

Inzwischen hatten die sieben Räuber, die entkommen waren, die Brücke über den Strom in der Mitte abgebrochen. Wittich sah es, er gab dem Roß Schimming die Sporen und sprang von einem Brückenkopf zum anderen. Die Recken setzten ihm nach. Aber Hildebrand und Herzog Hornboge stürzten in die Fluten und mußten mit ihren Pferden an Land schwimmen. Nur Heimes Hengst Rispe sprang so weit wie sein Bruder Schimming.

Wittich war gleich auf die Räuber losgegangen und begann den Kampf; Heime hatte wieder keinen Mut und hielt sich abseits. Erst als sich Herzog Hornboge und Hildebrand näherten, ritt er mit ihnen Wittich zu Hilfe. Der hatte inzwischen mit den Räubern aufgeräumt; er hatte nicht einmal gemerkt, daß ihm die Klinge Mimung fehlte. Und der Waffenmeister lobte ihn. –

Nach einiger Zeit erreichten sie die Alpen und stiegen nahe Hildebrands Gehöft bei Garten aus den Bergen. Des Waffenmeisters junge Frau begrüßte die Freunde; sie blieben einige Tage zu Gast und ritten dann gemeinsam weiter nach Bern.

Dietrich saß bei Tisch, als man ihm meldete, daß die Männer seiner Tafelrunde heimgekehrt seien. Er begrüßte sie herzlich und nahm Hornboge in Pflicht. Aber mit Wittich redete er nicht; wie sollte er wissen, wer der Fremde war?

Da zog der Schmiedssohn den silberbeschlagenen Handschuh ab und warf ihn dem Königssohn zu. »Laß uns zwiekämpfen«, bat er. »Ich habe viel von dir gehört und möchte prüfen, ob du ein so gewaltiger Streiter bist, wie man rühmt.«

Dietrich wurde zornig. »Ich habe Frieden in meines Vaters Reich verkündet. Was soll werden, wenn jeder Landstreicher sich mit mir messen will?« Auch Reinold von Mailand, einer aus dem Gefolge des Amelungen, schalt den Fremden, der den König in seinem eigenen Land herausforderte.

Hildebrand ergriff Dietrichs Hand. »Ich möchte, daß du mit diesem Mann einen Waffengang hältst; wofür erzog ich dich?«

Als er den Waffenmeister so reden hörte, richtete sich Dietrichs Verdrossenheit auch gegen ihn. »Verliert der Fremde«, drohte er, »so werde ich ihn zur Warnung vorm Tor an den Galgen knüpfen.« Dann wappnete er sich und ließ sein Roß Falke satteln, das war ein Bruder Schimmings und Rispes und aus Studas' Zucht.

Hildebrand aber half Wittich beim Rüsten.

Der alte König Dietmar hörte von dem Treffen zwischen seinem und Wielands Sohn; er eilte vors Tor und reichte beiden den Weinbecher, damit sie einander zutränken. Dietrich weigerte sich indes, den Friedensstörer zu grüßen; Meister Hildebrand lachte, er wußte, daß der Fremde seinen Herrn wohl belehren würde.

Dann schwangen sich die Männer in den Sattel, legten die Lanzen ein und sprengten gegeneinander. Wittichs Schaft zersplitterte. Rasch wandten die Reiter die Rosse; Wittich wies den Speer ab, mit dem Hildebrand ihm helfen wollte, und rief Dietrich zu, nicht zu säumen. Während der Gegner anritt, zog er blitzschnell das Schwert und hieb ihm den Speerschaft entzwei. Da wunderten sich die Leute; der Berner stieg zornig vom Pferd, und die Männer erreichten einander zu Fuß. Es zeigte sich, daß sie gleich stark waren; lange kämpften sie. Endlich aber, als Wittich mit aller Kraft nach Dietrichs Helm schlug, zersprang sein Schwert in zwei Stücke.

»Schande über dein Werk, Vater!« schrie der Wehrlose auf und erwartete den Tod.

Da warf Hildebrand sich dazwischen. »Gnade für diesen Mann«, mahnte er, »wir wollen ihn zum Schwertbruder haben.«

»Er soll vor Bern hängen«, zürnte Dietrich. »Was soll aus meines Landes Frieden werden, wenn jeder Abenteurer dem König den Holmgang anbietet.«

Hildebrand zog den Mimung. »Noch wollte ich dich schützen, junger König, jetzt schäme ich mich meiner List.« Er wandte sich zu dem Überwundenen: »Hier ist dein echtes Schwert, Wielands Sohn, nun wehre dich!« Wittich wurde froh wie ein Vogel in der Frühe und begann den Streit von neuem. Bald löste sich unter seinen Schlägen ein Stück nach dem anderen aus Dietrichs Brünne, Schild und Helm. Nach Hildebrand rief der Bedrängte, aber der stand grimmig abseits; König Dietmar selbst mußte zwischen die Kämpen treten, er hob den Schild und trennte die beiden. »So werbe ich dich für meinen Sohn«, sagte er zu dem Fremden und befahl, daß die Recken einander die Hände reichten. Jetzt hatte Dietrich schon eine Reihe edler Männer um sich. Hildebrands Brüder, Wolfhard und Helferich, stießen noch zu ihm, und auch andere warben darum, den Tisch mit ihm zu teilen.

Den Berner aber wurmte Tag und Nacht, daß er gegen Wittichs Zauberschwert nicht hatte standhalten können; ihn dünkte, er müsse ein wildes Abenteuer suchen, um sein Ansehen unter den Recken wiederzugewinnen.

Heimlich verließ er seines Vaters Hof, ritt abends und morgens, sieben Tage lang, und gelangte ins Land Hünen – so hieß damals ein Reich, das sich von Schleswig nach Soest streckte und an Friesland grenzte.

Dort wohnte im Osningwald einer der besten Helden namens Ecke; er diente um eine schöne Königin, eines hohen Herrn Witwe.

Dietrich drang in den Wald Osning ein, er blies sein Horn, und als es zum Abend ging, begegnete er dem, den er suchte. Ecke fragte den Fremden, wer er sei, daß er so stolz in Waffen seinen Forst quere.

»Ich bin Heime, Studas' Sohn«, sagte Dietrich und wollte den anderen prüfen.

»Deine Stimme klingt nicht nach Heime«, rief Ecke. »Habe ich das Glück, Dietrich von Bern gegenüberzustehen, so spare ich mir eine lange Reise. Denn nicht eher wollte ich meine Königin heimführen, bis ich mich mit dir, dem besten aller Recken, gemessen hätte.«

»Es ist spät am Tag«, mahnte der Amelunge, »wir wollen bis zum Morgen warten.«

Das meinte auch Ecke, er setzte sich zu Dietrich und erzählte ihm von der Königin und von seiner Liebe zu ihr. So harrten sie auf die Frühe.

Noch vorm Morgengrauen aber kam die Ungeduld über sie, so daß sie aufstanden, die Klingen zogen und mit den Schwertern gegen die Steine schlugen. Feuer sprühte auf, so fanden sie einander. Wie ein Gewitter scholl bald der Kampf durch die Dunkelheit. Endlich strauchelte Herr Dietrich über eine Wurzel, und Ecke konnte sich auf ihn werfen. »Ergib dich mit Waffen und Roß«, schrie er, »ich will dich meiner Königin bringen.«

»Lieber will ich mein Leben lassen«, dachte der König, »als den Spott von schönen Frauen ertragen.« Er zerrte die Hände frei; die Recken rangen und schwangen einander hin und her. Aber keiner kam den anderen über. Das dauerte so lange, bis Falke, Dietrichs Roß, den Zaum zerriß, um seinem Herrn zu helfen. Hochauf hob es sich und traf Ecke mit dem Huf, daß ihm das Rückgrat brach.

Dietrich trauerte um den jungen Helden; es war ihm bitter leid, daß der Kampf so unrühmlich geendet hatte.

Als er nun weiter den Wald durchritt, sprengte ihm ein Mann nach, der war groß und wohlbewaffnet und glich in allem dem Erschlagenen. Es war Fasold, Eckes Bruder; er hatte den Toten gefunden und schrie, Herr Dietrich werde den jungen Helden im Schlaf gemeuchelt haben, niemand hätte ihn je anders überwinden können. »Ecke bot mir einer Frau zu Ehren den Waffengang an«, antwortete Dietrich, »da habe ich nachgegeben.«

Fasold glaubte ihm nicht, er ritt Dietrich gleich mit großem Kampfzorn an, und es gelang ihm auch, den Berner vom Pferd zu werfen. Weil er meinte, er hätte ihn erschlagen, kehrte er vorerst zu seinem Bruder zurück.

Dietrich fand die Besinnung wieder und eilte Fasold nach. Bald hatte er ihn erreicht; sie kämpften auf ebener Erde und stritten lange miteinander. Schließlich hatte Herr Dietrich drei Wunden davongetragen, der andere aber blutete am ganzen Leib und war zu Tode matt. So mußte Fasold um sein Leben bitten und erbot sich, Dietrich zu folgen und ihm den Treueid zu leisten. »Ich will deine Dienste nicht«, sagte der Berner, »aber wenn ich dir deinen Bruder ersetzen darf, so will ich alles Gute und Schlimme mit dir zusammen bestehen. Es tut mir bitter leid um Ecke, den Toten.«

Sie wuschen und pflegten ihre Wunden und ritten als Ebenbürtige über die Alpen nach Bern.

Bei jener Fahrt hatten die Männer ein seltsames Abenteuer. Als sie durch die große Einsamkeit der Berge kamen, flog ein Drache, ein Tier mit langen, scharfen Krallen, dicht an ihnen vorüber. In seinem Rachen schleppte er einen Gefangenen, der wehrte sich noch und flehte die Reiter an, ihm zu helfen. Der Drache konnte mit der Last nicht weit gelangen, er mußte niedergehen, und die Männer griffen ihn an. Ihre Schwerter wollten indes nicht beißen, sie glitten von des Wurmes Hornhaut ab. Da vermochte der Gefangene ihnen seine eigene Klinge zuzuschleudern, die war von Drachengeifer gehärtet, so daß Dietrich und Fasold den Unhold erlegten.

Als sie den Geretteten befragten, stellte es sich heraus, daß es Sintram, Hildebrands Neffe, war, der hatte zu dem Amelungen stoßen wollen. Fasold und Dietrich hießen ihn willkommen, sie rasteten auch nicht weiter, bis sie Bern erreicht hatten. Und die Tischgesellen nahmen die beiden Recken herzlich auf.

Dietrich saß nun nach seiner Heimkehr wieder auf dem Hochsitz neben seinem Vater und teilte, was er hatte, mit seinen Freunden. Eines Tages wollte er Heime eines seiner Schwerter schenken, da wurde Wittich scheelsüchtig und sagte, daß der andere ihn einst an der Weser gegen die Räuber allein habe fechten lassen; erst als Hornboge und Hildebrand den Strom durchschwommen hätten, sei auch Heime ihm beigesprungen. So erfuhr Dietrich von jener Untreue gegen die Schwertbrüderschaft.

Heime, der nicht leugnen konnte, was Wittich behauptete und was Hornboge und Hildebrand bezeugten, ging hinaus, nahm seinen Hengst Rispe und ritt weit fort gen Norden. Er verband sich damals mit einem gewissen Ingram, einem Wiking, der im Falsterwald zwischen dem Sachsen- und Dänenland auf Plünderung lag und den Kaufleuten viel Schaden zufügte. Bald hielten die beiden sich für unüberwindlich und spotteten aller Scharen, die gegen sie ausgesandt wurden.

Es sollte anders kommen.

In Schonen lebte ein Herzog namens Biterolf mit seiner Frau Odda, die war des Sachsenherzogs Tochter. Odda und Biterolf hatten einen Sohn Dietleib. Er war jung und groß von Wuchs, trieb sich indes lieber in Küche und Keller herum, als daß er den Vater auf Jagd oder in den Kampf begleitete. Die Eltern glaubten schon, die Unterirdischen hätten ihn vertauscht und er sei ein Wechselbalg.

Graue Herdasche trug Dietleib an seinem Rock; er brauchte keinen Kamm und ging in keine Badstube. Eines Tages indes, als Herzog Biterolf vorhatte, mit seiner Frau und vielen Gefolgsmannen auf ein Gastmahl zu reiten, erfuhr Dietleib davon. Er stand auf, wusch sich und wollte sie begleiten. Die Mutter wunderte sich und hielt ihm vor, daß er weder Pferde zu zähmen noch Spieße zu schäften verstünde und sich noch niemals um höfische Sitte, um Lied und schöne Künste gekümmert hätte. Wie wage er einen ebenbürtigen Nachbarn zu besuchen? Dietleib begab sich von seiner Mutter zum Vater. Der ergrimmte noch mehr und riet ihm, sich in die Küche zu trollen. Da nahm der Sohn des Vaters bestes Roß, ritt zu einem Bauern und lieh sich Waffen. Die Eltern sahen ihn heimkehren, und weil Schwert und Schild einem Herzog nicht angemessen waren, befahl Biterolf, ihm Kleidung und Rüstung zu bringen. Wirtlich begleitete Dietleib die Eltern bei jener Reise und verhielt sich so, als sei er immer in höfischer Sitte erzogen.

Nun wollte der Herzog noch Verwandte besuchen und ritt mit seinem Sohn allein durch den Falsterwald. In der Mitte traten ihnen zwölf Wegelagerer entgegen. »Ach«, dachte Biterolf, »wäre Dietleib mit seiner Mutter heimgekehrt! Jetzt verliert sie mit meinem Leben auch ihn, den sie gerade gewonnen hatte.« Der Sohn aber riet, vom Pferd zu steigen und Rücken an Rücken zu kämpfen. »Ich will dir zeigen, daß ich deines Blutes bin«, sagte er, »es wird Zeit für mich, Abenteuer zu bestehen.« Die Männer sprangen aus dem Sattel, gaben ihre Pferde frei und erwarteten den Feind.

Die Räuber hielten es für kein großes Werk, mit den beiden ein Ende zu machen; Heime und Ingram schickten ihre fünf jüngsten Gefährten vor, sie sollten sich Helme und Waffen der zwei Fremden holen. Es dauerte indes nicht lange, und die fünf lagen tot auf dem Kampfplatz, so gewaltig hieben Biterolf und sein Sohn Dietleib um sich. Ingram und Heime sahen es, sie fielen mit ihren übrigen Gesellen zornig die Reisenden an. Aber Biterolf erschlug Ingram, und der junge Dietleib räumte unter den Wegelagerern auf. Da wurde Heime unmutig, er versetzte Biterolf einen Hieb auf dem Helm, daß er die Besinnung verlor, und wollte ihn töten. Dietleib sprang dazwischen, er traf Heime, daß der in die Knie sank – es war nach dem Streich des Herrn Dietrich das erstemal, daß der Starke solch Mißgeschick erlitt. Heime erschrak auch so sehr darüber, daß er zu seinem

Roß eilte und davonjagte, froh, daß er sein Leben gerettet hatte. »Kein Eisen«, bedachte er, »ist seinem Herrn so treu wie der Sporn.« Über Wald und Berg ritt er und ritt, bis er nach Bern gelangte. Dort tat er zerknirscht und versöhnte sich mit den alten Gesellen. Und Dietrich nahm ihn wieder in seine Reihen auf.

Dietleib hatte nach dem ersten Sieg Gefallen am Waffenhandwerk gefunden. Er bat seinen Vater um Geld und Rüstung und wollte an den Hof seines Großvaters reiten. Die Mutter half ihm bitten, und auch Biterolf war einverstanden. »Wenn du ins Sachsenland ziehst«, mahnte er, »dann sei höflich und meide die Hoffart; das ziemt sich dort und spricht für dich. Solltest du weiter nach Süden gelangen, so frage nach der Stadt Bern, und versuche, des jungen Dietrichs Freundschaft zu gewinnen. Aber mit ihm und seinen Helden darfst du nicht kämpfen, sie sind unüberwindlich.«

Die Mutter gab ihm noch ein Geheimnis mit. »Im Sachsenland«, sagte sie und nannte ihm Wald und Weg, »liegt verzaubert eine herrliche Burg. Wenn du die betrittst und bis zur Halle vordringst, so siehst du einen Königsstuhl, an dem ein Horn hängt. Versuche drauf zu blasen, dann kommt mein Freund Sigurt, ein alter Mann von übermenschlicher Kraft. Sei freundlich gegen ihn und die Seinen, und erzähle mir, wie er dich aufnahm.«

Dietleib tat, wie ihm geheißen war. Er kam ins Sachsenland, er fand gegen Abend die Burg, und es gelang ihm, das Horn zu wecken. Gleich wurden viele Menschen im Schloß wach, so wie es ihm seine Mutter angesagt hatte, und ein riesiger alter Recke mit wallendem weißem Bart trat auf ihn zu. »Bist du Frau Oddas Sohn«, fragte er, »so sei willkommen und bleibe!« Dietleib aber dürstete nach Abenteuern, er verleugnete seinen Namen und forderte vom Fremden, daß er mit ihm um die Burg kämpfe. Der Alte wurde traurig, er ging jedoch mit Dietleib zum Holmgang vors Tor. Sie vermochten einander indes nicht zu überwinden. Da sagte Sigurt: »Wir wollen morgen wieder antreten, inzwischen sei mein Gast. Es taugt nicht, im Dunkel die Waffen zu kreuzen.«

Als sie heimkamen, wartete Sigurts Tochter auf ihren Vater, die hieß Kühnhild und war ein schönes starkes Mädchen. Sie sah, daß ihr Vater den Fremden nicht bezwungen hatte, und es war ihr leid, daß der Grauhaarige noch einmal mit dem Jungen fechten sollte. Sie entfesselte deshalb einen Streit, packte Dietleib unversehens und stieß ihn zu Boden. Den Burschen dünkte es ein großer Schimpf, daß eine Frau so mit ihm verfahren war, er sprang auf, rang mit Kühnhild und preßte ihre Hände, daß sie um Frieden bitten mußte.

In der Nacht wandelte sich der Jungfer Sinn; sie ging zu Dietleib und fragte den Träumenden nach seinem Namen. Er verriet ihn ihr im halben Schlaf, und Kühnhild wurde sehr froh. Als die Recken sich in der Frühe schon wappneten, trat sie vor die beiden, küßte lachend ihren Vater und grüßte den Gast bei seinem rechten Namen.

Nun war keine Rede mehr von Kampf und klirrenden Klingen. Sigurt hieß Dietleib herzlich willkommen und lud ihn ein, bei ihm zu bleiben, solange er wolle. Er erzählte auch, welch gute Freunde Herzog Biterolf und er einst gewesen waren – so gute Freunde, daß sie ihre Kinder miteinander verlobt hatten. Dabei sah er Kühnhild an, und die antwortete: »Ich werde eines Tages die Zusage meines Vaters erfüllen, mög' Dietleib seiner Eltern Wort halten.« Am anderen Tag nahmen sie Abschied voneinander; Dietleib ritt gen Süden, um Kämpfe mit Männern und Völkern zu bestehen, ehe er in der Heimat seßhaft würde.

Nach einiger Weile gabelte sich der Weg, der eine führte zum Herzog der Sachsen, der andere gen Süden zu den Amelungen. Dietleib verlangte es aber sehr, Dietrich von Bern kennenzulernen, er wählte die längere Straße.

Als er wieder eine Weile geritten war und eines Tages in der Stadt Breisach Nachtquartier suchte, begegnete ihm mit Söhnen, Neffen und Gefolge König Harlung, der Bruder der Könige Dietmar und Ermanrich. Dietleib, dem die Männer gefielen, erkundigte sich bei einem Unbekannten, ob auch der junge Fürst von Bern in Breisach sei.

»Wer bist du, und warum fragst du danach?« Dietleib nahm rasch einen geringen Namen an, er fürchtete, als Herzog Biterolfs Sohn könnte man ihn abweisen. »Ich will mich bei Herrn Dietrich als Pferde- und Waffenknecht verdingen«, erklärte er.

»Ich selbst bin's, den du suchst«, sagte der Fremde. »Und einen Rossepfleger brauche ich für die Fahrt nach Romaburg. Zeig, was du kannst.«

Am anderen Tag brachen sie zusammen nach dem Süden auf, König Harlung von Breisach gab Dietrich und seinen Rittern das Geleit. Zwischen den Knappen und Dienstleuten ritt auch Dietleib; er war ein guter und anstelliger Pferdeknecht seiner Herren.

Nun war um die Zeit die Halle König Ermanrichs zu Rom voll von erlauchten Gästen, und Dietleib wurde, als sie die Stadt erreichten, mit dem Gesinde an abseitige Tische gewiesen, während Heime, den er wohl erkannte und den er für einen Wegelagerer hielt, bei den hohen Herren speiste. Das ärgerte den ehrlichen Dietleib. Er öffnete deshalb den Geldbeutel, den die Mutter ihm mitgegeben hatte, und lud Knappen und Dienstleute zu einem Mahl ein, wie es üppiger kaum an des Königs Tafel aufgetragen wurde.

Danach, als Dietleib sein Eigen vertan hatte, setzte er Heimes Hengst Rispe, Wittichs Schimming und andere Dinge der Herren zum Pfand. Dann bat er wiederum die Knappen zu sich und verpraßte, was man ihm geborgt hatte.

Dietrich hörte davon reden, er ließ Dietleib kommen und gab vor, aufbrechen zu wollen. Da lachte Biterolfs Sohn. »So müßt Ihr vorerst Eure Sachen auslösen; mir war es zu weit, von der königlichen Tafel Essen zu holen.« Währenddes trat Heime hinzu, ihm kam der Pferdeknecht bekannt vor, und er riet Dietrich zur Vorsicht. »Ich bitte dich, von diesem hinzunehmen, was er getan hat«, flüsterte er.

»Ich will sehen, was ich machen kann«, dachte Dietrich; er merkte wohl, daß kein gewöhnlicher Mann vor ihm stand. »Wie ist's«, fragte er am Abend scherzend seinen Oheim Ermanrich, »sind meine Dienstleute bei dir zu Gast gewesen, oder habe ich's zu tragen?« Der geizige König überlegte; Dietrich hatte nicht viel Gefolge, er selbst würde bei einem Gegenbesuch mehr Leute mit sich führen. Er glaubte also im Vorteil zu sein, als er antwortete: »Alle, die dich begleiten, waren bei mir geladen. Ruf meinen Schatzmeister Sibich, er soll den Deinen erstatten, was sie auslegten.«

»Mögen die Knappen dir beichten«, lachte Dietrich, »wieviel sie vertranken.«

Als Ermanrich dann erfuhr, was Dietleib vergeudet hatte, waren er und Sibich sehr aufgebracht und ließen ihn kommen. »Bist du ein Knappe, oder bist du ein Narr«, schrien sie ihn an.

»Bei den Schelmen solltet Ihr sparen«, sagte Dietleib, »bei hochgeborenen Herren solltet Ihr nicht um die Zeche feilschen.« Er erwartete wohl, daß man ihn nach Namen und Stand fragen würde. Inzwischen aber hatte Herr Walther vom Waskenland, der bei König Ermanrich zu Gast war, sich über die Schwelgerei der Knappen erbost und trat zornig hinzu. »Warum schilt mich dieser Mann«, drohte Dietleib, »am Ende verstehe ich mich besser aufs Schaftschießen und Steinwerfen als er!«

»Wir können's ja versuchen«, schrie Herr Walther, »setz deinen Kopf zum Pfand, Pferdedieb, du wirst dein Wort büßen!«

Dietleib antwortete: »Setzt auch Ihr Euren Kopf zum Pfand.«

Die Zuhörer lachten und sagten dem Waskenlander, das sei allerdings nötig, man müsse gleiches Recht gewähren.

Dann eilten alle auf den Schloßhof und bestimmten zum Wurf einen Stein, der wohl zwei Schiffspfunde wog. Der Ritter hob ihn an und stürzte ihn zehn Fuß weit. Dietleib aber erreichte elf Fuß. Herr Walther war erzürnt, er versuchte es noch einmal und kam über des Knappen Wurf hinaus. Da erst nahm Dietleib alle Kraft zusammen und schleuderte den Fels über achtzehn Fuß.

Die Herren waren erschrocken über den gewaltigen Pferdeknecht und reichten Walther eine Bannerstange. Der warf sie durch den ganzen Hof, daß sie vor der Königshalle niederfiel. Das schien den Zuschauern wunderstark und unerreichbar. Dietleib aber ließ den Schaft ebensoweit laufen, lief ihm nach und fing ihn aus der Luft auf.

König Ermanrich begann sich zu sorgen. »Hör, Fremder, ich will das Haupt meines Freundes Walther auslösen. Was verlangst du dafür?«

»Nicht mehr als das, was ich und die Knappen verzehrt haben«, antwortete Dietleib vergnügt. Da machte sich der Kämmerer mit hängenden Ohren auf, die Pfandsachen auszulösen, und der Knappe nannte seinen Namen und sagte, daß er Herzog Biterolfs Sohn sei und beim Berner Dienst suche. Herr Dietrich nahm ihn noch in Rom unter seine Schwurbrüder auf, insgleichen Ilsung, den Sänger, der im Lautenspiel vor den Königen den Kranz gewonnen hatte.

Auf dem Weg nach Bern kam Dietleib eine böse Kunde zu. Sein Schwiegervater, Herr Sigurt, ließ ihm melden, daß er mit seiner Tochter nach Süden habe reiten wollen – Kühnhild habe so sehr verlangt, ihren Verlobten wiederzutreffen – und daß ihm bei den Alpenbergen sein Kind geraubt worden sei. Er ließ auch ansagen, daß er weithin und weither geritten und sogar eine berühmte Seherin befragt habe. Die hätte Runen geworfen und gelesen, daß König Lauring, der Herr des Rosengartens im Tiroler Land, das Mädchen entführt habe.

Dietleib bat zunächst den klugen Hildebrand um Rat, der wußte mehr von Unirdischem als andere. Dann gingen die beiden zu Dietrich, und obwohl es dem leid war, den Weg zu ändern, denn sein Vater in Bern war erkrankt, wollte er doch seinen Gesellen nicht im Stich lassen. Er befahl, einen Bogen zu schlagen und durch die Berge zu reiten; es war ihm auch nicht unlieb, den Rosengarten des unbesiegten Zwergkönigs einmal kennenzulernen.

Hinter den höchsten Spitzen der Alpenberge nämlich, da, wo kaum eines Menschen Fuß hinkommt, klafft eine Schlucht, die führt in die Tiefe zu einem Rosenhag, der unterm Licht des Tages liegt. Zwergkönig Lauring haust dort, seine Bergleute schaffen das Gold aus dem Stein, viele Schmiede hämmern den Schmuck der Schatzkammern. Aber rund um die Burg Laurings dehnen sich Gärten voll blühender Bäume und voll Rosen – Rosen ohne Zahl. Mit einem dünnen Faden ist ihr Reich eingehegt; wer den Faden zerreißt, den schickt der König in den Tod.

Eines Tages nun hatte Lauring zwei Verirrte in seinen Bergen getroffen, einen Greis und ein wunderschönes Mädchen, das wohl des Alten Tochter war. Sie schien ihm so herrlich, daß er den Wanderern lange nachgehen mußte und sich an der Jungfer nicht satt sehen konnte. Unter der Tarnkappe folgte er den beiden, schlich sich, als sie rasteten, nahe heran und raubte Kühnhild, um sie zur Königin seines Reichs zu machen. Den Greis aber ließ er durch seine Zwerge narren und zur Landstraße zurücklocken; er wollte seinen künftigen Gesippen nichts Übles antun.

Während der Berner mit seinen Männern in die Alpen einritt, besprachen sie miteinander, daß sie den Rosengarten schonen wollten, es dünkte sie ein schlechtes Werk, so große Kunst zu zerstören. Als indes die Wege enger wurden und Herr Hildebrand, der Kundige, sie an schwindelnden Abgründen entlangführte, als Baum und Strauch aufhörten und nur noch der nackte Fels die Reiter umgab, vergaßen sie in der Not, was sie sich vorgenommen hatten. Durch Gesteintrümmer ging der Pfad, Wildbäche stürzten unter ihnen in die Tiefe. Schon wollten einige der Schwurbrüder verzagen und zur Umkehr raten. Da öffnete sich ein Felstor; Vogellieder erschollen, ein blühendes Feld tat sich vor ihnen auf. Die Erschöpften sprangen vom Roß und warfen sich in die duftenden Gräser; einige aber glaubten, Feinde hinter den Büschen zu sehen, sie hieben mit den Schwertern um sich und trafen die Rosenblüten, so daß alle Vögel vor Schreck verstummten.

Nicht lange währte es, und in prächtiger Rüstung sprengte der Zwergkönig heran, um den Frevel zu strafen. Gleich nahm er die Fremden an und zerspellte dem jungen Wolfhard und dem Sänger Isung den Schild; Herr Dietrich mußte sich rasch dazwischenwerfen, es wäre sonst um seine Genossen geschehen gewesen. Hart wurde der Kampf; auch dem Berner, dem keiner zu widerstehen vermochte, machte es Mühe, Lauring zu überwinden, so stark war der Zwerg.

Endlich hob Dietrich ihn aus dem Sattel und band den Betäubten; bald ritt er als Gefangener zwischen den Recken und mußte selbst den Weg zu der schönen Kühnhild zeigen. Eine Burg hob sich vor den Herren, ihre Tore standen weit offen. Kaum waren sie indes eingeritten, da fielen die Türen krachend hinter ihnen ins Schloß, und Lauring lachte.

Gewaltig war der Binnenhof der Zwerge, er schien wie von dienstbaren Riesen gebaut. Und prächtig war er! Rosen hatten die Wände überrankt, viele Ritter und kleine Fräulein grüßten die seltsamen Gäste auf ihres Königs Geheiß. Reich waren die Säle, von Gold die Bänke und Schränke. Aus den Brunnen im Estrich sprang roter Wein auf, und von den Decken leuchtete aus Spiegeln siebenfarbiges buntes Licht. Tausendmal schöner aber als die purzeligen Zwerge und ihre Gemahlinnen war Kühnhild. Glückvoll und sittig begrüßte sie die Gäste. Als sie ihren Verlobten erkannte, fiel sie ihm um den Hals; es war ihr gleich, wieviel Leute im Saal waren und ihr zuschauten.

Danach ließen die Herren Lauring frei, und der lud die Müden zu einem köstlichen Mahl; er bat Kühnhild, den Gästen den Wein zu kredenzen, und die fanden nach dem mühevollen Ritt Wohlgefallen an Speisen und Getränken und langten wacker zu; Ilsung sang wunderhell, und das Zwergenvolk führte Tänze und Spiele zu Ehren der Tafelnden auf. Sogar Kühnhild blieb länger als gewöhnlich unter den Herren, ehe sie, wie es die Sitte gebot, in die Frauengemächer heimkehrte.

Lauring war währenddessen davongeschlichen und hatte dem Kellermeister befohlen, einen Schlaftrunk in den Wein zu mischen. Die Recken tranken ihn, ihre Augenlider wurden schwer, und einige schlummerten ein. Darauf hatte Lauring gewartet; er hob das Horn von der Wand und stieß hinein. Bis an die Grenzen seines Reiches schollen Hall und Widerhall; windesschnell eilten fünf Riesen und tausend Krieger der Zwerge herbei. Die banden die Müden und schleppten sie in die steinernen Kammern des Königs, nie sollten sie das Licht des Himmels wiedersehen.

Nun hatte auch Kühnhild den Hornschall gehört und war sehr erschrocken. Sie trat aus den Frauengemächern der Burg, fragte ihre Diener, was geschehen sei, und die erzählten ihr lustig, wie man die Eindringlinge gefesselt hatte. Die Jungfer tat, als lachte sie mit ihnen über die fremden Tölpel. Heimlich aber besann sie sich auf einen Zauberschlüssel, den der verliebte Unterirdische ihr übergeben hatte; er öffne alle Kammern der Berge, hatte Lauring ihr einst anvertraut.

Während der König noch mit seinen Rittern den Sieg feierte und die Zwerge ihr Gastmahl beendeten, wanderte Kühnhild auf leisen Sohlen durch alle Gemächer und alle Gänge der Burg. Eine Tür nach der anderen öffnete sie, ohne Dietleib und seine Genossen zu finden. Das Verlangen nach ihrem Vertrauten war indes so groß, daß sie hellhörig wurde und aus der Tiefe der Schächte Rufen und tröstliches Singen vernahm – das war wie Ilsungs Lied. Da verließ sie die Burg und schlich zu fremden Kellergewölben unter den Felssockeln. Hin und her irrte die Getreue, gewahrte endlich eine Höhle, schloß sie auf und war auf einmal mitten unter den Gefangenen. Die lobten sie sehr – Herr Dietleib vor allen anderen – und ließen sich von der Listigen heimlich in ihre Gemächer leiten. Dann, als auch die Zwerge trunken schienen, holten die Recken ihre Rosse und wollten ohne Schatz und Buße, nur von Kühnhild begleitet, aus dem unheimlichen Garten entfliehen.

Um die gleiche Stunde aber hatte König Lauring das Gastmahl verlassen, um vor seiner Braut mit seinem Sieg über die gewaltigen Kämpen der Menschen zu prahlen. Dabei traf er auf die Flüchtlinge, die schon vorm Tor der Frauenburg ihre Rosse sattelten. Furchtbar erschrak der Zwerg; wie der Wind schlüpfte er in den Saal zurück, blies ins Horn und weckte die Seinen. Wenige Augenblicke nur dauerte es, und das Feld zwischen der Frauenburg und der Ritterhalle war weithin von einem kaum übersehbaren Heer der Unterirdischen bedeckt.

Während man sich hüben und drüben zum Kampfe rüstete, rief Lauring die Fremden an: »Ich will euch alle schonen, wenn ihr mir verratet, mit welchem Zauber ihr euch befreit habt.« Die Ritter aber verbargen Kühnhild und antworteten nicht. »Eine einzige hat den Schlüssel«, schrie der Zwerg kläglich, »schwört mir, daß sie es nicht war, und ich will euch verzeihen.« Wieder schwiegen die Mannen, rotteten sich zusammen und hoben Schwert und Schild gegen die Unholde König Laurings und gegen die Zwergheere auf. Da stampften die fünf Riesen heran, die Kämpfer der Unterirdischen schoben sich vor und warfen einen Hagel von Speeren und Pfeilen gegen Herrn Dietrich und die Seinen. Die Amelungen schützten sich aber und hieben mit dem Schwert um sich, daß jeder Schlag Dutzende der Kleinen zu Boden brachte. Lauring befahl deshalb den Riesen, zum Angriff vorzugehen, und die schwangen ihre baumlangen Speere, daß sogar die Zwerge angstvoll zurückwichen. Furchtbar war der Kampf, die Eisenschilde wurden zu Splittern geschlagen und Helme und Panzer zerschrotet. Dann traf Herr Dietrich den ersten der Hünen zu Tode, sprang seinen Gesellen zu Hilfe und fällte den zweiten und noch einen.

Zum drittenmal blies Lauring ins Horn; gegen Dietleib ritt er, gefolgt von unzähligen seiner besten Mannen. So gut wußten die zu kämpfen, daß der starke Recke den Zwergkönig nicht zu überwinden vermochte; er mußte sich selbst mit aller Kunst vor den Speeren des kleinen Volkes hüten. Während die Degen aneinandergerieten, blieb Kühnhild ohne Schutz, aber ihr Mut wurde darum nicht geringer. Sie sah, wie hart Dietleib mit König Lauring zu tun hatte, warf Schleier und Frauenmantel ab, raffte Schild und Schwert eines Gefallenen vom Boden auf und half ihrem Liebsten.

Dabei erkannte sie der Zwergkönig und wußte nun, wer die Gefangenen befreit hatte. Seine Kraft wich von ihm, als er einsah, daß er bei Kühnhild verloren hatte.

Dietleib begriff nicht, was geschah. Noch wollte er vordringen, um den flüchtenden Wichten zu folgen, da bemerkte er, daß der König zu weinen begann und sein Haupt verhüllte. Kühnhild aber mahnte alle Helden, vom Streit abzulassen; milde war sie gegen Lauring und bat für ihn, der sich gütig gegen sie erwiesen hatte. Sie rief ihn sogar, um ihm ihren Dank zu sagen. Da packte Dietleib die Eifersucht, er hob Kühnhild auf sein Roß, und die Mannen brachen das Tor auf, um für immer König Laurings Rosenhag zu verlassen.

Der Zwergkönig ist später freiwillig nach Bern gekommen, er hat mit dem Recken Dietrich Frieden geschlossen, hat ihm gehuldigt und viele Schätze aus den Bergen gebracht. Als er aber die schöne Kühnhild bei Hofe sah, begann er wieder zu schluchzen wie ein Kind und kehrte sich weinend ab, so berichten die Sagen.

Nach jenem Kampf in den Bergen ritten die Schwurfreunde nach Bern hinüber. Es war gut, daß sie heimkehrten. Herr

Dietmar, Dietrichs Vater, war sehr krank und starb bald danach; mit vielen Ehren ging er aus dem Leben. Dietrich wurde nun Herrscher des Amelungenreichs und war der berühmteste Fürst weithin.

Er füllte damals den Kreis mit neuen Freunden an. Zwölf Rekken, deren Namen jedermann in der Welt kannte, wollte er um sich haben. Wildeber hieß einer, der aus dem Norden zu ihm stieß. Er ritt eines Tages in der Kleidung eines Knechtes ein, hielt sich wie ein Herr und sagte niemandem, wer er sei noch woher er komme. Die Spangen an seinen Armen aber, die er unter dem ärmlichen Gewand trug, und sein Äußeres waren so edel, daß Dietrich ihn aufnahm, einerlei, ob er zu den Menschen gehörte oder zu denen, die man nicht mehr nennen durfte.

Auch der dunkle Herbrand wandte sich Dietrich zu. Er war ein Mann, der die ganze Welt durchstritten hatte und aller Völker Sprachen verstand. Er wurde einer der nächsten Freunde des Königs und trug sein Banner im Kampf. So umgaben den Berner Herrn nun Hildebrand und Dietleib, Hornboge und Heime, Wittich und Wildeber, Wolfhard und Helferich, das waren Hildebrands leibliche Brüder, Fasold und Sintram, Herbrand und Ilsung, der Sänger.

Manch Wunder erzählt man sich noch von den Feiern und von den Fahrten des Königs und seiner zwölf Recken; von Lindwürmern und Drachen befreiten sie die Lande der drei Könige zu Rom, zu Bern und zu Breisach und stritten oftmals bis hoch ins Sachsen- und Dänenland gegen Zwerge und Riesen. Viele hundert Abenteuer werden von ihnen berichtet, und Bücher könnte man füllen, wollte man von den Wegen der Helden erzählen. Es gab kaum noch jemanden, der ihnen gleich gerühmt wurde, außer König Siegfried, dem Nibelungen, König Gunther in Worms und König Odaker, der unter den Alpen mit Freunden und zehn starken Söhnen seinen Hof hielt. Herr Dietrich durfte nun hoffen, daß er seinem Land den Frieden bewahren würde bis zu seinem Ende. Weil es seine Mannen aber nach Abenteuern gelüstete, zog er oftmals zu Heerfahrten und Kämpfen aus, indem er Freunden half oder fremde Könige begleitete.

Von solchem Ritt ist jetzt zu erzählen.

Über Friesen und Hünen, so berichtet die Sage der Nordleute, herrschte zur Zeit König Dietmars ein starker Fürst namens Usit. Er hatte einen Sohn Ortnit, der wuchs mutterlos auf. Als Usit nun auf neuen Kriegsfahrten weit gen Osten zog, vermählte er sich in der Fremde zum andernmal und bekam einen Sohn, den nannte er Attila. Attila, den seine Freunde auch Etzel hießen, wurde ein großer Kämpe. Mit siebzehn Jahren machte sein Vater Usit ihn schon zum Anführer eines Heeres und gab ihm das Land Hünen und die Stadt Susat – das ist Soest – zum Erbe. Mit seinem Heer zog Attila den Rhein hinauf und die Donau hinab bis fern in den Osten und kam bis zum Reich der wilden Hunnen.

Die Hunnen hatten einen König, Milias mit Namen, den Attila bekriegte und tötete. Danach machte er sich selbst zu ihrem Herrn, und es gelang ihm, das verlassene Reich zu eigen zu gewinnen.

Attila hatte jetzt zwei Hauptstädte, Susat im Westen und Ofen im Hunnenland.

Nun lebte im Norden aber noch ein Schwiegersohn des verstorbenen Milias, der war König der Wilten und hieß Oserich. Er hatte erwartet, daß das Hunnenland ihm zufallen würde, und erklärte Attila den Krieg. Die beiden Könige zogen aus und taten einander viel Schaden; aber keiner vermochte den Sieg zu erringen. Endlich wandte sich Attila an den Amelungen Dietrich und bat ihn, den Frieden zu vermitteln. Er bat den Berner zugleich, zwei Ritter aus seinem Gefolge ins Wiltenland zu senden und für ihn, Attila, um König Oserichs Tochter Helche zu werben.

Oserich hörte Herrn Dietrichs Boten höflich an – es waren

Sintram und Ilsung – und beschenkte sie auch. Seine Tochter wollte er ihnen indes nicht geben, er hatte sie dem König Odaker versprochen, einem ernsten und kühnen Mann, der damals sein Weib, seiner Söhne Mutter, verloren hatte. Die Brautwerber hatten aber die junge Helche bei Hofe gesehen und priesen, als sie zu Herrn Dietrich heimkamen, ihre Schönheit über alle Maßen. Der Amelung ließ sich oftmals von ihnen berichten; er besann sich jedoch darauf, daß er für Etzel geworben hatte, nun konnte er es nicht mehr ändern.

Attila und Oserich führten weiter Krieg gegeneinander, ohne daß eine Entscheidung fiel.

Nach einiger Zeit ritt Sintram zu Attila und sagte, er wolle es mit List versuchen, die schöne Helche dem König zu bringen, wenn er ihm nur seine Burgen offenhalte. Danach verkleidete er sich, zog an den Wiltenhof und gewann Oserichs Vertrauen. Obwohl er indes ein ganzes Jahr bei Hofe war, bekam er die Königstochter nicht wieder zu sehen.

Um die Zeit besuchte an der Spitze einer großen Gesandtschaft auch Herr Odaker das Wiltenland, er wollte Helche um ihre Hand bitten. Oserich wußte noch nicht, wie seine Tochter sich dazu stellen würde, und weil er Sintram für geschickt hielt, rief er ihn zu sich: »Höre, ich habe einen Werber zu Gast und möchte doch nicht, daß mein Kind nur ihres Vaters Rat gehorcht. Du bist in solchen Dingen gewandt, das habe ich wohl gemerkt. Am besten wäre es, wenn du meine Tochter kennenlerntest und ihr von Odaker erzähltest. Da kannst du erfahren, was sie von seiner Werbung hält.«

Sintram erklärte sich gern bereit. Er begegnete der schönen Helche und ihrer Schwester Bertha im Königsgarten. Aber als die Jungfrauen des Gefolges die drei verlassen hatten, eröffnete er sich ihnen rasch und sprach: »Hört, ich bin nicht der, für den ich mich ausgebe. Ich betrog euern Vater und bin ein Ritter Attilas, der um euch wirbt. Und ich bitte euch: Vergeßt, daß zwei Reiche einander feind sind, versöhnt, die sich bekriegen, und bringt Frieden. Ihr selbst aber, schöne Helche, werdet die mächtigste Königin der Welt. In goldverbrämtem Scharlach werden Eure Jungfern wandeln, Herzöge und Fürsten sollen Eure Schleppe tragen. Flieht mit mir, denn was ist Odakers Reich gegen das meines Königs, was ist der Betagte gegen den Recken, der alle Völker des Ostens schlug.«

Helche war erzürnt über den Betrug; sie antwortete: »Ich habe Odaker gesehen, als ich jung war, und er schien mir ein edler Fürst.« Dann wandte sie sich an ihre Schwester Bertha: »Eile sogleich zum Vater, und melde ihm, wie man ihn hinterging.«

»Viel lieber wäre mir«, sagte Sintram flink, »die Jungfrau Bertha würde mein Weib an des Königs Hof, da blieben die Schwestern beisammen. Ach, warum wollt Ihr, Helche, jemanden verderben, der sich Euch anvertraute. Hat Euer Herz nicht damals, als ich für Etzel um Euch warb, heimlich gewünscht, Ihr könntet Herrin werden im Hünen- und im Hunnenreich? Denkt, daß selbst Dietrich von Bern Etzels Freund ist.«

Lange warb er und schilderte dem Mädchen Herrn Attilas Liebe, seinen Reichtum und seine unvergleichliche Macht. »Euer Vater wird ihm auf die Dauer nicht widerstehen können«, sagte er auch, »es wird ihn sein Königtum kosten. In Eurer Hand liegt der Friede; flieht mit mir, und zwei Völker werden sich versöhnen.« Endlich gab die schöne Helche nach, sie reichte Sintram sogar ihren goldenen Ring als Pfand, daß sie keinem anderen als Attila gehören wolle.

König Oserich hatte heimlich von einem Burgfenster das Gespräch beobachtet; er sah, daß Helche ihren Ring vom Finger zog, und glaubte, daß sie die Werbung annähme.

Als er Sintram fragte, sagte er indes: »Herr, Eure Tochter ist jung; sie meinte, sie müsse sich noch besinnen. Aber sie versprach mir, zwölf Monde lang keinem andern ihr Wort zu geben. Zum Zeichen dessen schenkte sie mir den Goldreif. Ich rate dem Werber, in einem Jahr wiederzukehren.«

Odaker war unmutig, aber er fand sich darein. Er war ein

mächtiger Mann und hatte zehn starke Söhne daheim, für deren höfische Zucht er sich neu zu vermählen gedachte.

Danach fragte Oserich den Ritter, was er sich als Werbelohn wünsche. »Herr«, antwortete der, »ich bitte mir nichts aus, als daß mein junger Bruder mit mir an deinem Hof dienen darf.« Der König sagte zu, und Sintram ließ Ilsung, den Sänger, wissen, daß er ihm helfen sollte. Der nahm Urlaub bei Herrn Dietrich, ritt an Oserichs Hof, gab sich für Sintrams Bruder aus und wurde von den Königstöchtern wegen seiner Lieder wohl angesehen.

Nach einiger Zeit verabredeten die beiden Schwestern die Flucht mit den Rittern. In einer dunklen Nacht führten die Herren vier Pferde in die Nähe des Turms der Königstöchter. Während Ilsung den Wächtern ein Lied sang, so schön, daß sie sich alle um ihn scharten, half Sintram den Mädchen die Packsättel mit ihrem Nadelgut füllen und trug sie zu den Pferden. Dann machten sie sich, so schnell sie konnten, auf den Weg. Und Ilsung folgte ihnen.

König Oserich wurde den Verrat erst nach einigen Tagen gewahr; die Wächter, die sich sehr fürchteten, verbargen ihm, was sich begeben hatte. Die Flüchtigen waren schon an der Grenze des Hunnenreichs, da sahen sie die Verfolger über die Hügel heranstürmen. Sie erkannten bald, daß sie mit den Frauen nicht zu entrinnen vermochten, warfen sich in König Etzels erste Burg, schlossen die Tore hinter sich und gaben Bescheid an ihren Herrn.

Als der Hunnenkönig vom Raub erfuhr, geriet er in Sorgen. Er war nicht zu entscheidenden Schlachten gerüstet und versuchte, sich mit Oserich noch einmal im guten zu einigen. Es nützte indes nichts. Da sandte Herr Etzel in seiner Not Brief und Siegel an seinen Freund Dietrich von Bern und bat ihn, er möge sogleich mit seinen besten Mannen ins Hunnenland fahren und ihm beistehen. Er ließ auch melden, daß König Oserich zwei Riesen in seinem Heere führte, Wiedulf mit der Stange und dessen Bruder Abendrot; er wußte wohl, daß solche Zeitung den Helden willkommen sein würde.

Dietrich ritt wirklich mit fünfhundert Mann heran und überraschte Oserich, so daß der die Belagerung aufgeben und seine Töchter dem Feind lassen mußte.

Bald danach begrüßte Helche König Attila. Sie mußte auch an Odaker und an Herrn Dietrich denken, die als die edelsten aller Fürsten galten, aber sie war freundlich gegen ihren Bräutigam.

Zur Hochzeit war allerdings noch keine Zeit. Oserich dachte nicht an Frieden, er rief wegen der Entführung seiner Töchter alle Mannen seines Reichs zu den Waffen, so daß auch Attila und Dietrich ihre Macht aufbieten mußten, um den Zornigen fernzuhalten.

Nach einigen Wochen kam es zu einer heißen, männermordenden Schlacht zwischen den Königen. Herr Hildebrand als Bannerträger und Herr Dietrich mit seinen Amelungen ritten vor Attilas Heer in den Feind. Sie sprengten mitten unter die Wilten, und es war nicht einer unter den Gegnern, der ihnen zu widerstehen vermochte. Da rief König Oserich in seiner Not den Riesen Wiedulf. Der nahm voll Ingrimm König Dietrichs Banner an; den starken Wittich schlug er mit seiner Eisenstange nieder und suchte den Berner. Inzwischen aber hatten Dietrich und die Seinen das Wiltenheer schon durchstoßen. Oserich mußte vom Feld weichen, und die Könige folgten ihm.

Während der Kampf sich nun weiterzog, lag Wittich noch immer ohne Macht allein zwischen den Toten und Verwundeten. Heime ritt vorüber, er raubte dem Betäubten das Schwert Mimung und verbarg es. Dann wollte er Wittich helfen. Gerade da erreichte der junge Hertnit, Oserichs Brudersohn, mit seinen Reitern die Walstatt, und Heime flüchtete.

Hertnit erkannte bald, daß die Schlacht nicht mehr zu gewinnen war; er sammelte aber eilig an Verwundeten, was er fand, und führte auch Wittich in Ketten seinem Oheim nach.

Attila und König Dietrich beschworen einander nach dem Sieg über König Oserich die Treue. Als der Hunne dann den Freund einlud, Frau Helches Hochzeit mit ihm zu begehen, rief Dietrich seine Degen, um sich mit ihnen zu beraten. Aber Wittich kam nicht.

Der Amelung befahl gleich, überall nachzuforschen; von Gefangenen vernahm er, daß Hertnit den Ohnmächtigen aufgehoben hätte. Da ließ Dietrich sich von Attila versprechen, daß er ihn später mit den Seinen zu Bern besuchen würde, und führte seine Reiter mitten ins Wiltenland, um den Schwurbruder zu suchen.

Herrn Dietrichs Mannen zerstreuten sich dabei, und Wildeber und Ilsung kamen von des Königs Schar ab. Der Sänger verkleidete sich als Gaukler, hörte sich bei den Bauern um und erfuhr, daß Wittich an König Oserichs Hof in einem festen Turm gefangengehalten werde. Während solcher Tage lag Wildeber in den Wäldern und wartete auf Ilsungs Rückkehr.

Dabei geriet er einmal in Kampf mit einem Waldbären und erlegte ihn. Als er dem Tier das Fell abzog, dachte er daran, daß Sänger und Fahrende ungehindert zwischen den Fürstenhöfen hin und her wandern dürfen, was anderen verwehrt ist. Eine List fiel ihm ein, die er gleich mit Ilsung besprach.

Noch im tiefen Wald streifte Wildeber sich das Bärenfell über die Brünne, der Freund nahm Nadel und Zwirn, nähte Rücken, Bauch und Tatzen kunstvoll wieder zusammen und stellte den Rachen so, daß jedermann Wildeber für einen Bären halten mußte. Dann legte Ilsung ihm eine Kette um den Hals und zog mit dem Tier durch Dörfer und Städte bis an Oserichs Hof.

Die beiden Späher erfuhren bald, daß nur wenig Männer den König umgaben; Oserichs Ritter hatten nach dem langen Krieg ihre Lehen aufgesucht. Die Freunde merkten auch, daß die Leute mißmutig waren, weil Oserich ohne Sieg heimgekehrt war. Aber daß er einen von Dietrichs unüberwindbaren Mannen aufgebracht hatte, gefiel den Wilten doch. Sie verrieten, daß der Gefangene scharf bewacht werde; er sei sehr ungebärdig und habe seine Mauern schon einmal durchbrochen.

Da trat der Gaukler vor den König selbst und bat um Quartier bei Hofe. Er könne Fiedel und Geige streichen, erzählte er, und auch die Harfe schlagen.

Davon halte er nicht viel, sagte Oserich. Danach zeigte Ilsung dem griesgrämigen König andere Künste, holte seinen Bären und ließ ihn tanzen. Die Leute wunderten sich, wie gut das Tier abgerichtet war.

Einen ganzen Abend ergötzten Ilsung und Wildeber den Wilten mit ihren Spielen.

Dann befahl der König eine Bärenhatz für die Frühe des andern Tages. »Hüte dich, mir etwas abzuschlagen«, sagte er zu Ilsung. »Sollte indes dein Bär meine Hunde töten, so will ich es dich nicht entgelten lassen.« Der ganze Hof sprach von dem bevorstehenden Schauspiel, sogar Wittich in seinem Kerker erfuhr davon. Da ahnte er, daß der unbekannte Spielmann seinetwegen gekommen war, und brach sich heimlich das Eisen vom Leib.

Als nun die Hatz begann, ließ der König sechzig große Hunde gegen den Bären laufen. Der aber packte mit den Vordertatzen eines der Tiere und schlug damit, als wenn er eine Waffe schwänge, ein Dutzend der besten Hunde tot.

Der Wilte sah es mit Ingrimm, er vergaß sein Wort und zog das Schwert, um das Tier zu erstechen. Die Klinge traf die Rüstung, unter dem Fell klang es nach Eisen. Jetzt merkte Herr Oserich die List, er sprang zurück und wollte seine Mannen rufen. Wildeber entriß aber blitzschnell dem Sänger Ilsung das Schwert, setzte dem König nach, erschlug ihn und fiel auch über die Riesen Wiedulf und Abendrot her. Er tötete die Unbeholfenen, ehe ihre Führer ihnen die Ketten hätten abnehmen können, und griff die Königsleute an. Die meinten ja, der Leibhaftige selbst habe sich im Bären verborgen, sie warfen sich zu

Boden oder flohen blind von dannen. Da eilten Wildeber und Ilsung zum Turm, erbrachen Wittichs Gefängnis, gewannen Waffen und Rosse und machten sich mit dem Gefangenen aus dem Staube. Wittich wollte noch einmal umkehren, weil er sein Schwert Mimung vermißte, aber die Wilten hatten sich bewaffnet, um ihnen nachzusetzen.

Als sie nun wieder in Bern waren, lobte Herr Dietrich Ilsung und Wildeber, daß sie ihrem Schwertbruder so gut beigestanden hatten.

Wittich war indes nicht der alte; er trauerte Tag und Nacht um Mimung, sein Schwert, und konnte sich nicht in den Gedanken finden, daß er es beim Feind hatte lassen müssen.

Damals sandte König Ermanrich von Romaburg aus Boten an den Neffen in Bern und bat ihn, er möge ihm mit seinen Mannen beistehen gegen einen Grafen Rimstein im Süden seines Landes, der abtrünnig geworden war und ihm viel zu schaffen machte.

Dietrich versprach zu helfen; seine Recken erreichten auch bald die Burg Gerimsheim, in der der Feind verschanzt war, und schlugen ihr Kriegslager vor den Mauern auf. Woche um Woche, Monat um Monat lagen sie indes vergeblich vor der Feste; keiner der Könige wollte seine guten Degen gegen die fast uneinnehmbaren Felsen wagen. Wer weiß, wie lange sie noch hätten harren müssen, wäre nicht dem Belagerten selbst die Geduld ausgegangen.

Eines Tages im Frühnebel sprengte Graf Rimstein mit sechs der Seinen auf Kundschaft vor die Burg; er hatte sein Heer gerüstet und zu einem Ausfall um Sonnenaufgang bereitgestellt. Bei jenem Ritt begegnete ihm nun der starke Wittich, der sein Pferd bewegen wollte und bis unter die Mauern geraten war. Rimstein rief den Unbekannten an, der aber wollte sich nicht ergeben und hieb so furchtbar um sich, daß die Feinde ihn nicht überwanden.

Graf Rimstein wurde ungeduldig und ritt selbst gegen den Fremden, da spaltete Wittich ihm Helm und Haupt.

Dann lenkte der Berner Recke seinen Hengst Schimming zum Lager zurück. Er ließ ihn spielen; man merkte wohl, daß er die Augen der Männer auf sich ziehen wollte.

Dietrich und seine Mannen traten vor die Zelte, um zu erfahren, was geschehen war.

»Mich soll wundern, womit Wittich wieder prahlen wird«, murrte Heime. Aber die anderen hießen ihn schweigen, sie begrüßten Wittich und fragten, was es gäbe.

»Wegen des Grafen Rimstein braucht ihr kein Feldlager zu halten, der ist tot.«

Sie wollten mehr hören. »Ich weiß sogar, wer so zuschlug, daß Rimstein vom Roß stürzte«, sagte Wittich lachend.

Heime wurde böse vor Neid. »Du brauchst dich nicht so zu haben. Ist es eine große Heldentat, einen alten Mann zu überfallen?«

Als Wittich das vernahm, sprang er auf Heime zu, riß ihm sein Schwert aus der Scheide, warf auch die eigene Waffe auf den Boden und forderte den Zweikampf. Dabei merkte er, daß Heime den Mimung trug.

Die Schwurbrüder drängten sich dazwischen, sie versuchten, die Mannen auszusöhnen. Aber Wittich schrie über alle Maßen, jetzt sei es genug mit der Milde. Habe Heime ihn nicht schon einmal vor den Räubern im Stich gelassen? Nun habe er auf der Walstatt den ohnmächtigen Freund beraubt, statt ihm zu helfen. Wie anders käme Mimung in Heimes Hand.

König Dietrich wollte Heime danach nicht mehr bei sich dulden; er wechselte kein Wort mit ihm, lobte aber Wittich als kühnen Degen und dankte ihm, daß er den Krieg beendet hatte.

Am nächsten Tage stürmten sie die Burg Gerimsheim, und die Belagerten gaben sich in die Gewalt der Sieger.

Die Könige zogen wieder nach Rom und Bern. Heime bot Ermanrich seïne Dienste an, und der nahm ihn gern und setzte ihn über eines seiner drei Heere.

Als die Schwurbrüder einige Zeit in Bern gelebt hatten, widerfuhr Herrn Dietrich eine große Freude. Attila und Frau Helche erinnerten sich ihres Versprechens und meldeten sich bei dem Amelungen zum Besuch an.

Dietrich schickte Herolde zu ihnen und bat sie, im Frühling zu kommen. Zugleich richtete er ein Fest den Gästen und seinen Mannen zur Kurzweil; viele mächtige Männer seines Reichs ließ er laden, dazu viele Nachbarn und Freunde unter den Fürsten und Herren. Gunther von Worms sagte ihm zu, sein Oheim Harlung, der als König in Breisach saß, und manch anderer. Sogar der trotzige Odaker mit seinen zehn starken Söhnen meldete sich an; und alle Leute meinten, daß sich wohl noch niemals eine bessere Schar Helden zur Freude gesammelt hätte wie in jenem Frühling zu Bern. Nur Siegfried vom Niederland diente damals dem König Ermanrich, er schickte Botschaft, daß er seines Herrn Burgen bewachen müsse.

Aber von den Gästen waren dem Berner König Attila und sein Weib, die Königin Helche, die liebsten. Als sie einritten, schien ihm, daß von allen Frauen, die er kannte, Oserichs Tochter die schönste war; sie sahen einander an und hatten sich gern. »Wir wollen freundlich gegen Dietrich sein«, bat Frau Helche ihren Gemahl. »Mich dünkt, daß er der edelste aller Könige ist.«

Am gleichen Tag noch kam der Burgunde Gunther von Worms mit seinem Oheim Hagen Tronje und nach ihnen der starke Odaker mit seinen Söhnen.

Odaker grüßte Frau Helche, er grüßte auch Herrn Attila, als Dietrich die beiden zueinanderführte.

In der großen Halle zu Bern gab der Amelunge den Gästen und seinen Schwurbrüdern das erste Mahl. Er stand auf, um sie anzusprechen, und sah sich nach allen Seiten um.

»Wie viele Auserlesene sind hier zusammengekommen«, begann er. »Wer wäre, wenn wir Freunde würden, so vermessen, mit uns den Kampf aufzunehmen. Mir scheint, so wie wir hier beisammen sind, könnten wir der Welt Frieden gebieten; es gibt keine Männer, die das Herz hätten, uns die Schwertspitze zu weisen.«

Die Gäste nickten; sie sahen auf die Schilde, die den Recken zu Häupten hingen, auf den Herrn Dietrichs mit dem Löwenhaupt, auf den Hildebrands, von dem eine weiße Burg mit goldenen Türmen leuchtete, auf Herrn Hornboges Wehr, die in brauner Farbe einen goldenen Habicht trug. Sintrams Schild war grasgrün, ein grimmiger Drache flog über ihn hin; Dietleibs Zeichen schmückte ein weißes Alpentier auf dunkelblauem Grund; Wildeber führte das Tier seines Namens, Wittich Hammer und Zange auf weißem Grund. Über Herbrands Zier lohte ein Feuer gleich einem goldenen Flammenbündel.

Schön und stark waren auch die Männer selbst; stolze Kraft ging von ihnen aus. Attila war klein, aber von großer Gewandtheit. Braunlockig war Gunther von Worms, dunkel und bärtig der albische Hagen. Von den Gästen war Odaker der Kühnste, ein Mann von gewaltigen Schultern und hoher Stirn mit buschigen weißen Brauen, unter denen unruhige Augen brannten.

Wittichs Haar, so sagt man, war wie Korn im Herbst, ruhvoll und maßvoll sprach er mit den Menschen. Krausköpfig und hell sah Herzog Hornboge aus, schnell war sein Auge und verriet, daß niemand ein so guter Schütze und Speerwerfer war wie er. Frei und wohlgesetzt redete er und brachte kluge Ratschläge vor, klüger als sein Sohn Amelung, der jetzt auf Heimes Stuhl saß und ein Draufgänger war. Sintram war wieder anders, sehr groß, weißhäutig, mit lichtem Haar, aber langsam und bedächtig; er war Ilsungs, des Sängers, Freund, der sein ernstes Wesen aufheiterte. Dietleib, der neben ihm saß, hatte ein scharf geschnittenes Antlitz mit hoher, schmaler Nase und rostfarbenem Haar; er war ein einfacher fröhlicher Mensch, freundlich gegen die Kinder und freimütig in seinen Worten.

Aber wohin sollte es führen, wollte ich die Männer alle beschreiben? Nur den weitgereisten Herbrand nenne ich noch, der einen braunen, lockigen Bart und das schmale, sommersprossige Gesicht trug. Ein kluger Fürsprecher war er, sein Antlitz war jedoch weniger wohlwollend als das der anderen.

Lange saßen die Herren beisammen; schon war es an der Zeit, daß die schöne Frau Helche nach den Mägden rief. Ehe sie indes auseinandergingen, erhob sich Dietrich noch einmal, wandte sich an die Gäste und pries ihre Taten und ihre Waffen, ihren harten Helm, ihre starke Brünne; er lobte Herrn Gunthers schnelle Rosse und Attilas Weisheit im Herrschen.

Auch Odaker und seine Söhne wollte er rühmen, da sah der Herrn Dietrich an und mußte daran denken, daß der König von Bern und König Attila ihm mit List Frau Helche genommen hatten, die ihm über allen Frauen zu stehen schien. Noch ehe Dietrich seine Rede beendet hatte, erhob sich Odaker und bat ihn, für sich selbst sprechen zu dürfen. »Nicht viel weißt du von mir, Dietrich«, begann er, »und schwer würde es für dich sein, das rechte Wort zu finden. Aber vielleicht hast du noch eines vergessen, als du deine Gäste lobtest. Du sagtest, wenn ich recht hörte, daß sich nirgendwo soviel starke Recken zusammengefunden hätten wie zu Bern. Siehe, mich dünkt, noch besser, als Freunde bei Hof zu halten, taugt es, Söhne zu erziehen und sie zu tapferer Tat statt zu List und Frauenraub auszusenden. Wie wäre es, wenn morgen du und zehn der Deinen sich einmal mit mir und meinen Söhnen messen wollten? Wäre es nicht ein gutes Kampfspiel unter den Augen der schönen Helche?«

Attila lachte, er war nicht böse über Odakers Worte. Er meinte auch, daß Dietrichs Schar sehr rasch neuen Ruhm an ihre Waffen heften würde, und riet dem Freund zuzustimmen.

Der Amelunge aber wußte, wessen er sich von dem starken Gast zu versehen hatte, und glaubte, Odaker sei der Einladung gefolgt, um ihm die Brauthilfe für Attila vorzuwerfen. Er wurde heftig und erhob sich, um zu antworten. »Wenn es sich so um dich verhält, Odaker«, sagte er, »und du gekommen bist, uns herauszufordern, dann wollen ich und die Meinen nicht warten. Ich bin dafür, daß wir auf der Stelle aufstehen und uns wappnen.« Er rief erhitzt seine Recken an, die Rosse zu besteigen und die Banner zu nehmen. »Ich wüßte nicht, was uns hindern könnte, jetzt gleich gegen euch anzutreten. Ehe wir zur Nacht in unseren Betten schlafen, werden wir wissen, wer die Macht hat; einer von uns wird den anderen niederzwingen, ehe wir uns trennen.«

Da hoben die Männer die Tafel auf, stiegen die Treppen hinab und ließen die Rosse kommen. Schon begann das Volk zu den Schaugerüsten vor dem Tor zu strömen, und die Bannerknechte maßen den Kampfplatz ab.

Als dann Herr Etzel und die schöne Helche ihren Platz als Richter eingenommen hatten, ritten bald Herbrand und der jüngste Sohn Odakers gegeneinander. Keiner schonte die Waffen. Es endete aber sehr rasch damit, daß Herbrand fünf Wunden trug und das Spiel verlor. Das verdroß Herrn Dietrich.

Wildeber trat dem nächsten Königssohn entgegen. Sie stritten gewaltig miteinander, und der Kampf dauerte lange. Als der Berner einzuhalten befahl, hatte Wildeber sieben Wunden und war müder als sein Gegner; er mußte ihm die Waffen ausliefern. Das hatte niemand erwartet, und Dietrich sah seinen Gesellen nicht an.

Danach trat Sintram an. Er war schneller als Odakers Sohn; sein Schwert zerschnitt dem andern Helm und Brünne, als wenn er Kleider trüge. Da warf Odakers Sohn seinen Schild so furchtbar über Sintram, daß er zu Boden stürzte und sich nicht wieder erheben konnte.

Zornig wurde König Dietrich und voll dunklen Grimms.

Selbst dem gewaltigen Fasold ging es nicht besser. Keiner der beiden Gegner schonte sein Schwert; es lief indes so aus, daß unter Frau Helches Augen bald vier Mannen gebunden waren, ehe dem Berner ein Fähnlein zufiel. Es war sein schwerster Tag, der voll Freuden hatte werden sollen.

Der junge Amelung, Hornboges Sohn, ließ sich von seinem Vater rüsten. »Eher will ich umkommen, als daß mich dieser fremde Königssohn bindet.« Wagemutig kämpfte er mit dem nächsten Sohn Odakers, ließ den Schild fahren, packte mit beiden Händen sein Schwert und schlug des anderen Helm so hart, daß er zu Boden taumelte. »Ich will dich nicht fesseln«, sagte Amelung, »gib mir meine Freunde Fasold und Herbrand heraus, dann magst du gehen.« Die Brüder des Besiegten waren einverstanden, sie glaubten, mit Dietrichs Mannen bald fertig zu werden.

Was half auch des jungen Amelungs Sieg? Sein Vater, Hornboge, fiel dem nächsten Königssohn zum Opfer, und Herr Dietrich wurde blind vor Grimm.

Da trat Gunther, der Burgundenfürst, vor den Berner. »Laß Hagen Tronje für dich kämpfen«, bat er, und Dietrich nahm es an.

Aber selbst Herr Hagen mußte drei Wunden erleiden und wurde vom Königssohn an seinen Spieß gebunden; noch niemals hatte er solche Schmach erlitten.

Der starke Dietleib versuchte es. Die Gegner stritten so hart und schnell, daß man den Schlägen kaum folgen konnte. Als der Sohn Odakers erschöpft war, rief Dietleib: »Liefere deine Waffen aus, so will ich dich selbst schonen.« Aber der Jüngling wollte weiterkämpfen, und die beiden ermüdeten einander so sehr, daß sie sich kaum aufrecht zu halten vermochten.

Da nahmen die Könige ihre Schilde, traten zwischen die Kämpen und trennten sie; es dunkelte schon, und sie waren in Sorge um ihre Degen. »Sie mögen es in der Frühe weiter versuchen«, sagte Odaker zu Dietrich, »ich hoffe, daß auch du morgen dort, wo du jetzt stehst, gebunden sein wirst. Laß uns selbst bald die Schwerter erproben.«

An jenem Abend gab es kein Schmausen und Trinken. Finster

und schweigsam verbrachten die Amelungenhelden die Nacht. Als es hell wurde, war König Odaker mit seinen Mannen bereit. Dietleib forderte, daß zunächst sein Waffengang zu Ende geführt wurde; er stritt unbändig mit Odakers Sohn und gewann wirklich die Oberhand. Herrn Hagen tauschte er mit dem Gefangenen ein, der Tronjer war König Dietrichs Gast und sollte nichts verlieren.

Danach kämpfte Hildebrand selbst, und jeder glaubte, daß er mit seinem Gegner rasch fertig würde – es war der neunte Sohn Odakers. Schon hatte er dem Jungen drei Wunden beigebracht, schon wollte er ein Ende machen, da brach sein Schwert in zwei Stücke, und der Unüberwundene mußte sich gefangen geben.

Wittich trat gegen den letzten der Königssöhne an. Der war am meisten von allen gefürchtet, und ihr Kampf war so heftig, daß keiner von beiden einen Fußbreit zurückwich. Wielands Sohn aber verließ sich auf sein Schwert Mimung, das alles Eisen schnitt. Den Helm des Königssohnes traf er, so daß er barst. Das Schwert des Gegners traf er, daß es zersprang. Da riß der Königssohn den eisernen Spieß, der das Feld absteckte, aus der Erde und schlug Wittich so hart, daß sein Helm sich einwärts bog. Ein anderer wäre davon zu Tode gestürzt, Wielands Sohn aber erspähte die Blöße, die sich der andere gegeben hatte, er hieb ihn ins Knie und zerschnitt ihm Eisen und Sehnen.

Der wilde Wittich war so sehr in Zorn geraten, er rief Odaker an und schrie: »Her mit allen Gefangenen, oder ich töte dir diesen einen.«

»Tu's, Vater«, bat der Königssohn, »der Teufel hilft ihm, auch du kannst ihm nicht widerstehen.«

Noch ehe Odaker zugestimmt hatte, sprang der Tobende hinzu, durchschnitt die Fesseln seiner Schwertbrüder und lief wieder zu dem Verwundeten, als wollte er ihn erschlagen; Dietrich und Odaker hielten ihn mit Mühe zurück. Die Könige machten dabei ab, daß um des Friedens willen alle Kämpfe als unentschieden gelten sollten und daß sie einander alle Waffen und Gefangenen zurückgeben wollten. So trennten sie sich; Wittich hatte die Schildgefährten gelöst, aber er hatte dem Überwundenen gedroht, statt ihn zu schonen; das war mehr als ritterliches Spiel gewesen.

Nun traten die Könige selbst an. Sie grüßten und versprachen einander, ohne Zauberwaffen zu kämpfen und nur ihre rechten Schwerter zu gebrauchen. Herr Dietrich riß als erster den Nagelring aus der Scheide, und König Odaker ging ihm entgegen. Kühn und unerschrocken waren sie, keiner schonte sich, jeder setzte sich wilden Hieben aus, um selbst zuschlagen zu können. Solch Getöse war um den Waffengang, daß niemand den anderen verstand und das Dröhnen weithin hallte. Die Zuschauer begannen sich zu fürchten; dieser Kampf schien ihnen entsetzlicher und wilder, als je einer gewesen war. Aber noch hatte keiner eine Wunde vom anderen.

Vom Mittag an stritten die Könige. Als die Dunkelheit einbrach und sie immer noch miteinander rangen, nahm Wittich den Schild auf und trennte die beiden. »Verhaltet zur Nacht, morgen mögt ihr weiterfechten.«

An diesem Abend waren König Dietrichs Mannen in besserer Laune als am Tag zuvor.

Wieder erhob sich die Sonne, und wieder trat Odaker als erster aus seinem Lager, und Dietrich schritt ihm entgegen. Es hieß, daß beide den Zweikampf rasch zum Abschluß bringen wollten, sie stritten auch so gewaltig miteinander, daß dem Berner Feuer aus dem Mund lohte. Er vermochte indes nicht, Odaker zu überwinden. Endlich waren die Kämpen so müde, daß sie nicht mehr aufrecht stehen konnten; sie verabredeten deshalb miteinander, am anderen Tag den Streit fortzusetzen.

Die Gäste, die zu Lied und frohem Fest gekommen, waren voller Sorge; Attila und Frau Helche baten Dietrich, das Waffenspiel abzubrechen. Aber der Berner sah sie an und antwortete nicht.

Am Abend schlich Wittich heimlich zu Dietrich und sagte:

»Herr, ihr beide seid miteinander gleich. Du weißt selbst, daß du deine äußerste Kraft bewiesen hast. Ich will dir morgen mein Schwert Mimung leihen; es beißt, was immer es trifft.« Herr Dietrich wurde zornig über den unredlichen Rat; er wollte Wittich abweisen. Dann überwältigte ihn die Furcht, am eigenen Hof überwunden zu werden, er sah die Gäste aus allen Reichen, die auf ihr Fest warteten, und er dachte daran, daß er durch seinen Ruhm die Länder weithin in Frieden hielt. »Wenn du mich nicht verrätst, will ich dein Schwert nehmen«, seufzte er, »möge Gott es mir verzeihen.« Danach gingen sie schlafen.

Am Morgen waren alle Gäste schon früh zur Stelle, als die Männer einander zum letztenmal begegneten. Odaker kam spät, er sagte zu Dietrich: »Ich will wie gestern mit dir kämpfen, wenn du beschwörst, daß du nicht Wittichs Zauberschwert trägst. Sonst laß uns in Frieden auseinandergehen.« Dietrich antwortete nicht gleich; er hielt das Schwert hinter seinem Rücken, stützte sich gegen den Griff und stieß es mit der Spitze in die Erde. Dann reckte er sich auf und schwur: »So wahr mir Gott helfe, weiß ich Mimungs Spitze nicht oberhalb der Erde, noch seinen Griff in eines Mannes Hand!«

Die meisten hatten nicht gehört, was die Könige miteinander besprachen. Nur der Königin Helche hatte der Wind die Worte zugetragen, und der Berner sah, als er sie grüßte, daß sie den Wortlaut des Eides prüfte und sich Sorgen machte.

Dietrich wurde sehr zornig, und als die Männer nun miteinander kämpften, traf er Odakers Helm und Brünne und schnitt sie auf. Der starke König hatte in kurzer Zeit fünf Wunden, so daß alle und auch der Berner ihm zuriefen, er solle es gut sein lassen. Odaker merkte indes, daß Dietrich sein Wort gebrochen hatte und mit dem Mimung stritt. Er ergrimmte so sehr, daß er den Gegner blind anrannte und ihm eine schmerzhafte Wunde schlug, dabei aber selbst in Dietrichs Schwert stürzte.

Nun erhob sich ein großes Klagen und Weinen. Frau Helche

half dem Überwundenen; sie konnte indes nicht hindern, daß des tapferen Odakers Leben verrann und mit seinem Herzblut verströmte.

Nachdem er für den Sterbenden gesorgt hatte, ritt auch der Wirt mit seinen Mannen in die Stadt heim, aber er zeigte sich an jenem Tage niemandem. Ohne Ruhe, in Grübeln versunken, lag der Amelunge in seiner Kammer. Seine Tat war ihm leid, er verwünschte Wittichs Rat und vermochte nichts ungeschehen zu machen. Als die Wunde sehr zu schmerzen begann, schickte er zu der heilkundigen Helche und hoffte, daß sie ihn trösten würde.

Sie kam, aber sie half ihm nicht und dachte an Odaker, der lange um sie geworben, und dachte, daß dieser Berner vor allen Menschen als der adeligste gegolten und nun vor Gott und seiner Ehre verspielt hatte. »Ich hörte, was du schwurst«, sagte sie, »und mir scheint, daß du mit deiner Tat für immer den Ruhm verloren hast, den du hast gewinnen wollen.«

»Wenn ein Weib es weiß, werden es bald viele erfahren. Ich werde mich darauf rüsten«, antwortete der Berner drohend.

Frau Helche sann nach. »Ich werde schweigen«, sagte sie traurig. »Was brauchen die Menschen zu wissen, was Gott weiß. Aber ich fürchte nun, daß du Odakers Tod wirst sühnen müssen, solange ich, die darum weiß, am Leben bin.«

»Was ich tat, bedarf keiner Sühne«, murrte der Berner und heilte sich selbst. Und er stand auf und befahl den Seinen, die Gäste zu feiern.

Fünf Tage dauerte das Fest, zu dem der Berner die Könige aller Länder geladen hatte. Die Spielleute priesen ihren Herrn über alles, jedermann lobte seinen Kampf und sagte, daß er stark genug sei, den Frieden in seinem Reich für immer zu wahren. Aber Frau Helche und König Attila brachen bald auf, und der Berner blieb finster und schweigsam. Er wurde hart gegen Wittich und gegen die Schwertbrüder, sie verstanden einander nicht mehr.

Die Dunkelheit, die über König Dietrich gefallen war, wollte sich nicht mehr heben. Er hielt nicht einmal die Freunde der Tafelrunde; wer zu ihm kam, um in sein Land heimzukehren, den gab er frei. Damals wurde Sintram Herzog von Venedig, Herbrand und Hornboge ritten in ihre Reiche zurück.

Nach einiger Zeit verließ auch Wittich die Stadt. Das kam so: König Harlung zu Breisach war gestorben und hatte eine junge Gemahlin mit zwei Söhnen hinterlassen. Wittich begegnete ihr und gewann sie gern. Als Dietrich davon hörte, rüstete er sich mit hundert Mannen und ritt zu König Ermanrich, als dem ältesten Verwandten der Witwe, um bei ihm für den Schwurbruder zu werben. Ermanrich nahm ihn wohl auf, er sagte: »Ich gönne Wittich die Frau, die er sich erwählte, aber er muß mir Diener und Lehnsmann werden.« Da bat Wittich Herrn Dietrich, ihn zu beurlauben, und schwur Ermanrich die Treue.

Einsam kehrte König Dietrich nach Bern zurück; es schien ihm indes gut, daß Wittich ihm nicht mehr nahe war, der vom Schwerttausch wußte.

Wieder nach einiger Zeit zogen auch Fasold und Wolfhard über das Gebirge nach Norden, um sich Frauen zu holen. Sie ritten in die Heimat des Recken Ecke, den einst Herrn Dietrichs Pferd erschlagen hatte, und der Berner warb für die Freunde um die ältesten Töchter der Königin.

Die Werbung wurde angenommen; das Gastmahl im fälischen Land dauerte neun Tage und steigerte sich mit jedem Tag um einiges. Nach der Hochzeit machte Dietrich die beiden Männer zu Herzögen und kehrte heim.

In Rom saß König Ermanrich und dehnte seine Herrschaft aus. Ihm dienten viele Könige und Herzöge südlich und nördlich der Mundiaberge, so nannte man die Alpen zu der Zeit. Bis über Bulgarien und Griechenland erstreckte sich sein Reich. Ermanrich hatte drei Söhne aus einer früheren Ehe und eine sehr schöne junge Königin, die hieß Schwanhilde und war ihm treu und zugetan. Sein Kanzler war Sibich, der des Königs Angelegenheiten ordnete und ihn beim Gericht beriet. Auch Sibich hatte sich verheiratet; seine Frau Odila wurde an Schönheit, wenn auch nicht an Treue, der Königin Schwanhilde gleichgestellt.

Sibich war ein häßlicher Mann, rothaarig und klein von Gestalt, sein junges Weib tat vielen leid. Eines Tages, als Sibich einen Ritt zu den Herzögen im Süden unternahm und Odila allein zu Haus war, kam König Ermanrich zu Besuch. Er schmeichelte ihr, sprach von ihrer Schönheit, und sie wagte nicht, sich seinem Begehren zu widersetzen.

Als Sibich des Königs Geschäfte ausgeführt hatte, kehrte er heim, um seine Frau zu begrüßen. Sie ging ihm entgegen, weinte bitterlich und erzählte ihm, was der König von ihr verlangt hätte. »Ich saß in meiner Kemenate und säumte dein Seidenwams«, klagte sie, »da kam Ermanrich zu mir. Die Schande, die er mir antat, wirst du ihm nie hart genug vergelten können.« Sie wußte, Sibich war ein Mann, der, war er einmal gekränkt, nicht vergessen konnte, und war getröstet, nun sie ihm alles gestanden hatte.

»Ich will dafür sorgen, daß der König büßt«, schwur der Kanzler. »Hieß ich bisher Sibich der Getreue, will ich sein ärgster Ratgeber werden.« Dann ging er, gleich als sei nichts geschehen, zu Ermanrich, verneigte sich vor ihm, und sie pflogen Rats miteinander wie früher.

Nach einiger Zeit, als sie wieder einmal zusammensaßen und die Dinge des Staates besprachen, sagte Sibich plötzlich: »Herr, du bist jetzt der mächtigste und größte König der Welt, fast alle gehorchen und dienen dir. Ich wünsche nur, daß dir kein Unheil in deinem eigenen Haus wächst.« Ermanrich drang in ihn, aber Sibich antwortete nicht.

Ein andermal ritt der König mit ihm und mit vielem Gefolge zur Jagd, und weil der Ratgeber unfroh aussah, fragte Ermanrich, was ihm fehle. »Herr«, murrte der Kanzler, »ich empfinde es als Schimpf, daß dein Sohn Ernst zu häufig zu deinem Weib Schwanhilde geht. Keine Frau, keine Dienerin ist vor ihm sicher, aber seines Vaters Ehre sollte er nicht antasten. « Der König hörte es; sein Jähzorn erwachte, er sprengte zu seinem Gefolge hinüber, rief Ernst und riß den Jüngling so hart am Haar, daß er stürzte. Darüber erschrak des Königs Hengst und trat Ernst mit den Hufen, daß er davon starb. – Nicht lange, und Ermanrich mußte hören, daß sein Sohn Reginwald, der auf Sibichs Rat nach England gefahren war, auf schlechtem Schiff ertrunken und daß Friedrich, der dritte seiner Söhne, von den Wilten erschlagen sei. So hatte König Ermanrich in kurzer Zeit seine drei Erben verloren und wurde einsam und hart.

Danach überlegte Sibich, wie er seine Rache weiterverfolgen und selbst Erbe des Reiches werden könnte; er dachte an die Söhne König Harlungs von Breisach, die ihm im Wege standen, und zog sein Weib ins Vertrauen. Als Frau Odila und Schwanhilde einander besuchten, erzählte Sibichs Gemahlin der Königin vielerlei von der Aufsässigkeit der Harlunger und riet ihr, sie möge doch ihren Gemahl warnen. König Ermanrich kam hinzu und ließ sich von den Frauen einladen. »Jetzt ist's Frühling im Norden«, sagte Odila. »Schön ist es in Breisach, warm scheint die Sonne, und mitunter fällt ein wenig Regen. Woran werden Harlungs Söhne in diesen Stunden denken?« Da erzählte Schwanhilde, worüber sie geredet hatten.

Auch Sibich berichtete dem König, daß er ungute Botschaft über Egard und Aki hätte – so hießen Harlungs Söhne. Aber er fürchtete sich noch vor Wittich, der ja ihr Stiefvater geworden war, und riet Ermanrich, Wittich zu verpflichten und ihn mit Herzog Rimsteins Burgen zu belehnen. »Vielleicht kann man damit auch den aufrührerischen Sinn seiner Stiefsöhne besänftigen«, fügte er hinzu.

Zuletzt brachte Sibich falsche Briefe, in denen die Neffen untereinander schrieben, daß der Oheim in Romaburg alt werde und daß es an der Zeit sei, sich für die Nachfolge zu rüsten. Ehe ihr Vetter Dietrich die Herrschaft gewänne, wollten sie zur Stelle sein.

Ermanrich, der seit dem Tod seiner Söhne gegen alle Verwandte mißtrauisch war, ließ die Heerhörner blasen und sammelte seine Mannen. Dann brach er auf und zog über die Alpen nach Norden.

Nun war aber ein getreuer Pfleger, Ekkehard mit Namen, bei Hof gewesen, der ritt noch schneller als das Heer und kam vor ihm zu der Burg, in der König Harlungs Söhne wohnten. Er ritt so rasch, daß er auf kein Fährboot wartete und alle Ströme auf seinem Roß durchquerte. Egard und Aki sahen ihn, als sie zur Jagd wollten. Sie kehrten um, schlossen das Tor und fragten ihn, warum er's so eilig hätte. »König Ermanrich ist mit seinem Heer unterwegs und will euch hängen«, warnte Ekkehard, »rettet euch!«

»Vor unseren Verwandten brauchen wir uns nicht zu fürchten«, meinten die jungen Recken, »was wird er von uns wollen?« Ekkehard erzählte ihnen alles, er wußte auch von den gefälschten Briefen des Kanzlers. Egard und Aki weigerten sich indes zu fliehen, sie zogen die Fallbrücke hoch und nahmen sich vor, im guten mit ihrem Oheim zu reden oder die Burg zu verteidigen.

Herr Ermanrich kam und fand die Tore Breisachs verschlossen. Er ritt bis an den Graben und schleuderte die Bannerstange hinüber. Die Neffen wollten mit ihm verhandeln, er gab ihnen aber keine Gelegenheit zur Antwort, ließ die Steinschleudern richten, hieß Wurfzeuge bauen und Feuer in die Festung werfen. Da sprengten Egard und Aki mit ihren Mannen vor die Burg und kämpften, wurden jedoch überwältigt. Und der König ließ sie hängen, wie er es geschworen hatte.

Damals suchte Heime Herrn Wittich auf. Der begegnete ihm vor den Toren Roms, er wollte den Dieb Mimungs nicht sehen und blickte verdrossen zur Seite. Heime trat jedoch auf ihn zu.

»Mich reut unser Hader, Wittich«, sagte er. »wir sollten zusammenhalten an König Ermanrichs Hof.« Dann erzählte er ihm vom Tod der Harlunger.

Wittich ritt eilig nach Bern zu Herrn Dietrich als dem nächsten Verwandten der Getöteten und bat um seinen Rat.

»Ich werde mit meinem Oheim sprechen«, antwortete der König, zog mit viel Gefolge nach Rom und fragte Ermanrich, wie er dazu komme, seine Vettern zu hängen. Ermanrich verbarg seinen Grimm und ließ dem Berner die Briefe zeigen. Auch Wittichs Groll besänftigte er, belehnte ihn mit einem Teil der Güter der Toten und bevorzugte ihn und Heime bei Hofe.

Aber gegen Herrn Dietrich blieb er üblen Mutes und verdachte ihm, daß er als Neffe von seinem Oheim Rechenschaft gefordert hatte.

Nach einiger Zeit sprach Sibich wieder mit König Ermanrich und klagte über den Berner. »Wie kommt es eigentlich«, fragte er, »daß Herr Dietrich dir keinen Zins zahlt? Bist du nicht das Oberhaupt, von dem Dietrich nach seines Vaters Tod sein Land als Lehen hätte nehmen sollen? Statt dessen vertut er sein Gut, hält viele müßige Recken an seinem Hof und gibt ihnen sein Gold. Er sollte es lieber nach Rom schicken.«

»Wahr ist, woran du mich erinnerst«, antwortete der König.

»So verlange Zins von dem Berner«, riet Sibich. »Wenn er ihn dir zahlt, ist es gut, wenn nicht, wirst du daran erkennen, daß auch er nach deinem Erbe trachtet.« Ermanrich tat, wie Sibich ihm vorschlug. Zugleich sammelte er ein übermächtiges Heer in den Grenzlanden, ließ aber aussprengen, daß er gegen Spanien rüste. Als er alles vorbereitet hatte, schickte er Reinold von Mailand ins Amelungenland. Ohne König Dietrich Bescheid zu geben, lud der Bote in den Gemeinden die Bewohner zusammen und forderte Zins für Ermanrich. Da sandten die bedrängten Leute nach dem Berner und fragten, wem sie zu zahlen hätten, an zwei Herren könnten sie nicht zehnten. Dietrich ritt mit einigen Recken aus seiner Stadt, er rief ein Thing zusammen und erklärte sein Recht. Er bat Reinold von Mailand auch, heimzukehren und König Ermanrich zu melden, daß sein Neffe Dietrich lieber sein Land verlassen würde, als einem Fremden Lehnsgeld zu entrichten.

Herrn Reinold tat die Antwort leid, er konnte Dietrich indes nicht umstimmen, obwohl sie Freunde waren. König Ermanrich gefiel es auch nicht, daß er gegen den Berner kämpfen sollte. Sibich sagte jedoch: »Jetzt kommt es so, wie ich immer gefürchtet habe. Dein Neffe will dir gleich sein. Du mußt ihn rasch züchtigen, sonst erfährt das Land seine Antwort, und deine Macht zerfällt.« Ermanrich zog Heime und Wittich zu Rate, und die sprachen beide gegen Sibich. »Es wäre eine Neidingstat, die dein Gedächtnis befleckt«, warnte Wittich, aber der König hörte nicht auf ihn und befahl ihm, zum Heer zu stoßen. Da sattelte Wielands Sohn sein Roß und ritt, so schnell er konnte, nach Bern voran. Er erreichte es zur Nacht, die Wächter fragten nach seinem Begehr und brachten ihn vor den Berner und seinen Waffenmeister.

Dietrich glaubte noch, daß Wittich zum Verhandeln käme. »Sag mir, Freund«, wollte er wissen, »warum erhebt mein Oheim Schatzung in meinem Land? Er hat niemals ein Recht darauf gehabt.« Wittich antwortete: »Darüber zu reden, ist zu spät. Auch bin ich selbst heute König Ermanrichs Mann, das weißt du. Ich will dir nur ankündigen, daß, wenn du bis zur Morgenfrühe wartest, deine Stadt von uns umschlossen sein wird.« Dann kehrte Wittich zu König Ermanrich zurück. Er übernahm die Führung des Heeres, aber er hoffte, daß der Berner rechtzeitig entweichen würde.

Als Wittich Herrn Dietrich verlassen hatte, blieb der mit sich allein. An Odaker dachte er und auch an die Freunde, die er verloren, seitdem das Dunkel sich um ihn gebreitet hatte.

Währenddessen hatte Hildebrand seine Gesellen und Räte versammelt, rief seinen Herrn und bestellte ihm, daß er immer noch Freunde genug habe, die sich um ihn sorgten. Da trat der

Berner vor die Männer. »Wir müssen wählen«, sagte er und merkte, daß sich jetzt erfüllte, was ihm verkündet war. »Wir müssen wählen und uns entweder mit den wenigen Leuten in der Stadt wehren, so gut wir können, oder aber weichen, bis das Geschick sich wendet.«

Nach ihm sprach Hildebrand: »Ich kenne König Ermanrichs Heere, sie sind zahllos wie der Sand am Meer. Gering ist unser Aufgebot, denn Dietrich hat keine Schätze gesammelt, er hat seinen Recken gegeben, was er gewann. Nun müssen wir ihm ins Elend folgen.«

Da rüsteten sich die Besten aller Mannen, mit ihrem König die Stadt zu verlassen; sie nahmen Abschied von den Ihrigen, und es war ein großes Wehklagen in Bern. Frauen beweinten ihre Männer, Brüder zogen voneinander, und Freunde sahen sich zum letztenmal. Von Waffen klirrten die Straßen, die Rosse wieherten, und die Hörner schollen.

Als alles zum Aufbruch bereit war, gingen die Recken noch einmal in die Halle, in der sie soviel frohe Tage mit dem König verbracht hatten, sangen wie einst, besprachen den Lauf der Welt und hoben die Becher, um miteinander anzustoßen. Währenddessen brachte ein Bauer die Nachricht, daß der Feind die Stadt schon umzingele. Die Männer lohnten ihn und schwuren einander zu, heimzukehren, wenn ihre Stunde käme. Dann saßen sie auf; Meister Hildebrand nahm König Dietrichs Bannerstange und hieß die Freunde folgen. Schweigend trabten sie zum Tor hinaus ins nächtliche Land.

Als Ermanrich in die Stadt Bern einzog, verfeindete sich Heime mit Sibich und schlug ihn vor den Augen des Königs, so daß er vornüber auf den Estrich fiel und die Vorderzähne verlor. Ermanrich befahl seinen Dienern, Heime zu greifen; aber Wittich riß den Mimung aus der Scheide und begleitete den andern bis vors Tor, da wagte keiner, sich ihm zu nähern.

Heime legte sich danach an die Wege, wurde König Ermanrichs Feind, und Sibich lebte in ständiger Furcht vor ihm.

König Dietrich ritt unterdessen über die Alpen nach Osten und erreichte die Stadt Bechelaren. Dort wohnte sein Freund, der Markgraf Rüdiger, mit seiner Gemahlin Gotelinde. Es waren zwei edle Menschen, die weithin wegen ihrer Gastlichkeit gerühmt wurden. Als der Markgraf hörte, daß Dietrich von Bern flüchtig zu ihm kam, hieß er seine Mannen zu Rosse steigen, ehrte den Freund und zog ihm entgegen. Sie grüßten sich in Treuen, Rüdiger lud die Heimatlosen in die Burg, versuchte, sie durch Spiele zu erheitern, und tat, was er ihnen an den Augen absehen konnte.

Frau Gotelinde schenkte Dietrich ein Banner, halb aus grüner, halb aus roter Seide, auf dem war sein goldener Löwe eingestickt; sie hatte es schon lange für den König von Bern gearbeitet.

Reich bedacht, ritt Dietrich mit seinen Recken weiter, erquickt durch Speise, Trank und gute Herberge. Er wandte sich auf Rüdigers Rat nach Ofen, wo zu jener Zeit König Attila hofhielt. Als der von Dietrichs Ankunft erfuhr, ließ auch er die Banner erheben und brach mit einem großen Heer auf, um dem zu begegnen, der ihm gegen König Oserich und die Wilten geholfen hatte. Frau Helche begleitete ihren Gemahl; sie sah, wie die Männer einander begrüßten. Sie dachte indes an Odakers Tod, und es tat ihr leid um Dietrich, der mehr war als alle Recken seiner Zeit.

Danach ritten Dietrich und Attila in die Königsstadt ein. Herr Etzel setzte den Freund zur Seite des Hochsitzes und bat ihn, sein Gast zu sein, solange er wolle. Alles, was er für ihn tun könne, sei ihm gewährt, und er selbst stünde zu seinen Diensten.

Herr Dietrich wandte sich an die Königin. »Mir ist jetzt geworden, wie du es mir angekündigt hast«, sagte er. Sie antwortete, er möge bleiben, und gab seinen Rittern ehrenvolle Plätze an des Königs Tafel.

Im Frühling rüstete Etzel mit viel Volk gegen den Reußenkönig

Waldemar von Holmgard. Der war mit einem großen Heer in Attilas Reich eingefallen; von den Türmen der Burgen sah man weithin Feuer und Rauch.

Herr Dietrich wünschte, dem Feind mit seinen Amelungen entgegenzuziehen, Attila wollte ihn unter den Mauern erwarten. Noch während sie beratschlagten, erfuhr der Reuße, daß Dietrich von Bern beim Hunnenkönig weilte, und kehrte eilig in sein Reich zurück. König Attila war es zufrieden, der Berner aber mahnte ihn, dem Feind mit allen Bannern zu folgen und ihn zur Schlacht zu zwingen. Bald ritten sie tief ins Reußenreich und sammelten unterwegs viel Volk, das von Gotland und vom Hünenland Herrn Attila zu Hilfe kam. Endlich lagerten die Heere einander gegenüber. Attila stellte seine Scharen in Schlachtordnung auf und pflanzte sein Banner.

In der Frühe des Morgens begann der Kampf, von beiden Seiten wurde mit großer Tapferkeit gestritten. Dietrich von Bern hatte vor, sich vor allem mit König Waldemars Sohn zu messen, der hieß Dietrich gleich ihm und war weit und breit gerühmt. Er brach mit Hünen, Goten, Friesen und Amelungen tief ins Volk der Reußen ein, traf auch, wie er es wollte, auf König Waldemars Sohn, und sie kämpften hart miteinander, niemand kam ihnen zu Hilfe. Schließlich wurde der Berner übermächtig, obschon er selbst neun Wunden erhalten hatte. Er überwand den jungen Dietrich, indem er ihn vom Pferd her mit den Armen umfing und mit ihm rang, bis er ihn gefangen und gebunden hatte.

Als es soweit war, hörte man viel jämmerliches Geschrei; Attila, der die Hunnen geführt hatte, war auf dem Rückzug und befahl König Dietrich, ihm zu folgen. Der wollte nicht weichen, er ritt noch einmal kühn in den Feind hinein und kämpfte bis zum Abend. Schließlich wurden die Reußen so stark, daß Dietrich und seine Recken Schanzen bauen und ein festes Lager beziehen mußten. Mit zwölftausend Mann legte sich König Waldemar vor ihre Tore, die Eingeschlossenen litten bald Mangel an Speisen und Trank. Aber Herr Dietrich machte auch täglich Ausfälle gegen die Reußen und fügte ihnen viel Schaden zu. Er hatte zudem Waldemars Sohn unter den Gefangenen; der war ihm ein guter Bürge.

Nach einiger Zeit mußten sie ihre Pferde schlachten, schon beriet sich Dietrich mit Meister Hildebrand, und sie bestimmten Wildeber, daß er König Attila Botschaft brächte und Hilfe herbeiführte. Dietrich lieh ihm den Helm Hildegrim, das Schwert Nagelring und sein Roß Falke. Damit brach der kühne Mann ohne Helfer zur Nacht aus dem Lager, riß einen Brand aus dem Wachtfeuer der Reußen, schwang ihn und warf ihn in König Waldemars Zelt. Dann preschte er von dannen, und die Feinde vermochten das Roß Falke nicht einzuholen.

Als Attila die Botschaft erhielt, war es ihm leid um Dietrich, aber er meinte auch, daß der Freund ihm bei seinem Rückzug hätte folgen sollen. Frau Helche hörte davon; sie ging zu ihm und sagte, es sei unritterlich, dem Berner den Beistand zu weigern. Da bot der Hunnenkönig sein Heer auf, stieß bis in die Nähe des Lagers vor, und König Waldemar befahl seiner Mannschaft, abzuziehen. Er glaubte nicht, noch einmal gegen beide Herren standhalten zu können.

Attila und Dietrich begrüßten einander herzlich; Herr Etzel war froh, den Freund trotz seiner schweren Wunden lebend anzutreffen. Dietrich zeigte Attila auch seine Gefangenen, unter ihnen war Waldemars Sohn. »Ich will dir diesen Mann schenken, mach mit ihm, was du willst.«

»Er ist mir lieber als ein Schiff mit rotem Gold«, antwortete Attila. »Ich werde ihn Frau Helche bringen, da mag sie sehen, daß ich stärker als ihre Verwandtschaft bin.« Das sagte er, weil der junge Dietrich zugleich der Neffe König Oserichs war.

Vom Schlachtfeld aus ritten die Männer gen Westen nach Susat und hatten vor, sich zu pflegen. Der Berner mußte sich legen; seine Wunden waren beim Heimweg aufgebrochen, schmerzten sehr und wollten nicht heilen.

Der Gefangene wurde in den Kerker geworfen, auch er war dem Verbluten nah.

Nachdem der König ein halbes Jahr zu Susat geweilt hatte, ohne daß sich mit Herrn Dietrich etwas verändert hatte, mußte Attila wieder ins Hunnenreich reiten, um den Feinden die Grenzen zu wehren. Dietrich litt so schwer, daß er dem König nicht zu helfen vermochte.

Ehe Attila auszog, kam die Königin Helche zu ihm. »Ich habe eine Bitte an dich, Herr. Gib mir Dietrich, Waldemars Sohn, meinen Blutsfreund. Erlaube mir, daß ich ihn aus dem Verlies hole und heile. Eines Tages wird Frieden zwischen dir und König Waldemar herrschen, dann wird es gut sein, wenn wir ihn gepflegt haben.«

»Ich darf es dir nicht gewähren«, sagte Attila. »Es könnte sein, daß der Reuße entflieht.«

Königin Helche antwortete: »Ich bürge mit meinem Kopf dafür, daß du ihn wiederfindest, wenn du heimkommst!«

König Attila wurde zornig. »Zweifle nicht, daß ich dich beim Wort nehme! Wenn der Gefangene seiner Haft entkäme, wäre es schlimmer für mich, als wenn ich Susat oder Ofen verlöre.«

Die Königin ließ mit ihren Bitten nicht nach, sie holte ihren Vetter Dietrich aus dem Kerker, pflegte ihn und wachte bei ihm. Währenddes zog Attila mit viel Mannschaft aus und kämpfte im Osten.

Die Königin Helche sorgte für den jungen Dietrich, ihren Gesippen. Er war dem Berner ähnlich an Gestalt. Sie badete seine Wunden, so daß sie heilten, beschenkte ihn und zeigte ihm ihre Knaben. Zu König Dietrich ließ sie ihre Dienerinnen gehen.

Als Dietrich, Waldemars Sohn, genesen war, nahm er seine Waffen und setzte sich den Spiegelhelm aufs Haupt. »Du hartes Eisen, manchen Hieb von König Dietrich hast du ausgehalten«, dachte er. »Jetzt liegt der Berner krank, mich aber pflegte Frau Helche gesund. Fortreiten will ich, weder Dietrich noch Attila, der Ferne, können mich daran hindern.«

Die Königin wurde gewahr, daß er auf Flucht sann, und begann zu weinen. »Lohnst du mir so meine Wohltaten«, rief sie. »Weißt du nicht, daß ich mein Haupt für dich zum Pfand gesetzt habe?«

Ihr Vetter lachte: »König Attila wird dich nicht erschlagen. Ich aber wäre ein Narr, wollte ich auf ihn warten.«

Dann zog er das beste Roß aus dem Stall und schwang sich in den Sattel. »Bleib hier«, flehte Königin Helche. »Ich will dir beistehen, daß du dich mit meinem Gemahl vergleichst. Ach, Vetter, ich habe Furcht vor Attilas Jähzorn; er wird mich töten, wenn er heimkommt.« Der Reuße aber ritt von dannen und tat, als hörte er sie nicht.

Herr Dietrich erfuhr von jener Flucht, der Zorn packte ihn so sehr, daß er sich von seinem Wundlager erhob. Er ging zu Helche, und sie bat ihn, ihr zu raten.

»Warum hast du mich nicht gepflegt wie ihn?« grollte er.

Da ließ sie ihr Weinen sein. »Ich dachte, daß deine Zauber und Listen stärker wären als ich.«

Dietrich merkte, daß sie von Odaker sprach. »Ich meine«, sagte er, »daß es besser ist, ein Unrecht zu sühnen, als darüber zu streiten. Oft habe ich den Menschen geholfen, und noch mehr will ich auf mich nehmen. Was verlangst du von mir?«

Die Furcht kam über Frau Helche. »Dietrich«, flehte sie, »ich heilte meinen Vetter, er ist davongeritten. Was wird Attila tun, wenn er heimkehrt?«

»Zu mir schicktest du eine schlechte Magd«, murrte Dietrich. »Mich dünkt, du wolltest, daß ich umkäme; warum soll ich dir beistehen?«

Frau Helche rief ihre Knaben, damit die Herrn Dietrich um Hilfe bäten. Da erhob sich der wunde König und befahl, Brünne und Waffen zu bringen. »Reich mir meinen Schild«, sagte er zur Königin, und sie wappnete ihn. Und obwohl seine Wunden bluteten, daß die Rüstung rot wurde, ritt Dietrich aus und folgte der Spur des Flüchtigen bis ins Wiltenland.

Eines Tages, als er an einem großen Hof vorüberkam, sprach er ein Fräulein an: »Sahst du einen Mann auf grauem Roß, einen mit blanker Brünne und weißem Schild? Es war mein Gesell.«

»Es war dein Gesell nicht«, gab das Mädchen zur Antwort, »aber der Mann, das will ich dir verraten, sprengte hier vorbei.«

Sie hatte Mitleid mit dem müden Fremden. »Steig ab, bleib bei uns zu Gast, was hat man dir getan?« König Dietrich hörte nicht auf sie; er trieb seinem Tier die Sporen in die Weichen. Nach einiger Zeit sah er einen Reiter vor sich und rief ihn an: »Waldemars Sohn, um der Königin willen kehre um!« Der andere ritt eiliger. »Ich will dir all mein Gold und Silber schenken und zwischen dir und Attila Freundschaft stiften«, schrie der Berner.

Der Junge verhielt sein Roß. »Wie willst du, Teufel, mir Freund sein? Bleib von meinem Weg, oder ich sorge dafür, daß du niemals Königin Helche wiedersiehst.«

Noch einmal bat König Dietrich: »Guter Gesell, es ist nicht ehrenhaft, wegzureiten, da eine Frau ihren Kopf für dich verpfändete!« Aber der andere antwortete wie zuvor.

»So steh mir«, schrie Herr Dietrich. »Wir wollen sehen, wer von uns die bessere Ehre hat!« Da sprang Dietrich, Waldemars Sohn, von seinem Roß, und sie kämpften miteinander wie einstmals in der Schlacht vor Holmgard. Der Berner wurde matt, die alten Wunden brachen auf, aber auch der Junge ermüdete rasch. Jeder stellte seinen Schild vor sich, um sich darauf zu stützen, und beide dachten an die Königin. Dann traten sie noch einmal an, und der Streit ging so aus, daß der Amelunge dem anderen das Haupt abschlug.

Sehr traurig war Dietrich von Bern. Er wandte sich zu seinem Roß zurück, verbarg das Haupt des Toten in Gras und Blumen am Sattel und ritt bis dahin, wo die Jungfer auf ihn wartete. Diesmal nahm er ihre Gastlichkeit an, ließ sich die Wunden verbinden und blieb bei ihr, die ihn pflegte. Viel Mitleid brachte die Fremde dem König entgegen, mehr, als er von Frau Helche erfahren hatte. Sie tröstete ihn und gewann ihn so lieb, daß sie sich ihm ganz ergab.

Nach einiger Zeit war der Berner so weit geheilt, daß er heimreiten konnte. Da kam der Vater des Mädchens zu ihm, versorgte ihn mit Kleidern und Waffen und sagte: »Ich weiß wohl, wer du bist, aber gerade darum soll mein Haus dich ehren. So groß ist Dietrich von Bern.«

Der König dankte ihm und seiner Tochter und dachte seines Dankes, bis er Susat erreichte und Frau Helche wiedersah.

Sie erfuhr, daß Dietrich heimgekehrt war, ging ihm fröhlich entgegen und hoffte, daß er ihr einen Gefangenen einbrächte. Er nahm das Haupt des Vetters und warf es ihr vor die Füße. Da vergaß die Königin, den Recken für seinen Ritt zu loben; sie begann zu weinen, und der Schmerz der Wunden kam von neuem über den verlassenen Mann.

Um jene Zeit hatte Attila die Hunnen aufgeboten und wollte von Ofen aus gegen König Waldemar ziehen. Er sandte zu Dietrich und bat ihn, das Heer zu führen. Der Berner antwortete ihm, daß er noch siech sei und nicht kämpfen könne. Einsam blieb er zu Susat, und Königin Helche ging an seiner Kammer vorüber.

Da versuchte der Hunnenkönig, den Feind zu täuschen. Er riet Hildebrand, der bei seinem Heer war, König Dietrichs Banner in die Hand zu nehmen, und zog mit ihm und Rüdiger ins Reußenland. Wieder kam es zu einer Schlacht. König Attila und Hildebrand führten die Fahnen mit gutem Mut. Noch größer aber war der Mut der Reußen und ihres kühnen Königs Waldemar, der nächst Dietrich von Bern und Siegfried von Xanten als der Stärkste aller Lebenden galt. Er ritt gegen Herrn Attila, und es gelang ihm, Etzel mit seinen Hunnen wie Schafe vor sich her zu treiben. Bald waren tausend der Besten des Königs erschlagen.

Den Markgraf Rüdiger aber und Hildebrand vermochte er nicht vom Feld zu drängen.

Der Jarl von Griechenland, ein Vetter der Königin Helche, der Waldemar zu Hilfe gekommen war, sah Hildebrands Banner. Er glaubte, der Berner selbst führe es, ritt ihn mutig an und stieß so hart auf Hildebrand, daß der Waffenmeister vom Pferd stürzte. Es wäre wohl um ihn geschehen gewesen, wenn nicht Herr Rüdiger noch einmal vorgeprescht wäre, um dem Alten aufs Roß zu helfen. Schließlich aber mußten sie weichen, die Übermacht war zu groß. In jenem Kampf fielen hundert Amelungen.

In tiefem Gram zogen Rüdiger und Hildebrand vom Schlachtfeld nach Susat. Viele Tage ritten sie, und es dauerte lange, ehe sie sich zu König Dietrich wagten. Dann trat der Waffenmeister bei ihm ein, der seiner Wunden nicht genesen konnte, und berichtete über den Kampf. »Ich bin froh, daß du noch lebst, König«, sagte er, »und wäre noch froher, wenn du gesund würdest, um Attilas Schande wiedergutzumachen.«

König Dietrich fragte, was ihnen auf ihrer Fahrt begegnet sei. »Du hast zu viel von deinem Freund Attila geprahlt«, grollte der Alte. »Feig ist er, mitten aus heißestem Streit ist er geflohen und ließ das Banner fallen. Dreimal durchritt ich die Reußen. Was half's? Der Jarl von Griechenland stieß mich zur Erde – er wollte dich treffen! Wann wirst du's ihnen vergelten?«

»Es ist nicht mein Amt, Attilas Ruhm neu zu festigen, wenn er seine Schlachten verliert.«

»Das dünkt mich auch«, sagte Hildebrand, »dennoch ist es schmählich, daß wir von den wilden Reußen geschlagen wurden.«

»Es ist noch schmählicher, wie man mich in der Einsamkeit ließ«, drohte der König.

Einige Zeit später kehrte auch Attila nach Susat zurück und wollte vom Freund erfahren, wozu er ihm rate. Aber der Berner schwieg.

Danach kam Frau Helche zum Lager Dietrichs. Sie fragte ihn, ob wirklich Herr Hildebrand aus dem Sattel geworfen worden sei, und lachte. Auch wollte sie hören, ob Herr Waldemar nun der stärkste aller Recken sei, die man kenne.

»Vielleicht«, sagte Dietrich, »ich will es mit ihm versuchen, wenn ich gesund bin.«

»Ich weiß nicht«, antwortete die Königin, »ob du mehr als er vermagst, auch wenn du es mit ihm wie mit Odaker hältst.« Dann verließ sie ihn.

Nach einigen Tagen kam Attila mit seinem Weib Helche und bat Dietrich noch einmal um Hilfe. Aber der Berner gab keinen Bescheid. Da sah Attila Frau Helche an, daß sie Dietrich riete.

»Jetzt geht es um mein ganzes Reich«, stöhnte er, »kein anderer als du kann die Reußen daran hindern, über uns alle herzufallen.«

»Wenn es so steht«, sagte Frau Helche, »muß ich ihn bitten und werde ihm Dank schulden.«

König Dietrich erhob sich. Attila wurde sehr froh und fragte den Freund, was er beföhle. »Ich will, daß du ein Heer aus deinem ganzen Reich zusammenziehst«, gebot der Berner, »dann werde auch ich alle meine Mannen und mich selbst einsetzen. Und gewinnen wir nicht, will ich nicht lebend zurückkehren.« Er sagte es, wie man bei einer Sühne spricht, und sah König und Königin an.

Nun genas Dietrich rasch von seinen Wunden; man pflegte ihn gut. Attila ließ währenddessen von Susat und von Ofen aus Botschaft in seine beiden Reiche, an Hünen und Hunnen, schicken, daß jeder zu ihm stoßen solle, der zu kämpfen vermöge. In kurzer Zeit kamen über zehntausend Reiter und Mannschaften zu Fuß ohne Zahl. Es war Attila aber nicht genug. Deshalb ließ er anbieten, daß alle sich stellen sollten, die zwanzigjährig oder älter wären. Bald zählten sie allein im Hünenland dreißigtausend Berittene. Mit ihnen zog Etzel durch Polen und Rußland und verbrannte König Waldemars Städte und Burgen. Eine Feste aber, Balteskia, war so stark, daß sie sich nicht brechen ließ, sondern belagert werden mußte. Da nahm der König die Gelegenheit wahr, ordnete seine Scharen und hieß zehntausend unter sein eigenes Banner, zehntausend unter Rüdigers und zehntausend unter Dietrichs Befehl treten. Als sie drei Monate vor Balteskia gelegen hatten, war der Berner dessen überdrüssig. »Ziehe du aus«, sagte Attila, »und sieh, ob du das Feld gewinnst. Ich will die Stadt währenddes nehmen, wie ich's geschworen habe.«

Herr Dietrich brach mit seinem Heerbann auf und suchte König Waldemar. Er ritt hinter dem Heerschild tief ins Land, zerstörte die Burgen und kam vor die Stadt Smolenskia. Dort stieß er allein auf König Waldemar, der sein Heer versammelt hatte. Ehe sie in die Schlacht gingen, rief Dietrich seine Ritter zu sich und sagte, daß an diesem Tage Herr Waldemar geschlagen werden müsse, andernfalls würden sie alle sterben und er selbst mit ihnen.

Bald ritt der Berner mitten ins Reußenheer, und jeder der Seinen brachte viele Feinde zu Fall. Gegen Abend traf Dietrich das Banner und die Leibschar König Waldemars und erschlug den Bannenträger. Und seine Mannen waren wie Leuen in einer Wildherde.

Noch einmal stieß König Dietrich gegen Waldemar vor. Sein Zorn war grimmiger als je und sein Mut gewaltig. Als er den Herrscher aller Reußen vor sich hatte, lohte ihm Feuer im Atem, er nahm ihn an und tötete ihn mit einem einzigen Streich.

Da erhob sich ein ungeheures Geschrei und Getöse bei Amelungen und Hünen. Die Reußen warfen die Waffen fort, wurden niedergeritten oder stürzten unter den Klingen wie das Gras bei der Mahd. Einen Tag und eine Nacht drängten ihnen Hünen und Amelungen nach und erschlugen die Mannen der Feinde bis auf wenige.

Zu derselben Zeit bekam auch König Attila die Stadt Balteskia in seine Gewalt und machte sie dem Erdboden gleich. Danach folgte er dem Weg König Dietrichs, sie vereinigten sich bei Smolenskia und erzählten einander, was seit ihrer Trennung geschehen war. Dann nahmen sie die Huldigungen der Herzöge König Waldemars entgegen und schlossen mit ihnen Frieden. Denn wenn man den Feind niedergerungen hat, zeugt es von Würde und mannhaftem Wesen, sich mit dem, der die Waffen trug und sie ehrlich verlor, zu versöhnen.

Damals fragte Attila Herrn Dietrich, ob er für ihn über die Reußen herrschen wolle. Er war fröhlich und erzählte: »Frau Helche riet mir, dich zum König der Länder zu machen, zu denen du mir verhalfest. Es ist unser beider Wunsch, dich als mächtigen Freund nahe zu wissen.«

Dietrich aber schüttelte den Kopf. »Ich habe geschworen, dir zu dienen«, sagte er. »Und ich diene dir so lange, bis ich mein eigenes Reich wiedergewinne.«

Der Berner war jetzt schon viele Jahre an König Etzels Hof. Sein Bruder Dieter, der ein Knabe gewesen war, als er von Bern aufbrach, war zum Mann erwachsen und war an Stärke, Schönheit und ritterlichen Künsten allen seines Alters über. Auch Attila hatte zwei Söhne, Erp und Ortwin. Sie standen fast in gleichen Jahren wie Dieter, und die drei Jünglinge hatten einander so gern, daß sie immer beisammen waren. Frau Helche tat an dem jungen Dieter wie an ihrem eigenen Kind und erzog ihn mit ihren Söhnen, ohne daß ein Unterschied zu spüren war. Aller Leute Lob galt den drei Junkern bei Hofe.

Als sie nun den Sieg über das Reußenland feierten und die Jungen zum erstenmal dem Gastmahl der Männer beiwohnten, auch viele schöne Frauen den Reden und Liedern und Spielen zuhörten, die König Attilas Gäste erfreuten, da versuchte der Hunnenkönig, Herrn Dietrich näher an seinen Hof zu binden. »Ich vermag dir nicht zu danken für deine Taten«, sagte er, »aber die Königin will, daß dir ein besonderer Dank werde. Ich habe deshalb beschlossen, dir ihre Nichte Herrat zum Weibe zu geben, wenn sie dir gefällt.« Er sprach so, daß Helche es hörte, und es war zu merken, daß auch sie Dietrich bat und daß die beiden alles wohl erwogen hatten; Herrat war Frau Helche ähnlich, und viele hatten sie schon deswegen gern.

»Der Königin Rat ist gut«, sagte Dietrich und sah sie an.

Bald danach wurde die Hochzeit mit viel Freude und Pracht gefeiert. Und der König und Frau Herrat hatten einander lieb. Aber ihr Glück erfüllte sich nicht, Herrat hatte keine Kinder.

Danach diente König Dietrich Herrn Attila wieder eine lange Weile. Eines Tages kam das Heimweh über ihn, und er suchte die Königin auf. Sie saß mit ihren Mädchen in der Frauenhalle von Susat, nähte Schmuck und säumte einen purpurnen Mantel. Als Frau Helche Herrn Dietrich eintreten sah, stand sie auf, empfing ihn huldvoll und ließ ihm einen Goldkelch mit Wein füllen. Sie selbst reichte ihn dem Gast und begrüßte ihn: »Willkommen, guter Freund, setz dich, trink und nimm alles, was ich dir geben kann.«

Dietrich war sehr bewegt. »Herrin«, antwortete er, »mich verläßt die Unrast nicht. Nun dir und deinem Gemahl alles gelungen ist, will ich, daß ihr mir ein neues Werk auferlegt.«

»Ich danke dir, daß du mich fragst«, sagte Helche.

»Ich komme aus meiner Herberge und dachte viel an das, was gewesen ist und was werden soll. Bald sind es zwanzig Jahre, daß ich meine Heimat entbehrte. Ob es dem Schicksal nicht genug ist?«

Die Königin sann nach. »Willst du's gegen König Ermanrich versuchen, so ist es nur billig, daß mein Gemahl dir hilft.« Wieder dachte sie nach: »Halfst du ein Leben lang dem König und mir, so sollen meine Söhne lernen, deinem Erbe zu dienen. Wenn du deinen Bruder Dieter mit dir ins Feld nimmst, werde ich dir Erp und Ortwin mitgeben. So gern haben wir dich, Dietrich von Bern.«

Dann stand Frau Helche auf, ließ sich ihren Mantel bringen und führte den Amelungen in den Saal, in dem Attila mit seinen Söhnen weilte. Etzel erhob sich, als er die Gäste sah, er empfing sie freundlich und fragte, welches Anliegen sie hätten. »Ich habe mit Herrn Dietrich gesprochen«, antwortete die Königin und erzählte ihm alles. »Ich weiß, warum das Schicksal ihn aus seinem Reich vertrieb, und glaube, daß die Zeit vorüber ist, die ihm gesetzt war. Zwanzig Jahre hat er Not ausgestanden und für uns gesorgt, das mußt du ihm lohnen. Hilf ihm, sein Land zurückzugewinnen!«

»Du bist eine kluge Frau«, sagte Attila, »und weißt zumeist gut um den Willen des Schicksals. Ich hoffe, daß du dich nicht irrst, denn wir alle haben Herrn Dietrich lieb. Ich werde nach deinem Rat dem Freund helfen und ihm so viel Mannen geben, wie er will. Aber mich dünkt es nicht gut, daß er die jungen Adler bei sich hat.«

»Sorg dich nicht«, erwiderte Dietrich. »Ehe es zum Kampf kommt, lasse ich sie in einer sicheren Feste zurück.«

»Wenn du mir schwörst, daß du mit Reich und Leben für sie einstehst«, entschied Attila, »so werde ich dem Willen der Königin folgen.«

»Ich schwöre dir, daß ich dir mein Haupt bringen werde, wenn ihnen etwas geschieht.«

Nun rüsteten sich die Heermannen den ganzen Winter über. Da war kein Schmied, der nicht an Schwertern und Spießen, an Helmen und Brünnen zu hämmern hatte.

Zu Frühlingsanfang sammelten sich die Scharen, die mit König Dietrich ausziehen sollten.

Als man schon zum Aufbruch bereit war, kam die Königin zu den drei Freunden, zu ihren Söhnen und zu Dieter, dem Jungen. Sie ließ ihnen Schilde bringen, gab ihnen ein Banner mit Stange, schmückte sie selbst mit Schwert und Brünne, wollte lächeln und begann zu weinen. »Jetzt habe ich euch zum Kampf gerüstet«, sagte sie, »damit ihr adelige Männer werdet, wie der Berner es war.«

»Wir wollen einander helfen«, gelobte Dieter, »gebe Gott, daß wir gesund heimkehren! Du sollst nicht hören, daß ich lebe, wenn deine Söhne stürben, Königin.«

Über den Städten des Hünenlandes erhob sich nun Lärm und Waffengerassel, Rossegewieher und Rufen. Die Fähnlein flatterten im Winde, und Reiter ritten gen Süden. Zehntausend Mann zogen die Straßen über die Alpenberge ins Langobardenland.

Zwei Boten schickte der Amelunge nach Romaburg und befahl ihnen, König Ermanrich zu melden, daß Dietrich und sein Bruder heimkehrten. »Treulos bist du gewesen«, sollten sie ihm ansagen. »Willst du dein Reich wahren, so ziehe uns entgegen. Herr Dietrich will nicht schleichen, er fordert dich bei der Stadt Raben zur Schlacht.«

König Ermanrich ließ den Gesandten Rosse und neue Kleider geben und schickte Botschaft über das ganze Reich. Mit siebzehntausend Reitern brach er von Romaburg auf. Sibich, Wittich und Reinold von Mailand führten das Heer, mit ihnen ritt Siegfried vom Niederland, der gerade bei Ermanrich zu Gast gewesen und von ihm geworben war.

»Gib mir Urlaub«, bat Wittich seinen König, »ich möchte nicht mit Dietrich kämpfen.«

»Ich will es so«, antwortete Ermanrich.

Als die Heere sich nun bei der Stadt Raben einander näherten, verließ Meister Hildebrand Dietrichs Lager, kam an einen Strom und durchquerte eine Furt. Da traf er in stockfinsterer Nacht auf einen Fremden, der erkannte ihn an der Stimme. »Ich will dir ansagen, Hildebrand«, rief der Unbekannte ihm zu, »daß ich zu König Dietrich reite, um ihm zu verkünden, daß ich ihm Glück wünsche, obwohl ich nach meinem Eid zu den Meinen halten muß.« Es war Reinold von Mailand, der mit Hildebrand sprach. Sie erklärten einander, wie die Heere hüben und drüben lagerten und wie sie den Kampf begännen.

Herr Dietrich hatte Attilas Söhne, Erp, Ortwin, und seinen jungen Bruder Dieter getäuscht – er wollte ja nicht, daß sie an der großen Schlacht teilnähmen – und hatte sie unter dem Rekken Ilsung in der Stadt Raben gelassen. Die Jünglinge ritten aber vors Tor; sie hatten versprochen, nur ihre Pferde zu üben, verirrten sich indes im fallenden Abend, fanden die Wege nicht mehr und mußten über Nacht vor den Toren bleiben.

Als sie nun am Morgen nach Leuten suchten, die sie zurechtweisen konnten, begegneten sie Wittich, der im Frühnebel das Vorfeld der Schlacht ausgespäht hatte. Er war dabei auf Alphart, Dietrichs Gesellen, gestoßen, hatte ihn erschlagen und war traurig über den Tod des Jungen.

»Was für ein finsterer Bursch«, lachte Ortwin. »Es ist, als wollte er sich mit uns versuchen.« Erp mahnte, heimzukehren, er dachte an das Wort, das sie Ilsung gegeben hatten.

»Welches Wappen trägt er?« fragte Ortwin. Da erkannte der junge Dieter den Mann, der für König Ermanrich das Heer führte, er vermochte seinen Zorn nicht mehr einzuhalten.

»Wittich ist's«, schrie er und ritt dem Feind entgegen. »Bleibt zurück und laßt mich für meinen Bruder einen Hieb tun.« Erp aber war rascher als er, er preschte vor und schlug Wittich eine Wunde. Der ergrimmte, er riß den Mimung aus der Scheide und spaltete Attilas Sohn mit einem einzigen Streich das Haupt. Erps Gesellen schrien laut auf und fielen den Feind an. Er deckte sich mit dem Schild und mahnte die Verwegenen: »Laßt ab, Knaben, zieht eurer Straße, mir tut eure Jugend leid.« Sie bedrängten ihn indes so hart, daß Wittich sich wehren mußte, wollte er nicht sein eigenes Leben verlieren. Ortwin fiel als nächster. Noch einmal befahl Wittich dem jungen Dieter, er solle heimkehren. Der nahm ihn jedoch mit wildem Mute an und zerhieb ihm die Brünne. Da hob Wittich den Mimung zum drittenmal und traf Dietrichs jungen Bruder durch Achsel und Brust. Dann stieg er aus dem Sattel, kniete neben den Toten nieder und beklagte sie unter Tränen.

Inzwischen waren die Heermänner hüben und drüben wach geworden. Kriegshörner riefen die Versprengten, und die Plänkler warfen die ersten Speere. Herr Wittich stand auf; er wie auch Reinold und Siegfried vom Niederland trugen ihre Banner selbst. Sie waren von rabenschwarzer Seide, goldfarben oder grasgrün. Rote Schellen umsäumten sie. In der Mitte des Heeres ritt der Kanzler Sibich mit dem Kernvolk von sechstausend Reitern.

Ihm gegenüber wehte König Dietrichs Fahne im Winde. Wildeber folgte seinem Herrn; Markgraf Rüdiger von Bechelaren und Meister Hildebrand führten die Flanken.

Noch einmal feuerte Dietrich seine Mannen an; er erinnerte sie an die Kämpfe gegen Reußen und Wilten. »In dieser Schlacht geht's um die eigene Erde«, rief er. Dann sprengte er mitten in Sibichs Schar hinein, und wohin er kam, wich man vor ihm. Der Herzog Wildeber gewann des Kanzlers Banner, da zog Sibich sein Volk zurück.

Herr Rüdiger lief währenddes Reinolds Mannen an, bis die sieglos und flüchtig wurden. Nun wandte sich Dietrich den Männern zu, die zwischen Sibich und Wittich kämpften. Frute von Dänemark und Siegfried vom Niederland führten sie. Herr Frute wurde bald gegen Wittich gedrängt, Hildebrand wagte es gegen beide.

Der Niederländer war stärker, er suchte den König von Bern. Als Rüdiger ihn anhalten wollte, stieß er den Markgrafen wie einen jungen Knappen aus dem Sattel.

Danach begegneten sich die beiden Kämpen, deren Ruhm nunmehr in der Welt der höchste unter allen Degen war.

Und Dietrich von Bern und Siegfried von Xanten rangen lange miteinander. Sie warfen die Speere und fingen sie auf, als wenn es Pfeile von Knaben wären. Sie liefen einander an, aber die Schäfte splitterten, allzu gewaltig war ihre Kraft. Da zogen sie die Schwerter, und ihre Brünnen klangen heller als aller Lärm der Schlacht. Keinem wollte es indes gelingen, eine Schwäche des anderen zu erspähen. Rundum hielten die Männer mit dem Streit inne, niemand wagte die Klinge zu heben, solange die beiden Gewaltigsten der Erde miteinander stritten. Endlich glückte es dem vom Niederland, Herrn Dietrich einen furchtbaren Schlag gegen den Helm zu versetzen. Der Hieb war so hart, daß das Eisen sich verbiß; Siegfried konnte das Schwert nicht so rasch zurückziehen. Da traf ihn ein Streich des Berners, der jedem anderen Mann tödlich geworden wäre. Die Rüstung des Niederländers, die Zwergenarbeit, war jedoch stärker als die Kraft Nagelrings.

Inzwischen hatten die Hauptleute ihre Scharen von neuem vorangeführt, die Helden wurden getrennt. Es war indes, als würde die Schlacht nur zwischen ihnen geschlagen. Sie suchten und suchten einander, und wieder stand der Kampf, als sie miteinander stritten. Hin und her sprang das Eisen und sprühte, als wenn Blitze die Brünnen entzündet hätten. Endlich traf der Held von Bern den Niederländer so hart gegen die Brust, daß er niedersank und das Schwert ihm entfiel. Ehe er es aufraffen konnte, warf sich Herr Dietrich über ihn und zwang den Unüberwundenen zu Boden. Und es ging ein Schrecken durch König Ermanrichs Heer. Viele Helden verzagten trotz aller Übermacht.

Jetzt war von den Stärksten nur noch Wittich unbesiegt. Schon näherten sich die beiden Gegner einander, da ritt ein Mann auf König Dietrich zu und schrie, um ihm Grimm einzugeben: »Herr, jener, dem du gegenüberstehst, der dein Blutsfreund war, erschlug dir deinen Bruder und tötete Attilas Söhne!«

Als Herr Dietrich das hörte, vergaß er, daß es um sein Reich ging. »Was habe ich dir, Gott, getan«, dachte er. »Keine Waffe traf mich, keine Wunde habe ich empfangen, und nun liegen die zu Tode, um deren Erbe wir kämpfen.« Er fühlte, daß zum andernmal das Schicksal ihn verstoßen hatte.

Die Rache brannte in ihm auf; er spornte sein Roß Falke und ritt scharf und schnell gegen Wielands Sohn, daß keiner folgen konnte. Haß und Grimm verzehrten ihn so sehr, daß ein brennendes Feuer aus seinem Munde fuhr.

Wittich sah den Berner, der ihn suchte. Sein Mut verließ ihn vor dem furchtbar Strafenden, er floh dem Fluß zu, der hinter den Heeren strömte.

Der König setzte ihm quer durch alle Scharen nach. »Wielands Sohn«, schrie er, »der du drei Knaben erschlugst, wag es mit mir!« Wittich tat, als hörte er nicht, er eilte nur um so schneller. Da rief Dietrich zum andernmal: »Schmählich ist es, vor einem Mann zu fliehen, der seinen Bruder rächen will. Steh mir, Reiter!«

Wittich dachte: »Wie kann ich ihm sagen, daß ich nur in der Notwehr seinen Bruder erschlug? Ach, wenn man es mit Gold und Silber büßen könnte!« Zugleich ritt er so rasch, wie sein Roß nur ausgreifen konnte, immer noch setzte Dietrich ihm nach. »Hilf mir doch, Falke«, schrie der Berner und spornte sein Tier, daß es blutete.

Wittich horchte auf den Hufschlag des Verfolgers. Über Klippen und Felsen ging die Jagd dahin. Näher kam der Berner dem Flüchtenden, näher kam auch die Landzunge, unter der sich der Strom ins Meer ergoß. Auf der letzten Klippe bäumte sich das Roß Schimming hoch auf, zu Füßen brausten die Wogen. Wittich sah den Tod vor sich, er wollte zum Kampf wenden. Die Furcht vor Dietrich übermannte ihn jedoch so sehr, er stieß seinem Tier das Eisen in die Weichen und sprang mit einem ungeheuren Satz in die Tiefe.

Im gleichen Augenblick teilte sich die Flut. Ein Wasserweib tauchte auf, Wittichs Ahnfrau war es, die einst Wade geboren hatte. Sie nahm den Urenkel in die Arme und trug ihn zum Meeresgrund. Kein Sterblicher hat ihn und das Schwert Mimung wiedergesehen.

König Dietrich hielt sein Roß so hart an, daß die Hufe sich in den Fels gruben, er sandte dem Versinkenden seinen Speer nach, er ritt zum Strand hinab und wagte sich ins Meer bis zum Sattel.

Dann mußte er umkehren. Er wußte indes nicht mehr, was er

beginnen sollte. Nichts war ihm der Sieg; sein Leben gehörte Attila, dem er für die Söhne sein Haupt zum Pfand gesetzt hatte.

König Dietrich kehrte auf die Walstatt zurück; er sah, daß König Ermanrichs Heer sich für die Nacht über den Fluß in sein Lager zurückgezogen hatte. Über das leere Feld ritt er vorbei an erschlagenen Mannen und Gesippen.

Seine Recken begrüßten ihn vor ihren Zelten, die besten kamen zusammen und besprachen, wie das Heer lagern sollte und wie sie am anderen Tag die Feinde von neuem angreifen könnten. Denn viele meinten, daß Sibich seine Sache noch nicht verloren gäbe, sondern den Kampf erneuern würde. Sie klagten um die Gefallenen und waren doch froh über den ersten Tag und darüber, daß sie das Feld behalten hatten.

Dietrich trat unter sie: »Kennt ihr so wenig eines Mannes Wort? Vergeßt ihr, daß ich König Attila und Frau Helche mit Reich und Leben für ihre Söhne bürgte? Darf ich noch ein Königreich fordern, da ich mein Haupt verlor?«

Einige Männer wurden zornig und wollten seinen Sinn wenden. König Dietrich aber sagte: »Es ist Gott, der uns prüft und uns das Schicksal sendet, und es ist Gott, der antwortet, ob eine Sühne genügt. Was gäbe ich darum, läge ich selbst zu Tode statt der drei Knaben, die Wittich erschlug? Nun ist es mein letztes Werk, daß ich euch heimführe und mich dem stelle, dessen höchstes Gut ich zum Opfer brachte.« – Danach hieß er die Freunde für die Toten sorgen und die Verwundeten pflegen und befahl, dem Heer mitzuteilen, wie es stünde. Manche brachen in Weinen aus. »Hast du nicht den halben Sieg schon errungen?« fragten sie. »Wir werden Königin Helche bitten, daß sie sich tröstet, wir werden König Attila bitten, daß er dir gut Freund bleibt. Halte das Reich, das du heute gewannst.«

Der kluge Hildebrand trat vor und sprach für den König. »Wir haben das Reich noch nicht gewonnen«, sagte er, »es wird noch viele blutige Tage kosten. Was nützt es aber, wenn Dietrich selbst nicht mehr kämpft? Versucht nicht, meinen Herrn davon abzubringen, sein Wort einzulösen. Kein Recke ist größer als er, der auch im Sieg den Schwur hält, den er in der Sorge leistete.«

Die Hauptleute besprachen sich untereinander, und einige fanden den Berner undankbar gegen die Toten, noch andere glaubten, daß er die Hoffnung verloren hätte, denn der Weg bis Romaburg war weit, und der Gefallenen waren viele. Die meisten ehrten das Wort, das König Dietrich seinem Lehnsherrn Etzel gegeben hatte und Königin Helche, der Mutter der jungen Helden.

Noch einmal kamen welche zu ihm: »Wir werden nicht zurückgehen, ehe du dein Reich nicht wiedergewonnen hast, wir werden bei dir bleiben und Attila Nachricht senden, daß wir dich gezwungen haben.« Der Amelunge antwortete ihnen: »Wir müssen heimkehren!«

Als die Männer sich nach langen Ritten wieder der Stadt Susat näherten, wollte der Berner Attila und Helche nicht aufsuchen, sondern schickte jemand zum König und ließ fragen, welchen Tod er ihm befehle. Frau Helche fing den Boten ab, sie erforschte, was geschehen war, begann zu weinen und ließ sich alles berichten. Eine Nacht verbarg sie die Kunde, grämte sich um ihre Söhne und wies ihre Frauen von sich. In der Frühe ging sie zum König. Inzwischen hatte sich auch Markgraf Rüdiger aufgemacht, trat in die Halle und begrüßte Attila. Der hieß ihn willkommen.

»Was für Nachrichten bringst du?« fragte Etzel. »Lebt Dietrich von Bern, haben seine Amelungen gesiegt?«

Rüdiger antwortete: »König Dietrich lebt, und dein Heer hat gesiegt. Dennoch kehren wir ruhmlos heim, denn die Königssöhne sind gefallen.« Frau Helche weinte laut, und alle, die in der Halle waren, wußten sich vor Traurigkeit nicht zu lassen. Attila schwieg, dann fragte er: »Haben meine Söhne das rechte Geleit?«

»Viele wackere Gesellen«, rief Rüdiger, »Herr Dietrichs Bruder, der junge Dieter, fiel mit ihnen, dazu tausend Fürsten und Recken.«

»So laßt uns mannhaft bleiben bei dieser Nachricht«, sagte König Attila. »Männer, denen das Schicksal den Tod bestimmt, müssen sterben. Alle guten Waffen gewähren keinen Schutz, wenn das Los es will.«

Danach fuhr er fort: »Wo ist mein Freund Dietrich?«

Der Markgraf antwortete: »Er wird nicht kommen, Herr.«

Der König sandte zwei Reiter aus, den Berner zu holen. Dietrich ließ bestellen, er sei zu traurig, um unter Menschen zu treten. Da erhob sich die Königin Helche, ging, von zwei Frauen geleitet, zu dem Haus, in dem Dietrich weilte, und setzte sich zu ihm. »Guter Freund Dietrich«, fragte sie, »wie wehrten sich meine Söhne? Sind sie tapfer gefallen?«

»Wahrlich, Herrin«, sagte Dietrich, »sie fielen, weil sie einander helfen wollten, und mein junger Bruder mit ihnen.«

»Ich glaube, daß sie die besten und ritterlichsten Helden geworden wären«, seufzte die Königin, »wenn das Schicksal es nicht anders entschieden hätte.« Dann legte sie ihren Arm um seinen Hals und küßte Dietrich. »Unser Leid ist gleich. Heute muß ich den stärksten aller Mannen trösten. Folg mir in die Burg zu König Attila, Held von Bern, und sei uns willkommen. Ist das Sterben den Besten bestimmt, so müssen die Überlebenden einander helfen. Stolz wollen wir sein, wenn wir uns der Toten erinnern!« König Dietrich erhob sich, ging mit ihr, und sie führte ihn in die Halle. Als er vor Attila trat, stand der auf und zog Dietrich neben sich auf den Hochsitz wie vorher.

Die Königin litt aber insgeheim mehr unter dem Tod ihrer Söhne, als sie erkennen ließ. Zwei Winter nach der Schlacht bei Raben wurde sie krank, verfiel zusehends und fühlte, daß ihr Ende nicht mehr fern war.

Sie schickte zu Attila; als er kam, versuchte sie zu lächeln.

»Mächtiger König Etzel, nun müssen wir scheiden. Wähle dir eine gute und edle Frau, die deiner würdig ist. Ach, wenn du falsch wähltest, würden es viele entgelten müssen.«

Dann sandte sie zu Dietrich, daß er zu ihr komme. Der ritt, so rasch er vermochte, trat in die Burg und in die Frauengemächer.

Frau Helche grüßte ihn: »Dietrich, du bist mir der Getreueste von allen gewesen, nun will der Tod unsere Freundschaft trennen. Damit du mich nicht vergissest, schenke ich dir den Purpurmantel, den ich dir heimlich nähte; du sollst ihn tragen, wenn du zu Bern König bist. Auch meinen goldenen Becher sollst du haben und daraus trinken auf mein Angedenken. Fortan wird Frau Herrat, meine liebste Freundin, dir wohltun durch ihren Rat und für dich sorgen.« Sie winkte ihn näher, denn ihre Stimme wurde müde: »Jetzt stirbt die letzte, die um Odakers Ende weiß; nimm meinen Tod nicht schwer, denn du hast Großes vor dir. Das Schicksal wollte wohl warten, bis ich gestorben wäre; nichts half es, daß ich ihm meine Söhne gab.« Dietrich mahnte die Königin, Mut zu fassen. »Was soll mit uns allen werden, wenn du stirbst? Gott weiß, daß ich meinen besten Freund verlöre.« Danach überwältigte es ihn, er vermochte kein Wort mehr zu sagen. Die Königin aber wandte das Antlitz zur Wand und verschied.

Als der Tod Helches bekannt wurde, beklagte sie das ganze Reich, Männer, Mädchen und Kinder, weit und breit und überall. Und viele meinten, daß selten eine edlere Frau Königin gewesen sei als sie, die allen Menschen Gutes getan. Etzel ließ sein Weib in hohen Ehren bestatten. An ihrem Grab zu Susat standen der König, Dietrich und viele Auserlesene, und alle beweinten ihren Tod aufs bitterste.

Kurze Zeit danach gab Attila Susat und das Hünenland seinem Bruder und blieb nur noch in Ofen. Einige Jahre später heiratete er Kriemhild, die Witwe Siegfrieds vom Niederland, den Hagen ermordet hatte. Sieben Jahre lang führten sie eine gute

Ehe, dann lud Kriemhild ihre Brüder zu König Attila und ließ sie erschlagen, weil sie den Mörder Hagen schützen wollten. Auch Kriemhild verlor das Leben in jenem Kampf, dazu viele Hofleute König Attilas, unter ihnen Rüdiger von Bechelaren.

Dietrich hatte damals starke Mannen um sich gesammelt, alte und neue Freunde, um zum letztenmal gegen König Ermanrich aufzubrechen; sie alle wurden ihm von den Burgunden erschlagen. Nur Hildebrand überlebte den Kampf, er war es, der mit dem Berner zusammen den wilden Hagen und König Gunther band. Unüberwindlich blieben noch immer Dietrich und sein Waffenmeister.

Der Tod der Freunde, die unter den Schwertern der Burgunden gefallen waren, ließ die Männer sehr einsam werden, sie hatten jetzt überviel Leid an König Etzels Hof erlitten. Auch hielt niemand mehr sie zusammen, wie die Königin Helche es vermocht hatte.

Endlich sagte Dietrich: »Dreißig Jahre haben wir nun die Stadt Bern entbehrt, alle Getreuen sind vor uns dahingefahren. Was sollen wir noch im Hunnenland? Sollen wir hier sterben? Lieber wollen wir zum letztenmal in unser Reich ziehen und fallen.«

Hildebrand antwortete: »Auch ich meine, daß Attilas Hof leer geworden ist von allem, was uns einst fröhlich machte, und daß wir in Niedrigkeit altern würden. Laß uns, wenn es sein muß, im Kampf sterben. Ich rate, daß wir zu zweit gegen König Ermanrich ausreiten und uns schwören, daß wir nicht noch einmal in Unehren heimkehren werden.« Danach überlegten die beiden, wie sie es König Attila mitteilen sollten. Dietrich sagte: »Mein Plan steht fest. Herr Attila wird uns aber so sehr abraten, daß wir uns lieber reisefertig machen wollen. Berede du mit Herrat, meinem Weib, was wir vorhaben.«

Als Hildebrand nun Frau Herrat beiseite nahm und ihr verriet, welchen gefährlichen Weg er mit Dietrich plante, und auch versicherte, daß sie ihr Bescheid geben würden, wann sie nachkommen sollte, da erwiderte sie: »Wenn König Dietrich die Stadt Ofen verläßt, werde ich ihm folgen, einerlei, wohin er zieht. Und von dir will ich es nicht erfahren, Hildebrand, sondern allein aus seinem eigenen Munde.«

Der Waffenmeister erstaunte über ihre Worte und berichtete dem König davon. Dietrich ging darauf selbst zu seinem Weib und sagte: »Ich höre, du willst mit mir ausziehen ins Amelungenland. Weißt du, daß ich mein Reich gewinnen oder sterben werde?« Herrat antwortete ihm: »Ich folge dir in dein Land, einerlei, wie es wird. Aber ich will den Tag segnen, wo du deine Städte wieder einnimmst.«

»Dann rüste dich schnell«, befahl Dietrich, »wir reiten zur Nacht.«

Als sie nun alle Rosse gesattelt und ein viertes Packpferd beladen hatten, hoben sie Herrat auf ihr Tier. Hildebrand bat: »Geh nicht so fort von Attila.«

»Wenn du mit Frau Herrat voranreitest, so daß er sich dreinfügen muß, werde ich ihn zum Abschied grüßen«, entgegnete Dietrich. Dann trat er in des Königs Schlafgemach und weckte ihn. Attila war sehr erstaunt, daß der Berner in Waffen kam. »Was willst du von mir?« fragte er.

»Ich kann nicht länger bleiben«, sagte Dietrich, »ich reite in mein Land heim.« Herr Attila lachte überlaut: »Wo sind deine Kriegsmannen, womit wirst du deine Schlachten schlagen? Weile noch einige Zeit, ich will dir ein Hunnenheer rüsten.« Dietrich versetzte: »Es kommt, wie ich's erwartet hatte, und ich danke dir für deine Freundschaft. Aber ich will nicht noch einmal deine Krieger opfern.« Attila sah, daß es dem Berner Ernst war mit seinem Entschluß und daß er seinen Sinn nicht mehr zu ändern vermochte. Er begann zu weinen, so schmerzte es ihn. Es tat ihm auch leid, daß er König Dietrich nicht mit größeren Ehren fortlassen konnte. Dann umarmten die beiden einander, der Berner sprang auf sein Roß Falke und eilte Hildebrand und Frau Herrat nach.

Lang und schwierig war der Weg. Meister Hildebrand ritt mit dem Packpferd voran, Dietrich und Frau Herrat folgten. Über die Alpenberge gelangten sie, vermieden die Burgen und mieden auch Bechelaren; sie vermochten nicht, die Stadt einsam zu sehen, in der einst der edelste aller Wirte sie empfangen hatte. Unbehelligt kamen sie der Grenze des Langobardenlandes nahe.

Hildebrand trug jetzt den Helm Hildegrim, weil König Dietrich Siegfrieds Rüstung gewonnen hatte. Von allen Lebenden führten diese beiden Reiter die besten Waffen, die es gab. Das sollte sich bald bewähren.

Einmal hielt sie ein Trupp von Räubern auf, die, so sagten sie, für den Herzog von Babylonien Zins erhoben. Frau Herrat wurde ihrer zuerst gewahr. Es waren zweiunddreißig, die am Weg lagen und die Reisenden umstellten. Als die Räuber sahen, daß eine schöne Frau mit zwei alten Männern ritt, forderten sie die Rüstung und das Weib für sich. »Dann mögt ihr ziehen, sonst reißen wir euch die grauen Bärte aus.«

Herr Hildebrand antwortete wacker: »Wenn ihr uns gleich durchlaßt und euch bei der Frau entschuldigt, sollt ihr euer Leben noch behalten. Sonst ist's mit euch zu Ende, ihr Narren!« Das Wort ärgerte einige der Räuber, sie hieben nach den Helmkappen der Reisenden. Die aber schüttelten sich nur, zogen die langen Schwerter, schlugen um sich und hatten in kurzer Zeit den Hauptmann und mehr als ein Dutzend der Wegelagerer getötet.

Sie fesselten auch einige der Männer, während die anderen flüchteten. Von den Gefangenen erfuhren sie, daß König Ermanrich krank war und daß die Ärzte ihn schon geschnitten hatten. Er lebte in einer Feste im Norden seines Reiches und vermochte nicht mehr, nach Romaburg heimzukehren. Jemand verriet sogar, daß Sibich auf König Ermanrichs Tod warte, um sich selbst als Kaiser der Römer die Krone aufzusetzen.

Inzwischen waren die entflohenen Räuber zu den Ihrigen gekommen und erzählten, daß zwei Fremde, ein Weißbart und ein Graubart, die aber noch in guter Schwertkraft stünden, sie und ihre Freunde jämmerlich zerhauen hätten. Das Gerücht breitete sich, manche raunten, daß niemand anders denn Dietrich und sein Waffenmeister in ihr Reich heimkehrten. Es kamen auch Männer zu den beiden Reitern, versuchten sie auszuhorchen oder die Treue dieser oder jener Stadt anzukündigen.

Einer von ihnen bat die Degen, einen anderen Weg einzuschlagen. Die Straße werde von Herrn Hadubrand bewacht, des flüchtigen Hildebrands Sohn. Jähzornig und hart sei er gegen Fremde, aber gut sorge er für seine Burgmannen und für die Städte, die er schütze.

Als sich schon eine kleine Schar von Getreuen um Herrn Dietrich und Hildebrand gesammelt hatte, erreichten die Recken die Grenze von Ermanrichs Mark und stießen auf Bewaffnete, die sie hüteten. Ein einzelner ritt ihnen entgegen.

Hildebrand bat Herrn Dietrich, zurückzubleiben. »Wer bist du«, fragte er den Jungen in guter Erwartung, »vielleicht kenne ich dich?«

Der Ritter nannte seinen Namen. »Hadubrand heiße ich, von Frau Otta geboren. Mein Vater war Hildebrand, ein Waffenmeister.«

Da lachte der Alte. »Ehe du mich zum Kampf forderst, will ich dir ankündigen, daß dein Vater heimkehrte, Hadubrand!« Er öffnete den goldenen Reif am Arm und wollte ihn dem Sohn darreichen.

Der Junge aber glaubte ihm nicht. »Es kam mancher zu mir, der sich Hildebrand nannte, und einer log wie der andere. Mein Vater Hildebrand ist längst verschollen; du bist auch nicht der Genosse eines armen Landflüchtigen. Ein reicher Hunne bist du, Weißbart, und voll Heimtücke. Auf des Speeres Spitze soll man Feindesgabe annehmen.«

Hildebrand begann zu klagen: »Dreißig Jahre war ich in der

Fremde und habe alle Stürme erlebt. Soll ich mit dem eignen Sohn streiten, um meinem Herrn die Marken zu öffnen?«

Der Junge spottete seiner: »Ich kenne diese Ausflüchte. Angst hast du, alter Graubart. Gib mir freiwillig deine Rüstung, sie ist mir verfallen!« Der Waffenmeister wollte antworten, der andere ritt ihn aber schon an, so daß er sich decken mußte. Ihre Spießschäfte zerbrachen die beiden Degen. Dann sprangen sie vom Pferd und stritten, bis sie müde wurden und sich auf ihre Schilde stützten. »Wenn du mir deinen wahren Namen sagst und dein Schwert hergibst«, drohte Hadubrand, »kannst du dein Leben behalten.«

»Habe ich dir's nicht erwiesen, daß ich dein Vater bin und deines Vaters Waffen trage?«

»Daß du meines Vaters Waffen trägst, weiß ich jetzt, Hunne, und muß glauben, daß du sein Mörder warst. Dafür sollst du mir stehen!« Hadubrand sprang Hildebrand noch einmal an, und der mußte mit ihm kämpfen, bis die Schilde splitterten und in Stücke barsten. Dann tat der Waffenmeister einen so mächtigen Streich, daß der Getroffene in die Knie sank; er hob sein Schwert, wie um es dem Sieger auszuliefern.

Hildebrand reckte die Hand aus und wollte die Klinge nehmen, da hieb der Junge rasch zu, um ihm den Arm abzuschlagen. Noch schneller riß der Alte den Schildrand hoch. »Die List hat dich ein Weib gelehrt«, schrie er zornig und streckte den Verwundeten zu Boden.

Dann trat er auf ihn zu und erkannte, daß er zu hart getroffen hatte.

Müde kniete Hildebrand neben dem Sterbenden, suchte die blutende Wunde zu stillen und klagte laut: »Nun ist des Alters Trost dahin. Den bittersten und letzten Zoll zahlte ich dir, Dietrich, als ich den Weg in dein Reich erzwang. Nicht mehr soll ich die Enkel blühen sehen; einsam werden meine letzten Jahre sein bis an den Tod.«

Eine Weile danach kam der Berner mit Hildebrand und seinen Mannen vor die Burg, in der König Ermanrich krank lag, und pochte an. Der Wächter wußte nicht, wer die Reiter waren, und sagte, daß niemand eintreten dürfe. Als er zwölf Schwerter zählte, scherzte er, die Herren sollten sich nur vorsehen. Für zwölfe sei im Burghof der Galgen gerichtet auf König Ermanrichs Befehl, man könnte sie am Ende für den Amelungen und sein Gefolge halten. Auf das Wort hin wußten die Recken, daß sie vor dem richtigen Tor standen, sie kehrten um und wappneten sich im Walde. Frau Herrat band jedem einen Kranz von Veilchen, den legte sie um die eisernen Helme. So ritten sie, als wollten sie zum Tanz, noch einmal vor die Brücke und begehrten Einlaß. »Sagt König Ermanrich«, schrien sie hinauf, »die Männer für seine zwölf Galgen seien gekommen; er möge ihnen öffnen.«

»Ihr Narren«, warnte der Wächter, »wenn ihr's wirklich seid, so flieht, so rasch ihr es vermögt; es sind viereinhalbhundert Gewappnete auf der Burg, die würden arg mit euch umspringen!«

Reinold von Mailand hörte das Gespräch. Er hatte einst König Dietrich gedient, war froh über die Heimkehr seines Herrn und hatte auch Sorge um Ermanrich, denn die Mannen haßten ihn. Eilig ging er zu dem Kranken und wollte zwischen den beiden Königen vermitteln. Als Ermanrich aber erfuhr, daß Dietrich nur mit zwölfen gekommen sei, befahl er, die Tore weit aufzutun und die Fremden einzulassen. Mit seinen Recken wollte er den Kampf bestehen und, ehe er selbst sterben mußte, den letzten der Amelungen zu Tode bringen.

Herr Reinold ließ die Brücke niederfallen, und Dietrich sprengte als erster durch das Tor, nach ihm die Freunde. Die Schwerter nahmen die Getreuen in die Hand, hieben sich eine Gasse über den Burghof und drangen bis unter den Eingang der Königshalle, bis unter Ermanrichs Augen. Sie wehrten ab, was ihnen nachzufolgen versuchte, verrammelten die Saaltür hinter sich und erschlugen alle, die Ermanrich schirmen wollten. Es gab aber auch viele, die das Schwert hinwarfen und gegen König Dietrich nicht fechten mochten.

Dann nahmen die zwölf Mannen sich bei den Händen, und es wurde einsam um Ermanrich. Langsam schritten sie über den Estrich auf ihn zu. »Ach, König, lieber Herr«, sagten sie, »was haben wir dir zuleide getan? Ach, König, lieber Herr, was sind das für Galgen, die du aufgerichtet hast?«

Ermanrich schrie nach seinem Gefolge; er sah indes nur, wie Schritt um Schritt die Männer näher kamen, und wurde still. Ein Schwert, rot wie Gold, zog er, erhob sich und wollte dem Berner stehen. Hildebrand aber dachte an alle Unsal, die von diesem Mann ausgegangen war, er dachte an die jungen Harlunger, er dachte an Dieter und an Herrn Etzels Kinder, er dachte an den eigenen Sohn, den er um dieses Greises willen erschlagen hatte. Nach der Klinge griff er blitzschnell und hieb mit einem einzigen Streich König Ermanrichs Haupt ab.

Danach gewannen die Amelungen die Burg und töteten, wer ihnen noch widerstand. Reinold von Mailand aber durfte nach Ermanrichs Tod Herrn Dietrich huldigen; er öffnete dem neuen Herrscher die Städte Italiens. Das getreue Bern fiel König Dietrich zu, bald auch Mailand und Raben. Schon zog sein Heer, wachsend und wachsend, gegen Rom. An die achttausend Kriegsmannen zählte Dietrich, die ihm seine Freunde stellten.

Die Stadt Romaburg wollte sich indes nicht so leicht ergeben. Herr Sibich hatte sich nach Ermanrichs Tod zum Kaiser ausgerufen, er bot alle Mannen auf und ritt dem Banner des Berners entgegen mit dreizehntausend. Vor der Stadt Gredenborg zwischen Raben und Rom kam es zur Schlacht. Herr Dietrich geriet noch einmal in Not, weil die Römer ihm während des Kampfes mit siebentausend Reitern in den Rücken fielen, um Sibich zu helfen; nach zwei Seiten mußte der König streiten. Es endete jedoch, wie es in hundert Feldschlachten geendet hatte,

Dietrich und Meister Hildebrand durchritten Sibichs Reihen und kehrten um, und die Feinde sanken vor ihnen dahin ohne Zahl. Auf Sibichs Fahne stieß Herr Dietrich; den ersten Hieb führte er und zerbrach die Bannerstange. So zwang er Sibich, sich gegen ihn zu wenden, und die Heere warteten mit der Schlacht, bis der Zweikampf zwischen dem neuen Kaiser von Rom und dem Berner beendet war. Sibich wehrte sich tapfer, er stritt, solange er's vermochte; dann stürzte er rückwärts vom Roß und ließ das Leben.

Danach zogen sich seine Recken zurück, und die Fürsten und Herzöge gaben sich in Dietrichs Macht.

Weiter ritt der Berner, und die Städte empfingen ihn feierlich. Als letzte öffneten die Bürger von Rom ihm ihre Tore. Dort suchte Dietrich die Halle, in der König Ermanrich gewohnt hatte, und nahm als Erbe den Hochsitz ein. Und Hildebrand trat vor ihn und setzte ihm die Kaiserkrone aufs Haupt.

Alle Reiche beugten sich nun vor ihm, einige aus Freundschaft, andere aus Furcht. Frieden ward auf der Welt, der Letzte der Amelungen wurde noch einmal so mächtig, daß niemand auf Erden sich mit ihm vergleichen konnte.

Viele Jahre herrschte König Dietrich; er hielt die besten Sänger an seinem Hof und führte große Bauten auf, in Rom wie in Bern. Danach wurde von seinen Getreuen Herr Hildebrand krank und starb. Dietrich betrauerte seinen Waffenmeister, und es werden wohl in allen Sagen wenig Männer höher gelobt wegen ihrer Treue. Frau Herrat tröstete Dietrich, aber auch sie wurde nach einiger Zeit siech und starb zum Leid des Volkes. Sie hatte, gleichwie die Königin Helche und wie Gotelinde, Markgraf Rüdigers Weib, immer alles zum besten gekehrt. Von den Frauen, die die Geschichte erwähnt, gilt sie als eine der gütigsten gegen ihre Freunde und der freigebigsten gegen ihre Helfer.

Der Tod vergaß Herrn Dietrich, aber seine Völker freuten sich dessen, denn wo er herrschte, war Frieden und Recht, und das Reich wuchs und gewann.

Als wieder manche Zeit vergangen war, starb König Attila. Einige erzählen, daß er in späteren Jahren eine Frau namens Hildechis genommen hätte und daß er in der Brautnacht trunken umgekommen sei. Andere wollen wissen, Hagen Tronje habe in der letzten Nacht, als er den Tod schon vor Augen hatte, einen Sohn gezeugt; der habe den goldgierigen Attila in die Tiefe gelockt, um ihm den Nibelungenschatz zu zeigen, und ihn dort erschlagen.

Nach König Etzels Ableben nahm Dietrich auch das Hunnenland in Besitz, die Freunde bei Hofe wollten es so. Und niemand wagte, das Schwert gegen ihn zu erheben, und keiner wagte, sich am anderen zu vergehen. Recht und Sicherheit breitete er in seinen Landen, die Menschen konnten ohne Waffen durch alle Reiche reiten.

Einmal, so wird noch erzählt, hat der König von seinen alten Recken den Ritter Heime wiedergetroffen. Der hatte Ermanrich gedient und Sibich bedroht und hatte sich dann, um Frieden zu finden, in einem Kloster verborgen. Dort lebte er und hatte die Welt vergessen. Zu der Zeit aber, als Dietrich Herrscher von Romaburg geworden war, stiegen zwei Riesen von den Alpenbergen ins Land; einer von ihnen gewann einen reichen Hof, der den Mönchen gehörte. Da wachte in Heime die alte Streitlust auf, er bot sich dem Kloster an, die Unholde zu bezwingen. Als die Mönche ihm nun Pferde brachten, genügte ihm keins. Zuletzt führten sie ihm ein sehr großes, mageres Roß zu, das hatte, so sagten sie, Steine fürs Kloster gefahren. Es war aber der Hengst Rispe, und Heime erkannte ihn. Er ließ ihm sechs Wochen lang Weizen geben, dann wappnete er sich, sprang ohne Steigbügel auf Rispes Rücken und überwand den einen der beiden Feinde.

Dietrich hörte von dem Mann, der einen Riesen erschlagen hatte, und wollte ihn kennenlernen. Heime hatte indes Furcht und verbarg sich. Der König ritt selbst vor das Kloster, er pochte ans Tor, ließ öffnen und fragte: »Ist hier vielleicht jemand namens Heime, des Studas Sohn?« Er ging an den Mönchen entlang, und es war einer unter ihnen, der hatte gewaltige Schultern und einen grauen Bart. »Bruder«, sagte Dietrich, »wir haben so manchen Schnee gesehen, seitdem wir uns trennten, nun sollen wir uns wiederfinden!«

Der Mönch aber hatte kein gutes Gewissen und verleugnete sich: »Ich kenne Heime nicht und war niemals dein Mann.« Dietrich fragte: »Weißt du noch, wie ich aus meinem Reich vertrieben wurde und wie du Sibich um meinetwillen schlugst?« Der Mönch sagte wieder: »Ich kann mich auf nichts besinnen.« Dietrich fragte zum drittenmal: »Weißt du, wie oft beim Waffenspiel zu Bern unsere Rosse wieherten und wieviel schöne Frauen unserm Reiten zuschauten? Heime, damals hatten wir Haare wie Gold so hell.« Da lachte der Alte: »Guter Herr, nun fällt mir alles ein; ach, laß mich noch einmal mit dir ziehen.«

Dietrich hoffte Freude an dem letzten seiner Recken zu haben. Heime konnte indes das Schatzen und Brennen nicht lassen, es war sein Fehler von Jugend her. »König«, erklärte er eines Tages, »du nimmst Zins von den Bauern und von den Rittern, warum nimmst du ihn nicht dort, wo Gold und Silber in Fülle ist?« Er ritt in Waffen vor das Kloster, das er verlassen hatte, und sagte dem Abt: »Es ist eine Schande, daß ihr so viel Gut zusammenscharrt, von dem kein Mensch Nutzen hat, und daß ihr dem König keine Abgaben zahlt.« Der Abt und die Mönche nannten ihn Schuft und Schelm und empfahlen ihm, zu Dietrich, dem Teufel, heimzukehren. Darüber gerieten sie in Streit; Heime erschlug, wer ihm entgegen war, verbrannte das Kloster und nahm das Gold an sich.

Danach zog er weiter, um vorerst den Bruder des Riesen herauszufordern. Es ärgerte ihn, daß es jemand gab, der seinem König die Ehre verweigerte. Er fand den Unhold schlafend, weckte ihn und hieß ihn zum Kampf aufstehen. Der Riese sprang auf, und es war schrecklich, anzusehen, wie er immer größer und größer wuchs. Nach seiner Stange griff er, schwang sie und traf Heime, daß er wie ein Stein hoch durch die Luft flog. Er war tot, lange bevor er zur Erde zurückkam, so erzählt man von ihm.

Herrn Dietrich tat es leid um seinen Recken; er dachte daran, daß sie einander einst geschworen hatten, jeder des andern Tod zu rächen. Er ritt deshalb selbst – das war seine letzte Tat – noch einmal gen Norden, forderte den Riesen heraus und fragte ihn, ob er es sei, der einen Mönch, Heime mit Namen, erschlagen habe. »Das kann sein«, sagte der andere und wappnete sich, »ich erwartete allerdings nicht, daß ein Mann allein es wagen würde, mich deswegen zur Rede zu stellen. Wo ist dein Heer?« Dann schwang er wieder die Stange mit beiden Händen. Herr Dietrich sah indes, wohin sie zielte, sprang vor, während das Eisen hinter ihm in die Erde fuhr, und traf den Unhold von unten gegen Hände und Arme, so daß er seine Kraft verlor und sterben mußte.

Der Amelunge hatte damit den letzten Zweikampf bestanden, von dem die Menschen erzählen. Und sie priesen ihn, daß er im hohen Alter seines Schwertbruders Tod rächte.

Danach herrschte der Berner noch einmal einige Jahre zum Segen seines Volkes; es gab keinen Drachen und Riesen mehr, es gab auch keinen Kämpen, mit dem zu streiten sich lohnte. Uralt wurde der König und blieb doch in der gleichen Kraft, war ein großer Jäger und führte die Waffen voll Rüstigkeit.

Von seinem Ende berichtet man, daß, als er einstmals badete, ein Hirsch zum Trinken kam, der war schöner und stattlicher als alle anderen. Der König warf den Bademantel um und schrie nach Rappen und Hunden. Da sah er, der sehr ungeduldig war, ein rabenschwarzes Roß herrenlos vorbeitraben, und obwohl die Rüden dem Spuk auswichen, schwang Dietrich sich auf den Rücken des Pferds, um dem Hirsch zu folgen. Es lief rasch und rascher und erhob sich jäh, wie ein Vogel fliegt. Des Königs bester Diener versuchte, seinem Herrn ein anderes Tier nachzuführen. »Wann wirst du wiederkommen?« rief er.

»Ich reite mit dem Teufel oder mit Gott«, antwortete Dietrich. Dann verschwand das Roß vor den Augen der Lebenden, niemand hat gehört, wo der König geblieben ist.

Die Norweger, die aufschrieben, was sie von hansischen Erzählern über Dietrich von Bern erfahren hatten, wollen wissen, daß den Deutschen in Träumen kund wurde, der König sei damals dem Ruf des ewigen Vaters gefolgt. Andere meinen, daß er mit dem wilden Heer durch die Lüfte reite, noch andere, daß er sich in einem Berg verbärge, daß aber Dietrich von Bern seine Völker wecken wird, wenn ihre Stunde kommt.

Iring und Irminfried

Über die Thüringer herrschte vor langen Zeiten Irminfried, ein
kluger und besonnener König, der in seinen Landen Recht hielt
und Lied und Weisheit pflegte. Er nahm sich die schöne Tochter des Frankenkönigs Hugo zum Weib – Amalaberga hieß sie –
und glaubte vielleicht, daß er nach dem Tode ihres Vaters einmal die beiden Reiche würde vereinen können. Die Königin
aber war hoffärtig und herrschsüchtig; sie hatte nicht viel
Freunde in ihrer Heimat und gewann im neuen Lande wenige
hinzu.

Nun besaß der Frankenkönig außer Amalaberga keine ehelichen Kinder; er hatte jedoch von einer Magd einen Sohn namens Teuderich. Teuderich war ein vorzüglicher Degen, Herr
Hugo hatte ihn gern und setzte ihn auf Bitten der Grafen zu
seinem Nachfolger ein.

Amalaberga erfuhr als erste von jenem Entschluß ihres Vaters.
Sie ging zu ihrem Gemahl, weinte vor ihm und wandte sich
auch an den starken Iring, der als des Königs Freund und bester
Helfer die Recken bei Hofe führte. Iring riet Irminfried, die
Franken mit Krieg zu überziehen und sie zu zwingen, das Erbrecht Amalabergas anzuerkennen. Aber Irminfried war nicht
dazu zu bewegen.

Als König Hugo gestorben war, wählten die fränkischen Großen wirklich nach seinem Letztwillen Teuderich zum König
über ihr ganzes Reich. Er ließ sich krönen und schickte einen
Gesandten, Dankwart, zu den Thüringern und zu seiner
Schwester, um ihnen seine Freundschaft anzubieten.

Amalaberga hörte davon. Sie rief den starken Iring zu sich und
fragte ihn, was die Männer des Reiches Thüringen tun würden,
um das Recht ihrer Königin zu verteidigen. Sie weinte dabei
und bat Iring, den König zu bestimmen, daß er sich zu ihrem

Erbe bekenne. Sie selbst sei das einzige Kind ihres Vaters, und wenn Teuderich heute die Herrschaft führe, so habe doch auch sie Freunde genug, die sich wider ihn erheben und sich für ihr Recht einsetzen würden.

Inzwischen war der Gesandte der Franken, der edle Dankwart, eingetroffen, um das Freundschaftserbieten Teuderichs zu übermitteln. Als er vor den Königsrat der Thüringer trat, war Irminfried geneigt, ihm höflich zu antworten. Herrn Iring aber, der an das Recht Amalabergas glaubte und ihre Augen voll Tränen sah, wurde weh um das Herz.

Reiche Geschenke brachte der Fremde dem König und seiner Gemahlin und war den Grafen der Thüringer willkommen, denn die Franken waren übermächtig, und die Räte Irminfrieds wünschten den Frieden. Die Königin aber, die schöne Amalaberga, fand kein Wort des Dankes.

Als nun der Franke wiederum Irminfried einen goldgeränderten Schild überreichte, stand Iring auf. »Viele Sommer und viele Winter habe ich gesehen und bin mit meinem König durch aller Völker Gaue gefahren. Nicht vermag ich zu glauben, daß er ein Reich um Ringe verkauft. Dein ist das Frankenland, Irminfried; dein Weib Amalaberga erbte es! Wirst du alt, Herr der Thüringer, läßt du dir von dem Sohn der Magd Geschenke senden?«

Der König tat, als hätte er nichts gehört, aber er verlor die Worte Irings nicht mehr aus dem Sinn; der hohe Rat ging auseinander, ohne daß über die Antwort beschlossen worden wäre.

Einige Tage danach bat Dankwart um Urlaub und fragte, was er seinem Herrn bestellen solle. Irminfried beschied ihn zu sich, und als der Gesandte noch einmal von Teuderichs Erbrecht sprach, entgegnete der Thüringer und befahl Dankwart, die Antwort zu überbringen: Ihn, Irminfried, dünke es besser, daß einer, der als Knecht geboren sei, zunächst die Freiheit und dann erst das Königstum erstrebe.

»Lieber hätte ich mein Haupt hingegeben, als solche Worte von dir zu hören«, klagte der Gesandte der Franken. »Nun wird der Rain zwischen Franken und Thüringern bald unter Blut stehen!« Er kehrte mit traurigem Sinn heim und brachte seinem König den Bescheid. Der lachte. »So muß ich eilen, mich meinem Schwager Irminfried als Knecht anzubieten, damit ich wenigstens das Leben behalte.«

Teuderich ließ die Heerhörner blasen und bot sein Volk gegen die Thüringer auf. Da war niemand, der zurückblieb; die Franken fürchteten alle die Ränke der Königstochter, die ihre Herrin werden wollte, und hatten den kühnen Teuderich lieb. An der Grenze der beiden Länder trafen die Heere aufeinander, so wie es Dankwart angesagt hatte; zwei Tage kämpften Thüringer und Franken miteinander. Teuderich hatte aber zu den Sachsen geschickt, die damals mit den Franken verbündet waren, und hatte ihnen die Hälfte des Thüringer Reichs für ihre Hilfe versprochen. So kam es, daß Irminfried am dritten Tag von beiden Völkern angegriffen und überwunden wurde, obgleich der starke Iring besser als alle Helden hüben und drüben gestritten hatte. Die Thüringer mußten die Grenze aufgeben und in die Burgen flüchten.

Iring war ergrimmt über die Niederlage, er zürnte dem König wie sich selbst, daß sie beide dem Rat Amalabergas gefolgt waren und die Kraft des Reiches aufs Spiel gesetzt hatten.

Als sie berieten, wie sie zum Frieden kämen, erbot Iring sich, Teuderich aufzusuchen; ihn dünkte, daß er durch seinen Rat am Untergang der Thüringer mitschuldig geworden war. Amalaberga hörte davon. »Nun steht der Bastard höher als die echte Tochter«, sagte sie zu ihm. »Feig scheint es mir, daß ihr von Frieden redet, ehe die letzte Schlacht geschlagen ist. Für ihr Leben fürchten die Recken Thüringens.«

»Du sollst sehen«, antwortete Iring, »daß dies alles nicht in Feigheit enden wird.«

Dann ritt er aus, und ihm war schwer zu Sinn über die Not im

Lande; die Höfe der Bauern brannten, die Festen waren gebrochen, und durch die Täler zogen die Flüchtigen, verfolgt von den Schwertern der Sieger.

Iring trat vor Teuderich, und der sah seine Trauer.

»Warum schickt man gerade dich?« fragte der Franke spottend. »Warst du es nicht, der dem König zum Kriege riet?«

»Wenn du das weißt, Teuderich, so ist dir meine Botschaft vielleicht um so wichtiger«, antwortete Iring. »Ich komme zu dir, um dir den Treuschwur meines Fürsten zu bringen.«

»Ich meine«, entgegnete der Sieger, »daß es keinen Frieden zwischen Franken und Thüringern geben wird, solange Irminfried lebt, denn er folgt dem Rat seines Weibes. Geh heim, Iring, und sag, daß der Knecht den Thüringern den Frieden weigere und daß er die letzten der Flüchtlinge vertilgen werde, solange ihr König lebt!«

Iring hörte die Antwort. Die Täler seiner Heimat waren voll roten Bluts; ihn jammerte bis ins Herz, was geschehen und was dieser Krieg über sein Volk gebracht hatte. Noch einmal bat er Teuderich um Frieden und schwur ihm, sein Haupt zum Pfand zu setzen, daß der Friede gehalten werde.

»Dir würde ich trauen, Iring, wärst du der Thüringer König. Solange Irminfried lebt, darf ich ihm nicht vergessen, was er mir bestellen ließ, müssen die Seinen mit ihm sterben. Auch ängstigt mich sein Wankelmut und die Rache, die er suchen wird. Sieh«, fuhr Teuderich milderen Sinnes fort, »wenn ich wüßte, daß Irminfried demütig wäre, würde ich die Thüringer lieben, so wie ich sie jetzt hasse.« Iring fragte, wie er das verstehen solle.

»Ich meines es so«, antwortete Teuderich, »daß du mir Irminfried an den Frankenhof bringen mußt, um Abbitte zu leisten. Ist das geschehen, so will ich euer Volk schonen und dir selbst Macht und Ehren über das Reich verleihen, in dem Amalaberga herrschen wollte.«

Iring seufzte und fragte nach einer Weile: »Beschwörst du mir, daß das Sterben ein Ende hat, wenn ich dir Irminfried bringe?«

»In Unehren sollt ihr leben, und flüchtig wird euer Volk sein, es sei denn, daß der vor mir kniet, der das Schicksal herausforderte und sich nun in Burgen verkriecht.«

Iring dachte lange nach. »Ich gelobe dir, daß Irminfried hier vor dir knien wird«, sagte er, »halte auch du dein Wort von dieser Stunde an, und schone die Meinen!«

Das versprach Teuderich ihm.

Danach kehrte der Thüringer zurück und bewog Irminfried, ins Heerlager der Franken zu kommen, um seine Unterwerfung anzubieten und um sich mit Teuderich zu versöhnen. Zu den Feinden ritten die Männer und traten vor den Sieger. Irminfried legte Iring sein Schwert in die Hand, er ließ sich vor dem Gegner auf die Knie. Da sah Iring, daß sein Schwur erfüllt war und daß Teuderich nach seinem Wort keine neue Rache an den Thüringern nehmen durfte. Weil er es aber nicht ertragen konnte, daß sein König als Überwundener vor einem Fremden kniete, durchstieß er Irminfried mit dem Schwert.

Teuderich sprang auf; noch meinte er, Iring habe die Tat verübt, um selbst sein Nachfolger zu werden. »Was hast du gewagt«, schrie er. »Tod soll über dich kommen. Deinen eignen Herrn hast du gemordet, Iring, keinen Teil habe ich daran!«

»Der König kniete vor dir«, antwortete der Thüringer, »das war es, was uns nach deinem Schwur den Frieden brachte. Ist es so?« Der Franke nickte, es war richtig, was Iring gesagt hatte.

»Glaub nicht, Teuderich, daß ich zu ertragen vermochte, wie Irminfried vor dir die Knie beugte. Recht war es von mir, einen Degen vor solcher Schande zu bewahren.«

Iring trat vor Teuderich, er sah den Toten nicht an. »Eines bleibt mir nur noch übrig, eines ist mir noch auferlegt, nämlich, meinen Herrn zu rächen.« Iring riß das Schwert hoch; noch einmal zückte er es und traf den Todfeind der Thüringer.

Vornüber stürzte der König der Franken und sank vor Iring zu Boden. Da hob der Starke rasch Irminfrieds Leiche und legte sie über den sterbenden Franken, damit sein Herrscher im Tode über den siege, von dem er im Leben überwunden war.

Dann schwang Iring das Schwert gegen die Franken, die auf ihn eindrangen, bahnte sich einen Weg durch die Heerlager und floh in die Berge. Und niemals hat ein Mensch wieder etwas von ihm erfahren.

Das ist die Sage vom starken Iring, der seinen König zur Buße zwang, um sein Volk zu retten, und der die Demütigung nicht ertragen konnte.

Herzog Ernst

In den Tagen des großen Kaisers Otto herrschte über die Herzogtümer Bayern und Österreich ein edler Fürst namens Ernst. Er war vermählt mit Adelheid, der Tochter König Lothars; sie hatte ihm einen Sohn geschenkt, der des Vaters Freude war und nach ihm genannt wurde.

Nach einiger Zeit erkrankte der alte Herzog und starb, noch ehe sein Sohn mündig war und die Herrschaft übernehmen konnte. Die Witwe erzog ihn zusammen mit ihrem Neffen, dem Grafen Wetzel von Schwaben, und die beiden wurden unzertrennliche Freunde.

Wieder nach einiger Zeit starb Herrn Ottos englische Gemahlin, und weil am Hofe eine Herrin fehlte, sandte der Kaiser seinen besten Ratgeber, den Pfalzgrafen Heinrich, zu Herzog Ernsts Witwe und ließ um sie werben. Die Fürsten von Bayern rieten Frau Adelheid, dem Antrag zu folgen. Auch ihr Sohn, der jetzt mündig wurde, freute sich über die Ehrung, die der Kaiser seiner Mutter erwies.

Während der Pfalzgraf, der die Werbung überbracht hatte, noch in Regensburg bei Hofe weilte, übten die Herren ritterliche Spiele; dabei geschah es, daß Herzog Ernst den Gast vom Pferde stach. Es war beschämend für den Pfalzgrafen, denn er wollte ein großer Reiter sein und war wirklich noch niemals einem jungen Degen erlegen. Er meinte auch, es sei nicht alles mit rechten Dingen zugegangen, und erklärte dem Herzog, welche Fehler er gemacht hätte. Der aber lachte über seine Worte.

Als der Kaiser nun von der Antwort der Fürstin erfuhr, ritt er selbst nach ihrer Stadt Regensburg, holte sie ein und reiste mit ihr durch viele festlich geschmückte Städte nach Mainz, wo die Hochzeit gefeiert wurde. Der junge Herzog begleitete die Mutter, und der Kaiser gewann den Stiefsohn lieb. Er schickte ihn bald nach Österreich und Bayern zurück, um die Grenzwacht zu halten, lobte ihn, als er ein großes Heer aufstellte, und verlieh ihm Gut und Lehen nach seinem Verdienst.

Das verdroß den Pfalzgrafen, der eifersüchtig auf Herzog Ernst wurde und vor Neid den Schlaf verlor.

Eines Tages fragte der Kaiser seinen Ratgeber, was ihm den Sinn verdüstere. Herr Heinrich tat, als scheue er sich, zu antworten; dann berichtete er von manch raschem Wort, das Herzog Ernst entfahren und das, von Mund zu Mund weitergegeben, entstellt zu Hofe gekommen war.

»Glaubt doch nicht«, sagte der Pfalzgraf, »daß Euer Sohn jenes Heer, das er sich hält, allein gegen den Landesfeind aufstellt. Euch gilt es, mein Herr und Kaiser! Mir scheint, Herzog Ernst hat nicht die Geduld, abzuwarten, daß Ihr das Leben laßt. Merkt Ihr nicht, wie er um die Gunst von Völkern und Fürsten buhlt?«

Herr Otto verwies ihm seine Rede. Das Gespräch wiederholte sich aber, und es gab auch manch ehrliche Zeugen, die dieses oder jenes heftige Wort gehört hatten. Endlich geriet der Kaiser in Sorge und befahl dem Pfalzgrafen, den Stiefsohn zu laden und ihn vor die kaiserliche Gewalt zu bringen. Herr Heinrich war froh über den Befehl, er hoffte, den jungen Herzog aus dem Sattel zu setzen, so wie jener ihn einst bei den ritterlichen Spielen überwunden hatte. Er ritt also in Bayern ein und forderte die Städte auf, ihre Tore zu öffnen.

Herzog Ernst vernahm es, er schrieb an seine Mutter und fragte, wer ihn beim Kaiser verleumdet hätte. Noch ehe die Antwort kam, erfuhr er, daß es der Pfalzgraf Heinrich war, der das Heer gegen ihn führte. Da wußte er, wem er's zu danken hatte. Sein Zorn wuchs; er stellte sich nicht dem Gericht des Stiefvaters, wie er es hätte tun sollen, sondern trat dem Pfalzgrafen entgegen, überfiel sein Heer und schlug es aufs Haupt. Gleich eilte Herr Heinrich vor des Kaisers Thron und klagte, daß Herzog Ernst, statt den Befehlen zu folgen, Gewalt gebraucht und daß viele von des Reichs Getreuen unter seinem Schwert ihr Leben verloren hätten. Da schwur Herr Otto, daß sein Stiefsohn wegen seines Ungehorsams den Tod verdiene und daß allen, die ihm anhingen, ihr Gut genommen würde. Vergebens schickte der junge Herzog seinen Vetter, den Grafen Wetzel, zum Kaiser, um seine Unschuld zu beteuern, vergeblich waren die Fürbitten der Mutter.

Als Herzog Ernst von Wetzel die Antwort des Stiefvaters vernahm, entließ er sein Heer und machte sich mit dem getreuen Vetter und mit einem Knappen auf den Weg, um den Pfalzgrafen zu züchtigen. Der Kaiser hatte damals einen Reichstag nach Speyer einberufen, dort sollte auch über seinen Stiefsohn das Urteil gesprochen werden. Herzog Ernst, der die Stadt kannte, ritt rechtwegs vor das kaiserliche Quartier, hieß Wetzel warten, trat unterm Banner des Reichsfürsten ein und stürzte in seines Siefvaters Gemach. Er traf den Pfalzgrafen Heinrich, erschlug den Verleumder und bedrohte den hinzueilenden Kaiser selbst, so daß der durchs Fenster vier Klafter tief auf eine Grabkapelle sprang. Noch ehe die Wache eingreifen konnte, saßen die Freunde wieder im Sattel und stürmten zum Tor hinaus.

Da war es nun nicht schwer, vorm Fürstentag Acht und aber Acht zu erwirken; der Kaiser befahl allen Untertanen, ihm den Verräter tot oder lebendig zu bringen.

Herzog Ernst wollte nicht, daß seine Lehnsleute um seinetwillen litten. Er entließ sie aus Eid und Pflicht und beschloß, sein Vaterland zu verlassen und mit den Streitfahrern nach Jerusalem zu reisen. Seine Mutter, die Kaiserin Adelheid, hörte davon; sie schickte ihm heimlich Gold und Silber und segnete seine Fahrt. Mit dem getreuen Grafen Wetzel und mit fünfzig wohlgerüsteten Mannen ritt Herzog Ernst aus der Stadt Regensburg nach Süden.

Nach mühseligen Wegen, auf denen sie manche Abenteuer zu bestehen hatten, erreichten die Reiter Byzanz, das damals die

Hauptstadt des Oströmischen Reichs war. Der Griechenkaiser, der von Byzanz aus über viele reiche Völker herrschte und einen großen Hof hielt, nahm den jungen Deutschen freundlich auf; er fand Gefallen an ihm und schenkte ihm eine Galeere für die Überfahrt nach dem Heiligen Land. Mit guter Zuversicht machten sich die Recken auf den Weg.

Als sie schon einige Tage auf See gelegen hatten, brach ein furchtbares Unwetter aus. Der Sturm jagte Schiff und Menschen so weit, daß von der Mannschaft keiner mehr wußte, wo sie sich befanden. Wochenlang trieb die Galeere ziel- und steuerlos auf dem Wasser einher.

Endlich zeigte sich in der Ferne ein Streifen Landes. Eine Stadt mit Mauern aus Marmelstein, mit vergoldeten Türmen und Zinnen, hob sich am Ufer auf. Es war indes seltsam genug: Kein Wächter sorgte für Kai und Hafen, und niemand blies ins Horn, um die Ankunft der Fremden zu melden.

Die Männer wanderten vom Strand der Stadt zu, aber auch die war wie ausgestorben. Staunend schritten die Ritter durch menschenleere Gassen und kamen endlich an einen Palast, in dem waren viele Tafeln mit köstlichen Speisen und Getränken gedeckt. Polsterbänke standen bereit, Schüsseln und Teller aus Silber mit Braten und Wildbret zierten die Tische, und die Becher waren mit klarem Wein gefüllt.

»Liebe Freunde, wir wissen nicht, wer uns dies geschenkt hat«, sagte Herzog Ernst. »Trauen wir darauf, daß es ein gütiges Schicksal tat; langt zu, eßt und trinkt, soviel es euch gelüstet! Wer indes nicht maßhält, der bringt Schande über die anderen.« – Als sie sich gesättigt hatten, trugen die Begleiter Speisen und Weine zum Hafen, um auch den Schiffsleuten Gutes zu erweisen; Herzog Ernst und Graf Wetzel aber blieben noch im Palast zurück, um auf die Herren zu warten, die, so meinten sie, doch nur eben erst ihre Burg verlassen hatten. So streiften sie durch die Gemächer, besahen die königlichen Kammern, deren Wände und Decken köstlich verziert waren, und fanden auch Gärten, durch die viele künstliche Wasser flossen, in denen Zedern und Zitronenbäume blühten. Plötzlich hörten sie von der Straße her Rufen, Schnattern, Klappern und Pfeifen wie von einem Schwarm Vögel. Sie liefen nach draußen und erblickten ein Heer von sonderbaren Geschöpfen, die waren von der Achsel bis auf die Füße gleich Menschen gebildet, an Kopf und Hals aber waren sie von Kranichgestalt.

»Wenn ich nicht wüßte, daß ich wenig getrunken hätte, würde ich vermeinen, der Wein tät's mir an«, grollte Herzog Ernst.

»Habe mein Lebtag nicht an die Kranichleute glauben wollen«, sagte Graf Wetzel, »nun helf' Gott meinen Augen!«

»Sie sollen den Menschen feindlich sein«, warnte der Herzog und lockerte vorsichtig das Schwert. Er rief den Freund nach drinnen, und sie sahen vom Fenster aus, daß dem feierlichen Zug ein König mit einer schönen Jungfrau voranschritt. Es war ein Mädchen, das die Kranichleute wohl geraubt hatten, jetzt führten sie es festlich in ihre Stadt. Das arme Ding weinte aber so sehr, daß es den Rittern im Herzen weh tat, einen Menschen bei den seltsamen Unholden zu sehen. Sie nahmen sich vor, der Jungfer zu helfen, traten hinter eine Tür und beobachteten von dort in einem Spiegel Straße und Saal.

Als der König sich nun mit den Seinen zu Tisch setzte, merkte er, daß schon andere bei den Speisen gewesen waren. Er öffnete den Schnabel und stieß einen schrillen Schrei der Verwunderung aus. Die Diener steckten die Köpfe zusammen und trugen eilig neue Schüsseln und Becher auf, bald fuhren die Herren mit langen Hälsen in Speisen und Getränke und schlürften und gurgelten so laut, daß den Horchern unheimlich zumute wurde.

Der König der Kraniche versuchte zuweilen, der Jungfer den Schnabel zu bieten, es sollte wohl eine Zärtlichkeit sein. Die arme Gefangene aber saß stumm neben ihm, ihre Tränen tropften auf das Tischtuch.

Nach der Mahlzeit kamen Spielleute und Gaukler, um die Gesellschaft zu unterhalten – all das erspähten die heimlichen Zuschauer. Endlich erhob sich der König, verneigte sich vor der Jungfrau und bat sie, ihm zu folgen und das Hochzeitsgemach aufzusuchen. Diener eilten voran und rissen die Tür auf – da standen die beiden ungebetenen Gäste vor ihnen. Der Unhold erblickte sie als erster, er sprang zurück, um in den Saal zu entkommen. Herzog Ernst versperrte ihm aber den Weg; der König schrie auf, er glaubte, daß seine Braut ihn verraten hätte, und stieß seinen spitzen Schnabel dem Mädchen ins Herz, daß es zu Boden sank. Dann hob er Klauen und Flügel, um sich zu wehren. Es sollte ihm nicht helfen; der Herzog schlug ihm den Kopf ab und lief gegen das Gefolge, um es zu züchtigen.

Darüber entstand in allen Straßen ein lautes Getümmel, zu Hunderten drangen die Kranichleute heran, um zu sehen, was es gäbe. Graf Wetzel und Herzog Ernst hieben wacker drein, sie versuchten, sich zum Hafen durchzuschlagen, und sprangen kämpfend von Straße zu Straße. Bis zur Stadtmauer kamen sie, aber die Tore schlossen sich, ehe sie sie erreicht hatten. Da verschanzten sie sich unter den Schwibbögen der Mauer, hielten ihre Schilde vor das Antlitz und hatten vor, ihr Leben so teuer wie möglich zu verkaufen.

Glücklicherweise hatten die Schiffsleute und ihre Gesellen den Auflauf und den Lärm gehört. Sie wappneten sich, erbrachen das Stadttor von draußen und halfen ihrem Herzog zum rettenden Hafen. Einige der Degen fielen; noch während des Auslaufens umschwirrten die großen Vögel die Galeere, und erst als viele von den Pfeilen der Bogenschützen getroffen waren, kehrten sie schreiend zum Strand zurück.

Mehrere Tage hindurch fuhren die Männer nun wieder mit gutem Wind nach Osten und hofften, die Küsten des Heiligen Landes zu finden. Bald aber erhob sich von neuem ein schwerer Sturm und wollte kein Ende nehmen. Nach einer eiskalten dunklen Nacht sahen die Vertriebenen einen hohen Berg vor sich, an dessen Fuß schien ein Tannenwald zu wachsen. Als sie indes näher kamen, erkannten sie voll Entsetzen, daß es keine Bäume, sondern die Masten gescheiterter Schiffe waren. Schon begann die eigene Galeere auszuscheren und sich dem furchtbaren Fels zuzuwenden. Die Steuerleute warfen sich auf die Knie, sie riefen, es sei der Magnetberg, dem sie jetzt alle verfallen wären. Nichts könne mehr helfen!

Es schien wirklich, als sollten sie recht behalten; alle Versuche, die Galeere zu wenden, blieben vergeblich. Sie trieb im hohen Seegang schneller und schneller dem Ufer zu; Rahen und Segel stürzten auf Deck, weil Nägel und Blöcke sich lösten. Mitten zwischen den gescheiterten Schiffen am Fuß des Felsens barst auch das Fahrzeug des Griechenkaisers auseinander.

Herzog Ernst und Graf Wetzel retteten sich mit fünf Rittern auf das hochragende Heck eines nahen Wracks; ihre Gesellen wurden vor ihren Augen in die Tiefe gerissen.

Gegen Mittag legte sich das Toben des Meeres, die Recken begannen nachzudenken, wie sie wohl davonkämen. Sie untersuchten das fremde Wrack und sahen, daß es eine Ladung von Ochsenhäuten geführt hatte, aber weder Wasser noch Lebensmittel barg. Sie sahen auch, daß riesige Vögel, Greifen genannt, die Toten vom Strand und aus dem Meer fischten. Und weil die armen Schiffbrüchigen nicht wußten, wie sie an Land gelangen sollten, faßte Graf Wetzel einen abenteuerlichen Plan. Er hatte beobachtet, daß die Greifen die Körper der Pferde und Menschen in die Luft hoben und weithin von dannen trugen.

»Das soll uns zur Rettung werden«, sagte er zu Herzog Ernst. »Gib acht, wir nähen uns in Ochsenhäute und legen uns auf das Verdeck. So werden sie uns für Rinder halten und ins Nest ihrer Jungen schleppen.« Wirklich schlossen Herzog Ernst und Herr Wetzel sorgsam ihre Rüstungen und ließen sich von ihren Genossen fest und sicher in die Häute hüllen. Nach kurzer Zeit spürten die beiden, wie sie mit ungeheurer Gewalt aufgehoben und hoch durch die Luft zu einem fernen Horst geführt wurden. Dann zogen die alten Greifen wieder fort, um neue Atzung für ihre Jungen zu holen. Nun begann Herzog Ernst sich aus der Ochsenhaut herauszuschneiden; er befreite auch Wetzel, seinen Freund, und bestaunte die jungen Greifen, die groß wie Kälber waren.

Währenddes versuchten die andern Ritter die gleiche List; zwei von ihnen ließen sich einnähen und forttragen. Danach faßten die drei Übriggebliebenen Mut zum Flug. Einer von ihnen opferte sich, er umarmte die Gesellen, nähte sie in die Häute ein und brachte sie auf das Verdeck des Schiffes. Die beiden wurden bald gleich den andern in die Ferne geführt, der letzte blickte ihnen nach und verbarg sich, um zu sterben.

Die vier Ritter, die sich rasch aus der Ochsenhaut befreit hatten, suchten ihre Herren; sie liefen hin und her und fanden Herzog Ernst und Graf Wetzel nach mancher Mühe an einem Quell. Dann durchforschten sie gemeinsam das Land, wußten aber nicht, wo sie waren; der Greif hatte sie vom Magnetberg weithin durch die Luft in ein unbekanntes Reich geschleppt. – Eine Woche lang lebten die Geretteten notdürftig von Wurzeln, Kräutern und Früchten und berieten, wie sie wieder zu ihresgleichen gelangen sollten. Fast wollten sie verzagen, da hörten sie, als sie eines Tages die Täler durchstreiften, ein Rauschen wie von unterirdisch strömendem Wasser. Der Fluß, an dem sie entlangschritten, sank in einen steilen Berg ein; zwischen mächtigen Steinklippen und wildem Wurzelwerk ergoß er sich in den Fels.

»Wenn es dem Wasser gelingt«, meinte Herr Wetzel, »finden vielleicht auch wir einen Weg. Laßt uns ein Floß zimmern.« Seine Worte machten den Männern Mut, sie stürzten Bäume um, hieben sie mit ihren Schwertern zurecht und banden sie mit Waldreben zusammen. Vorsichtig ließen sie ihr Fahrzeug in den Fluß gleiten und bestiegen es. Bald flog es mit ihnen pfeilschnell in ein dunkles Wassertor; tief unterm Berg trieben sie, es wurde ringsum so finster, daß keiner den anderen sehen konnte. Zugleich stießen die Wirbel das Floß mal hier, mal dort an die steinernen Wände, auch donnerte und dröhnte das Wasser so gewaltig, daß niemand verstand, was der Nachbar sagte. Einen halben Tag fuhren sie so dahin, dann wurde die Strömung sanfter. Eine Klippe glänzte im Dunkel der Tiefe; Herzog Ernst schlug rasch ein Stück vom Fels ab, es schien ihm der Stein Karfunkel.

Endlich öffnete sich der Berg wie durch ein Wunder, Sonnenschein leuchtete den Männern entgegen, so hell, daß ihre Augen ihn kaum ertragen konnten.

Die Reisenden waren in ein neues Land geraten und fuhren an grünen Wiesen, an schönen Burgen und Schlössern vorbei. Das machte ihnen Hunger; als eine große Stadt sich vor ihnen aufhob, stießen sie das Floß in ruhigem Wasser ans Ufer, taten ihre Harnische an und suchten einen Weg in das fremde Reich.

Es war ein Sonntag. Viele Menschen wandelten vor den Toren der Stadt auf und ab. Sie schienen indes zu einem seltsamen Volk zu gehören; alle Leute, die den Rittern begegneten, besaßen nur ein Auge. Die Einäuger wunderten sich wiederum über die Besucher, die sie für Wilde ansahen; sie folgten den Fremdlingen, hielten sie unterm Stadttor an und fragten sie aus. Wächter meldeten dem Herrscher jenes Einauglandes, daß sonderbare Wesen gekommen seien, die sich aus dem Wald zu ihnen verirrt hätten.

Der König war ein milder, besonnener Mann; als die Recken vor ihn traten und freimütig ihr Geschick erzählten, ließ er ihnen Speisen bringen, um ihren Hunger zu stillen. Danach mußten die Fremden berichten, wie sie auf dunklem Strom aus dem Greifenland zu ihm gelangt wären.

Die Einwohner des wunderlichen Reiches nannten sich übrigens selbst Einäuger oder auch Arimasper. Sie blieben freundlich gegen die Gäste, gaben ihnen Herberge und luden sie zu Fischfang und zur Jagd ein. Manche fröhliche Woche verbrachten die Heimatlosen bei dem seltsamen Volk; es schien ihnen am Ende, als seien sie selbst mit ihren Menschenaugen die Absonderlichen in einer glücklichen Welt.

Eines Tages indes, als Gäste und Wirte weit ins Land geritten waren, sahen sie Rauch aufsteigen; Dörfer brannten in der Ferne. Die Einäuger wurden unruhig, sie begannen zu klagen und Heer und Volk aufzubieten. Ihre Nachbarn, so erzählten sie, die Schattenfüßler, seien wieder in das Reich der friedfertigen Einäuger eingefallen. Ach, ihr armer König jammerte so sehr, daß Herzog Ernst und Graf Wetzel sich erboten, ihm zu helfen.

Jene Schattenfüßler, so hörten die Herren, seien ein eigenartiges Volk, dessen Angehörige nur *einen* Fuß hätten. Auf dem könnten sie allerdings so geschwind hüpfen, daß niemand ihnen zu folgen vermöchte. Der Fuß sei auch so breit, daß sie ihn beim Ausruhen gegen Regen und Sonnenschein als Schirm brauchen könnten; insbesondere verstünden sie damit übers Wasser zu laufen, noch rascher als über festes Land. Sie hielten sich deshalb bald auf See, bald an den Küsten auf und wären dadurch noch immer entkommen.

»Gebt mir ein kleines Heer tapferer Männer«, bat Herzog Ernst, »und greift sie vom Land aus an! Dann wollen wir mit den Fliehenden fertig werden.« Es geschah, wie er vorgeschlagen hatte; der Herrscher der Einäuger sammelte seine Streitkräfte und rückte gegen den plündernden Feind vor. Herzog Ernst aber nahm einige der Besten und versteckte sich mit ihnen am Ufer. Als die flüchtenden Schattenfüßler rasch über das Gestade die See gewinnen wollten, brach der Herzog mit seiner verborgenen Schar vor und erschlug die Räuber alle bis auf einen.

Einige Zeit danach hatte der König der Einäuger noch einen anderen Angriff vom Volk der Lappenohrer zu bestehen, die sich selbst Panochi nennen. Es war ein kräftiger Volksstamm, der sich von seinen Nachbarn dadurch unterschied, daß ihm die

Ohren bis auf die Erde hingen. Der König fragte wieder um Rat, was er zu tun habe.

»Gib mir den Befehl über dein Heer«, verlangte der Gast. Dann zog Herzog Ernst mit seinen Leuten den Feinden entgegen, umzingelte sie in einem Wald und ließ von vielen Seiten Feuer an Busch und Bäume legen. Die Lappenohrer liefen verwirrt und zerstreut durcheinander. Der Herzog hatte aber alle Wege besetzt und erschlug die Gegner bis auf zwei.

Die Nachbarn hörten von dem doppelten Sieg der Einäuger über ihre Feinde und gerieten in Sorge. Ein Volk der Riesen schickte Boten und forderte Zins vom König. Diesmal wollte der Geplagte nachgeben, er fürchtete sich gar zu sehr vor den starken Nachbarn. Herzog Ernst, der jetzt dem Kronrat der Einäuger angehörte, verlangte indes, daß der Riesenbote abgewiesen würde. Wem die Haut jucke, der solle nur kommen, ließ er sagen, er wolle sie kratzen.

Wieder unterstellte der König all seine Soldaten dem fremden Helfer. Die Feinde rückten an, und die Heere lagen wohl einen Monat einander gegenüber. Aber der Herzog verlor bei dem Geplänkel viel Volk. Da erdachte er sich eine List. Er sah, daß immer in der heißen Mittagszeit die Riesen sich sorglos im Holz zerstreuten, um im Schatten zu speisen. Das nutzte der Kriegsmann aus, er überfiel den Gegner zur rechten Stunde, und es war besonders günstig für ihn, daß sich die Feinde, als sie sich wehren wollten, zwischen den Baumkronen festliefen und ihre langen Stangen im Dickicht nicht brauchen konnten. Herzog Ernst und seine Männer setzten den Überraschten bald so zu, daß sie ihr Heil in der Flucht suchen mußten. Einer, der arg verwundet war, konnte den Seinen nicht mehr folgen. Der Herzog nahm ihn mit eigener Hand gefangen und kehrte mit dem Riesen und seinen Leuten zum König zurück.

Danach blieb er wieder einige Zeit zu Gast bei den Einäugern. Dann kam ihn das Heimweh an, und er nahm Abschied von seinen Wirten. Er bat sich ein Schiff aus und brachte die Seinen mit Hab und Gut, dazu je einen der Gefangenen und einen Diener an Bord.

Herzog Ernst hatte nämlich von einem alten Seemann der Einäuger den Weg nach dem Land Indien erfahren; auch hatte er von einem Zwergvolk gehört, das dort wohnte und arg von Kranichen bedrängt würde. Es hieß, daß es dazu übergegangen sei, nur noch Vogeleier zu suchen und zu speisen, damit die Feinde nicht übermächtig würden. Auf Kranichvölker aber war Herzog Ernst schlecht zu sprechen; er beschloß, den Zwergen seine Hilfe anzubieten und auf diese Weise auch wieder zu Wesen seinesgleichen heimzukehren.

Das Schiff der Einäuger landete nach guter Fahrt. Die Zwerge erschraken sehr über die wilden Ritter und flehten um Schonung; der fremde Gast antwortete, er sei gekommen, um Rettung zu bringen, und fragte nach den Kranichen. Der König der Kleinen hörte davon; er fiel Herzog Ernst zu Füßen und bat, ihm doch gegen die unüberwindlichen Feinde zu helfen. »Denkt, Herr, wir vermögen unsere Äcker nur noch zur Nacht zu bestellen«, klagte er, »seit hundert Jahren müssen wir uns tagsüber in Hecken und Höhlen verbergen.«

Herzog Ernst tröstete den Kleinen. Er verlangte, daß sein Volk Mut fasse, und bestimmte die Stunde des Aufstandes. Der König bot wirklich die Seinen auf und brachte ein großes Heer zusammen.

Als nun an dem verabredeten Tag die Sonne aufging, hörte man weit über Land die Trompetenstöße der Kraniche; sie hatten schon vom Aufruhr der Zwerge erfahren. Bald flogen ihre Scharen in dunklem Zug herbei, bissen und stachen viele der Kleinen zu Tode. Dann aber brach der Herzog mit seinen Mannen vor, er räumte furchtbar unter den Vögeln auf und nahm ihrer so viele gefangen, daß der König der Kraniche mit ihm seinen Frieden machen mußte, er wäre sonst ohne Volk geblieben. Die Zwerge waren überglücklich, sie ehrten die fremden Gäste über alles und schenkten ihnen Gold und Gestein zum

Lohn. Der Herzog erbat sich aber nur zwei Diener, die er mit seinem anderen sonderbaren Gefolge mit sich führen wollte.

Der Ritter hatte nämlich inzwischen von einem der Zwergalten erfahren, daß sieben Tagereisen weiter ein König der Indienmohren wohnte. Der war ein Christ und hatte unter der Feindschaft des Königs von Babylon viel zu leiden. Herr Ernst sprach darüber mit dem Grafen Wetzel und mit seinen Freunden; auch Einäuger, Schattenfüßler, Riesen und Zwerge lud er hinzu und beratschlagte, was zu unternehmen sei.

Die Ritter und Herr Wetzel hatten Heimweh; sie hofften, über Babylon nach Bayern und Österreich heimkehren zu können, und rieten, mit Hilfe der Christen den Heidenfürst mit Krieg zu überziehen. So befrachteten Herzog Ernst und die Seinen ihr Schiff und segelten bis zum Flusse Ganges zu den Indienmohren.

Diesmal hatten die Zwerge die Ankunft der Fremden schon gemeldet; die Herren wurden am Ufer mit großem Gepränge empfangen und in hohen Ehren in die Stadt geführt.

Der König war sehr stolz, daß ihm von Glaubensbrüdern Hilfe kam. Er setzte sich mit den Gästen zu Rate, zeigte ihnen seine Schätze, sein Volk und sein Heer und bat die Reisenden schließlich um Beistand gegen die Babylonier. Der Herzog antwortete, er wolle es mit den Seinen besprechen.

Noch ehe sie jedoch weiter verhandelt hatten, traf schon ein Gesandter bei Hofe ein. Der König der Babylonier hatte Botschaft geschickt und verlangte, daß alle Mohren ihren Glauben wechselten und den großen Propheten Mohammed anerkannten. Den Indienkönig verließ der Mut wieder; Herzog Ernst aber ermunterte ihn und forderte ihn auf, dem Boten die Absage zu senden.

Dann befahl er ihm, sein Heer zu sammeln, und bald lagerten die Herren von Indien und Babylon einander gegenüber, richteten Wall und Lager auf und schickten sich zur Feldschlacht an. In der Frühe des Kampftages sagte der König von Indien den Seinen, sie sollten mutig streiten, ihr Freund, Herzog Ernst, werde das Banner tragen.

Zu gleicher Zeit ritt auch der Fürst von Babylon durch seine Lagergassen; er gelobte, daß Mohammed den Seinen den Sieg verleihen werde, und riet, vor allem auf den Fahnenträger der Indienmohren zuzustreben!

Bald hob ein mächtiges Krachen der Spieße und ein gewaltiger Kampflärm an, daß es von allen Bergen widerscholl. Als es die Babylonier aber nach dem Banner gelüstete, gerieten sie an den starken Bayernherzog und die Seinen; dessen hatten sie sich nicht versehen. Ihr Fürst verstand nicht, daß seine Leute den Feind nicht zwangen, er ritt selbst heran, um sie anzufeuern. Da erkannte Graf Wetzel des Königs Wappen, er nahm ihn an, schlug ihn vom Roß und band ihn mit eigener Hand. Als der Babylonier gefangen war, gewannen auch die Indienmohren den rechten Mut und trugen den Sieg davon.

Einer von Herzog Ernsts Gefolge fiel in jener Schlacht; darüber war sein Herr untröstlich, das Land Indien war ihm verleidet.

Am Abend schickte der König der Babylonier zum Herzog und fragte ihn, wie er sich aus der Gefangenschaft lösen könnte. Wenn es den Ritter verlange, das Heilige Land zu besuchen, werde er selbst ihn hinüberführen.

Herzog Ernst gab dem König von Indien von dem Vorschlag Bescheid; der wünschte indes, daß der Babylonier sich taufen ließe, ehe er freikäme.

»Niemand soll zu einem Glauben gezwungen werden«, antwortete Herzog Ernst. »Wer nicht aus eignem Willen übertritt, den soll man bei seiner Meinung belassen; jeder wird einmal vor Gottes Gericht verantworten müssen, wie er sich entschied.« Der König von Indien ging zum Babylonier und fragte ihn, ob er nicht freiwillig den sieghaften Glauben annehmen wolle; der aber weigerte sich, und wenn er darüber des Todes stürbe. Da riet Herzog Ernst dem Inder, er solle sich mit dem Frieden begnügen.

Einige Tage blieb er noch am Flusse Ganges zu Gast, und es herrschte viel Fröhlichkeit bei den Siegern. Dann hieß er dem gefangenen König und den Seinen Pferde geben und reiste mit ihnen drei Wochen lang durch Wüsten und Berge. Er weilte noch in der Stadt Babylon; viele weise Herren wollten von seinen Abenteuern erfahren. Danach brachte ihn der König selbst mit einem Ehrengeleit von zweitausend Heiden auf den Weg nach Jerusalem.

Vor der Stadt schied Herzog Ernst von den freundlichen Begleitern und ritt mit den Seinen in die Tore ein. Und so neugierig war das Volk über sein seltsames Gefolge, daß der Riese mit seiner Stange Raum schaffen mußte, man wäre sonst zu keiner Herberge gelangt.

Die deutschen Ritter und ihr König, die damals Jerusalem besetzt hielten, waren froh, Herzog Ernst zu sehen; sie hatten geglaubt, daß er längst gefallen oder umgekommen sei.

Als er das Heilige Grab besucht hatte, kam das große Heimweh über den Irrenden; er vermochte nicht länger in der Fremde zu weilen und beschloß, in sein Land zu reisen, einerlei, wie es ausging.

Inzwischen waren schon zwei Pilger, die ihn gesehen hatten, nach Deutschland heimgekehrt; sie sagten dem Kaiser an, daß sein Stiefsohn, Herzog Ernst, nach vielen Abenteuern verhärmt und mit grauem Haar nach Jerusalem gekommen und wunderliche Leute aus seltsamen Ländern gesammelt und mit sich geführt hätte. Der Kaiser meldete seiner Frau, was er vernommen hatte. Die war froh, als sie von ihrem Sohn hörte, sprach aber nicht weiter über ihn.

Vom Heiligen Land fuhr Herzog Ernst mit seinem Volk auf einem Schiff, das ihm der König von Jerusalem ausgerüstet hatte, nach Italien. Unterwegs erkrankte einer seiner Wunderleute – es war der Schattenfüßler –, man mußte ihn zu Bari begraben. Danach ritten die Pilger nach Deutschland, und der Herzog suchte seinen Stiefvater, um Vergebung zu erlangen.

Der Kaiser und seine Gemahlin waren damals mit allen Herren in Bamberg zu Gast. Herzog Ernst ließ sein Gefolge vor den Toren lagern und zog selbst mit dem Grafen Wetzel verkleidet in die Stadt. In einer kleinen Herberge verbarg er sich einige Tage hindurch und wartete auf das Osterfest.

Als die Menge am Feiertag zur Frühmesse strömte, machte sich Herzog Ernst auf den Weg.

Auch die Kaiserin besuchte an jenem Tag den Dom; ein Pilger drängte sich zu ihr. »Gebt mir ein Almosen für Euren Sohn Ernst«, bat er.

Die hohe Frau blieb stehen und blickte den Bettler an. »Ach, meinen Sohn Ernst habe ich lange nicht mehr gesehen, wolle Gott, daß er noch am Leben sei. Wüßte ich es, ich wollte Euch ein gutes Botenbrot geben.«

»Frau Mutter, bittet für mich bei meinem Vater!«

Da erkannte ihn die Kaiserin. »O du lieber Sohn«, flüsterte sie, »komm zum Hochamt. Wirf dich vor dem Kaiser nieder, aber enthülle dein Antlitz nicht, ehe du Gnade hast. Auch der Bischof soll ein Wort für dich einlegen!« Dann eilte sie rasch weiter, damit niemand ihre übermächtige Freude und ihre Tränen gewahr würde.

Herzog Ernst suchte den Grafen Wetzel in seiner Herberge auf und erzählte ihm alles. Die Kaiserin schickte inzwischen zum Bischof vom Bamberg und bat ihn, ihr doch zu helfen.

Als Kaiser Otto nun am Ostertage zum Hochamt schritt, drängten sich Herzog Ernst und Graf Wetzel mit dem Volk in die Nähe des kaiserlichen Stuhls. Graf Wetzel stellte sich hinter den Altar, er war bereit, den Freund mit Gewalt zu befreien, wenn sein Vater ihm keine Gnade gewährte. Der Bischof aber wußte, was sich begeben sollte, er predigte von der Liebe, die die Wurzel aller Tugenden sei, er sprach von Gottes Gebot, nach dem die Menschen einander verzeihen sollten. Dann schloß er seine Rede: »Nun werfe ein jeder die Schuld von sich und vergebe seinem Nächsten!«

Nach den Worten trat Herzog Ernst vor seinen Vater. Er hatte den Mantel vors Angesicht gehoben, kniete nieder und bat um Verzeihung.

Der Kaiser war verdrossen über die Störung des Gottesdienstes; er wollte wissen, wer der Büßer sei und weswegen man ihn verurteilt habe.

»Vergebt ihm«, flehte die Kaiserin, sie bat ihren Gemahl inständig, und alle, die zugegen waren, wünschten, daß diesem Unbekannten verziehen würde, so stark hatten des Bischofs Worte auf sie gewirkt.

»So sei ihm verziehen«, sagte der Kaiser endlich, »doch will ich wissen, wer er ist.« Damit stand er auf, half dem Knienden hoch und schlug ihm das Tuch vom Antlitz. Da erkannte er den Fremden; sein Angesicht entfärbte sich vor Zorn, und Herzog Ernst rückte mit dem Knie das Schwert unterm Pilgergewand. Der Kaiser aber besann sich auf eine andere Treue, die ihn gefreut hatte. Er fragte: »Wo ist Wetzel?« Der Graf kam zögernd, und Kaiser Otto gab ihm für die Freundschaft, die er dem Verbannten gehalten hatte, den Kuß des Friedens. Danach schloß er auch Herzog Ernst in seine Arme.

Zu Mittag lud der Kaiser den Sohn an seine Tafel, um mit ihm zu reden, wie der Zwist doch eigentlich entstanden sei. Er begann traurig von seinem Freund, dem Pfalzgrafen Heinrich, zu sprechen und warf dem Stiefsohn vor, daß er sogar ihm selbst zu Speyer nach dem Leben getrachtet habe. Herzog Ernst bestritt es; er entgegnete mannhaft auf alle Vorwürfe, und der Kaiser schenkte ihm Glauben.

Danach schickte der Heimkehrer einen Diener vor die Stadt und hieß sein Gefolge herbeirufen. Als die Wundermänner durch die Gassen Bambergs daherzogen, lief das Volk von weit her zusammen; es machte Mühe, die Gäste bis zur kaiserlichen Pfalz zu bringen.

Der Herzog erzählte inzwischen alles, was er erlebt und erstritten hatte, und die fremdartigen Menschen bestätigten seine

Abenteuer. Er zeigte dem Kaiser die Kleinode, darunter den Karfunkel, den er auf der unterirdischen Stromfahrt gewonnen. Da sah Herr Otto ein, daß sein Sohn genug gebüßt hatte, er sah auch, wie grau und verhärmt er war, und führte ihn noch im gleichen Jahr in jenes Land zurück, das er ihm genommen hatte.

Als der Frühling kam, lud der Kaiser alle Fürsten des Reichs nach Speyer, um ihnen Herzog Ernst vorzustellen, der ihm Freund geworden war.

Den Stein aber, den der Herzog aus der Tiefe der Erde mitgebracht hatte, befahl er in die deutsche Kaiserkrone einzufügen, und es heißt, daß der Karfunkel sie bis auf den heutigen Tag ziert.

Die Gudrunsage

Frohe Jahre verbrachten König Hettel und die Königin Hilde
miteinander auf ihrer Burg Matelane im Hegelingenland.
Getreue Mannen halfen ihnen. Herr Wate herrschte zu Stormarn, Herr Morung im Nieflungenland, Horand zu Dänemark
und Irold im friesischen Ortland. Edle Mägde aus allen Reichen
dienten der schönen Hilde. Die Burgen befestigte Hettel und
befriedete die Gaue, wie es Königen ziemt. Dreimal mußte er
ausfahren, um in der Fremde Schlachten zu schlagen, und kam
glücklich heim.

Zwei Kindlein wurden ihm von seinem Weib geboren; zuerst
der Knabe Ortwein – den sandte der König zu Wate, daß er ihm
den Sohn in ritterlichen Tugenden aufzöge. Die Tochter aber,
die Frau Hilde ihm gebar, wurde Gudrun genannt. Zu Horand
ließ der Vater sie bringen, damit sie dort Lied und Spiel erlerne.

Als Gudrun zum elterlichen Hof heimkehrte, warben bald viele
hohe Fürsten um ihre Minne; sie wies indes alle ab. Einer der
Werber hieß Siegfried und kam vom Morungerland; er weilte
mit jungen Recken an Hettels Hof, um dort, so sagte er, ritterliche Zucht zu pflegen. Oft sahen Hilde und ihre Tochter Gudrun die Fremden. Aber als Herr Siegfried gleich andern um die
Hand der Königstochter bat, lehnte sie ihn ab. Da nahm der
Morunger die Fehde auf. Er war ein kühner Mann, der den Hegelingen viel Schaden tat.

Bis ins Normannenland drang die Kunde, daß niemand auf Erden schöner sei als Hettels Tochter Gudrun. Hartmut hieß der
junge König der Normandei, er hätte gern um die Vielgerühmte geworben. Gerlind, seine Mutter, riet ihm dazu.
Als die beiden indes ihren Plan dem alten König Ludwig vor-

trugen, mahnte der ab. Er erinnerte daran, wie es einst mit Frau Hilde gegangen war und wieviel Recken um ihretwillen hatten sterben müssen.

Der junge Hartmut aber schwur, nicht zu ruhen und zu rasten, bis er Gudrun gewonnen hätte. Eine Gesandtschaft von sechzig Degen wählte er aus und belud zwölf Saumrosse mit Silber, die sollte man Gudrun bringen. Wechselnd in Hoffnung und Leid wartete er auf die Rückkehr.

Zu Horand gelangten die Boten, er nahm sie gut auf und geleitete sie durch seine Mark. Auch von den Hegelingen wurden die Normannen freundlich beherbergt. Höflich begrüßte sie König Hettel und befahl ihnen, die Briefe vorzulesen, die ihr Herr mitgegeben hätte. Als es aber bekannt wurde, daß sie um Gudrun werben wollten, verdroß es Hettel. Er liebte die Normannen nicht und meinte, sie seien hochmütig und als Lehnsleute ohne Treue. »Meldet Hartmut, daß Gudrun niemals sein Weib würde.«

Beschämt und voller Sorge mußten die Gesandten zum Normannenland heimkehren, unmutig hörten Hartmut und Ludwig die Antwort. »Ach«, weinte die alte Königin Gerlind, »daß wir unsere Degen zu den übermütigen Hegelingen schickten! Hätten wir es nie getan!« Sie fragte auch, ob Gudrun in Wahrheit so schön sei, wie es in Liedern und Mären hieß. »Herrin«, erwiderte man der Königin, »wer sie einmal gesehen hat, der preist ihre Tugend vor Frauen und Mädchen für immer.« »Dann soll mich nichts von ihr scheiden«, sagte Hartmut. »Ich will sie gewinnen, was immer auch zwischen uns steht.«

Nach einer Weile segelte wieder ein junger König ins Hegelingenland, Herwig mit Namen, der hatte im fernen Seeland von der schönen Gudrun gehört. Und die Königstochter gewann ihn von Herzen gern. Herr Hettel aber wies den Freier ab. Um die gleiche Zeit verließ Hartmut das Normannenland und begab sich zu König Hettel. Er trat als fremder Ritter unerkannt in seine Dienste, man war höflich mit ihm, und er gefiel Frau Hilde. Edel und schnell war er, kühn und milde.

Auch Gudrun begegnete er und ließ sie heimlich wissen, daß er Hartmut, der Normanne, sei. Es tat Gudrun leid um ihn, und sie sagte dem Werber, daß sie ihm wohl gut sei. Sein Weib aber wolle sie nicht werden.

Hartmut kehrte heim; in seinem Herzen quälte es ihn, wie er sich an Hettel rächen könne, ohne seiner Tochter Freundschaft zu verlieren. Er begann zu rüsten; seine Mutter Gerlind riet ihm zum Krieg gegen die Hegelingen.

Herwigs Kummer über die Abweisung war nicht minder groß als der des jungen Normannen. Sein Land lag nah dem der Hegelingen, oft noch fuhr er hinüber und besuchte ihre Burg Matelane. Hettel bat ihn, das Werben um sein Kind einzustellen. Herwig ließ aber nicht ab; er sagte an, daß er bald mit Schild und Schwert um Gudrun freien werde. Dreitausend gute Degen sammelte er.

»Üble Gäste hatten wir bei Hofe«, lachte Herr Hettel, als er die Botschaft hörte.

Während er noch nach seinen Lehnsleuten sandte, war Herwig schon ausgeritten. An einem kühlen Morgen stand er mit Waffen und Degen vor Hettels Burg. Ein Wächter erspähte die Fremden im Dämmern. »Wappnet euch, Hegelingen«, schrie er. »Ich sehe den Glast von vielen Helmen im Frühlicht!« Die Königsmannen sprangen aus den Betten und rüsteten sich eilig; schon stießen die starken Feinde unters Tor. Kühn stritt Hettel, so wie er in vielen Schlachten gekämpft hatte. Er mußte aber wohl spüren, daß ihm ein stolzer Kämpe gegenüberstand.

Ein feuerheißer Wind fuhr übers Land, den zündete Herrn Herwigs Schwert. Gudrun sah sein wildes Werben und trug Sorge um die Ihren. Das Tor brach Herwig auf und drang in den Burghof ein, hellauf sprühten die Schildspangen. »Ach«, dachte Gudrun, »das Glück ist rund und dreht sich wie ein Ball; was mag geschehen, wenn mein Vater und mein Liebster die Klingen kreuzen?«

Eilig schickte sie Boten an beide und bat, an Frieden zu denken.

»Den Frieden kann ich nicht geben«, antwortete Herwig, »es sei denn, Gudrun ließe mich ungewappnet vor sich kommen.«

Da fügte sich König Hettel und befahl, den Streit zu scheiden. Die Kämpfer schlüpften aus den Panzern und wuschen den roten Eisenrost am Brunnen ab. Mit hundert Degen trat Herwig als Werber vor Gudrun und Frau Hilde.

»Man hat mir gesagt«, sprach er, »daß Euer Vater mich verschmähte, weil mein Geschlecht zu gering sei. Doch weiß ich, daß reiche Leute bei ärmeren oft die bessere Pflege fanden.«

»Wie dürfte die klagen«, antwortete Gudrun, »um die ein Held so feurig diente? Ich bin Euch zugetan«, bekannte sie. »Was auch kommen mag, von nun an soll uns nichts mehr voneinander scheiden.«

So ging der Krieg zu Ende. Die Besten vom Land der Hegelingen und die Besten von Herwigs Schar traten zu der Königstochter, und der alte König fragte Gudrun vor allen Mannen nach ihrem Willen und verlobte die beiden.

Herwig hatte wohl im Sinn, die Jungfrau bald in sein Reich heimzuführen. Die Mutter aber wollte ein hohes Fest zwischen den Völkern und riet dem Ungeduldigen, ein Jahr zu warten, wie es die Sitte sei. Ach, der Rat sollte noch vielen guten Rittern Leib und Leben kosten.

Währenddes rüstete sich auch Siegfried, der Fürst der Morungen, den Hettel abgewiesen hatte, und bot heimlich alle Leute auf, die in seinem Lehen standen. Zwanzig starke Schiffe ließ er zimmern, um gegen das Reich des glücklicheren Werbers zu heerfahrten. Herwig sandte zu seinen Freunden; aber noch ehe sie sich gesammelt hatten, warfen die Morunger schon den

Brand in sein Land. Als die Könige aufeinanderstießen und ein hartes Streiten begann, mußte Gudruns Bräutigam, so tapfer er sich wehrte, in seine Burg zurückkehren, rings brannten und rauchten die Höfe des Seeländers.

Hettel erfuhr davon, er ging zu seinem Kind und fragte, was geschehen solle.

Gudrun forschte zuerst, ob Herwig ohne Wunden sci. Dann bat sie ihren Vater von Herzen, ihrem Verlobten eilig beizustehen. *Ihre* Burgen seien es doch, die der Feind bräche, *ihr* Land sei es, das der Morunger verwüste.

Da sandte der König nach Wate und seinen Recken. Auch den Dänen befahl er, dreitausend Ritter zu stellen, und bot den Heerbann der Hegelingen unter seinem Sohn, dem jungen Ortwein, auf. Kisten und Kasten öffnete man, Harnische und silberweiße Brünnen wurden über den Hof getragen. Singend zogen die Knappen aus den Toren, sie freuten sich auf Beute und Feindesgut.

Zu Schiff führte der Königssohn wohl viertausend Recken ins Feld.

Der Morunger hatte währenddes schon manche Warte und feste Burg der Seeländer gebrochen; auch gegen die Hegelingen setzte er sich gut zur Wehr. In drei Schlachten mußte der junge Ortwein ihm stehen, ehe es gelang, Herrn Herwigs Burg zu befreien. Danach versuchte der Morunger zu entweichen. Noch einmal aber, als er eine Furt erritten hatte, die in sein eigenes Land hinüberführte, holten die Hegelingen ihn ein; mit Mühe kam er davon und mußte sich in seine Feste werfen.

Als es soweit war, sandten Hettel und Ortwein Botschaft in die Heimat und ließen ankünden, daß man sich bald wiedersehen würde.

Es war eine falsche Hoffnung.

Während der ganzen Zeit nämlich hatten die Normannen Späher im Hegelingenland gehalten. Die hatten ihnen über alles, auch über Herrn Hettels Ausfahrt, berichtet – und bald danach, daß der König außerhalb seines Landes in schwerem Kampf läge.

»Das freut mich zu hören«, lachte der junge Hartmut. »Ehe Herr Hettel heimkehrt, wollen wir selbst im Hegelingenland sein!«

Tag und Nacht sann auch die alte Gerlind, wie sie Hettels und Hildes Absage an ihren Sohn rächen könnte.

Rosse und Zäume, Sättel und Schilde schenkte sie den Mannen und rüstete die Schiffe. Mit zweitausend Degen fuhren der alte König Ludwig und sein Sohn Hartmut über das Meer.

Nahe der Küste lag der Königssitz der Hegelingen, lag, von Wasser umströmt, Matelane, die Burg zwischen Wiesen. Hartmut schickte gleich nach der Landung einen Boten zu Frau Hilde und ihrer Tochter. Noch einmal würbe er um Gudrun, ließ er bestellen. Wenn sie ihn nähme, würde er es ihr mit seines Vaters ganzem Erbe vergelten, solange er lebe. Weigere sie sich aber, so werde er das Meer nicht wieder befahren, ehe Gudrun nicht in seiner Gewalt sei.

Die Gesandten, es waren zwei hohe Grafen der Normandei, traten vor Frau Hilde. Sie waren nicht willkommen, doch bot man ihnen den Wein, bevor sie das Wort ergriffen. Als Frau Hilde dann fragte, weswegen sie kämen, erhoben sich die Herren nach höfischer Sitte, brachten Hartmuts letzte Werbung vor und baten Gudrun herzlich, ihre Königin zu werden.

»Der, dem ich angehöre, heißt Herwig«, beschied sie die Königstochter, »mit ihm tauschte ich die Ringe, ihm bin ich versprochen. Gern gönne ich Herrn Hartmut alle Ehren, mein Leben aber habe ich Herwig zugeschworen.«

Die Boten brachten die Antwort zum Strand zurück; Hartmut wartete sehr, er lief ihnen entgegen, als er sie kommen sah.

»Man sagte uns«, so berichteten die Grafen, »Gudrun habe jemanden, den sie über alle anderen von Herzen minne. Und wollten wir nicht im guten zu Gaste kommen, und wollten wir den Wein nicht trinken, so entgegnete man uns auch, dann würde Blut aus den Bechern stürzen.«

Da führten Hartmut und Ludwig ihr Heer mit fliegenden Fahnen gegen die Burg Matelane. Als Gudrun die vielen Banner erblickte, glaubte sie erst, ihr Vater sei heimgekehrt. Ach, es kamen grimmigere Gäste; arges Leid sollte der Tag bringen, noch ehe sein Licht gesunken war. Feindliche Banner hoben sich rings um die Burggräben, Gudrun gebot eilig, die Tore zu schließen. Herrn Hettels Mannen aber wollten sich nicht hinter Wällen verbergen, sie banden die Farben der Hegelingen an die Speerspitzen und wollten im offenen Feld Hartmut entgegentreten. Wohl ihrer tausend ritten vors Tor, um sich mit den Fremden zu messen.

Auf grüner Weide trafen sie einander. Ingrimmig sprengten Hartmut und Ludwig die tapferen Burgmannen an. Die Schwerter zuckten aus den Scheiden, die Schäfte flogen. Wakker hielten die Hegelingen stand, schon glaubten sie, das Feld zu gewinnen. Da drang der alte Recke Ludwig mit seiner Trucht noch einmal übermächtig auf sie ein; unbändig waren die Stärke und der Zorn, die der Greis im Busen trug.

Gern hätten die Burgleute jetzt hinter sicheren Wällen gekämpft. Sie versuchten das Tor zu schließen, die Normannen aber stürmten unter ihren Schilden zugleich mit den Flüchtigen in den Hof ein, und obwohl man von den Mauern Steinlasten niederschleuderte und viele Angreifer unter den Geschossen zusammenbrachen, gelang es Ludwig und Hartmut, den Burgfried zu gewinnen. Hoch auf pflanzte der König seine Fahne, von allen Zinnen ließ er sie wehen.

Während die Normannen zu plündern begannen, trat Hartmut vor Gudrun. »Dreimal habt Ihr mich verschmäht«, sagte er, »jetzt werde ich verschmähen, Eure Leute zu schonen.«

»Weh mir, mein Vater«, dachte Gudrun, »wenn du wüßtest, was uns dein Fernsein bringt!«

Die Feinde schleppten bald Schätze und Gewand aus dem ganzen Hegelingenland zu den Schiffen und zündeten Höfe und Burgen an. Frau Hilde ließen sie zurück, damit sie ihrem Gatten Nachricht gäbe, Gudrun und zweiundsechzig Mägde führten sie zum Strand.

Verbrannt und verwüstet lag König Hettels Land, die Wogen rollten gegen seine leeren Deiche.

In einer dunklen Nacht fuhren die Normannen von dannen, der Wind brauste in ihren Segeln. Am Wülpensand, einem wilden Werder, verbargen sie sich. Dort wollten sie die Verwundeten pflegen, Gold und Gestein verteilen und die Beute ordnen und bergen.

Frau Hilde hatte ihrem fernen Gemahl Kunde gesandt. »Ihr Boten, sagt dem König, seine tausend Mannen seien erschlagen, seine Höfe leer. Ohne Hab und Gut, ohne Brot warteten wir auf seine Heimkehr.«

Noch lagen die Hegelingen unter Herrn Siegfrieds Burg und rüsteten sich zum Sturm. Horand sah als erster Frau Hildes Boten nahen. Hettel ritt ihnen entgegen. »Sagt, wie gehabt sich mein Weib? Wer schickte euch?« fragte er voll Schrecken.

»Die Burgen sind zerbrochen, Hettel, verwüstet sind Eure Gaue. Hinweggeführt ist Gudrun mit ihrem Ingesinde. So steht's im Hegelingenland!«

Der König vermochte kaum zu fragen, wer ihm das angetan. »Ludwig, der Reiche, und Hartmut von der Normandei kamen über uns!« Jetzt wußte Hettel genug. Er befahl den Boten aber, das Leid vor allen Leuten zu verbergen, und teilte in der Stille den Freunden mit, was sich ereignet hatte. Den Recken traten die Tränen in die Augen, als der König es ihnen sagte.

»Schweigt über alles«, drängte Wate, »noch schwerer als wir soll Hartmut Leid tragen mit seinem ganzen Geschlecht. Ich rate, mit Siegfried Frieden zu schließen; danach segeln wir den Normannen nach, um sie zu stellen.«

Dem König gefiel der Plan. Noch einmal griffen die Hegelingen und Seeländer in der Frühe die Schanzen der Morunger an, tief in den Feind pflanzten sie die Banner. Irold und Frute bahnten sich einen Weg zu Siegfried. »Wollt Ihr den Frieden haben, oder wollt Ihr's zu Ende führen?« schrie der Friese.

Nichts werde geschehen, was seiner Ehre leid wäre.

»Eure Ehre ist nicht schlechter, wenn Ihr uns Freund werdet«, antwortete Frute. »Nehmt Euer Land in Lehen, wie wir es taten, so wird König Hettel in Frieden scheiden.«

Herr Siegfried wußte, wie groß die Übermacht war, er hob die Hand und befahl, den Streit zu enden. Die Männer versöhnten sich miteinander, und die Morunger leisteten den Treueid. Dann verkündete Herr Hettel, welch bittere Kunde ihm von seinem Gemahl gesandt worden war. Zur ersten Lehnspflicht rief er auch König Siegfried auf.

Um die Zeit hatten sich in den Häfen der Küste Pilger versammelt, um ins Morgenland zu segeln. Die Hegelingen verhandelten nicht lange, sie liehen sich die Schiffe und fuhren darauf den Normannen nach; mochten die Frommen inzwischen am Gestade harren. Speise und Trank, so sagte Herr Wate, würde er ihnen bezahlen. Herr Hettel tat ein übriges, er nahm fünfhundert der Besten mit aufs Meer; sie sollten helfen, auf eiligen Kielen den räuberischen Normannen die Beute abzujagen.

König Ludwig hatte auf dem Wülpensand Zelte gebaut. Feuer flackerten am Strand; traurig standen Gudruns schöne Frauen zwischen den Feinden.

Da sah ein Wachtmann der Normannen Segel über der Kimm auftauchen, es schienen wohl Pilger zu sein. Bald aber leuchteten Helme und Waffen über den Borden, und Hartmut befahl seinen Mannen, sich zu wappnen. »Keine frommen Pilger sind's, die kommen! Eisen tragen die Schiffe.« Rasch rüsteten sich die Seinen und liefen zum Strand; die Ruder der Landenden ächzten, so sehr beeilten sich die Hegelingen.

Die Normannen versuchten, König Hettel das Ufer zu wehren. Es gelang ihnen nicht mehr. Gewaltig, mit Schwert und Speer, drangen die Ergrimmten vor. Pfeile flogen wie Schneewind durch die Luft, heftig sprang vor allen anderen Herr Wate die Feinde an.

König Ludwig selbst trat ihm entgegen. Er traf ihn mit dem Ger, daß die Stücke aus dem Panzer stoben. Wate aber schlug den König durch den Helm, daß er stürzte und die Seinen Mühe hatten, ihn zu retten.

Hartmut und Irold waren die nächsten, die einander erreichten; keiner vermochte den Gegner zu überwinden.

Herwigs Schiff lag am weitesten zurück, er sprang voll Zorn in die Flut, daß er bis zu den Achseln im Wasser stand. Viele Schäfte richteten sich auf ihn, mit Mühe gelangte er näher zum Strand. Ringende drückten einander in die Wogen, die See färbte sich rot, so gewaltig kämpften die Männer.

Auch Ortwein und Morung bedeckten den Sand mit Toten, schwer war es den Normannen, den Unersättlichen standzuhalten. Am grimmigsten von allen focht Hettel an diesem Tag.

Gudrun hörte den Lärm der Schlacht, die um ihretwillen entbrannte, sie wartete auf ihren Liebsten wie auch auf ihren Vater und klagte um die Helden hüben und drüben, die sterben mußten. Immer wenn die Hegelingen näher kamen, wehrten sich Ludwigs Degen und hüteten die schönste der Königinnen. Schon wurde es Abend; noch war es den Hegelingen nicht gelungen, die Gefangenen zu befreien und das Lager der Normannen zu stürmen.

Um die Stunde sollte den Verfolgern ein schweres Leid zustoßen. König Hettel und König Ludwig trugen ihre Waffen hoch in der Hand. Sie hatten sich den Tag über gesucht und begegneten einander erst spät. Lange währte der Kampf der beiden Könige, dann traf der Normanne Herrn Hettel zu Tode. Bis zu den

Gefangenen drang die Kunde; untröstlich war Gudrun, untröstlich waren ihre Maiden. Sogar die Wächter mußten um den edlen König trauern.

Herr Wate erfuhr von Hettels Tod. Er brüllte auf vor Grimm, wie Abendrot sprang es aus allen Helmen, die sein Schwert erreichte; niemand entging ihm. So kühn die Hegelingen indes um den Sieg stritten, die Nacht sank, ehe sie gewonnen hatten. Schon kämpften Freunde gegeneinander; Horand erschlug im fallenden Dunkel den Neffen, er hatte sein eigen Wappen nicht mehr erkannt.

Da befahlen Herwig und Ortwein, die Schlacht abzubrechen, um in der Morgenfrühe den sicheren Sieg zu vollenden. Ohne Licht und ohne Mondschein war die Nacht. Nur die Helme und Schilde schimmerten im Flackern der Wachtfeuer.

Als nun nach viel Weh und Seufzen die Stille über das Schlachtfeld sank, besprachen sich König Ludwig und Hartmut miteinander und beschlossen zu entweichen. Gudruns Mägde wurden zum Ufer gebracht; sie wollten klagen, die Normannen aber drohten zu ertränken, wer einen Laut von sich gäbe. Vorsichtig wurden auch die Waffen an Bord getragen, mühevoll schiffte man die Wunden auf Booten ein. Die Toten mußten unbegraben bleiben.

Dann hißten König Ludwigs Leute die Segel und entflohen im Dunkel. Weh war den Frauen zumute, nun ihre Hoffnung auf Heimkehr zerbrach.

Auf dem Wülpensand ließ Herr Wate vor Tag schon sein Heerhorn gellen und sammelte die Mannen zum Angriff. Zu Roß und zu Fuß wappneten sich die vom Hegelingenland und rückten über den Werder vor, um König Ludwig und seine Degen zu stellen. Da war das Eiland leer vom Feind; verlassene Schiffe lagen am Strand, verstreutes Gewand und herrenlose Waffen. Laut klagten die Hegelingen, sie wollten an Bord, um den Normannen zu folgen. Der kluge Frute aber riet ab. Zu groß war der Vorsprung der Feinde, zuviel der eignen Leute waren gefallen. »Sorgt für die Verwundeten, begrabt die Toten«, befahl er, »es starben manch gute Freunde auf diesem Werder.« Traurig suchten die Sieger die Toten und trugen sie zusammen, damit sie beieinanderblieben. Herr Irold, der Friese, bat auch für die Normannen; die Hegelingen beschlossen, allen ein Grab zu gönnen, einerlei, wie sie hießen und von welchem Land sie kamen.

König Hettel begruben sie als ersten nach einer Trauerfeier des ganzen Heeres. Dann mühten sie sich sechs Tage lang um die andern und ließen die Pfaffen singen und Gott für die Toten dienen.

Viel Seufzen erhob sich bei der Heimkehr im Hegelingenland. Ortwein wagte seiner Mutter nicht zu begegnen, selbst Herr Wate ritt nur mit Zagen in Frau Hildens Reich. Als der Stormar so einsam kam, wußten die Frauen wohl, daß es arg ergangen war; sonst pflegte er mit Schall und Singen zu landen.

»Weh mir«, jammerte die Königin, »was bedeutet es, daß die Männer zerbrochene Schilde führen? Langsam schreiten die Pferde, Leid trägt das Volk. Wo ist der König?«

»Ich muß es Euch ansagen: Sie alle, die fehlen, sind erschlagen!«

Frau Hilde begann zu weinen. »Ach, daß du von mir scheiden mußtest, König Hettel, mein Gemahl! Nun habe ich beide zugleich verloren, die Tochter und den Gatten.«

»Laßt das Jammern, Herrin«, murrte der Stormar, »es weckt die Toten nicht wieder. Wenn diesem Land junges Volk gewachsen ist, wollen wir den Raub rächen.«

»Möge Gott es mich erleben lassen«, klagte Frau Hilde.

Herr Wate rief noch einmal die Fürsten der Länder zusammen, von Dänemark bis Stormarn und Ortland. Wohl rieten einige der Recken, jetzt gleich in die Normandei zu segeln und Hartmut in seiner Burg zu zwingen. Herr Wate und Herr Frute mahnten aber, man müsse Zeit verstreichen lassen. Auch Gudrun, die Gefangene, müsse warten. Mit großem Leid schieden

Herwig, Irold, Siegfried und die anderen von Frau Hilde; keiner von ihnen vergaß, was sie einander zugeschworen hatten. Eine Kirche ließ die Königin auf dem Wülpensand erbauen, den Witwen zum Trost.

Inzwischen nahten Hartmuts Schiffe der Normandei. Seine Mannen freuten sich auf die Heimkehr; sie waren aber verdrossen, daß sie vor den Hegelingen hatten weichen müssen, und trauerten um die Todwunden, die auf der Walstatt geblieben waren.

Als die hohe Königsburg auf felsiger Küste näher kam, trat König Ludwig zu Gudrun. »Seht Ihr die Burg? Über reiche Lande sollt Ihr nun Herrin werden!«

»Fern ist mir alle Freude«, entgegnete Gudrun, »fern bin ich dem Glück, Klagen ist mein Los fortan.«

»Alles, was wir Alten haben, soll Euer sein«, meinte Herr Ludwig, »wenn Ihr Hartmut, meinen Sohn, liebgewinnen wollt.«

»Lieber lasse ich das Leben, als daß ich mich einem Räuber gebe«, antwortete sie.

Der alte Ludwig hörte die harten Worte von ihr, um die so viele Männer gefallen waren. Der Jähzorn ergriff ihn, er packte Gudrun, verwünschte sie und stieß sie in die See. Hartmut, der seinem Vater zugesehen hatte, sprang der Ertrinkenden nach. Ihre gelben Zöpfe schlang er um den Arm und schwamm zu einem Boot, in dem Freunde ihm entgegenkamen.

Währenddes hatten die Normannen schnelle Schiffe vorausgesandt. Frau Gerlind rüstete sich, die Braut des Sohnes feierlich zu empfangen; noch nie war ihr etwas so Liebes geworden wie die Kunde von Gudruns Raub. Mit Mägden und Frauen zog sie von der Burg zum Hafen hinab, um der Fremden ihren Gruß zu bringen.

Auch ihre Tochter Ortrun freute sich auf die Stunde, wo sie der schönen Schwägerin begegnen sollte, deren Ruhm weithin an allen Küsten erklang. Aus Truhen und Schränken hatten die

Normannen ihre besten Gewänder geholt, um sich vor den gefangenen Hegelingen zu zeigen. Auf herrlichen Rossen, kühn und geschmückt, ritten sie den Landenden entgegen. Schon kamen Schiffsleute von Bord und luden aus, was sie an Beute heimgebracht hatten.

Nur Gudrun und die Ihren standen in Trauer. Hartmut ergriff die Hände der Gefangenen – sie hätte sich ihm gern entzogen – und führte sie, wie es die Sitte gebietet, mit ihren Mägden an Land. In zweier Fürsten Geleit trat ihnen Ortrun entgegen und grüßte Gudrun; mit weinenden Augen küßte die Geraubte Hartmuts schöne Schwester. Als aber auch die Königin sie umarmen wollte, kam der Unmut über Gudrun.

»Wenn ich Eure Tochter küßte, so verweigere ich Euch doch den Gruß«, sagte sie. »Habt Ihr nicht schuld, daß wir Armen so bitteres Leid dulden müssen? Ach, schlimm sind die Tage, die vor uns liegen.«

Die Königin tat, als hätte sie die Worte nicht verstanden. Sie empfing Gudruns Frauen freundlich und hieß die Hornbläser und Spielleute ihre Weisen anstimmen. Währenddes lief das Volk geschäftig herbei, um die geraubten Schätze von den Schiffen zu tragen. Gudrun sah es, und die Normannen wurden ihr leid.

Die Grafen schieden nun voneinander, sie kehrten mit großer Beute in ihre Festen zurück. Auch König Hartmut bat Gudrun aufzusitzen und ritt mit ihr zur Burg. Er gebot, daß alle ihr dienen möchten, als sei sie schon zur Königin gekrönt. Und die Tage gingen auf und sanken.

Nach einer Weile wurde Gerlind ungeduldig, sie fragte Gudrun, wann sie die Hochzeit rüsten sollte.

»Selbst Euch wäre wohl leid, wenn Ihr den freien müßtet, der Euch die Freunde erschlug«, gab die Gefangene zurück. Die Königin versuchte sie zu überreden und schilderte ihr die Macht ihres Reichs, wenn sie den Tod der Ihren vergessen wollte.

»Hier hoffe ich nicht zu bleiben«, antwortete Gudrun, »Tag um Tag werde ich mich von hinnen sehnen.«

Sie haßte Gerlind, aber die sanfte Ortrun gewann sie lieb; die gutherzige Königstochter half ihr, wo sie konnte, und tröstete sie. Ohne Feindschaft war Ortrun gegen die edle Gefangene vom Hegelingenland; was immer sie erfinden konnte, tat sie gern, damit der schöne fremde Gast ihres Vaters Land liebenlerne.

Als wieder einige Zeit vergangen war, nahm Gerlind Hartmut beiseite: »Der Weise kann auch ein unberatenes Kind erziehen. Gib mir Gudrun zum Gefolge, sie wird bald von ihrer Hoffart lassen.«

»Da ich's selbst nicht vermag, Mutter, versucht Ihr sie zu überreden. Aber belehrt sie gütlich, sie ist fremd im Lande«, mahnte der junge König.

Gerlind gab sich Mühe, freundlich zu sein; was immer sie jedoch sagte, es wollte Gudrun nicht gefallen. »Nun«, meinte die Königin böse, »wenn du keine Freude suchst, sollst du Leid schmecken. Von morgen ab wirst du in meinen Gemächern die Öfen heizen und Feuer schüren.«

»Alles, was Ihr mir gebietet, werde ich tun«, antwortete die Hegelingin, »nur zu lieben vermag ich Euch nicht.«

»Ich werde deinen Trotz brechen«, drohte Gerlind. »Deine Mägde geben es dir ein, hochmütig über die Normannen dünkt ihr euch! Heute abend werde ich euch allen verschiedene Arbeiten zuweisen, der einen hier, der andern da. Wenn man niedrig steht, verliert man die Lust an hohen Dingen.«

Sie erzählte ihrem Sohn von ihrem Vorhaben, und der bat sie, der Königstochter nicht wehe zu tun. Wie sollte es sonst gut werden zwischen ihnen? Dann ritt er auf einen Heerzug weit über die Grenzen seines Landes hinaus.

Gerlind trennte Gudrun von ihren Freundinnen. Die im Hegelingenland einst Herzoginnen waren, mußten jetzt Tag und Nacht und ohne Aufhören weben und spinnen, Garn winden und Flachs hecheln. Und wer aus königlichem Blut war, mußte Wasser tragen und Mühlen drehen.

Aber die Königstochter und ihre Freundinnen änderten ihren Sinn nicht.

Da erdachte Gerlind sich niedrige Dienste aller Art und befahl sie den Gefangenen.

Drei Jahre gingen darüber hin; dann kehrte König Hartmut von fernen Heerfahrten in sein Land heim. Als er nun zu Gudrun eilte und sie grüßen wollte, sah er ihr wohl an, daß sie nur selten in einer Kammer geruht und oft gedarbt hatte. Er warf es seiner Mutter vor. »Bat ich Euch nicht, in Güte ihr das Herz froh und den Sinn hell zu machen?«

»Weder mein Bitten noch Gebieten fruchten bei ihr«, lachte Gerlind bitter.

»Leicht kann man sie verletzen, Mutter. Vergeßt nicht, daß sie vieles überwinden muß und daß mein Vater dem ihren das Leben nahm!«

»Ich will sie besser halten«, versprach Gerlind endlich, »aber ich sage dir, du wirst sie schlagen müssen, damit sie dich lieb hat.«

Noch einmal ging die Königin zu Gudrun. »Du weißt, daß mein Sohn noch immer um dich wirbt. Gib dem nach, oder du mußt mit deinen Haaren mein Zimmer kehren und den Staub von Schemeln und Bänken streichen.«

Gudrun antwortete: »Ich werde dein Zimmer kehren, ich werde alles tun, was du befiehlst. Aber ich werde keinen anderen liebhaben als ihn, dem ich mich zugeschworen habe.«

Gerlind wiederholte es dem Sohn, und der zog traurig auf neue Heerfahrt aus.

Viele Jahre mußte Gudrun danach ohne Helferin die Arbeit geringer Gefangener verrichten. Als das neunte Jahr begann, kehrte Hartmut abermals zurück, und die Freunde, die für ihn gekämpft hatten, sagten ihm, es sei eine Schande, daß er noch immer nicht die Krone trüge und ohne Königin bliebe. Von siegreichen Schlachten kam er heim, weithin rühmte man seinen Mut und sein Feldherrentum.

Wieder bat er seine Mutter, sie möge Gudrun seinen Gruß bestellen.

Die Königstochter ließ antworten, sie wolle niemand hören noch sehen. An einem nur halte sie fest, an Tugend und Ehre.

Die Freunde lachten über den Bescheid, sie lachten, daß ihr König wohl feindliche Heere, aber keine Frau zu überwinden vermöchte. Zornig ging Hartmut durch die Kammern des Königshofs, bis er auf Gudrun stieß.

Er sah wohl die Gramzeit, die hinter ihr lag. Schön war sie noch immer, aber der Kummer zeichnete sie. »Warum habt Ihr mich nicht gern?« flehte Hartmut. »Habt Ihr Euern Vater nicht genug betrauert? Seid Ihr nicht vom Schicksal erkoren, die Krone der Normannen zu tragen? Gilt sie Euch nicht mehr als die der Friesen, Hegelingen, Dänen, Stormaren, Dithmarschen, Nieflungen und wie sie alle heißen? Viel hundert Fürsten führe ich Euch zu Diensten.«

»Mich gelüstet nicht nach Diensten der Feinde«, sprach Gudrun. »Gerlinds Sohn seid Ihr, was habe ich mit Euch zu schaffen?«

»Wenn meine Mutter Euch Leid antat, so will ich es Euch mit Gutem vergelten«, bat Hartmut. Als sie ihn wieder abwies, drohte er: »Wer könnte mich strafen, wenn ich Euch zwänge, mir zu Willen zu sein?«

»Was für ein Ruhm für die Normannen«, lachte die Hegelingin, »wenn man erführe, König Hagens Enkelin sei in Hartmuts Ländern geschändet!«

Der junge König seufzte: »Kann jemand mehr bieten als eine Krone?«

»Hartmut«, mahnte Gudrun, »wie könnte ich meinen Vater vergessen, wie dürfte ich vergessen, daß Ihr mich raubtet! Es hat in meiner Heimat als uralte Sitte gegolten, daß keine Frau einen Mann nimmt denn mit beider Willen. So verlangen es bei uns Ehre und Recht.«

Als sie so antwortete, wurde Hartmut zornig. »Mag kommen, was kommt; mir ist gleich, was man von nun an Euch antut!«

»Und wenn Gott mein vergaß, auch das will ich leiden. Nie wird der Kummer, den Ihr mir zufügt, mein Herz überwinden.«

Hartmut sandte noch einmal seine Schwester, die schöne Ortrun, zu der Gefangenen. »Ich möchte dir helfen«, sagte sie zu der Verlassenen. »Mein Haupt will ich vor dir neigen, Gudrun, und dir dienen, wenn du meinen Bruder liebst, wie er dich liebhat.«

Gudrun dankte ihr. »Es kommt der Tag, da ich's dir vergelten werde, Ortrun. Hier in meinem Gram und Heimweh laß mich allein.«

Als Hartmut nun wieder auf Heerzug gehen wollte, drohte Gerlind, Gudrun zum Waschen an die kalte See zu schicken. Der ärgste Schimpf schien es ihr, wenn die Gefangene vor allen Leuten das Linnen des Hofes spülen und klopfen mußte. Und dennoch sollte gerade dadurch Herr Ludwig Land und Sieg verlieren.

Vor seiner Ausfahrt kam Hartmut mit Ortrun noch einmal zu der Entführten und bat sie, ihren Sinn zu wenden.

»Man hat mich einem König verlobt«, antwortete Gudrun, »mit festen Eiden schwur ich mich ihm zum Weibe. Nun muß ich ihm treu bleiben, solange er lebt.«

»Auch mich vermag niemand von Euch zu scheiden, Gudrun«, sagte Hartmut. »Ich werde warten und lasse Euch die Schwester.«

Wirklich versuchte Ortrun eine Weile ihr Bestes, teilte Trank und Speise mit der Einsamen und erzählte ihr von anderer Königinnen Geschick. Aber Gudrun blieb die gleiche. Kein gelindes Wort fand sie für Hartmut, spröde wurde ihre Rede gegen sie, die ihr das Leid versüßen wollte. Da brach Hartmut auf, ließ Gudrun seiner Mutter und freute sich an der Freundschaft seiner Mannen.

»Nun sollst du mein Gewand alle Tage an den Strand tragen«, sprach die schlimme Gerlind. »Weh dir, wenn ich dich müßig finde.«

»Ich will mir meine Speise selbst verdienen«, antwortete die Trotzige.

Bald wußte niemand die Kleider am Meer so wohl zu waschen wie Gudrun. Ihre Jungfern schauten dem von fern zu; nichts war ihnen mehr leid, als daß sie ihre Königin vor allen Leuten bei solcher Arbeit sahen. Hildburg – sie war Gudrun die liebste der Freundinnen – klagte oft und aufsässig über Gerlind. Die hörte es und schickte die Arme zornig gleich der Königstochter zum Strand. So fand Gudrun Trost; Hildburg begleitete sie tagaus, tagein, es verkürzte der Gefangenen die Zeit und linderte ihren Kummer.

Mehr Arbeit als bisher gab ihnen Gerlind auf; hart war der Winter, in kalten Böen mußten die Frauen am Meer spülen und waschen. Schnee lag auf den Klippen unter ihren Füßen.

Fünfmal stieg der Sommer auf und ward wieder zu Sturm und bitterer Not.

Um die Zeit wurde von den Mägden, die Gudrun treu geblieben waren, eine, namens Hergart, abtrünnig und vermählte sich mit Herrn Hartmuts Mundschenk. Im Hegelingenland erfuhr man davon; Frau Hilde sandte heimlich Boten an ihre Tochter, sie sollte die Hoffnung nicht verlieren.

Die Königin der Hegelingen hatte in all den Jahren ihr gefangenes Kind im Land der Normannen nicht vergessen. Sie hatte sieben große Kampfdrachen und zweiundzwanzig kleine Schiffe bauen lassen – Schalten hieß man die – und hatte sie ausgerüstet mit allem, was sie zum Schutz und Trutz enthalten können. Auch fuhren vierzig Barken für sie auf dem Meer.

Ein stattliches Heer sammelte Frau Hilde unter der Burg Matelane; schon nahten die Jahre, wo das Land reich an heerlustigem jungem Volk war, das den Raubzug der Normannen rächen wollte.

Eines Tages, um Weihnachten war's, sandte die Königin Boten an die Fürsten ihres Reiches, an Herwig vorall.

»Wohl weiß ich um meinen Eid, wohl weiß ich um die Gefangene«, antwortete der. »Froh bin ich, daß Ihr, Herrin, mich ruft. In sechsundzwanzig Tagen stoße ich zu Euch mit dreitausend Degen.«

Zur Reise rüsteten alle, die mit den Hegelingen in den Winterkrieg fahren wollten. Durch Dänemark und Dithmarschen, Friesland, Stormarn und Holstein ritten die Boten, um die waffenfähigen Männer aufzubieten.

Sie trafen den jungen Ortwein, gerade als er mit dem Falkner auf die Beize zog. »Hei«, rief er, »meine Mutter wähnte wohl, wir hätten die Heerfahrt vergessen!« Den Falken ließ er frei und sprengte heim, um seine Mannen zu sammeln. »Mit Tausenden will ich zu Euch eilen«, hieß er bestellen.

Bald strömten von allen Seiten die Heere herbei. Schiffe liefen in die Häfen ein, um die Recken über die salzige Flut zu bringen. Von Ortland kamen sie, von Seeland und von den Ufern der großen Flüsse. In reicher Wehr lagerten die Herren in Frau Hildes Burgen.

Viele Gaben ließ die freudlose Mutter verteilen, jeden einzelnen der Helfer empfing sie und grüßte ihn.

Dann zeigte sie voll Stolz ihre Schiffe. Fest waren die Seile, aus guter Glockenspeise waren die Anker gegossen, und die Männer lobten sie.

Bald nach Weihnachten versammelte die Königin unter dem alten Wate alle Fürsten in ihrer Burg und erinnerte sie an den Normannenraub und an Hettels Tod. »Folgt meinem Fähnrich nun«, bat sie. »Ich will euch wohl vergelten, was ihr in Völkerstürmen für uns erstrittet und erstreiten werdet.«

Wer der Bannerträger sein würde, fragten die Herren.

»Das soll mein nächster Mage, soll Hettels und Wates Neffe, der Däne Horand, werden.«

Kühne Lieder sangen die Männer, als sie zu Schiff stiegen; viele waren unter ihnen, deren Väter auf dem Wülpensand erschlagen lagen, sie wollten ihren Tod den Normannen vergelten. Die Blicke der Frauen folgten den Ausfahrenden; von Fenstern und Deichen schauten sie ihnen nach, bis die Segel in der Flut einsanken.

Auf dem Wülpensand stießen auch die Morunger zu den Hegelingen. Manche Recken suchten die Gräber der Väter und legten Blumen darauf. Als sie nun weiterfuhren, wehten Südwinde, die verschlugen die Schiffe. Nebel strömten über die See und machten, daß die Flotte an einer Zauberinsel vorüberkam, in der nach der Mär der Schiffer ein weites Königreich mit schönen Frauen verborgen liegt. Von Silber ist der singende Sand, und wo sonst Steine liegen, glitzert es am Strand wie lauteres Gold. Es heißt auch, daß sie, die jene Insel finden, allezeit glücklich auf ihr leben dürfen. Wen der Zauber nach »Utwunder« zieht, der möge nur landen, um für immer Freude zu gewinnen.

Die Hegelingen aber dachten an den Eid, den sie Frau Hilde geleistet hatten, sie schwuren den Verlockungen des Berges ab. Da zerriß der Nebel, die Sonne brach durch und wies ihnen die grüne See. Mit kraftvollen Armen führte sie der Wind der Normandei entgegen.

Noch einmal versuchte ein schwerer Sturm ihre Fahrt aufzuhalten. Die Planken krachten, die Kiele hoben sich, als schwebten sie über den Wogen. Aber die Hegelingen waren stärker; Horand, der Kühne, stand im Mastkorb, er erspähte als erster die Berge der Normandei.

Auf Wates Rat legten sie in der Dämmerung die Schiffe in eine Bucht, die zwischen Wald und Klippen verborgen lag, und ließen die Anker fallen. Frischkalte Brunnen flossen im Tann von den Felsen nieder, darüber freuten sich die wassermüden Mannen. Herr Irold erklomm eine Höhe; von einem Baumgeäst aus sah er in der Ferne die sieben Türme der Ludwigsburg.

Auf Wates Geheiß trugen die Degen nun Waffen, Schilde und Streitgewand an den Strand, auch die Rosse wurden ausgeladen und zugeritten; fünfhundert Panzer hatte Frau Hilde heimlich mitgegeben für junge Degen, die nicht wohl gerüstet wären. Feuer flackerten auf, Speisen brutzelten, und Becher kreisten. Aber schon bald befahlen Wate und Herr Frute, zur Ruhe zu gehen; schlafen sollten die Recken.

»Wir wollen Boten aussenden«, bat Ortwein, »Gudrun soll wissen, daß wir kommen. Es müssen indes Boten sein, die Gefangene aufzufinden vermögen und doch klug vorm Feind sind. Gebt mir den Auftrag, die Schwester zu suchen!«

»Ist Gudrun deine Schwester, bin ich ihr Ehegemahl«, sagte Herwig. »Und war ich all die Jahre in ihrem Dienst, so will ich heute nicht beim Heer zurückbleiben.«

Vergebens schalt Wate. »Man wird euch erkennen und henken, elend werden meine besten Degen umkommen!« Die beiden ließen nicht ab von ihrem Plan. »Freund ist dem Freund in der Not nahe; wir werden Gudrun finden«, antwortete ihm König Herwig.

Ortwein bat beim Abschied: »Fallen wir, so sollt ihr nicht vergessen, uns zu rächen, und nicht davon abstehen, die entführten Frauen heimzubringen!« Die Fürsten versprachen es ihnen in die Hand; sie waren traurig und fürchteten, daß die kühnen Späher niemals wiederkehren würden.

Währenddes wuschen Gudrun und Hildburg die Kleider am Strand. Da kam am hellen Mittag ein Vogel zu ihnen geschwommen.

»Ach, schöner Vogel«, sang Gudrun, »daß du auf den eisigen Fluten wohnst, tut mir leid.«

Der Vogel antwortete mit menschlicher Stimme. »Dank für dein Mitleid, Gudrun! Dafür will ich dir von deinen Freunden erzählen. Nahe sind die Befreier!«

»Wenn du um sie weißt, so sag, ob meine Mutter Hilde noch lebt?«

»Ich sah, daß sie einem großen Heer den Abschied rüstete.«

»Und Ortwein, mein Bruder, und Herwig, mein Geliebter?«

»Ich sah sie über die Wogen fahren, am Ruder standen die Rekken.« Der Vogel flog auf, Gudrun rief ihm noch einmal nach: »Und Wate von Stormarn und Horand von Dänemark, wo sind sie?«

»Bald«, kam die Antwort, »bald hörst du von ihnen!«

Lässig wusch Gudrun diesmal das Gewand; Gerlind schalt, daß die Tücher nicht weiß genug seien. »Ach, Herrin«, sagte Hildburg, »wir möchten wohl fleißiger waschen, aber wir frieren zum Erbarmen.« Karges Brot aßen sie zum Abend und tranken Wasser dazu, die nassen Kleider legten sie ab und schliefen auf harten Bänken.

In der Frühe war Schnee gefallen, Hildburg bat Gerlind um Schuhe. »Geht und wascht! Was liegt mir an eurem Tod«, höhnte die Normannenkönigin.

Mit bloßen Füßen schritten die Frauen durch den Schnee und wuschen, noch im Dunkel, Gerlinds Gewand. Viele sehnsuchtsvolle Blicke sandten sie übers Meer.

Da sahen sie in der halben Dämmerung zwei Männer in einer Barke nahen. Gudrun hob an zu klagen. »Wer mag das sein? Ach, Hoffnung wie Leid schaffen nur neuen Jammer. Was wird man sagen, findet man mich in armer Kleidung am Strand.« Sie wollte voll Scheu fliehen; die Fremden aber hatten die Wäscherinnen erspäht, sprangen ans Ufer und riefen sie an.

Ihrer nassen Hände wegen schämten sie sich, vor Frost bebten die Frauen. Es waren die Tage, wo der Winter Abschied nimmt und der Vogel sein erstes Lied erprobt, um singen zu können, wenn der Lenz einzieht. Noch war die See voll von treibendem Eis.

Als nun die Männer so sehr baten, kamen die Zagenden zurück. Vom kalten Wind waren ihre Locken zerzaust, durch die Hemden schienen die Glieder wie Schnee.

Herwig grüßte die Unbekannten. »Sagt, wem gehören die Kleider am Strand, für wen wascht ihr, Frauen? Ach, wer seid ihr? Kronen müßtet ihr tragen, so schön seid ihr.«

»Fragt, was Ihr wissen wollt«, drängte Gudrun. »Aber eilt Euch! Sähe uns die Meisterin von den Zinnen, könnte es uns arg ergehen.«

»Gebt uns Antwort, wir wollen's euch lohnen!«

»Laßt Euer Gold, wir brauchen keinen Lohn. Und fragt rasch, wir müssen von hinnen!«

»Wer ist's, der euch in dieser Kälte dienen läßt?«

»Hartmut heißt er, und Herr Ludwig ist sein Vater. Wißt Ihr's nicht?«

»Wir kommen als Boten. Wo finden wir eure Herren?«

»In der Burg wohnt der König mit viertausend Mannen.«

»Mit viertausend Mannen? Vor wem trägt er so große Sorge?»

»In der Ferne liegt ein Reich, heißt Hegelingenland«, antwortete Gudrun. »Vor dem fürchtet er sich.«

»Nehmt unsere Mäntel«, bat König Herwig die Zitternden. Aber Gudrun wich vor ihm. Dabei mußte er sie anblicken, sie schien ihm schön und wohlgetan und glich so sehr der einen, an die er oft innig dachte.

Herr Ortwein fragte Hildburg: »Sagt, Mädchen, ist Euch fremdes Ingesinde der Burg bekannt? Gudrun hieß eine?«

»Und ob ich von ihr hörte, sie lebte in großer Mühsal! Und ob ich sie sah, das Antlitz der Geraubten war bleich vor Gram und Heimweh!«

Herr Herwig bückte sich zu seinen Schuhen und flüsterte Ortwein zu: »Wenn Gudrun noch lebt, so ist sie es selbst. Nie

sah ich jemand, der ihr so glich wie diese!« Gudrun hörte, wie
er den andern mit dem Namen ihres Bruders anredete.

»Einen kannte ich«, sagte sie, »dem gleicht Ihr, Fremder! Herwig von Seeland war's. Wenn der es vermöchte, er höb' uns
Frauen aus unserer Trübsal. Ich selbst bin ja eine von denen,
die mit Hartmut übers Meer reisen mußten.« Die Scham überwältigte sie. »Hört«, fragte sie rasch, »sucht Ihr nach Gudrun?
Sucht nicht mehr! Allzu viele Jahre mußte sie warten, dann hat
sie der Tod erlöst.«

»Ja, ich suche sie, die sich mir für all ihr Leben verheißen hat«,
sagte Herwig. »Seht meine Hand, kennt Ihr den Ring? Ach,
verleugnet Euch nicht! Wärt ihr's selbst, Gudrun, ich führte
Euch heut noch von hinnen!«

Die Hegelingin erkannte im Gold einen köstlichen Stein, den
hatte sie einst an ihrem Finger getragen. »Ich kenne den Reif«,
lächelte sie, und die Freude überglühte ihr Gesicht. »Seht diesen, den mir mein Geliebter sandte, als ich noch froh in meines
Vaters Lande lebte.« Da umfing Herwig die Braut, er bedeckte
ihr Antlitz mit Küssen und umarmte auch Hildburg, ihre Gesellin. »Jetzt habe ich Glück und Freude nach langem Leid und
bösen Tagen!« rief er.

Dann mahnte er den Freund, mit den Frauen zu fliehen.

»Und hätte ich hundert Schwestern«, antwortete der junge
Ortwein trotzig, »ich ließe sie sterben, ehe ich Gefangene
heimlich stehlen wollte. Die Normannen haben sie uns mit Gewalt genommen, sie sollen sie uns mit Gewalt hergeben.«

»Man wird sie weithin führen«, klagte Herwig, »so daß wir sie
nicht wiedersehen.«

»Wäre es dir recht, daß Gudrun ihre Gefährtinnen im Stich
ließe«, grollte Ortwein. »Ehe morgen die Sonne scheint«, tröstete er die Schwester und umarmte sie, »ehe morgen die
Sonne scheint, liegen wir vor des Königs Burg.«

Hart war das Scheiden, selten wohl ist es Menschen so schwer
geworden. Mit den Augen folgten Gudrun und Hildburg den

Männern, bis ihr Boot hinter den brandenden Wogen einsank. Dann spähte Hildburg erschrocken zur Burg hinüber, ihr war, als hätte sie die alte Königin am Fenster gesehen. »Rasch, rasch, die Kleider«, riet sie, »Gerlind läßt uns züchtigen.«

»Zum letztenmal habe ich Gerlind gedient«, sagte Gudrun. »Nun, da mich zwei Könige küßten, fand ich meinen Stolz wieder. Und ob man mich heute mit Ruten schlüge, morgen müssen meine Feinde verderben!« Sie ließ der Königin Kleider ins Meer treiben und schwang das Linnen weit hinaus in die Wogen. Das Wasser trug es von dannen.

Es dämmerte. Hildburg ging ängstlich mit Gudrun zur Burg hinauf; sie hatte ihre Kleider wohl gewaschen, aber der Königstochter Hände waren leer.

Spät kamen sie ins Tor der Feste.

»Ihr bliebt lange aus«, schalt Gerlind. »Habt ihr euch mit Knechten getroffen? Geben Frauen, die Könige verschmähen, nicht mehr auf ihre Ehre?«

»Mit niemandem redete ich«, sagte Gudrun kühn, »außer mit solchen, mit denen ich reden darf.«

»Schwätzerin, du!« Da sah Gerlind ihre leere Schürze. »Wem schenktest du meine Kleider?« schrie sie. »Wie ein Müßiggänger kommst du zur Burg!«

»Sie treiben am Gestade«, versetzte die Hegelingin, »sie waren mir zu schwer. Laßt sie durch andere holen!«

Gerlind befahl, Dornen zu brechen und die Aufsässige zu binden. Viele Frauen begannen zu weinen und zu klagen.

Gudrun lachte laut. »Ich rate, mich nicht zu berühren! Mein Herr würd's Euch verübeln! Oh, vielleicht bin ich morgen Königin in der Normandei und könnte mich rächen.«

»Was du da sagst, möchte ich recht verstehen.« Frau Gerlinds Zorn verflog. »Und hätte ich tausend Stück Leinen verloren, ich würde sie alle verschmerzen, wenn du Hartmut zum Gemahl nähmst.«

»Ruft den König«, verlangte Gudrun.

Herr Hartmut hörte die Botschaft mit Freuden; er glaubte, Gott habe den Sinn der Jungfrau endlich gewandelt und wolle ihm sein treues Warten belohnen. Zur Kemenate der fremden Mägde eilte er.

»Bleibt in der Tür, Hartmut«, sagte Gudrun, »ich bin eine arme Wäscherin. Wenn ich einst wie eine Königin gekleidet bin, dann dürft Ihr mich küssen.« Der Zucht gehorchend, trat der König zurück.

»So sei mein erstes Gebot, daß man mich bade«, befahl Gudrun. »Mein anderes, daß man mir meine Mägde gut behandle!«

Alle Wünsche erfüllte Hartmut. In geringen Kleidern, mit ungepflegten Haaren kamen Gudruns Freundinnen, so wie man sie aus dem Dienst holte; viel Leid hatten sie bei Gerlind erfahren.

»Seht sie an, reicher König«, rief Gudrun, »werden so einer Königin Maiden gehalten? Habt Sorge, daß auch sie sich kleiden können!«

»Liebe Herrin«, versetzte Hartmut, »die besten Gewänder, die wir haben, sollt Ihr noch zum Abend tragen.« Er sorgte, daß sie alle zum Baden gehen konnten; seinen eigenen Vetter ernannte er zu Gudruns Kämmerer. Jetzt wollte sich auch ein jeder gern der Königin geneigt zeigen; den schönsten Wein, der in den Kellern der Normannen wartete, und süßen Met brachte man den Gefangenen.

Gerlind war inzwischen zu Ortrun geeilt. Sie bat die Tochter, Gudrun aufzusuchen. Wie froh war Hartmuts Schwester, als sie die Wäscherin nun in edlen Gewändern sah; sie fiel ihr um den Hals und küßte sie.

»Ich will dir lohnen; daß du viel Leid um mich hattest«, versprach Gudrun. »Wir wollen einander nicht mehr verlassen, das sollst du wissen.«

Was er weiter für sie tun dürfe, fragte Hartmut. Da riet die listige Gudrun ihm, noch zur Nacht nach allen Teilen des Normannenreiches Boten auszusenden. Sie sagte, all seine Freunde möchten zu Hofe kommen, sie wolle ihren Maiden gern die Recken ihres Landes zeigen. Über hundert Degen schickte Hartmut zu Pferde aus der Burg. Dann setzte er sich zu Gudrun – Edelknaben zündeten die Lichter an –, bis Frau Gerlind mahnte: »Liebe Tochter, jetzt solltet Ihr Euren Verlobten entlassen. Zum Morgen dürft ihr wieder beisammensein.« Tief verneigte sie sich vor der Hegelingin und bat Gott, daß er sie behüte.

Als die Frauen aus dem Hegelingenland mit Gudrun allein waren, begannen sie zu klagen: »Ach, daß Ihr der Wölfin nachgegeben habt, ach, daß Ihr dem König gefolgt seid! Sollen wir wirklich in diesem rauhen Felsland unser Leben enden? Heimweh nach unsern sanften Wiesen haben wir; Herzeleid bringt uns, was Euch Freude macht!«
Gudrun lachte hell, als sie die Mägde weinen sah.
Horcher waren da, die liefen zu Gerlind und meldeten ihr, daß Gudrun, die seit vierzehn Jahren nur zu zürnen gewußt, sich laut gefreut habe. Die Königin traute dem nicht und schlich zu Hartmut. »Ich weiß nicht, was Gudruns Lachen bedeutet. Fast fürchte ich, daß unserm Land viel Drangsal bevorsteht. Vielleicht hat sie geheime Botschaft empfangen?«
Aber der Sohn glaubte es nicht.
Inzwischen ging die Hegelingin mit ihren Mägden zur Ruhe, viele Betten mit seidenen Decken hatte man für sie aufgeschlagen.
»Verschließt die Tür«, flüsterte Frau Hildes Tochter, »und schaut aus, ob kein Horcher davorsteht. Klopft die Mauern ab, ob sie dicht und fest sind, und schiebt die Riegel vor!« Dann rief sie alle Gesellinnen zu sich. »Ihr dürft fröhlich sein nach langem Leid. Wißt, ich küßte heute Herwig, meinen Mann, und Ortwein, meinen Bruder. Nun schlaft, und wer von euch mir

als erste den Morgen verkündet, die soll für immer frei von Sorgen sein. Eine gute Zeit naht, ihr Lieben!«

Herwig und Ortwein waren zu ihrem Heer zurückgekehrt, und ihre Mannen waren froh, sie wieder bei sich zu haben. Die Hauptleute traten zusammen und wollten von den beiden erfahren, was es gäbe.

»Hört von dem Wunder, Freunde«, rief Ortwein, »wir haben meine Schwester Gudrun gefunden und Hildburg mit ihr.« Die Männer glaubten es ihnen nicht. »Wir trafen sie als Wäscherinnen am Strande.«

Frute drängte voll Sorge: »Hat man euch nicht gesehen? Wir müssen handeln, noch ehe die Späher berichten.«

»Ich weiß Rat«, sagte der ungeduldige Wate, »brecht auf, sofort! Der Himmel ist voller Sterne, der Mond leuchtet. Bis zur Frühe stehen wir vor Ludwigs Burg!«

Der Rat war gut; die Hegelingen schickten die Schiffe am Ufer entlang, ritten durch die Nacht und lagerten sich im Wald vor der normannischen Feste.

»Wenn ich zum erstenmal blase, rüstet euch zum Streit«, befahl Herr Wate. »Wenn ich zum zweitenmal blase, so sollt ihr die Rosse satteln. Wenn ihr das Horn aber zum drittenmal hört, so sollt ihr reiten!«

Sie sahen die Burg durch die Nacht ragen und schliefen in Gras und Tau die letzte Stunde vor der Dämmerung.

Zur gleichen Zeit – schon stieg der lichte Morgenstern empor – trat eine von Gudruns Mägden ans Fenster des Schlafsaals; sie wartete, daß der blasse Schein der Frühe auf dem Wasser glänzte, und sah – was war es doch –, sah Helme und Schilde schimmern. Weithin war die Burg umlagert, von Waffen leuchtete der Waldrand. Wie eilte die Jungfer und weckte die Königstochter! Gudrun sprang zum Fenster; viel weiße Segel widerschienen auch auf der See, das Ufer aber glitzerte von Brünnen und Schwertern. »Weh wird mir«, sagte das Königskind, »weh wird mir, denk' ich der Tapferen, die heut zu Tode kommen!«

Da blies von der Zinne schon König Ludwigs Wächter. »Wohlauf, ihr stolzen Recken, wohlauf, ihr kühnen Normannen! Der Morgen tagt zum Kampf, ihr schlieft zu lange.«

Gerlind hörte den Ruf, sie lief zum Burgerker. Viele schlimme Gäste erkannte sie im Tal; ihr Herz begann zu schlagen.

»Herr Ludwig, deine Burg ist ummauert«, schrie sie. »Ach, deine Recken werden Gudruns Lachen heut teuer entgelten müssen.« Der König trat ans Fenster, er sah ein Feld von Fahnen vor seiner Feste.

»Vielleicht sind's Pilgersleute«, tröstete er sein Weib und sandte nach seinem Sohn.

»Die Wappen kenne ich, sie wollen eine alte Schande rächen«, lachte Herr Hartmut. »Mich dünkt, jetzt gilt's, mein Vater! Wate von Stormarn und die Seinen sind gekommen! Da – der Fürst von Morungen –, da Dithmarschen und, ihnen zur Seite, die Fahne Horands von Dänemark. Frute ist bei ihnen und der Kühne von Waleis. Das Banner Herrn Ortweins sehe ich, dem wir den Vater erschlugen; rote Quersparren trägt es, Schwertspitzen leuchten darin. Noch eine Fahne erkenne ich, weißer als ein Schwan, mit goldenen Wappenbildern. Die bringt uns Frau Hildens Haß. Und dort, wo Gold in blauer Seide leuchtet, steht Herwig von Seeland, dem ich Gudrun raubte. Der Friesen Fahnen wehen und – daneben – die der Holsteiner. Das sind gewaltige Helden. König Ludwig, Sturm zieht auf gegen die Normandei. Nun gilt's, mit den Schwertern hohe Gäste aus den Pforten zu treiben!«

Viertausend Mannen rüsteten sich.

Gerlind riet den Männern ab, vors Tor zu reiten. »Geht ihr aus der Burg, so wird der Feind in seinem Grimm euch alle erschlagen.«

»Liebe Mutter«, sprach Hartmut kampffreudig, »lehrt Eure

Frauen Fäden durch die Seide ziehen, aber ratet uns nicht bei ritterlichem Tun. Befahlt Ihr nicht Gudrun und ihren Mägden, am Strande zu waschen, und wähntet, sie hätten keine Freunde?«

»Ich hatte immer nur im Sinn, sie dir zu gewinnen«, klagte Gerlind. Noch einmal bat sie: »Laß die Burg schließen, Hartmut! Brot und Wein habt ihr genug. Schießt aus den Fenstern mit Armbrüsten und Bögen; Steine wollen wir den Gästen senden, wir Frauen werden sie euch zutragen.«

»Mutter«, entgegnete der Junge, »ehe man mich in dieser Burg einschließt, will ich lieber Stirn gegen Stirn vor Gudruns Freunden sterben!«

Als er so antwortete, begann die alte Königin zu weinen.

Tausend Hüter ließ Hartmut in der Burg, die anderen Degen stiegen zu Pferde. An vier Toren warf man die Riegel zurück. Mit aufgebundenen Helmen ritten über dreitausend der besten Normannen zu Tal.

Da blies der Held vom Sturmland zum erstenmal, und die Hegelingen eilten zu ihren Bannern. So gut hatte Herr Wate die Seinen gezogen, wenig war zu hören, kaum daß ein Roß wieherte. Zum andernmal stieß der Stormar ins Horn, da schwangen sich die Recken in die Sättel, und Herr Wate richtete die Schwarzen. Die Waffen glänzten wie Silber; in straffer Ordnung standen die Mannen bereit, alle fürchteten des grimmigen Alten Zucht. Zum drittenmal blies Wate, daß die Meerflut aufwogte, daß der Strand scholl und die Ecksteine in Herrn Ludwigs Feste bebten. Dann gebot er Horand, Frau Hildens Banner aufzuheben, und brach mit den Seinen aus den Wäldern zum Sturm vor. Unter der Burg schwenkten die Flügel der Angreifer ab, sie wandten sich gegen die Normannen, die aus den Seitentoren vordrangen.

König Herwigs Braut sah dem zu; in ihren Fenstern glänzten die Helme von Freund und Feind.

Als erste gerieten die Morunger ins Gefecht, sie warfen die Speere und zogen die Klingen aus den Scheiden. Die kühnen Dänen ritten als nächste ins Treffen, hinter ihnen Herr Irold mit den Ortländern. Auf König Ludwig hatten sie es abgesehen; sie stürmten hart gegen ihn an, brachten seine Schar aber kaum ins Wanken.

Vorm andern Tor sprengte Hartmut mit seinen Degen gegen die Hegelingen; sein lichtes Eisenkleid glänzte in der Sonne, noch hatte er hohen Mut. Ortwein fragte nach des Helden Namen.

»Hartmut ist's, dessen Vater den deinen erschlug.«

»So ist er mir verfallen«, lachte der Junge, »nun soll ihm Gerlind nicht mehr helfen!«

Da hatte auch Hartmut sich Ortwein erkoren. Die Speere neigten sich, jeder Reiter traf den anderen mit gutem Stoß. Ihre Rosse strauchelten, sprangen wieder auf; die Schwerter blinkten. Kühne Helden waren beide, keiner wollte weichen. Bald aber sprengte hüben und drüben das Gefolge mit gesenktem Schaft gegeneinander, der Wirbel des Kampfes trennte die Fürsten.

Herr Wate deckte Ortweins wie Irolds Schar. Tausend von Hartmuts Mannen wandten sich gegen ihn; er ließ sie mit ungeneigten Speeren dicht herankommen, dann wußte der graue Kämpe ihnen den Angriff arg zu verleiden.

König Ludwig, der Alte, war inzwischen gegen die Dänen vorgedrungen; Herr Frute rief die Holsteiner heran, viele Feinde wurden von ihnen erschlagen.

Zur gleichen Zeit traf Hartmut wieder auf Ortwein, hageldicht fielen die Hiebe. Beherzt wehrte sich der Junge, bis Hartmut ihm den Helm klaffte, daß ihm das Blut über den Panzer rann. Horand, der Däne, sah es. Er schrie laut und schalt, wer ihm den Freund verwundet habe.

»Ich tat es«, lachte Hartmut. Da gab Horand Hildens Banner aus der Hand, die Männer begegneten einander, daß sich die

Schwertspitzen über den Helmspangen bogen und die Funken aus den Ringen sprühten. Dann schlug Hartmut auch Horand eine Wunde, rot quoll das Blut durch die Panzerringe. Wieder trennten die Mannen die fechtenden Herren; mit Übermacht drangen des Dänen Degen auf Hartmut ein.

Rasch wurden Ortwein und Horand verbunden, schon ritten sie in den Streit zurück. Wild wehrten sich die Normannen, um ihre Ehre kämpften die fremden Gäste. Vor den vier Toren der Burg klangen die Schwerter.

Am grimmigsten ging es dort zu, wo Herr Wate von Stormarn focht, man sah ihn, ach, gar viele Feinde grüßen, die an ihres Lebens Ziel gelangt waren.

Herwigs Schar war von den Normannen durchbrochen; der junge König wich aber nicht vom Platz, er fühlte Gudruns Augen auf sich ruhen. Immer wieder sammelte er kleine Treffen und ritt gegen Herrn Ludwigs Schar; bitter leid war es ihm, daß der greise Recke viele gute Freunde niederstreckte.

Herwig wandte sich gegen ihn. »Dein Name?« fragte er.

»Ludwig, der Alte, bin ich und möchte noch manchen fällen, ehe ich die Welt räume.«

»Herr Ludwig seid Ihr! So schlugt Ihr König Hettel und stahlt mir mein Weib. Herwig bin ich!«

»Ihr habt mir lang genug gebeichtet«, spottete der Normanne. »Nun will ich dafür sorgen, daß Ihr Euer Weib nimmermehr küssen dürft.« Die beiden Helden liefen einander an, viele Männer sprangen hinzu. Tapfer war Herwig, aber Ludwig war von grimmigerer Kraft, er traf den Jungen, daß er niederbrach; die Freunde mußten ihn schirmen. Zum Schloß blickte Herwig hinauf, ob Gudrun gesehen hätte, wie er stürzte.

Noch einmal ließ der Verwegene sein Banner gegen König Ludwig tragen. Der hörte den Anruf und wandte sich gegen ihn; es wurde ein wildhafter Streit. Endlich wurde er der Stärkere, auf dem die Augen der jungen Königin ruhten. Herwig hieb König Ludwig jäh eine Wunde, daß der Alte vom Kampf ablassen wollte und seine Degen rief. Da schlug der Seeländer zum zweitenmal so gewaltig, daß dem Feind das Haupt von der Achsel sprang.

Als sie sahen, daß ihr König gefallen war, begannen die Normannen in ihre Feste zurückzufluten. Viele waren jedoch im ersten Sturm zu weit vorgestoßen, die Seeländer ließen sie nicht mehr umkehren. Auch König Ludwigs Bannerträger fiel. Darüber erhob sich auf der Burg ein solches Zürnen und Klagen, daß Gudrun und die Ihren sich vorm Haß der Mannen fürchteten und über den Hof flüchteten.

Noch wußte Herr Hartmut nicht, daß sein Vater erschlagen war, er hörte aber das Lärmen und Schreien in seinem Rücken und wurde unruhig. »Wir haben die Ehre vorm Tor gerettet«, sagte er zu den Seinen, »laßt uns umkehren.« Die Männer folgten ihm und wollten aus dem Feld reiten, da brach Herr Wate in ihre Flanke ein. Ehe Hartmut das Tor erreichen konnte, war der Stormar abgesessen und unter die Bögen vorgerückt, obwohl die Normannen von der Mauer herab große Steine auf seine Leute warfen. Herrn Wate aber erschien es gering, ob er leben oder sterben würde, ihm kam es nur auf das eine an, den Sieg zu gewinnen.

Hartmut sah den starken Stormarn mit den Seinen im Tor, rund um die Burg flatterten schon die Fahnen der Feinde. »Es geht zu Ende«, dachte er, »wohin sollen wir uns wenden? Wir können nicht fliegen, wir können uns nicht unter der Erde bergen noch über dem weiten Meer.« »Steigt von den Rossen, Freunde«, befahl er, »wir müssen Wates Schar durchbrechen. Ich selbst will mich mit ihm messen.« Mit aufgehobenen Schwertern schritten die Normannen heran, um ihre Burg zu gewinnen. Wate sah den König nahen. Er lachte laut vor Kampfeszorn. »Wacht im Tor, Frute!« rief er und lief Hartmut an. Gewaltig wurde der Streit der zwei besten Helden hüben und drüben. Keiner wich vor dem andern. Was half es, daß man Herrn Wate die Kraft von vielen Männern nachsagte, es gelang ihm nicht, den jungen Hartmut zu zwingen. Um beide häuften sich die Toten, in grimmer Erbitterung kämpften Stormaren und Normannen; König Hartmut war der erste, der Herrn Wate nicht erlag.

Als sie im Tor und schon im Burghof miteinander gerungen hatten, Herr Wate und Hartmut, mußten sie Atem schöpfen. Dabei hörte Hartmut, wie die Königin Gerlind mit schriller Stimme dem viel Gold bot, der die verräterische Gudrun und ihre Mägde töte. Ein Pferdeknecht lief mit scharfem Schwert auf die Frauen zu. Gudrun sah die blanke Klinge, sie war ohne Waffe und schrie auf; hart wurde ihr das Sterben, nun, wo die Freunde so nahe waren. Wirklich hätten die Gefangenen in dieser Stunde wohl ihr Leben gelassen, hätte nicht Hartmut die Stimme erkannt.

»Tust du den Frauen ein Leid«, schrie er dem Mörder zu, »häng' ich dich auf!« Der Mann hielt an, fürchtete seines Königs Zorn. Währenddes griff Wate Hartmut von neuem an, und bald war zu sehen, daß der junge König sich nur noch mühsam wehrte. Ortrun hörte davon, sie lief zu Gudrun und weinte vor ihr, daß ihr Vater erschlagen sei. »Laß es dich erbarmen«, flehte sie, »vergilt mir meine Liebe und rette den Bruder vor Wate.«

»Ich trag' keine Waffen«, klagte Gudrun, »ich kann die Recken nicht scheiden.« Aber sie rief doch Kämpfende an, ob jemand aus ihrer Heimat nahe wäre.

Herwig ließ das Schwert sinken und antwortete: »Wir sind Seeländer.«

»Könnt ihr den Streit um Hartmut enden lassen«, schrie Gudrun. »Bittet den alten Wate um Gnade!«

Da erkannte Herwig die Braut. »Nun darf ich meinen Schwur erfüllen«, lachte er, »und beginnen, Euch zu dienen!« Er hieb sich Bahn zu den Männern um Wate und befahl, den Kampf zu enden.

»Wenn ich meine Feinde schonte, schlüg' ich mich selber«, antwortete der Stormar und sprang von neuem vor. Um Hartmut zu retten, drängte sich Herwig zwischen die Kämpfer; Herr Wate aber war so sehr im Zorn, er traf auch Herwig, daß der Junge taumelte. Dann focht er seinen Streit zu Ende, packte den todmüden Hartmut und band ihn.

An die achtzig ritterliche Gefangene brachte man mit ihm auf die Schiffe unterm Gestade.

Grimmig tobte noch immer der alte Wate durch die Burg; die letzten Tore brach er, die letzten Feinde hieb er aus dem Feld. Keine Gnade gewährte der zornige Greis, in tiefes Leid versank die Feste der Normannen.

Irold versuchte Wates Wüten anzuhalten. »Haben die Frauen und Kinder schuld an dem, was die Könige taten?«

»Die Knaben wachsen zu Männern, ich traue ihnen nicht.«

Ortrun war zu Gudrun geflohen, sie neigte sich flehend vor der Schönen. »Laß uns nicht verderben, sie töten die Meinen alle.«

»Stell dich zu mir und zu meinen Frauen!«

Mit all ihren Mägden flüchtete Ortrun zu Gudrun. Auch Gerlind lief herbei und warf sich der Hegelingin zu Füßen. »Schütze mich vor Wate, bei dir allein steht mein Leben!«

»Habt Ihr mir je meine Bitten erfüllt«, sagte Gudrun, »wie soll ich Euch Milde erweisen?«

Da wurde der alte Wate Gerlinds gewahr; mit knirschenden Zähnen und furchtbaren Augen wandte er sich zu ihr. Blut-überronnen war seine Rüstung. Selbst Gudrun fürchtete ihn, aber sie wagte es doch, vor ihn zu treten.

»Seid willkommen, Wate, und laßt des Leids genug sein!«

»Wenn Ihr Gudrun seid, grüße ich Euch! Wer sind die Frauen, die sich zu Euch drängen?«

Sprach Gudrun: »Dies ist Ortrun, die Ihr schonen sollt. Die andern sind meine Freundinnen, die mit mir geraubt wurden.«

Wate trat murrend zurück, er suchte, wo es noch zu kämpfen

gäbe. Hergart, die den Mundschenken genommen hatte, floh zu Gudrun. Zornig war die Königstochter über ihren Abfall und ließ doch zu, daß sie sich zwischen den Mägden barg. Der alte Wate hatte es gesehen und wandte sich um; ihn verlangte es nach seiner bittersten Feindin.

»Gerlind ist schuld, daß die Normannen unsere Heimat verwüsteten, daß meine Freunde fielen. Wo ist die Königin?«

»Gerlind ist nicht bei mir«, log Gudrun. Aber Wate ließ sich nicht überlisten; furchtbar war sein Drohen, voll Angst wies eine von Gudruns Mägden auf die alte Königin. »Kommt, Gerlind, Ihr sollt Wäsche zählen!« Er packte sie bei den Haaren und erschlug sie. »Und wären sie noch so hohen Bluts, heut will ich den Räubern allen das Haupt auf die Erde legen!«

Gudrun weinte laut. »Schont, die zu mir flüchteten.«

»Wo ist Hergart, die sich dem Landesfeind gab?« fragte Wate. Die Mägde versuchten sie zu verbergen.

»Und wenn sie mit ihrer Minne die halbe Welt gewonnen hätte, ich lohn' ihr die Schande.« Die Frauen baten alle um ihr Leben. »Es darf nicht sein! Hier bin ich Zuchtmeister«, sprach Wate ohne Erbarmen. Die Abtrünnige riß er aus dem Haufen und erstach sie.

Nun erst schien der Streit zu Ende. Die Sieger suchten nach Beute; Gemächer wurden aufgebrochen und Säcke gefüllt. König Herwig band sein Schwert von der Seite und legte Schild und Brünne ab. So kam er zu den Frauen, grüßte sie und führte sie in den hohen Saal der Burg. Dort taten auch die anderen, Ortwein, Irold und wie sie hießen, ihr Streitgewand vom Leib; die Helme knüpften die tapferen Dänen auf, gingen zu den Maiden und ließen sich die Namen aller Getreuen nennen.

Danach traten die Könige zum Rat zusammen. Wate verlangte, daß man Turm und Burg verbrenne. Herr Frute wollte dagegen, daß sie für die Frauen blieben, während das Heer ins Land zöge, um die Festen der Normannen zu brechen. Auch die andern hielten sein Wort für gut.

Horand wurde mit tausend Degen bestellt, Gudrun und ihre Gefolginnen zu hüten, er war der nächste Blutsverwandte der Königstochter. Er ließ die Kammern herrichten und die Säle von den Toten räumen – das Meer führte sie von dannen. Ortrun mit ihren Mägden blieb bei Gudrun. »Es sind meine Geiseln«, sagte Hildes Tochter zu Wate, »ich habe ihnen Frieden gegeben. Die Mannen gehören dem Feldherrn.«

Dann brachen Wate von Stormarn und Frute von Dänemark mit dreitausend der Ihren ins Land ein. Sie stürmten die Burgen und häuften die Beute. Viele Edle nahmen sie gefangen; durch das ganze Reich der Normannen trugen sie ihre Banner.

Als sie endlich zum Meer zurückkehrten, bekam der alte Wate Heimweh: »Zum Hegelingenland möchte ich jetzt und Frau Hilde zeigen, daß ich mein Wort erfüllte.«

»Wen lassen wir hier?« fragte man ihn. Da bestimmte der Rat der Fürsten, daß die Könige von Dänemark und von Waleis mit tausend Degen in der Normandie blieben.

Hartmut bat sehr, ihn als Lehnsmann unter seinem Volk zu lassen; Gut und Leben wollte er zum Pfand setzen. Die Hegelingen aber meinten, ihnen sei der Starke gefährlicher als alle Recken seines Landes.

»Hätte ich ihn nur erschlagen«, grollte Wate, »dann brauchtet ihr ihn nicht zu fürchten.«

Zur Heimat führte der Wind die Segel der Hegelingen. Dreitausend der Helden blieben zurück, verwundet oder gefallen im Land der Normannen, die anderen reisten auf Schiffen voller Beute zu Weib und Kind. Sie schickten Boten voraus. Noch nie hatte Frau Hilde liebere Mär vernommen, als da man ihr sagte, daß ihr Mann gerächt und König Ludwig gefallen sei.

»Wie geht es meiner Tochter und ihren Mägden?«

»Herr Herwig führt sie Euch zu. Auch Ortrun ist gefangen und ihr Bruder Hartmut mit ihr.«

»Vierzehn Jahre lang haben sie Trauer über mich gebracht, sie sollen es hart entgelten«, drohte Frau Hilde. Als sie die Boten lohnen wollte, wiesen die der Königin Gut zurück. Schwer von Beute waren ihre Schiffe, sie brauchten nicht Gold, nicht Ring.

Nun ließ Frau Hilde Getränke und Speisen nach Matelane schaffen; viele Bänke wurden aufgeschlagen; auf dem Plan vor der Burg und am Strand mußten die Zimmerleute Kunst und Fleiß bewähren.

Mehr als ein Jahr hatte die Heerfahrt gedauert, es war wieder die Zeit des Lenzes, da die Schiffe heimkehrten. Trompeten begrüßten sie, Flöten und Hörner. Mit großem Gefolge ritt die Königin Gudrun entgegen. So fremd war ihr indes die Tochter in den Jahren der Trauer geworden, sie erkannte sie kaum unter den aussteigenden Gästen. Irold führte sie ihr entgegen. Dann aber konnten alle Schätze der Welt nicht die Freude aufwiegen, als die Frauen einander umarmten und küßten. Ein langes Leid zerrann.

Die Recken traten vor Frau Hilde; sie grüßten die alte Königin, sogar Herr Wate verneigte sich.

»Was könnte Euch zum Lohn genügen, Held von Stormarn«, dankte ihm Hettels Witwe. »Länder und Kronen müßte man Euch schenken.«

»Mein Lohn ist, Euch, Königin, bis an meinen letzten Tag dienen zu dürfen!« antwortete er. Frau Hilde küßte den Alten, sie küßte auch den Sohn Ortwein, der als Feldherr zurückkam. Dann stiegen die Fürsten von Herwigs Schiff an Land; der König selbst führte die schöne Ortrun.

»Liebe Mutter«, bat Gudrun, »diese ist es, die mir heimlich gedient hat und mir Ehre erwies, als ich im Elend war.«

»Erst laß mich wissen, wer ihre Eltern sind. Warum soll ich gegen Unbekannte freundlich sein?«

»Ortrun ist es, König Ludwigs Tochter«, flehte Gudrun.

»Wie soll ich die grüßen? Zu lange habe ich meinen Gram aus-
weinen müssen!«

»Mutter, niemals riet Ortrun zu dem, was dir Herzeleid
brachte. Nimm sie in deine Arme, ich bitte dich.« Die Tränen
traten Gudrun in die Augen, so sehr bat sie. Da erschrak Frau
Hilde. »Nicht weinen, Kind! Wie käme ich dazu, dir Kummer
zu bereiten?« Sie küßte auch Herrn Ludwigs Tochter und
grüßte ihre Mägde. Sie grüßte Siegfried vom Morungerland,
sie grüßte die Recken, so wie sie sie kannte und aufgeboten
hatte. Dann begannen die Männer, die Barken auszuladen und
Lager aufzuschlagen. Der Abend nahte, Hütten und Zelte standen bereit. Wein, Bier und gute Speisen verteilte die Königin
an vieltausend Gäste. Nach langer Seefahrt pflegten sich die
Wassermüden am Strand der Hegelingen.

Aber noch wußte niemand, was mit den Gefangenen geschehen
würde.

Nach einigen Tagen traten Gudrun und Ortrun vor Frau Hilde.
»Liebe Mutter, einmal muß der Haß enden. Ungut ist es, Böses
mit Bösem zu lohnen. Schone Hartmut!«

»Wenn er Euch dienen dürfte«, flehte Ortrun, »ich bürge für
ihn. Ehre würde er Euch bringen und für Euch seiner Krone
walten.« Viele Frauen, die einst mit Gudrun in der Normandie
gefangen waren, kamen hinzu und baten für Hartmut. Da ließ
die Königin der Hegelingen seine Ketten aufschließen und
nahm ihm das Wort ab, daß er nicht entweichen würde. Gut
sorgte Gudrun für die Geiseln und hieß sie speisen und baden.
Aber der König der Normannen starrte düster vor sich hin; er
wünschte sich den Tod.

Damals wollte Herwig aufbrechen, um nach vierzehn Jahren
des Harrens die Braut in sein Land zu führen. Frau Hilde bat
ihn jedoch so herzlich, daß er einwilligte, die Krönung an ihrem
Hof stattfinden zu lassen. Allzulange hatte die Mutter ihre
Tochter entbehren müssen.

Von weit her wurden jetzt die Gäste zum Fest geladen, die

Könige aber mußten noch einmal mit den Freunden bei Hofe bleiben.

Bald wurden die Armen gekleidet und die Frauen mit Gewändern beschenkt, sogar die Gefangenen erhielten schöne Kleider und Gaben. Irod wurde der Kämmerer des Landes, Herr Wate der Truchseß und Frute der Schenk. Laden und Kisten öffneten sich, viel kostbare Seide zerschnitt die Schere.

Als Gudrun eines Tages die Hofleute zu sich lud, sandte sie nach Ortwein. Gern kam er zu ihr. Sie ließ das Fest, ging mit ihm in ihre Kammer und nahm seine beiden Hände. »Lieber Bruder, willst du meinem Rat folgen, so wirb um Hartmuts Schwester.«

»Deucht dich das gut?« fragte Ortwein. »Vergiß nicht, daß wir ihr den Vater erschlugen.«

»Das sollst du mit rechter Treue vergelten. Ich weiß, daß du kein besseres Weib finden würdest, darum wünsche ich es dir!«

Herr Ortwein beredete es mit seinen Degen. Seine Mutter Hilde widersprach: »Man soll den Haß sühnen, den wir so lange getragen haben«, sagte Frute von Dänemark. »Ich rate Euch noch eins, Ortwein, gebt auch Hartmut und Hildburg zusammen. Dann sind wir so eng versippt, daß der Normanne uns immer Freund bleiben muß.«

Gudrun lachte vor sich hin, sie hieß Herrn Hartmut zum Mahl rufen. Als er in den Saal trat, erhoben sich alle von den Sitzen, so edel sah er aus. Gudrun lud ihn ein, sich zu Hildburg zu setzen.

»Ihr wollt mich beschämen, Königstochter«, sagte er.

»Hört mich an, Hartmut, einen Rat möchte ich Euch geben.«

»Ihr, Gudrun, werdet mir nichts befehlen, was nicht gut und recht ist. Wisset schon jetzt, daß ich Euch folgen werde.«

»Hartmut, Eure Schwester Ortrun will sich mit meinem Bruder vermählen. Wer soll nun Hildburg, meine schöne Gesellin, gewinnen, wer soll das Leid vieler Jahre sühnen?«

Er sah Gudrun nicht an. »Hättet Ihr eine andere genannt, hätte ich lieber den Tod gewählt, Königin! Diese eine war Euch ähnlich durch ihr Geschick.«

Als Wate davon erfuhr, wurde er zornig. »Ehe nicht Ortrun und Hartmut Frau Hildens Verzeihung haben, weiß ich von keiner Versöhnung«, drohte er.

»Saht Ihr nicht die Kleider, die meine Mutter mir für die Freunde gab? Seid froh mit uns, wackerer Wate!« Dann rief Gudrun die Freundinnen Hildburg und Ortrun und hieß die Degen einen Ring bilden. Einen goldenen Reif steckte Ortwein der schönen Tochter des Normannenlandes an ihre weiße Hand, da war ihr Weh zu Ende.

Nun wurde das Fest begonnen. Sechshundert Knappen, die sich auf der Heerfahrt im Kampf bewährt hatten, Seeländer, Stormaren und Friesen, Hegelingen und Holsteiner, Dänen und Dithmarscher, wurden zu Rittern geschlagen. Noch einmal zeigten sie ihre Kraft. Viele Schäfte brachen sie und ritten am Strand von Meer und Strom den Buhurt gegeneinander. Fahrende Spielleute geigten und sangen die Weisen ihres Volkes; Lied und Freude erfüllten Burg und Saal.

Unter den Gästen war der junge König von Seeland der Freigebigste. Er schenkte den Fiedlern – am liebsten hätte er sie alle reich gemacht. Mit ihm lohnten Herr Ortwein, Irold und seine Freunde die Sänger. Sogar der alte Wate trug ein kunstvoll gewirktes Gewand statt der Rüstung, hörte den Liedern zu und lobte sie. Spät ging das Fest zu Ende.

Noch einmal verhandelten die Herren mit Hartmut über einen guten Frieden, zwei Frauen halfen im Rat der Männer. Bis zum Strand geleiteten sie den, der einstmals ihr Feind war. Danach entließ Frau Hilde einen Gast nach dem anderen, bis sie mit ihren Kindern auf der Burg in Wiesen allein war.

Es wurde Zeit, daß auch Gudrun und König Herwig schieden. »Nun tröste dich der Toten, Mutter«, sprach die Tochter. »Ich und mein Gatte wollen dir so dienen, daß dich nie wieder ein Kummer umfängt.«

»Dreimal im Jahr müßt ihr mir Botschaft senden«, verlangte Frau Hilde. »Wie soll mir sonst die Zeit vergehen?«

Ehe sie sich trennten, beschworen Ortwein und Herwig die Blutsbrüderschaft. Sie schworen einander auch, daß sie ihr Fürstenamt der Väter würdig und stets in Ehren halten würden. Wollte aber jemand kommen, ihnen zu schaden, sollte man sie immer Seite an Seite finden.

Boten führten Rosse mit schmalen Brustriemen und roten Zäumen heran, die König Herwig und die Königin Gudrun nach Seeland tragen sollten. Als die Reisenden von Ortrun schieden, war der letzte Zorn zwischen den Völkern vorüber. Noch einmal grüßte die Normannin die Freundin. »Lohn's dir Gott!« Mit Lachen und Weinen verließ Gudrun das Land der Hegelingen, noch oft schaute sie zurück.

So endet das Lied von Gudruns Leid und vom hohen Ruhm der Treue.

Tannhäuser

Der Ritter Tannhäuser hatte schon in vieler Herren Dienst die Welt gesehen; den Herzog von Bayern hatte er durch sein Saitenspiel erquickt, der kunstfreudige Babenberger war sein Freund geworden, und für den Hohenstaufen hatte er in vielen Schlachten gekämpft. Aber auch der Zauberei und manch arger Mittel war er kundig; Klingsor, der Hexer aus Ungarn, hatte ihn zu sich gelockt und ihm eine Stimme, süßer als Saitenschall, geschenkt. Wo Tannhäuser es begehrte, vermochte er mit seiner Kunst die Herzen aller Frauen zu zünden.

Am Ende war er indes wieder arm und müde zur Heimat gekehrt; im Lande Thüringen lag sein Hof, gerade in der Nähe des Hörselberges. Das ist eine der Höhen, unter denen verzaubert die schöne Holde oder, wie andere sagen, die Frau Venus wohnen soll. Weit über Deutschland verstreut sind ihre Kammern; oft herrscht die lockende Verbannte im einen, oft im anderen Berg. Wo immer aber sie weilt, warnt der getreue Eckard die Menschen und scheucht sie aus der Nähe, damit sie der Versucherin nicht verfallen.

Traurig und einsam lebte Tannhäuser in seiner Heimat. Sein Gut war ihm aus den Händen geronnen, sein Lehen war gering, und die Diener verließen ihn.

Um die gleiche Zeit hatte nun der Landgraf von Thüringen an seinem Hof zu einem großen Fest gerüstet und hatte alle Minnesänger der Deutschen zu einem Wettstreit auf die Wartburg gebeten. Herr Eckard war ausgeritten, sie aufzurufen.

Auch Tannhäuser, der die Harfe fast besser als sein Schwert führte, war geladen, am Hof von Thüringen Lohn und Ehre zu erwerben. Auf die Gunst des Landgrafen hoffte er, mehr aber noch auf die seiner schönen Gemahlin Elisabeth. Ehe er indes nach Eisenach ritt, trieb es ihn noch einmal, in den Bergen seiner Heimat zu jagen. Dabei kam er am Hörselberg vorbei, hörte viel lustiges Spielen und Singen, und weil Herr Eckard für den Landgrafen fernab war, um die Gäste zu laden, und niemand ihn warnte, trat der Ritter bei der Frau Venus ein und blieb bei ihr und ihren Gespielinnen. So süß sind die, daß wohl nur wenige sie wieder verlassen. Aber seiner Seele Heil hat, wer zu ihnen gerät, für immer verloren.

Als Tannhäuser nun schon einige Zeit bei der lieblichen Holde geweilt hatte, hörte der Ritter eines Tages viel Hufetraben. Gäste ritten die Straße nach Eisenach, hohe Herren kamen auf des Landgrafen Bitte, um die schönsten Lieder deutscher Zunge vor ihm und seiner Frau Elisabeth zu singen. Der Vogelweider war unter ihnen, Gottfried von Straßburg, Ofterdingen, Frauenlob und viele andere.

Tannhäuser sah sie vom Tor des Berges aus. Mit Knappen und Gefolge ritten sie vorüber, die von rechter Minne wissen und singen, und das Gewissen erwachte in ihm.

Er trat vor Frau Holde und bat um Urlaub.

Aber die schöne Frau glaubte nicht, daß es sein echter Wunsch sei. »Hattet Ihr nicht geschworen, mich niemals zu verlassen?« fragte sie ihn.

»Nie tat ich solchen Schwur«, antwortete Tannhäuser erschrocken und hörte helle Kinderstimmen draußen im Wald, hörte Quellen und Glockenläuten, und es verlangte ihn sehr nach den Menschen zurück.

»Ich rate Euch, bei mir zu bleiben! Nehmt meine liebste Gespielin zum Gemahl«, sagte die Holde.

Der Tannhäuser aber fürchtete sich vor den hohen Sälen des Hörselberges, er trug Begehren nach ritterlichen Freuden, die er verlassen, nach Kampf und Waffentugend, unter denen er einst die Straßen gefahren war. Nach Königinnen sehnte er sich, vor denen er seine Lieder gesungen hatte.

»Wer hat Euch weh getan«, fragte Frau Holde, »ist hier ein roter Mund, der Euch nicht lacht?«

»Arm ist mein Leben geworden, schal ist Euer roter Mund, Frau Venus. Gebt mir Urlaub, ich mag nicht länger weilen! Leid ist mir dieser Berg!«

»So geht«, zürnte die Schöne. »Ach, Ihr werdet noch oft genug zu meinem Lobe singen!« Da schied Tannhäuser aus dem Reich der Tiefe und schritt wieder unter rauschenden Bäumen. Er küßte die sanfte Erde und streichelte die Blumen, die auf Angern und Matten wuchsen.

Als er indes den ersten Menschen begegnete, wichen sie vor seinem Antlitz oder flohen, wenn sie hörten, daß er der Tannhäuser sei. Und als Wolfram von Eschenbach, der zur Wartburg aufritt, ihn erkannte, zog er das Schwert, um seine milde Herrin vor dem Unseligen zu wahren. Denn rein und hehr war das Fest in Eisenach, und freundlich gegen die Kunst waren der Landgraf und seine Gemahlin. Aber nur, wer ehrlich und ohne Zauberwerk sich der Stadt des Wettstreits nahte, sollte des Kampfes würdig sein.

Der Ritter Tannhäuser ging in sich; er suchte den Abt des Klosters von Eisenach auf, um ihn zu fragen, wie er Vergebung gewänne. Der sandte ihn zum Bischof. Niemand glaubte indes, ihm verzeihen zu dürfen.

Pilgerzüge schritten durch die deutschen Lande; der Tannhäuser verkleidete sich und verbarg sich unter den Büßenden, bis man ihn erkannte und aus den Reihen verwies. Da schied er von den deutschen Bergen und machte sich einsam auf den Weg zum Papst, um seine Sünden zu beichten. Mit blutenden Füßen, hungernd und geächtet, pilgerte er durch den Schnee der Alpen, über die Karste der italischen Berge und betrat barfuß die alte Kaiserstadt, um Urban zu sehen, der damals über Rom herrschte. Tag um Tag wartete er an den Stufen des heiligen Gartens, bis der Papst vor ihm stand. Und der Ritter Tannhäuser warf sich vor ihm nieder, klagte sich an, daß er zu den Heidinnen eingekehrt sei, er bekannte seine Sünden und bat, die Buße zu nennen, die er auf sich nehmen müsse.

Lange hörte der Papst ihn an und blickte auf den Bittenden. Dann stieß er den krummen Stab, den er in der Hand trug, hart in den Boden.

»Keine Gnade wirst du erlangen«, sagte er mit zorniger Stimme. Und er setzte hinzu: »Sowenig dieses Holz grünen wird, sowenig wird Gott sich deiner je erbarmen!«

Tannhäuser vermochte sich kaum zu erheben, so leer aller Hoffnungen war ihm zu Sinn. Diener führten ihn aus der Stadt Rom und brachten ihn zu Pilgern, die heimwärts wanderten.

Als der Papst am dritten Tag danach wieder durch seine Gärten schritt, sah er, daß der dürre Stecken, den er in die Erde gestoßen hatte, mit Blättern und Blüten belaubt war. Da überdachte er, was er dem Ritter Tannhäuser gesagt hatte, daß nämlich Gott sich seiner nicht erbarmen werde, so gewiß der krumme Stab nimmermehr grünen werde. Und der Papst Urban erschrak sehr, er sandte Boten auf allen Straßen aus, um Tannhäuser zu holen und ihm die Vergebung zu verkünden, die der Stab gebot. Schwer wurde dem Unduldsamen zumut, von Tag zu Tag wartete er und erkannte, daß Gott seine Härte gegen den Reuevollen gestraft hatte und daß er ihn verdammen würde, wie er selbst den Pilger verdammt hatte.

Aber soviel auf allen Wegen er fragen und forschen ließ, nirgends war eine Spur des Fremden.

Der Tannhäuser hatte von Rom die Straße zum Norden gefunden. Er wanderte verkleidet Tag und Nacht durch Italien, er stieg über die Alpen, er sang vor den Höfen und erreichte bettelnd und müde das Land Thüringen wieder. Dort suchte er das Tor des Hörselberges und kehrte für immer bei Frau Holde ein.

Aber auch der Papst Urban starb bald nach jenem Begebnis; es heißt, daß Gott ihn rief, damit er seine Hoffart gegen den Tannhäuser sühne.

Der Schwanenritter

In Flandern herrschte vor langer Zeit einmal ein Herzog Grimm, der hatte eine hoffärtige Frau, Matabruna. Sechs Töchter gebar sie ihm; danach wurde den beiden ein Sohn geschenkt, den nannten sie Öbrand. Der Junge gedieh gut und wuchs heran, er liebte Jagd und ritterliche Spiele und schien es wert, bald die Herrschaft seines Vaters zu übernehmen.

Eines Tages ritt Öbrand durch den Wald, da trieben seine Hunde einen weißen Hirsch auf. Der junge Herzog sprengte ihm nach, konnte ihn aber nicht erreichen; das Tier versank vor seinen Augen in einem großen See, der das Waldtal füllte. Während der Jäger, müde vom Tag, nach einer Raststätte Ausschau hielt, sah er zu seinem Erstaunen auf einer grünen Wiesenmatte eine Schlafende ruhen. Zaghaft trat er näher, da erwachte die Schlummernde, sprang auf und fragte zornig, wie man in ihrem Forst zu jagen wage. Die Frau – Magdeliewe war ihr Name – war aber so schön, daß Öbrand keine rechte Antwort fand und nur zu ihr sagte, daß er für alle Zeit die Jagd aufgeben werde, wenn sie ihm als Gattin folgen wolle. Die Fremde lachte über den raschen Werber. Sie habe nichts als Wald zu eigen, erwiderte sie; wenn das ihm und seinen Eltern genüge, so wolle sie sich ihm anverloben.

Der junge Öbrand ritt mit der Braut heim und trat vor seinen Vater. Herzog Grimm wunderte sich wohl, das Mädchen gefiel ihm indes so gut, er hatte nichts wider die Wahl des Sohnes. Dagegen war die Herzogin Matabruna aufgebracht über die elternlose Magd, die, so sagte sie sich, am Ende gar von Nachtholden oder Waldhexen abstamme; sie hütete sich aber, ihre Meinung laut werden zu lassen, und wartete auf die rechte Stunde.

Die beiden Neuvermählten lebten eine gute Weile froh und glücklich miteinander. Dann starb der alte Herzog Grimm, und die Feinde rüsteten sich, das arme Land Flandern zu überfallen. Öbrand mußte in den Krieg ziehen und die schöne Magdeliewe verlassen. Er empfahl die Einsame seiner Mutter und ritt mit seinen Mannen gen Süden, um seine Marken zu schützen.

Die junge Herzogin fühlte, daß sie Mutter werden sollte. Als ihre Stunde kam, geschah das Wunder, daß ihr sechs Söhne geschenkt wurden, und, mehr noch, jedes der Kindlein trug bei der Geburt eine silberne Kette um den Hals. Die Herzogin Matabruna sah die Ketten der Neugeborenen, sie glaubte, daß die rechte Zeit für ihren Haß nahe war, rief Bischof und Hohen Rat des Landes zusammen und fragte, ob man solch Werk des Teufels wohl dulden dürfe. Die Herren entrüsteten sich mit ihr, man nahm der armen Magdeliewe, sosehr sie bat und flehte, die sechs Kindlein weg, übergab sie einem Knecht und befahl ihm, die Knäblein im tiefen Wald umzubringen und zu verscharren.

Der Mann wollte auch gehorsam sein. Als ihn die Kindlein indes in ihrer Unschuld anlachten, erbarmte er sich ihrer. Er vermochte nicht, ihnen das Leben zu nehmen, setzte sie aus und empfahl sie Gott. Dann kehrte er zurück und erzählte, daß er die Knaben nach dem Befehl der Königin getötet hätte.

Nun lebte ein alter Einsiedler in der Nähe der Stätte, wo der Knecht die Kleinen ausgesetzt hatte. Der hörte, als er sein Abendglöcklein läutete und beten wollte, auf einmal das Schreien hungriger Kindlein, ging aus, fand sie und trug sie in seine Klause. Während er noch überdachte, wie er die armen Würmer ernähren sollte, trat eine schneeweiße Hirschkuh in seine Tür, tat sich nieder und ließ die Kindlein trinken – zuerst die vier hungrigsten, dann fand sich auch ein wenig Milch für die anderen. Jeden Tag kam die Hindin zu dem Einsiedler, bis die Kinder groß genug waren, um für sich selbst Beeren und Wurzeln zu suchen.

Inzwischen war der junge Herzog Öbrand aus dem Feld zurückgekehrt und erfuhr, was geschehen war. Die alte Herzogin erzählte auch, was die Bischöfe erklärt hätten, und sagte dem Sohn, daß sein Weib eine Hexe sei und verbrannt werden müsse. Öbrand, der vor dem Feinde alle Kämpfe siegreich bestanden hatte, war vor den Seinen schwach. Er wurde von tiefem Schmerz befallen, sammelte seine Räte, hörte aber von allen, daß die alte Herzogin recht habe und daß die Zauberin sterben müsse. Einige nur wandten ein, man könne die schöne Magdeliewe noch eine Weile im Turm halten und die Meinung anderer Herren einholen. Da wurde der Herzog froh und folgte ihrem Rat.

Der Einsiedler erzog währenddes die sechs Knaben. Den stärksten von ihnen, der ihm am besten gefiel, nannte er nach seinem eigenen Namen Eider. Er leitete ihn an, für seine Brüder zu sorgen, denn er selbst wurde alt und gebrechlich und konnte manchmal die Hütte nicht mehr verlassen. Eider war klug und verständig. Er kannte alle Wesen unter Busch und Baum; auch die Waldfrauen hatten ihn gern, sie nannten ihn den Lohengreind, weil er als Kindlein so oft vor ihnen im Loh geweint und gelacht hatte.

Um jene Zeit pirschte der Jagdmeister des Herzogs wieder einmal den Weg, den Herr Öbrand einstmals gegangen war. Er traf auf die sechs Knaben, die gerade die Früchte einer Wildbirne abschüttelten. Sie flohen vor ihm, aber er folgte ihnen und fand zu seinem Erstaunen die Klause des Einsiedlers.

Bei Hofe erzählte der Mann bald von der wunderlichen Begegnung, die Kunde davon drang auch der alten Herzogin zu Ohren. Sie vermutete gleich, daß es die Söhne der schönen Magdeliewe seien, und weil der schuldige Knecht inzwischen gestorben war, ließ sie den Jagdmeister kommen und befahl ihm, sofort zu dem Einsiedler zu gehen und die Hexenkinder zu töten. »Sie wachsen auf, um euern Herrn aus Flandern zu vertreiben«, sagte sie, »und ich will diesmal, daß du mir die Leichen der sechs Knaben bringst. Sonst werde ich für deinen Tod sorgen, dessen kannst du sicher sein!«

Der Jagdmeister ritt, wie ihm geheißen war, in den wilden Wald und fand die Kinder bei der Hütte des Einsiedlers. Der Alte war mit dem jungen Eider gerade ausgegangen, um Beeren zu sammeln. Die fünf anderen liefen dem Mann entgegen und waren so fröhlich, daß auch er es nicht übers Herz brachte, sie zu töten. Um indes sein Leben nicht zu verwirken, nahm er ihnen die Kettlein vom Hals. Und jedesmal, wenn er es bei einem der Knaben getan hatte, wurde der zu einem weißen Schwan und flog von dannen. Das schien den Brüdern so lustig, daß sie sich vor dem Fremden gar nicht fürchteten.

Danach kehrte der Jagdmeister um, schwur, daß fünf Jungen nicht mehr unter den Menschen seien und daß er den sechsten nicht habe finden können, er sei wohl längst zu Tode gekommen. Zugleich reichte er der alten Herzogin die fünf Ketten, die gab sie einem Goldschmied und befahl ihm, einen Becher daraus zu schmelzen.

Dabei geschah folgendes: Als der Mann die erste Kette ins Feuer warf, wurde ihr Silber so schwer, daß er gleich zwei Becher daraus schmieden konnte. Er verriet es niemandem, verbarg die vier übrigen Ketten wie auch einen der Becher in seinem Haus und brachte der Herzogin den anderen Becher, wie sie es von ihm verlangt hatte.

Inzwischen war der Einsiedler heimgekehrt und vermißte die Knaben. Statt ihrer schwammen fünf Schwäne auf dem großen Waldsee. Er fragte sie ängstlich, was geschehen sei, und erhielt keine Antwort. Da wurde der Alte traurig und konnte ihnen doch nicht helfen. Aber sie blieben bei ihm und ihrem Bruder Eider, das tröstete ihn.

Nun kam es so: Der Jagdmeister, der den Knaben die Ketten abgenommen hatte, bekam es nicht fertig, sein Geheimnis bei sich zu behalten. Er verriet eines Tages in der Trunkenheit, was aus den fünf Kindern geworden war. Auch die alte Matabruna erfuhr davon, sie ließ ihn vor sich kommen und sagte ihm, daß er jetzt den Tod verdiene. Als er jammernd um Gnade bat, versprach sie ihm das Leben, wenn er erklären würde, die Knaben hätten sich vor seinen Augen in Drachen verwandelt und seien fortgeflogen. Der Jagdmeister nahm es gern auf sich, wenn er nur seinen Hals rettete. Matabruna aber eilte mit seinem Zeugnis vor die Räte und Richter und verlangte, daß die Hexe endlich zum Tode verurteilt würde. Jetzt vermochte auch Herzog Öbrand ihrem Eifer und dem Gericht der geistlichen Herren nicht mehr zu widerstehen.

Als die schöne Magdeliewe nun so sehr in Not kam, rasteten eines Nachts fünf Schwäne auf ihrem Turm, denen erzählte sie, wie es ihr ergangen war und was ihr Schicksal sein sollte. Die Schwäne kehrten traurig heim; einer von ihnen aber, der den Namen Emmerich trug, fand in seinem Zorn die verlorene Sprache zurück und erzählte seinem Bruder Eider, daß ihre Mutter auf den Feuertod warte. Gleich warf Eider die Keule auf die Schulter und lief barhaupt und barfuß zum Hofe des Herzogs, um seiner Mutter beizustehen.

In der Stadt zog das Volk eben nach dem Markt; das Urteil, das die Räte über die Hexe gesprochen hatten, sollte vollstreckt werden.

Der Junge trat rechtwegs zu seinem Vater. »Gib die Mutter heraus«, drängte er, »ich bin einer ihrer sechs Söhne.« Aber der Herzog verstand seine rauhe Sprache nicht. Da hob der Wildling aus dem Wald die Keule, schlug einen der Henker nieder und wirbelte seine Waffe rundum, so daß die Soldaten zurückwichen. Das Volk war erstaunt über den Fremden und glaubte an ein Wunder; einige hielten auch den Jagdmeister an und verlangten, er solle noch einmal Zeugnis ablegen, dieser Mann behaupte, ein Sohn der Verurteilten zu sein. Der Jäger fürchtete sich vor der Keule, er schrie um Gnade und bekannte, daß die Knaben, die er meine, nicht als Drachen, sondern als schneeweiße Schwäne davongeflogen seien.

Währenddes ertönte in der Luft ein Rauschen, die fünf Brüder setzten sich flügelschlagend rund um ihre Mutter, als wollten sie die Gefangene schützen. Wieder staunten die Leute und fragten sich, was es wohl bedeute; dabei fiel dem Goldschmied ein, daß noch vier Kettlein zu Hause lägen. Er bekam ein schlechtes Gewissen, lief heim, brachte sie dem jungen Eider und erklärte, woher er sie hätte. Der Bursch dankte ihm und legte eine um die andere den Brüdern um den Hals. Da wurden die Schwäne zu blühenden Jünglingen, die an Haar, Haupt und Gestalt alle dem Herzog Öbrand glichen. Voll Freude schloß der Vater sie in seine Arme; dann trieb er mit seinem Schwert Richter und Henker vom Markt, umarmte die Mutter seiner Kinder und bat sie, zu verzeihen, was geschehen war.

Nun war aber der fünfte Schwan, das war der junge Emmerich, übriggeblieben; der Meister hatte ja nur noch vier Silberketten bringen können. Die Brüder streichelten und liebkosten den Armen, der sein Gefieder behalten hatte, niemand wußte indes, wie man ihm helfen könnte. Der eifrige Goldschmied holte sogar den anderen Becher, den er versteckt hatte, lief damit zum Burggraben, auf dem der Schwan sich niedergelassen, und bot ihm das Silber an. Aber auch das veränderte den armen Verwandelten nicht. Der Mann versuchte es noch auf diese oder jene Weise; dabei fiel der Becher ins Wasser und wurde zu einem schönen Kahn, den der Schwan gleich eifersüchtig gegen alle Neugierigen verteidigte.

So lebten die befreiten Brüder mit dem Verzauberten bei Hofe; sie wurden starke Degen, der Beste von ihnen blieb Eider, der Älteste.

Um die gleiche Zeit nun reiste der deutsche König Heinrich den Rhein hinauf und hinab, um Recht zu sprechen. Als er auch in Köln hofhielt, kam eines Tages die Herzogin von Brabant vor Heinrichs Stuhl und erhob Klage gegen ihren Vetter, den Grafen Telramund von Sachsen, der nach dem Tode ihres Vaters das Land Brabant eingezogen hätte. Der König entbot Telramund vor sein Gericht und hörte beide Teile an. Telramund erwiderte, daß Elsas Vater ihn vor seinem Tode zum Herrn seines Landes und zum Gemahl seiner Tochter bestimmt habe. Die junge Elsa liebte den Grafen aber nicht, sie verlangte ihr Erbe heraus und erklärte, daß ihr Vater ihr den Fremden wohl zum Ratgeber, jedoch niemals zum Gemahl gegeben habe.

Der König hörte noch viele Leute an, die sich als Zeugen erboten, und wußte nicht, wie er zu einem Urteil kommen sollte; denn die einen sprachen für Telramund, die anderen für die junge Elsa. Endlich fragte er Telramund, ob er für seine Aussage sein Leben einsetzen wolle. Der Graf bejahte es. Da entschied König Heinrich, wenn einer seiner Herren und Ritter für Elsa das Schwert zu ziehen bereit sei und Telramund überwände, dann solle Brabant ihm und der schönen Erbin zufallen. Weil niemand des Toten Wille zu ergründen vermöge, so sagte er weiter, und weil beide Teile gleich gute Zeugen hätten, müsse Gott zwischen ihnen richten; der Menschen Kraft sei zu Ende. Telramund, der ein starker Recke war, erklärte sich mit dem Urteil des Königs einverstanden. Heinrich ließ also durch seinen Herold verkünden, wer Mut habe, für Elsa von Brabant zu kämpfen, der möge vortreten.

Die schöne Herzogin blickte die Fürsten flehend an und bat um Hilfe; aber die Herren schwiegen.

Der König ließ sein Urteil am anderen Tag noch einmal verkünden, niemand erhob sich indes, um für die Waise einzutreten; viele glaubten wohl auch, daß Telramund im Recht und daß es ein Frevel sei, gegen ihn das Schwert zu ziehen.

Nun war es inzwischen in Flandern geschehen, daß zu dem Herzogssohn Eider eines Nachts eine Frau Holde gekommen war. Die hatte ihn gefragt, ob er für eine der schönsten aller Jungfrauen kämpfen und mit ihr ein großes Erbe gewinnen wolle. Zugleich wies sie ihm im Traum ein Bild, und der junge Bursch meinte, nie etwas Lieblicheres gesehen zu haben.

Wenn jene Fremde ihm zugetan sei, werde er gewiß für sie kämpfen. Die Frau lächelte und sagte: Eine Bedingung sei allerdings dabei, nämlich daß er ohne Namen bleiben und nicht Land, nicht Erbe nennen möge. Nur dann, wenn die Jungfrau ohne Eitelkeit sei, dürfe man ihr beistehen. Und wenn ihr Gemahl sie nicht ganz in Liebe halte und wenn die Herzogin von Brabant eines Tages doch nach seinem Namen frage, so hätten sie beide verspielt, die Frau und auch er.

Er wolle es dennoch wagen, sagte der junge Degen.

Frau Holde schien zufrieden; sie führte ihn zu seinem Bruder Emmerich und rief den Schwan. Der Verzauberte schwamm traurig mit seinem Nachen heran; es war, als wisse er von allem und möchte seinem Bruder abraten. Den aber hatte die Liebe zu der Entfernten so sehr gepackt, er ließ nicht nach. Zum Meer strebte der Nachen und fuhr danach den Rheinfluß hinauf. Drei Tage brauchte er.

In Köln war inzwischen der letzte Gerichtstag angebrochen. Zum drittenmal ließ der König fragen, wer für Elsa und ihr Herzogtum sein Leben einsetzen wolle; die Herolde riefen es auf allen Straßen aus.

Da kam auf einem Nachen ein Ritter in glänzender Rüstung. Ohne Segel und Ruder nahte sein Fahrzeug der Stadt; ein Schwan führte das Boot und lenkte es dicht unter dem Königsstuhl ans Ufer.

Die Herzogin von Brabant sah das Wunder, sie wußte, daß es auf ihr Beten geschehen war. Während der Schwan umkehrte und mit seinem Nachen den Blicken entschwand, schritt sie auf den Unbekannten zu und bat ihn, er möge ihr beistehen. Sie schwur ihm zugleich, daß ihre Sache gerecht und ihr Wort ohne Lüge sei, und versuchte rasch zu erklären, was der König habe ausloben lassen.

»Ich bin zu deinem Dienst gerufen«, sagte der Fremde. »Und ich will für dich kämpfen, wenn du niemals nach meinem Namen fragen wirst.«

Leicht schien Elsa von Brabant das Versprechen, sie schwur es unter Tränen des Dankes und der Freude.

Der Ritter neigte sich vor König Heinrich, er schritt in die Schranken und wartete auf Herzog Telramund von Sachsen. Der rüstete sich eilig und trat zum Zweikampf an. Bald klirrten die Klingen gegen die Schildränder.

Es schien dabei zunächst, als seien die Gegner einander ebenbürtig an Kraft und Kühnheit; die Schwerter blitzten, und die Fürsten sahen bewundernd zu, wie Telramund zu kämpfen wußte. Er hatte indes seinen Meister gefunden; nach einer Weile wurde er müde, der Fremde trieb ihn vor sich her, zerschlug ihm Halsberge und Brünne und traf ihn zu Tode.

Damit war das Urteil gesprochen. Dem König tat der tapfere Telramund leid, aber das Recht der jungen Elsa schien ihm erwiesen. Er belehnte sie vor allen Fürsten mit dem umstrittenen Lande und verlobte den Unbekannten mit der schönen Waise.

»Ich bitte um deine Hand, Erbin von Brabant«, wiederholte der Ritter. »Lohengrin sollst du mich nennen. Und niemals darfst zu fragen, woher ich komme, noch wer mich zu dir sandte. Ich müßte sonst von dir gehen!« Die Jungfrau sah, daß der Fremde adeligen Sinnes war, sie legte ihre Hand in seine, und König und Königin setzten die Hochzeit an, um noch selbst daran teilzunehmen. Zu Köln wurde sie gefeiert; bald reisten die beiden Vermählten weiter, um die Herrschaft in Elsas Landen zu übernehmen.

Zwei starke Knaben gebar die Herzogin ihrem Gatten.

Nach einigen Jahren zog Lohengrin – so hießen ihn die Leute – mit Herrn Heinrich gegen die wilden Sarazenen; alle Ritter rühmten seinen Namen und rühmten das Banner, das den weißen Schwan im roten Felde trug. Auch der König gewann ihn lieb und hieß ihn folgen, als er bei Heimkehr nach dem Norden zog, um in der Stadt Antwerpen Hoflager zu halten. Er rief damals die Fürsten rund um den Scheldestrom zu einem großen Fest und zu ritterlichen Wettspielen auf.

Dabei zeigte es sich, daß Lohengrin immer noch der stärkste der Fürsten war, keiner blieb vor seiner Lanze auf des Rosses Rücken. Einige waren darüber unzufrieden und murrten, gewiß sei der Fremde mit Zauberern im Bunde, warum verhehle er sonst, woher er komme. Frau Elsa hörte Raunen und Reden. Sie begann zu weinen, wollte ihrem Gemahl indes nicht sagen, was sie bedrängte. Noch in ihrer Herberge blieb die Frau traurig und ging bedrückt einher; in den Nächten schluchzte sie und wollte sich nicht verraten. Da drang Lohengrin in sie: »Was betrübt dich, Elsa?« Sie antwortete nicht und vermochte zuletzt ihren Kummer doch nicht für sich zu behalten. »Meine Kinder wollen ihres Vaters Herkunft wissen.«

Lohengrin schwieg lange. »Tat ich nicht viel Gutes als Herr deines Landes«, seufzte er. »Ach, warum fragtest du?« Die Frau sank vor ihm nieder, sie klagte und klagte, sie erinnerte sich ihres Versprechens und wußte erst jetzt, was geschehen war. »Bleib bei mir, erbarm dich der Deinen«, flehte sie, »vergib mir!«

Am dritten Morgen nahm Lohengrin sein Weib bei der Hand und schritt mit ihm zum großen Strom nieder. Viel Volks lief mit ihnen; es hieß, ein Schwan mit einem Nachen sei zur Stadt Antwerpen hinaufgekommen, jeder wollte das Wunder sehen.

Der Herzog von Brabant wußte aber, was der Ruf bedeutete, er wußte auch, daß es kein Widerstreben gab.

Traurig nahm Lohengrin von den Seinen Abschied, küßte sein Weib zärtlich und stieg ins Boot.

Der Schwan zog das Schifflein die Schelde hinab. Er zog es übers Meer der flandrischen Heimat zu. Die Leute am Hof erkannten Eider, sie waren froh über seine Heimkehr und verlangten, daß er erzähle, wo er sich in den Jahren verborgen gehalten habe. Sie wußten ja nicht, daß es jener Ritter war, von dem in allen deutschen Landen weithin der Ruhm ging.

Die alte Herzogin Matabruna war inzwischen gestorben, die

Mutter und Herzog Öbrand waren froh, daß nun ihr stärkster Sohn heimgekehrt war. Auch die Brüder waren zufrieden, sie zogen sich auf ihre Waldburgen zurück, die Herzog Öbrand ihnen anwies, lebten für sich und hatten Weib und Kind.

Aber Eider, der Älteste, blieb einsam.

Einmal ließ er den Goldschmied rufen, der einst die beiden Becher geschmiedet hatte. Er fragte ihn wieder über alles aus, und der Mann verriet ihm, daß es noch einen zweiten Becher gäbe. Ob er nicht im Erbe der alten Herzogin sei? Sie suchten und fanden ihn; zugleich wies Eider ihm das eigne Schmuckstück, das er um den Hals trug, und bat den Mann, aus dem Silber des zweiten Bechers ein ähnliches zu Hämmern. Der Schmied versuchte es, und die Arbeit gelang ihm. Da hängte Eider dem Schwan Emmerich die Kette um, und der letzte der Verzauberten fand seine menschliche Gestalt wieder.

Die Brüder lebten weiter mit ihrem Vater in Flandern, bis die Zeit kam und Öbrand alt wurde. Er bat seinen Sohn Eider, ein Weib zu suchen, damit er ihm sein Herzogtum anvertrauen könne. Der aber schwieg, und die Seinen merkten wohl, daß es ein Geheimnis gab, das er nicht eröffnen durfte. So wählte der alte Öbrand endlich seinen Sohn Emmerich zum Herzog; es schien ihm billig, weil der am längsten den Menschen fern gewesen war und für die andern den Zauber getragen hatte. Auch waren alle Leute und seine Brüder mit der Wahl einverstanden.

Elsa von Brabant blieb einsam ein Leben lang. Niemals kehrte er, der sie verlassen hatte, zurück.

Ihre Kinder wurden groß, sie waren die Stammväter der Grafen von Geldern und Cleve. Von ihrem Vater wußte man nicht, bis einmal ein Mönch die alten Reichschroniken von Flandern, Brabant und Geldern verglich. Da wurde man gewahr, wer der unbekannte Lohengrin gewesen und aus wessen Blut er war, den die arme Elsa von Brabant wider das Gebot ihrer Liebe nach seinen Ahnen gefragt hatte.

Parzival

Hornboge hieß einer der Recken, die König Dietrich von Bern um sich versammelt hatte. Tapfer stritt er für seinen Herrn und hielt ihm die Treue, bis Dietrich seine Stadt Bern und sein Land verlassen mußte.

Da machte sich Herzog Hornboge auf und ritt abenteuernd durch die Welt. Bis ins Land Indien gelangte er, gewann dort eine Mohrenkönigin zur Gemahlin, kämpfte für sie gegen ihre Feinde und verließ sie wieder, weil es ihn nach der Heimat verlangte.

Als der Recke nun die Donau hinauf- und den Rhein hinabritt, hörte er, daß eine junge Königin Herzeleide alle Grafen des Frankenlandes zusammengerufen und dem ihre Hand versprochen hätte, der in ritterlichen Spielen am Hofe Sieger bliebe. Hornboge entschloß sich, an dem Turnier teilzunehmen, er errang den Preis, und die schöne Herzeleide reichte ihm die Hand und gab ihm den Vermählungskuß. Herzog Hornboge gedachte wohl seiner Gemahlin im Lande Indien. Die Freunde aber sagten: »Ihr habt um die Königin am Rhein geworben. Nun habt Ihr sie gewonnen, laßt Eure Bedenken fahren. Was gilt der Bund mit einer Ungläubigen?«

Nach einer Weile sandte die Königin von Indien nach Hornboge und ließ ihm melden, daß ein Nachbar sie bedränge und aus dem Reich treiben wolle. Hornboge meinte, es sei seine Pflicht, zu helfen; er nahm Abschied von Herzeleide und ritt gen Osten. Er hatte indes kein Glück; als er um die Stadt Bagdad kämpfte, drang ihm ein Speer ins Haupt. Mit Mühe entkam sein Knappe, um Frau Herzeleide den Tod ihres Gemahls zu verkünden.

Einige Monate danach gebar die Königin nach ihrem Wunsch einen Sohn, den nannte sie Parzival oder auch Tumbetor.

Die schöne Herzeleide wies nach dem Tode ihres Gemahls alle Werber ab, die zu ihr kamen; sie vermochte den tapferen Hornboge nicht zu vergessen. Tief in der Einsamkeit des Waldes Soltau ließ sie sich ein Haus bauen, um ihren Knaben vor jenem Leben zu bewahren, das ihr soviel Unglück gebracht hatte. Fern von der Welt erzog sie ihn, zeigte ihm die Vögel, deren Gesang sie erfreute, zeigte ihm, wie die Gräser wuchsen, und hoffte, daß er ein Waldbauer würde, statt um Throne zu streiten und in Schwertkämpfen sein Leben zu wagen.

Bald aber betraf die Mutter den Knaben dabei, wie er sich Bogen und Pfeile schnitzte. Er schäftete Spieße, mit denen er Hirsche erlegte, und holte den Adler aus den Wolken und die singenden Vögel aus den Wipfeln. Wenn indes ein Lied abbrach, weil sein Pfeil das Herz des Tieres durchbohrt hatte, dann weinte Parzival, brachte den toten Sänger zu seiner Mutter und trauerte mit ihr.

Herzeleide sah seine Reue. Sie ließ Vogelsteller kommen und befahl ihnen, alles fliegende Getier zu fangen und zu töten, damit ihr Sohn keinen Kummer erlitte.

Parzival traf die Männer bei ihrem Werk. Er fragte seine Mutter, warum sie es befohlen hätte, er fragte, warum Gott den Vögeln das Lied gegeben hätte, er fragte, warum der Tag hell sei und die Nacht sich ins Dunkle hülle. Er fragte nach der Schöpfung, er fragte nach dem Himmel und nach den Höllenwirten, nach Gott und seinem Widersacher. Alles beantwortete die Mutter und versuchte, ihren Sohn Tumbetor mild und demütig zu erziehen.

Eines Tages sprengten einige Ritter über die Waldlichtung, auf der das Gehöft der Herzeleide lag, und Parzival sah sie kommen. »Am Ende ist der Teufel unter ihnen«, dachte er und schlich den Reitern mit Pfeil und Bogen entgegen. Als die hellen Rüstungen aufblitzten, hielt er sie indes für Gottes Boten und warf sich vor ihnen auf die Knie. Die Herren waren erstaunt über den täppischen jungen Burschen, der doch an

Wuchs und schöner Kraft ihnen selbst gleich schien. Jemand wollte den Weg von ihm wissen. Parzival aber fragte, wer von ihnen Gott selber sei.

Einer der Reiter erklärte lächelnd: »Wir alle sind Gottes Ritter.«

»Wenn ihr Ritter seid, so möchte ich werden wie ihr«, rief der junge Tumbetor.

»Komm an König Arturs Hof«, drängte einer der Herren, »dort kannst du's erlernen.« Sie hatten es eilig, grüßten den Jüngling freundlich und gaben ihren Rossen die Sporen. Parzival aber lief hurtig zu seiner Mutter.

»Laß mich ausreiten«, bat er atemlos, »ich will ein Ritter werden!« Da sank Frau Herzeleide wie ohne Macht nieder. »Wer hat mit dir gesprochen?« klagte sie, wollte den Gedanken aus des Sohnes Herzen bannen und erzählte ihm von seinem Vater Hornboge und seinem traurigen Tod, wie auch vom Ende so vieler seiner Freunde. Der Junge aber gab nicht nach, er bat die Mutter nur um so mehr.

»Nun wohl«, seufzte sie endlich, »ich schneide dir ein ritterliches Gewand, dann magst du reiten.« Insgeheim nahm sie sich vor, ihm ein Narrenkleid zu nähen, damit die Leute ihm Furcht machten und er bald heimkehrte. Auch rüstete sie ihn mit einem alten Pferd und einem brüchigen Speer aus. »Zieh von mir, undankbarer Sohn«, klagte sie und setzte ihm eine Narrenkappe aufs Haupt. »Laß dir aber dies raten; hüte dich vor dunklen Furten und vor den Nixen der Wassertiefe, grüße alle Menschen, denen du begegnest, sei ehrerbietig gegen edle Frauen, und folge den Ratschlägen der Alten!« Sie rief ihn noch einmal zurück. »Höre, Tumbetor, du sollst wissen, daß du ein Königssohn bist und daß der hochmütige Herzog Lechler deiner Mutter ihr Erbe entriß. Ihm darfst du nicht dienen!« Parzival versprach alles und ritt aus. Lange blickte Frau Herzeleide ihm nach; als sein Weg in den Wald einbog, brach ihr vor Jammer das Herz, sie sank tot zur Erde.

Parzival wußte nichts vom Schicksal seiner Mutter. Er trabte fröhlich, ein junger Fant, durch den Wald Soltau, er hütete sich vor dunklen Furten, wie Herzeleide ihm geraten hatte, und erreichte endlich eine Wiese, auf der ein prächtiges Zelt stand — es gehörte dem Herzog von Lalander, der zu Verwandten ritt. Wißbegierig hielt Parzival darauf zu und erblickte, durch den Vorhang spähend, eine wunderschöne Frau auf ihrem Ruhebett. Ihm fiel der Mutter Mahnung ein, edle Menschen um ihren Gruß zu bitten; er trat also in das Zelt ein, küßte die Schläferin und zog ihr neugierig einen Reif vom Finger. Da erwachte die Herzogin, erschrak sehr und wollte den Jüngling fortscheuchen.

»Seid nicht böse«, sagte Tumbetor, »ich habe nichts anderes getan, als was mir von meiner Mutter befohlen wurde. Nun gebt mir zu essen, mich hungert!«

Die Frau konnte nicht zürnen, sie reichte dem sonderbaren Fremden Wildbret und Brot, mahnte ihn aber fortzueilen, ehe ihr Gemahl von der Jagd käme. Den Ring erbat sie zurück. Der junge Bursch überhörte es; er schwang sich ohne Antwort auf seinen Klepper und trabte von dannen.

Als er wieder einige Stunden geritten war, sah er ein Bild, von dem seine Mutter ihm nie erzählt hatte. Eine Frau kniete weinend bei einem Toten. Parzival sprang hilfsbereit hinzu, bot der Klagenden seinen Gruß und fragte, ob er helfen könne. Die Weinende blickte auf, und ihre Tränen versiegten. »Wer bist du doch, Fremder?« staunte sie. »Sag mir deinen Namen. Du bist der Königin Herzeleide ähnlich.«

»Ich heiße Tumbetor«, entgegnete Parzival. »Und meine Mutter ist Herzeleide.«

»So bist du Herzog Hornboges Sohn«, rief die Verlassene. »Er, den du hier im Blute siehst, war sein Freund. Nun hat ihn der wilde Lalander am Wegrand erschlagen.«

»Wo finde ich den Mörder?« fragte Parzival.

Die schöne Sigune, so hieß die Weinende, wurde ängstlich, sie wollte Herzeleides Sohn nicht in Gefahr bringen. Als er darauf bestand, den armen Erschlagenen zu rächen, tat der schmucke Bursch ihr leid, und sie wies ihn statt zum Rhein nach dem Westen hinüber. Dort, so hoffte sie, würde er keinen neuen Abenteuern begegnen.

Der Herzog Orilus von Lalander war inzwischen zu seinem Zelt heimgekehrt, und sein Weib erzählte ihm, daß ein Jüngling ihr den Fingerreif geraubt hätte. Der Mann glaubte ihr nicht, meinte, daß sie ihn betrogen hätte, und zog aus, den Nebenbuhler zu suchen. Als er niemand fand, zwang er seine arme Frau, ihm auf einem alten Gaul nachzureiten; ein volles Jahr mußte sie ihm in Schmach und Schanden folgen.

Parzival war unterdes weitergeritten, er trabte viele Tage lang für sich hin. Hatte er Hunger, dann nahm er sich zu essen, wo er Speise sah, und fragte nicht viel. Durchs Frankenland kam er und endlich auch zu den Bretonen, bei denen Herr Artur hofhielt. Staunend erblickte der junge Bursch die hohe Burg des Königs.

Ein großer Strom rann unter ihr im Tal dahin. Parzival rief einen Fischer und fragte, wo er sei. Als der ihm den Namen des Königs nannte, fiel dem Jüngling ein, daß die Fremden im Walde Soltau ihm einst gesagt hatten, an Herrn Arturs Hof könne er Ritter werden.

Er schenkte dem Fischer also den Ring der Herzogin und ließ sich zur Burg übersetzen.

Als er schon dem Pferd die Sporen gab, um das Tor zu gewinnen, erblickte er einen Reiter in roter Rüstung. Rot war auch sein Roß, rot Satteldecke, Schild und Speer. Herr Iter von Grahe war es; er trug einen Becher aus lichtem Gold in der Hand. »Höre, Fremder«, redete er Parzival an, »wenn du diesen Weg weiterreitest, so sag meinem Oheim Artur, daß ich ihm seinen Becher raubte und auch nicht wiederbrächte, es sei denn, daß er jemand schickt, der mit mir um mein Land streitet. Zu Unrecht weigert er mir mein Erbe, deshalb habe ich den Becher von der Tafel genommen.«

»Das will ich gern tun«, versprach Tumbetor. Er ritt in die Burg ein, kümmerte sich wenig darum, daß die Kinder hinter ihm herliefen, hielt einen Knappen Iwein an und verlangte, daß man ihn zu König Artur führe. Der Knappe lachte, er war indes ein gutmütiger Gesell und tat dem Unbekannten den Gefallen; er sah wohl auch, daß hier ein edler Mann in schlechter Verkleidung ritt.

Als er vorm König stand, verneigte sich Parzival. »Hoher Herr«, begann er, »ich bin Tumbetor, komme vom Rhein und möchte, daß Ihr mich zum Ritter schlügt!«

»Welche Wünsche hast du noch«, antwortete Artur lachend.

»Ich will nichts umsonst«, sagte Parzival gereizt. »Wisset, meine Mutter ist die Königin Herzeleide. Ich biete Euch an, den roten Ritter auszustechen, der draußen vorm Tor wartet und Euch schmäht!«

Der König wurde ernster: »Was hast du doch vor, Knabe«, mahnte er. »Es tut mir um dein Leben leid!« Des Königs Seneschall, Herr Key, aber flüsterte Artur ins Ohr: »Gewährt dem Jungen die Bitte! Wird er besiegt, haben wir keinen Schaden. Mich dünkt jedoch, daß er mehr Kraft besitzt, als ich je bei einem Recken sah.«

Da versprach Herr Artur dem Fremden Rüstung und Ritterschlag, wenn er mit dem Herausforderer fertig würde.

Parzival sprengte vom Hofe, und die Frauen spähten ihm nach. Eine von ihnen hieß Kunneware und war die Schwester des Herzogs von Lalander. Sie hatte einmal ein Gelübde getan, nicht eher zu lachen, als bis sie den besten aller Ritter erblickt hätte. Als sie Parzival auf seinem sonderbaren Roß im Narrenkleid davonsprengen sah, mußte sie laut auflachen, so daß der Reiter sich umwandte. Der Seneschall Key aber entrüstete sich darüber, er schlug Kunneware, weil sie um eines so geringen Burschen willen ihr Gelübde gebrochen hätte.

Parzival sah noch, daß ein schönes Fräulein um seinetwillen Ungemach erlitt, und nahm sich vor, es ihm zu lohnen.

Danach ritt er vors Tor, trabte auf den roten Reiter zu, der noch immer auf Antwort wartete, und sagte: »König Artur hat mir deine Rüstung verliehen, kämpfe oder gib sie mir.« Dabei faßte er nach Herrn Iters Roß. Der verstand ihn nicht gleich, dann wurde er zornig und traf den Jüngling mit dem umgekehrten Lanzenschaft, so daß er von seinem Klepper kopfüber ins Gras stürzte. Gleich aber raffte Parzival sich wieder auf und stieß blitzschnell seinen brüchigen Speer dem anderen zwischen Helm und Visier ins Hirn.

Parzival wunderte sich, wie rasch es gegangen war. Er trat zu dem Toten, fragte, ob er böse sei, und versuchte, ihm die Rüstung auszuziehen, die König Artur ihm versprochen hatte. Der Knappe Iwein, der ihm gefolgt war, half, die Bänder und Riemen zu lösen. Aber Parzival legte das Kleid, das seine Mutter ihm genäht hatte, noch nicht ab. Er zog die Ritterrüstung über das Narrengewand, dann schnallte er das neue Schwert um, schwang sich auf Iters Roß und gab dem Knappen auf, Herrn Artur den Goldbecher mit dem Gruß Parzivals zu bringen. Er selbst ritt weiter auf Abenteuer aus.

Iwein blieb zurück, er bestreute den Toten mit Blumen und kehrte seufzend zum Königshof heim.

Nach einigen Tagen sah Parzival eine Burg im Abendsonnenlicht und pochte ans Tor. Der Burgherr – er hieß Gorm von Grahars – fragte nach seinem Begehr. Parzival entgegnete freundlich, wie er es von seiner Mutter gelernt hatte, und weil ihm der Alte gefiel, sagte er: »Man riet mir, von würdigen Leuten gute Lehren anzunehmen. Ihr seht mir weise aus. Finde ich hier Herberge und Unterricht in Dingen der Weisheit?«

Der alte Gorm lächelte, er rief Knappen, die den Gast in den Hof führten.

Parzival weigerte sich indes, vom Roß zu steigen. »König Artur hat es mir verliehen, ich bleibe lieber im Sattel«, antwortete er.

Der Burgherr mußte ihm lange zureden, ehe der sonderbare Fremde vom Pferd sprang. Danach wollten die Knappen ihm die Rüstung lösen, auch hier mußte Gorm erst seinen Rat einwerfen. Der Alte sah aber das Narrenkleid, das der Jüngling trug, und geleitete ihn selbst ins Schlafgemach, damit man nicht über ihn spotte.

Am anderen Tag wurde dem Gast ein Bad bereitet. Prächtige Kleider warteten auf ihn. Er legte sie jetzt ohne Zögern an, und Gorm staunte über die männliche Schönheit des Jungen. Da erzählte Parzival ihm beim Morgenimbiß von seiner Mutter Herzeleide, von seinem Vater Hornboge und vom roten Ritter Iter und König Arturs Befehl. Dann bat er den Graubart um Belehrung und fragte, ob er in allem recht getan hatte.

»Als erstes rate ich dir«, antwortete Gorm, »sprich nicht immer von deiner Mutter. Gedenk ihrer im Herzen«, fuhr er fort, »und handele, wie sie es dich hieß. Bleib rein im Sinn, und befleißige dich stark und fest der Demut. Schone den Wehrlosen, und hilf dem Bedürftigen, dann erst bist du ein echter Ritter. Vergeude weder dich noch dein Gut, und lerne schweigen. Ja, vor allem andern rate ich dir: Frag nicht wie ein Knabe nach allen Dingen, die dich erstaunen machen.«

Der alte Gorm hatte Gefallen an dem Gast; er führte ihn in den Burghof, lehrte ihn die Waffen recht brauchen und wies ihm auch, wie man in ritterlicher Zucht vor Könige und vor edle Frauen träte – seine eigene Tochter half ihm dabei. Abends erzählte er Parzival von seinen Söhnen, die durch die Welt ritten. Einige von ihnen waren im Kampf gegen König Klamide gefallen, als er Gorms Nichte, die schöne Gundrun, zur Gemahlin begehrt hatte.

Nach mehreren Tagen, als er glaubte, genug erfahren zu haben, bat Parzival um Urlaub. Des Burggrafen Tochter stand traurig oben am Fenster.

Der alte Gorm begleitete den Gast noch eine Weile. Er sprach von König Klamide, der vor den Mauern der Stadt Brügge lag.

Ach, noch immer wehrte sich die schöne Gundrun gegen den fremden Werber.

»Ihr habt mir den rechten Auftrag gegeben«, sagte Parzival. »Ich reite jetzt aus, um für die Königin zu streiten.«

Wirklich kam der Tumbetor nach Flandern, sprengte unbekümmert mitten durch das Lager der Feinde und suchte die Brücke zum Stadttor. Dreißig Recken Gundruns bewachten sie.

Parzival stieg ab, er führte sein Roß sorglos an den Mannen vorbei und pochte an. Ein Pförtner fragte nach seinem Begehr. Er möge der Königin melden, sagte Parzival, ihr Freund und Befreier sei gekommen. Da tat man erstaunt das Tor auf. Als der Reiter aber durch die Stadt trabte, wurde er traurig, so müde stapften die Bürger in ihren Rüstungen dahin; Frauen und Kindern blickte der Hunger aus den Augen.

»Seid mir willkommen, fremder Helfer«, begrüßte die Königin ihn. »Wie ist Euer Name?«

»Meine Mutter nannte mich Parzival«, sagte er. »Ich komme von Eurem Oheim Gorm und möchte Euch helfen!« Die schöne Gundrun streckte ihm die Hand entgegen, küßte ihn auf die Stirn und führte ihn an ihren Tisch. Auch ihre Ritter dankten dem Fremden und fragten ihn nach dem Woher und Wohin. Aber der Gast schwieg, er hatte ja gelernt, daß allzuviel Sagen und Fragen nur Not und Leid bringt.

In der Nacht stand die Königin auf, öffnete Parzivals Gemach und kniete auf dem Teppich vor seinem Lager. Er erwachte.

»Was beginnt Ihr, Frau?«

»Ach«, klagte sie, »ich habe eine große Bitte an Euch. Morgen kommen König Klamides Boten und verlangen, daß ich dem Eroberer folge. Die Kräfte meiner Degen sind erschöpft; werdet Ihr mir helfen, unbekannter Gast?«

»Ja«, sagte der fremde Ritter, »dafür kam ich. Sorgt Euch nicht!«

Parzival sprengte schon in der Frühe zum Tor hinaus. Der Seneschall König Klamides, Kingrun mit Namen, trat ihm entgegen; er sollte erfahren, daß die Stadt noch nicht bereit zum Frieden war, schon prallte ein Lanzenschaft gegen seinen Panzer. Dann zogen die beiden Ritter die Schwerter, aber bald strömte dem hochmütigen Kingrun das Blut aus Armen und Hals, er mußte sich ergeben. Der Sieger schickte ihn zur Sühne an König Arturs Hof, damit er der Jungfrau Kunneware diene – das war jenes Fräulein, das der Seneschall Key um Parzivals willen geschlagen hatte.

Als der junge Ritter heimkehrte, wurde er mit viel Freude empfangen. Die Bürger der Stadt Brügge riefen ihn zum König und zum Grafen von Flandern aus, und die schöne Gundrun küßte ihn und nannte ihn ihren Gemahl.

Um die gleiche Stunde kamen von der See her zwei Schiffe mit Fleisch und Brot, die hatten die feindliche Sperre durchbrochen. Nun wuchsen in Brügge wieder Freude und Mut.

Der König Klamide war zornig, er versuchte, die Niederlage seines Seneschalls zu rächen, und ließ die Stadt seiner Widersacherin im Sturm berennen. Die Bürger schlugen jedoch sein Heer unter den Mauern zurück. Da forderte er den Recken, der Kingrun besiegt hatte, zum Zweikampf heraus. Er vermochte das Schicksal indes nicht mehr zu wenden. Parzivals Schwert zwang ihn vom Roß in den Sand, und König Klamide mußte um Gnade bitten. Der Jüngling dachte an den Rat des alten Gorm, er schenkte dem Feind das Leben, ließ ihn indes schwören, daß er auch zum Artushof ziehen und dort der Jungfrau Kunneware dienen werde.

Wirklich ritten die beiden Besiegten zu König Arturs Hof, und die Herren erstaunten über die Heldentaten des fremden Recken. Der Seneschall Key aber ward von Sorge erfüllt, er verwünschte den fernen Tumbetor.

Parzival lebte vorerst eine Weile in Glück und Frieden mit seiner Gemahlin – Kondwiramur hieß sie in den Liedern der Spielleute. Und er herrschte gerecht über das Volk von Flandern. Danach ergriff ihn wieder die Unruh nach Abenteuern. Eines Tages nahm er Urlaub von der schönen Königin und ritt zum Tor hinaus. Ihm lag dabei im Sinn, daß seine Mutter Herzeleide ihm geraten hatte, rheinauf sein Reich zu suchen.

Nun gab es um jene Zeit tief im Odenwald eine geweihte Stätte, oben auf dem Berg Montsalvasch. Dort war ein Schatz verborgen, ein Gral, der den Menschen mehr als alles andere gilt. Es war die Schale, in der des Heilands Mutter das Blut ihres Sohnes aufgefangen hatte, als er gekreuzigt wurde. Ein frommer Morgenlandfahrer hatte die Köstlichkeit zu seiner Burg heimgebracht; er hatte sie gegen viele Könige verteidigt, von allen Guten war sie ihm zur Hut anvertraut.

Sechsunddreißig Türme ragten über dem Montsalvasch empor, und ihre Dächer schimmerten von Gold. Auf der höchsten Zinne aber glänzte wie eine andere Sonne ein Stein, der auch des Nachts weithin sein Licht über das Land strahlte.

Der Enkel jenes Königs, Anpforten mit Namen, trug jetzt die Krone; viele edle Ritter umgaben ihn. Er war ein gütiger und starker Fürst und hatte sein Leben lang getreu die Aufgabe erfüllt, die ihm der Besitz des Grals auferlegt hatte: Unrecht hatte er gesühnt, Witwen und Waisen geschützt und Gott und seinem Sohn in Freuden gedient.

Ein einziges Mal hatte er den Weg der adligen Tat verlassen und dafür eine Wunde empfangen, die ihn in schwerem Siechtum an sein Lager bannte. Lange schon litt der König, denn wer den Gral hütet, vermag nicht zu sterben. Ach, der Todwunde wünschte wohl, daß sein Leben ein Ende fände. Es gab indes nur eines, das ihn lösen konnte, wenn nämlich ein Ritter mit reinem Herzen ihn barmherzig nach seinem Leiden fragte und bereit wäre, ihm in seinem Schmerz beizustehen.

Auch Parzival kam zum wilden Odenwald, in dem der Montsalvasch, das heißt der Heilesberg, gelegen ist. An einem Waldsee traf er einen müden alten Mann; der half den Fischern mit seinem Rat.

Parzival fragte ihn nach seiner Herberge.

»Hier gibt es keine Herberge, fremder Ritter«, antwortete der andere. »Wenn du dem Pfad aber weiter folgst, dann siehst du mein Haus; ich selbst will dein Wirt sein.«

Parzival dankte dem gütigen Greis und ritt bis auf die Höhe des Weges; da erblickte er die Burg, vieltürmig prangend. Die Abendsonne umleuchtete sie, wie Feuer loderten ihre Zinnen, und wie eine Krone flammte der Stein, der zur Nacht sein Licht über die Wälder aussendet. – Nicht lange, und Parzival pochte ans Tor. »Der Fischer vom See hat mich hierhergewiesen«, sagte er. Ritter und Knappen nahmen ihn freundlich auf. Sie halfen den Ermüdeten baden und speisen und führten ihn zum Abend in einen hohen Saal, in dem brannten drei Feuerstätten, dazu hundert Leuchter, mit Kerzen besteckt. Ruhepfühle, von Seide überzogen, umgaben Pfosten und Streben; Teppiche bedeckten Estrich und Wände, und Ritter harrten in feierlicher Runde auf den Fremden. Auf einem Siechenbett aber erblickte Parzival den Fischer vom See. Sein Antlitz war voll tiefen Grams, königlicher Schmuck umhüllte ihn.

Grüßend schritt Parzival auf ihn zu. Er hätte wohl erfahren mögen, was der sonderbare Empfang bedeuten sollte, da fiel ihm die Mahnung des alten Gorm ein, nicht zuviel zu fragen, und der Jüngling wartete und schwieg. Nach einer Weile kam ein Zug von draußen. Türen öffneten sich; ein Knappe schritt herein, er trug, halb vom Tuch verhüllt, eine blutige Lanze und zeigte sie jedem der Ritter. Schmerzlich klagten die Männer, denen die Waffe gewiesen wurde, und der König stöhnte. Auch zu Parzival trat der Bote, und aller Augen richteten sich auf den Gast, eine lange Weile. Dann wandte sich der Knappe und ging seufzend zur Tür hinaus.

Nach ihm kam eine wunderschöne gekrönte Frau, acht Mägde folgten ihr. Sie brachte die Blutschale auf grünseidenem Kissen, und die Ritter knieten ehrfürchtig davor nieder.

Fragend näherte sich die Hüterin der Wundschale dem Gast.

Aber der schwieg. Da trug die Frau den Heiligen Gral vor den kranken König, schritt weiter und legte das Kissen mit dem Schmuck in die Mitte des Saales.

Die Mägde begannen den Tisch zu decken; Kämmerer und Mundschenk kamen, um die Herren zu bedienen, und reichten die Schalen zur Handwaschung. Staunend erlebte Parzival das Wunder der Speisung. Aber er fragte nicht. Voll tiefen Mitleids sah er den Greis an; des Königs Haar war weiß wie der Schnee, sein Antlitz schien von Schmerz zerquält und war dennoch von einem Frieden getröstet, als sei er schon jenseits des Todes.

Als das Mahl beendet war, ließ Anpforten ein Schwert bringen und reichte es Parzival. »Nimm diese Waffe als Gastgeschenk«, bat er. »Ich habe sie oft im Kampf geführt, ehe mich Gott strafte.«

Dankbar empfing Parzival das Schwert, aber sein Mund schwieg. Er hätte wohl fragen mögen, warum ein Bund von Rittern so tiefe Trauer trüge, die Stätte dünkte ihn jedoch so heilig, er wagte es nicht.

Als er am anderen Morgen erwachte, kam niemand, ihm zu helfen. Er mußte sich selbst die Rüstung anlegen und schritt durch die leere Burg. Sein Hengst stand bereit, die Burgbrücke ging vor ihm nieder, donnernd fiel das Tor hinter ihm ins Schloß.

»Parzival«, erscholl eine Stimme.

Der wandte sich um. Der Pförtner rief ihn aus dem Fenster an: »Warum schwiegt Ihr, Herr?« klagte er. »Habt Ihr einen Stein in der Brust? Ach, zum Höchsten hatte Gott Euch bestimmt, nun müßt Ihr lange büßen, weil Ihr ohne Mitleid wart!«

Parzival hielt an, er wollte mehr wissen und sich rechtfertigen. Niemand antwortete indes. Unterwegs traf er einen Ritter, Wolfram hieß er, den fragte der Jüngling nach dem Geheimnis der Burg. Aber als der andere hörte, daß Parzival den Berg verlassen hatte, ohne mitleidig zu fragen, war auch er wie von

Trauer verzehrt und wandte sich von ihm. Da sprengte der junge Held zornig über Gott und Menschen in den Odenwald hinaus.

Viele Lande durchfuhr er nun, den Rhein hinauf, hinab suchte er die Straße, ritt an der Grafschaft Flandern vorbei, ohne sein Gemahl zu grüßen, und fand sich eines Tages, schon war es tiefer Winter, in König Arturs Land wieder. Dort, meinte er, würde man ihm deuten können, was geschehen war.

Auf dem Weg begegnete er dem Herzog Orilus von Lalander, der führte noch immer die unglückliche Herzogin im Büßerkleid auf elendem Klepper hinter sich her. Die Frau erkannte Parzival, sie klagte, daß er sie ins Unglück gebracht hätte. Da band der Gescholtene den Helm fest, rief Orilus zu, wer er sei, und forderte ihn auf, mit ihm zu fechten. Der Herzog war ein guter Kämpe, die Lanzensplitter stoben, die Schwerter fuhren aus der Scheide. Orilus vermochte Parzival indes nicht lange zu widerstehen, der junge Recke hob ihn mit den Armen aus dem Sattel und preßte ihn, daß dem Überwundenen das Blut durch den Helm schoß und er um Gnade bitten mußte.

»Zieh zu König Arturs Hof«, mahnte Parzival, »und diene auch du der schönen Kunneware. Und sag ihr, daß ich nicht ruhen würde, bis ich des Seneschalls Schlag gerächt hätte. Dann will ich dir verzeihen, daß du unritterlich gegen die Herzogin warst.«

Parzival erklärte Herrn Orilus noch, daß er selbst es gewesen sei, der jünglinghaft und unwissend der Herzogin den Ring geraubt habe, und forderte, daß er sich mit ihr versöhne. Der Verwundete versprach es, er hielt sein Wort und erreichte mit seinem Weib König Arturs Hoflager. Sehr erstaunt war die schöne Kunneware, als der eigne Bruder ihr zum Dienst gesandt wurde.

Parzival erlebte noch manches Abenteuer auf jenem Ritt; er versuchte, den Schwachen zu helfen, die Edlen zu stärken und die Hoffärtigen zu bestrafen. Endlich kam er – noch war es

Winter – auch in die Nähe des königlichen Hofes; vor ihm kehrten einige Herren der Tafelrunde von der Jagd heim.

Nun war einer ihrer Falken in einen Zug wilder Gänse eingebrochen und hatte eines der Tiere verwundet, so daß vor Parzival drei Blutstropfen in den Schnee niederfielen. Als er es sah, mußte er sein Roß anhalten und den Zauber des Bluts im weißen Feld betrachten. Er mußte auch an seine schöne Königin Gundrun denken, träumte sich ihr Antlitz in den Schnee und vermochte sich nicht von dem Bild zu lösen, so sehr sehnte er sich nach ihr. Die Knappen der Herren sahen den Ritter von fern; sie eilten zu des Königs Runde und meldeten, daß ein Fremder kampfbereit am Wald warte. Einige der Recken sprangen auf und suchten nach ihrer Wehr.

Herr Arturs Vetter Segramors war der Hitzigste unter ihnen, der König konnte ihn nicht anhalten und gab ihm die Erlaubnis, den Unbekannten zu bestehen. Bald ritt Segramors den Träumenden an. Da wachte Parzival auf, er hob jäh seinen Speer und traf den wilden Kämpen, daß er stürzte. Dann mußte er wieder wie entrückt das Bild im Schnee betrachten.

Die Ritter verspotteten Segramors, als er hinkend heimkehrte, ohne Waffe, das Pferd am Zügel.

Der Seneschall Key bat als nächster um die Erlaubnis zum Kampf. Vors Tor der Burg ritt er und sprengte auf den traumversunkenen Fremden zu. Als er dabei die rote Rüstung erblickte, wurde ihm heiß ums Herz, er gedachte der drei Büßenden, die dem Fräulein Kunneware dienten. Laut rief er Parzival an, aber der schien ihn nicht zu hören; er schlug mit der Lanze an seinen Helm, so daß des Ritters Roß sich zornig gegen ihn wandte. Da erst erwachte Parzival, er legte den Speer ein, ritt einige kurze Sprünge gegen Herrn Key und brachte ihn so arg zu Fall, daß der Seneschall den rechten Arm und das linke Bein brach. Knappen zogen den Gestürzten klagend unter dem Roß hervor und trugen ihn in die Burg.

Nun erhob sich Gawan, der edelste in Herrn Arturs Runde. »So werde ich's wagen müssen«, sagte er und verbeugte sich vor König Artur. »Es wird der Sohn der Herzeleide, es wird der Tumbetor sein«, dachte er, »der uns herausfordert. Wer sonst trägt des roten Ritters Rüstung?« Dann wappnete er sich und sprengte vor das Lager.

Parzival gab auf seinen Gruß keine Antwort.

»Ist es die schöne Gundrun, die dich gefangenhält?« fragte der Ritter mitleidig. Er sah die drei Blutstropfen im Schnee und ließ sein Roß darüber hinschreiten. Da erwachte Parzival.

»Kommst du, um mit mir zu kämpfen?«

»Was hast du vor?« forschte Gawan.

»Ich möchte zu König Artur«, sagte Parzival, »und den Sitz in der Tafelrunde einnehmen, den er mir versprach.«

»Wenn es das ist«, rief Herr Gawan froh, »so bitte ich dich, mir zu folgen!«

»Vorerst muß ich aber noch gegen den Seneschall Key reiten«, versetzte Parzival. Gawan lachte und erzählte dem Träumer von den ritterlichen Kämpfen, die er bestanden hatte.

Nun diente Parzival eine Weile dem König Artur in seiner Burg und nahm teil an der Tafelrunde. Die schöne Kunneware sagte ihm ihren Dank; sie gestand ihm auch, daß sie den König Klamide, den er ihr geschickt, liebgewonnen hätte, und die Gesellen fanden doppelten Grund, Parzival zu loben.

Während die beiden aber das Fest der Verlobung begingen und die Freude feierten, die der junge Recke ihnen gebracht hatte, erschien vor dem Hofe ein häßliches Maultier, auf dem ritt eine Fremde, die furchtbar anzusehen war. Eberzähne ragten ihr aus dem Mund, die Ohren waren behaart. Schwarz und borstig hing ihr das Haar bis zum Rücken des Tieres hinab. Kundry war es, die Seherin des Grals.

Sie trat vor den König.

»Warte noch mit der Feier, Herr Artur«, sagte sie, »ein Unwürdiger entehrt deine Runde. Ich erkenne unter deinen Rittern einen, dessen Herz ohne Mitleid war.« Kundry wandte sich gegen Parzival: »Zu hohen Ehren warst du berufen, das höchste Heiligtum wurde dir kund, das schwerste Leid hast du geschaut, Parzival. Dennoch hast du keine Frage des Erbarmens getan, keines der Heiligtümer vermochte dein Schweigen zu brechen. Nun muß der König des Grals leiden um deinetwillen, niemand löst die Burg von dem Grauen, das sie umfängt. Unwürdig bist du edler Ritterschaft, Erbarmungsloser.« Die Zauberin hob die Hände zum Fluch, sie verwünschte die Tafelrunde und ritt von dannen. Niemand folgte ihr, niemand wagte, sie zu strafen.

Parzival stand auf. Viele Herren und Frauen versuchten den König und auch ihn zu trösten. Aber er verließ die Feiernden, bestieg sein Roß und zog in die Einsamkeit.
Wie ein Geächteter irrte er von da an jahraus, jahrein durch viele Lande, haderte mit Gott oder war von Reue zerrissen.
Endlich wandte er sich dem Odenwald zu; den Gral wollte er suchen, um den verlorenen Frieden zu finden. Niemand wußte ihm indes den Weg zum Montsalvasch zu sagen; es war, als hätte das Volk im wilden Wald vergessen, daß eine Königsburg über seinen Tälern aufragte.
Einmal begegnete Parzival dem Ritter wieder, den er einst der Zauberburg nahe getroffen hatte. Es war ein sangeskundiger Mann, der Vögel befragte und dem auf sein Lied Bäume und Quellen antworteten. Eine Weile führte jener Wolfram den trauernden Parzival durch den Odenwald; er vernahm das Leid des Gesellen und suchte mit ihm den Heilesberg und den verlorenen Gral. Aber sosehr sie sich mühten, sie vermochten ihn nicht zu finden.
Einmal trafen die Ritter fromme Pilger, die riefen ihnen zu: »Wißt ihr nicht, daß es der Tag des Herrn ist? Steigt vom Roß und beugt euer Knie!«
»Welcher Tag ist es?« fragte Parzival erstaunt.

»Karfreitag«, erwiderten die Pilger, und als sie die Zerknirschung der Fremden sahen: »Kommt mit uns zu dem heiligen Mann, zu dem wir wallfahren; er wird euch Rat geben, wenn ihr dessen bedürft.«

Die Reiter folgten den frommen Leuten auf einem Weg in die Felsen hinein, bis sie vor der Hütte eines ehrwürdigen Greises standen, der auf sie zu warten schien. Parzival und Wolfram legten die Waffen ab, sie setzten sich zu den Wallfahrern und tranken aus hölzernem Becher von dem Wasser, das ihnen der Alte reichte. Am Abend wollte Parzival auch dem Einsiedler das Leid bekennen, das ihn erfüllte.

Der Greis lächelte, er segnete die Reiter und schien tröstend zu ahnen, was die beiden ihm zu klagen hatten. Dann eröffnete er sich ihnen. »Ich weiß, wo die Gralsburg liegt«, sagte er, »und mir ward der Auftrag, hier am Wege auf einen büßenden Ritter zu warten, den ich zu Tor und Brücke rufen soll, die er einst mitleidlos verließ. Von der vieltürmigen Höhe bin ich in diese Einsamkeit hinabgestiegen, um ihn anzuhalten, wenn er vorüberkäme. Steh auf, Parzival! Die Burg ist nah, die du suchst, aber der Wald, der zu ihr gehört, ist denen unsichtbar, die ohne Ehrfurcht kommen.«

Parzival sprang in freudigem Schrecken auf. »Wenn die Burg nahe ist, so werden Wolfram und ich den Pfad finden. Ach, mich dürstet so sehr, den Gral wiederzusehen und die Frage zu tun, die ich vergaß.«

Auch der Ritter Wolfram erhob sich: »So weiß ich, warum Gott mir aufgab, diesen mit meinem Lied zu begleiten!«

Parzival wandte sich noch einmal zu dem Alten. »War es meine Schuld?« fragte er traurig. »Hatte ich nicht gelernt, man solle vor Leid schweigen?«

»Wer sich gegen das Mitleid verhärtet«, wurde ihm zur Antwort, »der ist auch unwert der Liebe Gottes! Und wer die Wundschale der Menschen hüten soll, muß reif werden, Erbarmen zu üben.«

Während sie so sprachen, sah Parzival die Reiterin Kundry wieder, die ihn einst vor König Arturs Hof angeklagt hatte. Sie schalt nicht mehr, Milde lag über ihrem Antlitz. »Bist du gekommen?« fragte sie, stieg von ihrem Tier und beugte die Knie vor dem Ritter. »Die Herren des Grals warten auf dich!«

»Und was wird aus meinem Weib«, bat Parzival, »wann werde ich sie wiedersehen? Und was geschieht mit meinem Freund Wolfram?«

»Dein Freund hat viel Gnade erfahren«, antwortete Kundry. »Gundrun aber wird an deiner Seite als Königin walten.«

Da machte sich Parzival mit Wolfram und Kundry auf den Weg. Bald begegneten ihnen fremde Ritter; schon wollte Parzival den Speer einlegen. Kundry sagte jedoch: »Sie sind gekommen, um dich zu begrüßen; auch du sollst sie grüßen!«

Ehrfürchtig nahmen die Pfleger des Heiligtums den Gast in ihre Mitte. Über den Bergen wuchsen die Zinnen der Gralsburg empor; die Brücke hallte, als Parzival mit seinem Gefolge in den Burghof ritt.

In den Hochsaal schritt er, und der kranke König lächelte. Wieder schritten die Jungfrauen mit Leuchtern in den Saal, wieder öffnete sich die Tür, und das schönste der Mädchen, des Königs milde Schwester, trug den Gral vor die Ritter. Parzival sank in die Knie, und die Herren folgten ihm.

Dann wandte er sich zum König. »Wie darf ich Euch helfen?« fragte er. »Mir ist so weh um Euch.«

Als er die Worte gesprochen hatte, begann die Halle zu strahlen. Der Kranke reckte sich noch einmal von seinem Schmerzenslager, und die Ritter erhoben sich ehrfurchtsvoll. Dann rief der Greis sie auf, Namen bei Namen. Und er befahl ihnen, Parzival, Herzeleides Sohn, zu ehren und ihm die Treue zu schwören. Ein Jauchzen scholl durch die Hallen der Burg; die Sonne, die untergehen wollte, warf ihren Schein durch alle Fenster auf die Schwurbrüder.

In der Frühe kam ein fremder Zug den Burgweg hinan. Der Ritter Wolfram – niemand wußte, wie er es vermocht, noch wer es ihm aufgetragen – hatte die Königin Gundrun aus ihrer fernen Stadt zum Odenwald geführt. Voll Sehnsucht war sie auf Reisen gegangen, durch eine dunkle Nacht war sie geritten – wie durch die Wolken, so schien es ihr. Zwei Knäblein hatte sie bei sich und brachte sie dem Vater.

Um Mittag riefen die Herolde, so weit die Berge reichten, die zur Gralsburg gehörten, den Namen des neuen Königs und seiner Gemahlin aus. Ein großes Fest wurde gefeiert, unerschöpflich spendete die heilige Schale Speisen und Getränke an alle, Hohe und Niedrige, Herren und Arme. Freude herrschte in den Hallen, die so lange von Seufzern und Gram erfüllt gewesen waren. Rheinauf, rheinab ritten die Frommen. Und die Recken der Burg, die in alle Welt auszogen, dienten viele Jahre Parzival, dem starken König der Gralsburg, dem Sohn der Herzeleide, dem Tumbetor und seiner segnenden Königin

Volkssagen

Genovefa

1. Die Verleumdung

Karl, genannt Martell (das heißt der Hammer), Majordomus (Reichsverweser) des Frankenlandes, hatte im Jahre 732 den Mohrenkönig Abderrahman bei Poitiers aufs Haupt geschlagen. In wilder Flucht entwichen die Reste der ehemals sieggewohnten Scharen über die Pyrenäen zurück nach Spanien, während ihr Heerführer und die Mehrzahl seiner Krieger erschlagen auf dem blutigen Schlachtfeld im Tode ruhten.

Ihren Fürsten zu rächen und das Verlorene wiederzugewinnen, drangen in den folgenden Jahren neue zahllose Schwärme des wilden Sarazenenvolkes über das Grenzgebirge in die üppigen Fluren des Frankenreiches ein. Verheerend, mordend und plündernd zogen sie von Stadt zu Stadt.

Nun aber erhob sich Karl Martell in seiner Macht. Er berief seine Untergebenen, Fürsten und Völker aus Nord und Süd, aus Ost und West, so weit die Oberhoheit der fränkischen Könige reichte. Und da war keiner, der dem Ruf nicht Folge leistete, galt es doch den Kampf gegen den Feind der Christenheit. In einer zweiten siegreichen Schlacht zwang Karl die Heiden zu abermaliger Flucht. Bis gen Avignon zogen sie sich zurück, dort aber, in der wohlbefestigten Stadt, hielten sie stand. Wohl versuchte der Frankenfürst manchen Sturm auf die festen Mauern, doch ohne Erfolg. Wochen und Monate vergingen in harter Belagerung, noch war kein Ende des Kampfes abzusehen. Immer neue Hilfsscharen zog Karl heran, denn wenn es ihm gelang, den letzten Anhaltspunkt der Sarazenen zu nehmen, war er Herr des ganzen Frankenlandes.

Fast ein Jahr hatte die Belagerung schon gewährt, bis sich Karl für stark genug hielt, einen letzten verzweifelten Angriff zu wagen. Unter dem Rufe: »Christ Kyrie!« drangen die Christen unaufhaltsam vorwärts; wie Hagel fielen die Geschosse der Feinde in ihre Reihen, Jammergeschrei, Stöhnen der Verwundeten und Sterbenden erfüllte die Luft, aber als der Tag sich neigte, war der Sieg errungen, das Bollwerk der Heiden im Sturme genommen.

Unter denen, die sich bei der Erstürmung besonders auszeichneten, war ein junger edler Graf namens *Sigfrid*. Fern in den trierischen Landen, wo die Mosel in kühnen Windungen die Gegend durchströmt, lag inmitten herrlicher Waldungen und saftiger Wiesen die Burg seiner Väter. Dort harrte seiner ein junges Weib, Genovefa, die Tochter des Herzogs von Brabant. Erst wenige Monate zuvor hatte er sie heimgeführt in das Schloß seiner Väter, als ihn der Ruf des Oberherrn aufschreckte aus dem Leben voll Frieden und Glück und ihn fortrief in die Ferne, in Gefahr und Krieg.

»Bald kehr' ich heim, mein teures Weib«, sagte er beim Abschied zu der weinenden Gattin, »Gott sei mit dir!«

Dann riß er sich los, und sie sank ohnmächtig in die Arme ihrer Dienerinnen. – Noch einmal zauderte der junge Graf, von Schmerz und Mitleid übermannt, allein die Pflicht gebot: »Hüte sie, Golo«, rief er zum letzten Male dem von ihm bestellten Hofmeister zu, »bewahre mein Kleinod, mein höchstes Gut, bis ich heimkehre, ihre Tränen zu trocknen!«

So schied er, auf die Treue seines Dieners bauend, und ahnte nicht, welche Tücke derselbe unter heuchlerischer Ergebenheit verbarg, wie er nur darauf sann, Herr in der Burg zu sein und Gewalt über die schöne junge Gräfin zu erlangen.

Genovefa, in stiller Trauer um den geschiedenen Gemahl hinlebend, ahnte nichts von Golos bösen Plänen, sie sah nichts von der Veränderung seines Wesens, merkte nicht, wie er immer kühner und freier in seinen Reden wurde, bis er endlich rücksichtslos und verwegen ihr seine Neigung zu gestehen wagte und um ihre Gegenliebe bat.

Sanft, doch voll Würde und Hoheit verwies sie ihm seine vermessenen, sündhaften Worte, er aber sann darauf, wie er ihren Widerstand besiegen könne. Er brachte Briefe herbei des Inhalts: Der Graf mit all seinen Mannen sei im Meere bei der Überfahrt ertrunken, er erklärte ihr, wie sie nun frei und ohne Schuld die Seine werden könne, er eilte, da sie noch immer ihn schweigend ansah, auf sie zu, sie zu umfassen in wilder Leidenschaft, da stieß sie ihn zurück mit ungeahnter Kraft. »Weiche von mir, Versucher«, sprach sie zürnend, »die Lüge steht auf deiner Stirn geschrieben. Fürchte die Heimkehr deines Gebieters, und wisse, wäre selbst wahr, was du sagst, meine Liebe und Treue reichte über Tod und Grab. Aus meinen Augen, falscher Knecht!«

Ihre Augen flammten, er wagte kein Wort mehr, sondern schlich davon. Allein Haß, Zorn und Angst brannten in seinem Herzen an Stelle der Liebe, er sann nur noch, wie er sie, die Stolze, verderbe.

Da war unter anderen Bediensteten Drago, der Koch, ein frommer, schlichter, seiner Gebieterin treu ergebener Diener wie keiner der anderen, den ebendeshalb die Gräfin besonders bevorzugte. Das sollte dem Erbärmlichen als Vorwand dienen, seine heimtückischen Pläne zur Tat zu machen.

Inzwischen waren Wochen und Monate vergangen. Der Graf, fern von der Heimat, sehnte mit Ungeduld das Ende des Krieges herbei. Er jubelte auf, als es endlich zum entscheidenden Kampf kam. Kühn stürmte er seinen Mannen voran über Leichen und Trümmer dem Feind entgegen, »Christ Kyrie!« rief er, da traf auch ihn ein Geschoß in die Brust, und er sank zu Boden. Über ihn drängte sich die Wucht des Gefechtes Mann gegen Mann.

Als Graf Sigfrid aus seiner Betäubung erwachte, lag er in einer ärmlichen Stube auf hartem Lager. Neben ihm stand sein alter Schildknappe, der ihn mit Gefahr und Mühe hierhergerettet hatte.

»Gelobt sei Jesus Christus, Ihr lebt, mein teurer Gebieter!« jubelte der treue Mann. »So Gott will, seid Ihr bald genesen von Euren Wunden, und dann kehren wir zurück in die Heimat. Dort wird die edle Herrin Euch hegen und pflegen, daß Ihr zur alten Gesundheit erstarkt.«

Mit der Genesung des Grafen ging es nicht so schnell, als der Alte meinte, der Graf war ein unruhiger Kranker und verzögerte durch seinen Unmut die Heilung.

»Wollet Euch doch gedulden, mein gnädiger Gebieter«, mahnte dann der Knappe, »bald seid Ihr wieder der alte, im Besitz Eurer Kräfte...«

»Bald, bald!« unterbrach ihn sein Herr. »Was ist bald? Elf Monate bin ich fern von ihr, noch keine Nachricht, keine Zeile ist zu mir gedrungen. Wie mag es ihr ergehen? Grämt und härmt sie sich um mich? Wer weiß, mir ist oft, als sähe ich ihre rosigen Wangen erblichen, die leuchtenden Augen von Tränen matt. Dein Haar ist grau, Berthold, dein Herz pocht ruhig, du magst geduldig harren; aber hier in meiner Brust, da klopft es in wilder ungestümer Sehnsucht nach ihr. Oh, wer mir Kunde brächte!«

Berthold wollte reden, allein ein vernehmliches Pochen ließ sich hören, er öffnete, und ein Mann trat herein, den der Graf mit einem Freudenruf begrüßte.

»Endlich, endlich!« jauchzte er. »Du bringst mir Botschaft aus der Heimat! Wie?« Er wollte noch weiter fragen, indes der Eingetretene überreichte ihm sich tief verbeugend einen Brief und blieb dann schweigend stehen.

»Von Golo?« murmelte Sigfrid. »Und nichts von ihr? Was deutet mir das?« Ungestüm riß er das Schreiben auf – dunkle Röte färbte sein blasses Angesicht beim Lesen, die Adern der Stirn schwollen an, er wollte reden und konnte nicht. Angstvoll blickte Berthold auf seinen Herrn. »Nicht gestorben«, sagte der Graf heiser, »hörst du, Berthold, sie lebt, sie lebt! Himmel und Erde!« schrie er auf. »Hierher zu mir, du dort mit der Jammermiene. Steh Rede, weißt du, was das Schreiben da bringt? Ist es wahr, was Golo behauptet? Hat sie, die ich liebte, die mir rein schien und schuldlos wie ein hehrer Engel, hat mein Weib mich verraten, vergessen ihrer Pflicht, ihrer Ehe? Hat *Drago*, der Koch, der niedere gemeine Knecht, gewagt, die Augen zu ihr zu erheben? Und sie, sie, nach der ich mich sehnte...« Seine Stimme brach, aber noch einmal fuhr er auf in rasender Wut: »Sterben soll er, der höllische Zauberer, hörst du, Schurke? Sage es Golo! Keine Marter ist genug für ihn. Und sie und – und das Kind, von dem mir Golo schreibt, fort mit beiden!«

»Gnädiger Herr!« rief Berthold. »Bedenkt, ohne Gericht, ohne Zeugnis...«

»Gericht!« wiederholte der unglückliche Mann. »Zeugnis? Da lies, was hier steht, höre, was jener sagt, was bedarf ich mehr? Allein dennoch – du hast recht –, ich will dir folgen. In enge Haft soll Golo sie einschließen. Kehre ich heim, dann werde ich selbst Gericht halten. Dies mein Gebot. Und nun fort mit dir, du Unheilverkünder, fort, daß ich dein Antlitz nicht ferner schaue!«

Erschöpft sank der Graf auf sein Lager zurück; indessen immer wieder erhob er sich in Wut und Schmerz, verfluchte und verwünschte sich selbst und sein Weib, die ihn so schmählich betrogen habe. Berthold, der alte treue Knappe, suchte den Aufgeregten zu beruhigen, doch umsonst! Derweil stand außerhalb vor der Pforte noch immer der Unglücksbote. Er hörte die wahnsinnigen Ausbrüche des Zornes, ein spöttisches Lächeln glitt über sein verschmitztes Gesicht, indem er sagte:

»Gut in die Falle gegangen, mein hoher Herr. Golo kann zufrieden sein, und mir – wird das lachende Gold im Beutel klirren.«

Die heftige Erregung hatte des Grafen Zustand verschlimmert, Wochen vergingen, bis er sich endlich von seinem Schmerzenslager erheben konnte. Mit rastloser Ungeduld betrieb er die Heimfahrt. Vergebens mahnte ihn Berthold, er möge seine Gesundheit noch schonen, er achtete nicht darauf, und so kam es, daß er in Straßburg, aufs äußerste erschöpft, Aufenthalt nehmen mußte.

»Meine Kraft ist gebrochen«, murmelte er finster, als ihn Berthold sorgsam auf ein Ruhebett leitete. »Könnte ich den Gram, den Zweifel bannen! Berthold«, unterbrach er sich selbst, »ich kann nicht glauben an ihre Schuld, ich elender Tor. Sage du, ob es wahr sein mag, was Golo schrieb?«

Zum ersten Male richtete sein Gebieter eine derartige Frage an den Alten, zum ersten Male durfte derselbe wagen, eine Meinung zu äußern. Er sah seinen Herrn an, sah die qualvolle Unruhe in dessen Zügen, und ohne Zaudern erwiderte er ernst und fest: »Nein! Er lügt. Aus welchem Grunde, das weiß ich nicht, aber das weiß ich, sie, die hohe Herrin, folgt nimmer der Verlockung zu Sünde und Schuld. Auf ihrer Stirn steht's geschrieben, in ihren Augen ist's zu lesen. Wie könnt Ihr zweifeln...?«

Er kam nicht weiter, die Tür flog auf, ohne lange zu fragen, eilte ein Mann herein und sank mit den Worten: »Mein edler Graf, mein Gebieter, mein Freund!« auf die Knie.

»Golo!« Mit einem Ausruf des Entsetzens fuhr Graf Sigfrid empor.

Der Ankömmling ergriff seine Hände, bedeckte sie mit Küssen. »Welches Wiedersehen!« schluchzte er. »Könnt Ihr das Leid vergeben, das Euch traf, durch meine Schuld traf? Könnt Ihr verzeihen, daß ich meine Pflicht versäumte, daß ich aus Unachtsamkeit geschehen ließ... oh, wenn Ihr wüßtet! Sie schien mir so edel, so hoch und hehr, wie konnte ich ahnen?«

Schluchzen erstickte seine Stimme, er barg das Antlitz in beide Hände. Der Graf rang nach Atem.

»So beharrst du darauf, sie für schuldig zu erklären?« brachte er endlich mühsam hervor. »Ist kein Zweifel, kein Irrtum möglich?«

Golo erhob das tränenüberströmte Gesicht. »Wollte Gott, ich hätte mich geirrt; gern ginge ich zum Tode, würde alles erdulden, aber ich kann nicht anders, ich kann Euer nicht schonen, nicht um meinet-, sondern um Euretwillen. O ja, sie wird Euch schwören, daß ich log, sie wird Euch umgarnen mit süßem Wort, mit dem Blick voll Unschuld, unter dem die Schlange der Bosheit verborgen lauert. Hättet Ihr gesehen, was ich sah, gehört, was ich hörte, Eure Zweifel würden schwinden vor der gräßlichen Wahrheit. Ich wiederhole Euch nicht, daß sie Euer vergaß um Drago, des Koches, willen, den ich auf Euren Befehl für seine Missetat zum Tode führen ließ. Ihr glaubt meinen Worten nicht, und ich grolle Euch um deswillen nicht; wer täte nicht also an Eurer Seite. Wer zweifelte nicht, der ihr süßes Lächeln gesehen, die Augen, aus denen eine Welt von Liebe sprach?«

Ein dumpfer Laut entrang sich der Brust des Grafen, er hob die Hand, als wolle er den Redner unterbrechen, aber jener sprach weiter.

»Doch ich wiederhole es, die Wahrheit muß offenbar werden um Euretwillen, bevor Ihr heimkehrt, mein geliebter Gebieter. Solange die Qual des Zweifels und der Hoffnung Euch verzehrt, mögt Ihr nicht genesen von körperlichem und geistigem Weh; aber wenn Ihr klarsehet, wenn Ihr erkennt, wie sie an Euch gesündigt, dann, ich weiß es, werdet Ihr Euch losreißen von unwürdigen Banden, werdet Gericht halten nach Weise Eurer Väter, die nimmer geduldet haben, was ihrem Hause Unehre brachte. Erhebt Euch, ich weiß ein Mittel, Euch zu überzeugen.«

In düsterem Grübeln starrte der Graf zu Boden: »Alles Täuschung, leerer Wahn«, murmelte er tonlos. »Golo, Golo, der Wahn war süß, wollte Gott... doch nein«, fuhr er sich ermannend fort, »wo liegt der Beweis, daß es Täuschung war, das Glück, das ich mein eigen nannte? Du willst den Zweifel heben? Wohlan, ich bin bereit, was soll geschehen?«

Also befragt, erklärte Golo, es wohne in der Stadt eine weise, hochheilige Frau, der sei von Gott die Gabe verliehen, in Vergangenheit und Zukunft zu lesen, Lüge und Wahrheit zu scheiden und zu offenbaren. Ihr solle der Graf seine Fragen vorlegen, er werde Antwort erhalten. Vergebens mahnte der alte Knappe seinen Herrn und bat ihn, solches Beginnen zu unterlassen, da er ja bald selbst entscheiden könne, wenn er heimkehre; der von innerer Unruhe und Krankheit tief erregte Mann hörte nicht auf ihn, sondern folgte mit einbrechender Nacht seinem Ratgeber nach dem entlegenen Hause der weisen Matrone.

In ein langes faltiges Gewand gehüllt, von schwarzem Schleier umwallt, erschien dieselbe vor den beiden Männern und sagte, bevor einer von ihnen ein Wort gesprochen: »Ich habe euch erwartet, kommt!«

»Erwartet?« wiederholte Golo erstaunt, während der Graf sie betroffen ansah. »Woher, edle, hochheilige Frau, ward Euch...«

»Heilig!« unterbrach ihn die Matrone, und ein seltsames Lächeln spielte um ihren tief eingesunkenen Mund. »Wen nennst du heilig? Ich bin ein schwaches sündiges Weib. Doch Gott ist gnädig und wunderbar seine Macht, und das, was er mir gewährte in seiner Huld, die Gabe, die er mir verlieh, um derentwillen ihr vor mir steht, die will ich verwenden nach seinem Gebote, so gut ich's vermag. Du bist, der da fragt«, wandte sie sich an den Grafen, »ich lese es auf deiner Stirn, ich sehe es in deinen Augen. Ich weiß, was dich quält; doch vernimm, nicht immer ist's gut, Wahrheit zu hören; wagst du, ihr kühn ins Angesicht zu schauen, ob sie auch Schmerz und Weh dir bringt? Du bist entschlossen? Wohl, so kommt!«

Sie schritt voran durch lange, enge Gänge, über winkelige Treppen hinab in einen düsteren gewölbten Raum, den eine bläuliche Flamme erhellte. In der Mitte des Gemaches, auf erhöhtem Platz, befand sich ein weites, kupfernes Becken, gefüllt mit Wasser. Vor diesem Becken zog die Alte zwei Kreise und gebot dem Grafen und seinem Begleiter, hineinzutreten und in das Wasser zu sehen. »Redet nicht, bewegt euch nicht«, setzte sie hinzu, »kein Laut von euch darf mein Werk unterbrechen, bis ich's gebiete.«

Mit dem Stab, den sie in den Händen trug, schrieb sie seltsame Zeichen in die Luft, sie murmelte leise und sprach endlich in singendem Tone:

> »Ich rufe euch, Geister der finsteren Nacht,
> Hört und gehorchet der Meisterin Macht.
> Im Wasser, das silbern dem Felsen entquillt,
> Gebt Antwort dem Frager im Zauberbild.«

Sie tauchte den Stab in das Becken, und das Wasser zischte und brodelte hoch auf, blaue Flammen zuckten durch das Gewölbe. Ein Schauder überlief den Grafen; war das nicht Hexenwerk? Aber sieh da! In dem allmählich sich glättenden Wasserspiegel malte sich klar und deutlich ein liebliches Frauenbild. Rosig schimmerten die Wangen, blondes Haar umwallte das schöne Haupt, und die Augen strahlten so blau wie einst. »Genovefa! Genovefa!« murmelte der Graf; es war ihm, als müsse er die Arme nach ihr ausstrecken – da verschwand das Bildnis, er sah nur sich selbst in dem klaren Wasser. Mit einem Gefühl, als sei alle Last von ihm genommen, wandte sich der Graf an Golo: »Wo sind die Beweise?« fragte er lächelnd; die Alte sah ihn an mit einem stechenden Blick, daß er verstummte; dann erhob sie abermals den Stab. Sie murmelte, sang und schrieb Zeichen in die Luft, und es heulte und grollte wie Gewittersturm durch das Gewölbe, die Erde bebte, hoch auf sprudelte das Wasser des Beckens...

»Schau her!« kreischte die Trude. »Schau, leichtgläubiger Tor, und frage nicht mehr!«

Aus dem Strudel erhoben sich von hellem Glanze bestrahlt

zwei Gestalten, ein Mann in Dienertracht und ein Weib von schimmernden Locken umwallt. Er lag zu ihren Füßen, und sie beugte sich zu ihm mit seligem Lächeln. »Genovefa!« rief der Graf – ein Hohngelächter klang durch das Gemach, das Zauberbild verschwand, er selbst sank wie vom Schlage getroffen zu Boden.

»Schau, schau«, sagte die Alte, ein häßliches Grinsen verzerrte ihr Gesicht, »mir scheint, der alberne Schwächling hat Wahrheit genug.«

Golo lachte laut auf: »Du hast deine Sache vortrefflich gespielt, weiseste aller Hexen«, sagte er höhnisch, »fast hat mich selbst dein Blendwerk getäuscht. Doch er kommt zur Besinnung, schnell die Heiligenmaske vor, sonst durchschaut er unser Spiel.«

Golo geleitete seinen Herrn sorgsam heim. Der Morgen graute, als sich Graf Sigfrid von seinem Lager erhob, auf dem er ruhelos die ganze Nacht verbracht hatte. Berthold, der treue Knappe, blickte besorgt auf seinen Gebieter, der ihm befahl, den Schloßverwalter zu rufen. Er zauderte, aber ungeduldig winkte sein Herr ihm mit der Hand, und er tat mit schwerem Herzen nach dem Befehl. Bald stand Golo in dem Gemach und fragte teilnehmend nach dem Befinden des Kranken. In finsterem Brüten starrte derselbe vor sich hin. »Wahrheit, alles Wahrheit«, murmelte er, ohne die Frage zu beantworten. Dann sah er plötzlich empor: »Du hier, Golo«, sagte er, »wohl, mache dich eilends auf, reit heim, so schnell du kannst, und reinige mein Haus. Sterben soll sie, hörst du? Sterben; sie und das – das Geschöpf, das Kind; es ist nicht mein, es ist...« Er stöhnte auf und barg das Angesicht in beide Hände. Er bemerkte den Strahl der Freude in Golos Antlitz nicht, wohl aber sah ihn Berthold, und der warf sich an seines Herrn Lager nieder und bat und flehte, er möge nicht tun, was ihn dereinst gereuen müsse. »Wollt Ihr sie ungehört verdammen?« rief er. »Bedenkt...«

Er konnte nicht weiterreden, der Graf stieß ihn von sich und sprang auf. »Wahnsinniger Tor!« schrie er. »Hat sie dich auch berückt? Fort, Golo, fort! Sie soll sterben mit ihrem Kind! Wehe dir, wenn du zauderst!«

Golo eilte fort; vergebens haschte der Alte nach seinem Gewande, vergebens ermahnte er ihn, nur noch auf fernere Nachricht zu warten. »Ein treuer Diener tut den Willen seines Herrn!« rief jener, schwang sich auf sein Roß und jagte davon.

»Die Bosheit trägt den Sieg davon«, sagte der alte Knappe vor sich hin. »Wehe meinem unglücklichen teuren Gebieter, wenn er aus der Verblendung erwacht, wenn die Reue naht, und es ist zu spät, zu spät!«

2. Die Dulderin

In dem schönen Schlosse an der Mosel, fern in trierischen Landen, in einer dumpfen düsteren Zelle lag auf feuchtem Stroh eine Frauengestalt. Neben ihr, in ein Tuch gehüllt, ruhte ein kleines, wenige Monate altes Kind. Es war die Herrin des Schlosses mit ihrem Knaben; sie, die Tochter des Herzogs von Brabant, die Gemahlin des reichen Grafen Sigfrid, hatte nichts, um ihr Kind zu bedecken, als dies eine Tuch. Sie schienen beide zu schlafen, denn die Gräfin regte sich nicht, als das feste Schloß der Pforte klirrte, als die Tür sich öffnete. Wohl aber sprang sie mit einem leisen Laut des Schreckens empor, als eine männliche Stimme ihren Namen nannte.

»Ihr seid's?« rief sie. »Ihr, Golo? Was ist Euer Begehr, nachdem ...«, sie hielt inne.

»Ja, ich bin's«, sprach der Eingetretene. »Noch einmal komme ich, um Gnade zu bitten, Erbarmen für Euch, Euer Kind und mich. Ihr wendet Euch von mir? Ja, ich tat's, ich ließ Euch Elend und Not erdulden, um Euren stolzen Sinn zu beugen, und litt doch größere Qual als Ihr. Noch einmal: Nur einen Blick der Gnade, der Liebe gönnt dem, der jetzt zu Euren Füßen liegt, und die Pforten Eures Kerkers öffnen sich für Euch und Euer Kind, das jetzt in Mangel und Entbehrung zugrunde geht. Gräfin, die Glut, die hier in meinem Herzen brennt, die löscht nur eines...«

»Zurück von mir, Versucher! Mein Sinn bleibt fest: Die Treue, die ich schwur vor Gott dem Herrn, die breche ich nicht, und gälte es mein Leben. Verlaß den Kerker!«

»Dein Sinn bleibt fest«, fiel Golo höhnisch ein, »stolzes Weib, du weißt nicht, was ich darf, was mir dein liebevoller Gatte selbst gebot. Drago, der Koch, hat mit dem Leben seine Schuld gebüßt, und du, die ihn so heiß geliebt...«

»Elender«, sprach die Gräfin, »verzeihe dir Gott, was du getan. Doch meine Unschuld kannst du nicht beflecken, und mein Gemahl...«

»Er hört Euch nicht, hochedle Frau«, lachte Golo auf. »Bevor er heimkehrt, seid Ihr längst nicht mehr. Zum Tode hat der Graf Euch selbst verdammt, denn Ihr seid Eurer Missetat überwiesen. Die Macht ist mein, ich werde sie gebrauchen, und nicht nur Ihr, das Kind dort stirbt mit Euch.«

»Der Knabe auch!« Die Gräfin schluchzte leise. »Den eigenen Sohn! Was hat er ihm getan?«

Sie hob das Kind empor, es schlug die Augen auf und lächelte. Sie drückte es fest an ihre Brust.

»Mein einziger Trost, mein Schmerzenreich! Den ich mit meinen Tränen taufte und mit Schmerzen nährte«, flüsterte sie, »auch du, auch du! Und keiner hat Erbarmen!«

Mit funkelnden Augen, wie ein Raubtier seine Beute, betrachtete Golo die bleiche Frauengestalt mit dem langen, wallenden blonden Haar. Geräuschlos trat er näher.

»Du kennst den Preis der Rettung«, sagte er heiser, »o komm!«

Sie stieß ihn zurück, daß er taumelte.

»Unseliger Mann«, sprach sie, »laß ab von deinem Wahn. Du zwingst mich nicht; die Tugend einer Frau steht über deiner Macht. Tu, was du magst, nimm unser Leben, meines und das des Knaben, mehr kannst du nicht, nun geh!«

»So stirb mit deiner Brut!« schrie Golo wütend und stürzte aus der Zelle; doch vor der Pforte blieb er noch einmal lauschend stehen; still blieb es drinnen, kein Ruf klang ihm nach: »Sie oder ich«, knirschte er zwischen den Zähnen, »da ist die Wahl nicht schwer.« Er rannte fort zu der Kerkermeisterin der Gefangenen, einer ihm völlig ergebenen alten Frau, und sagte ihr, wie der Graf befohlen habe, daß man dieselbe mit dem Knaben hinrichte, und wie er morgen in aller Frühe dem Befehl folgen werde. Im eifrigen Gespräch merkten beide nicht auf ein kleines Mädchen, die Enkelin der Alten. Leise verließ es das Gemach und lief weinend und schluchzend nach dem Gefängnis der Gräfin.

Genovefa lag in ihrer Zelle in heißem Gebet, als die Stimme des Mädchens ihr Ohr traf. Sie trat an das enge vergitterte Fenster, zu hören, wer also klage. Das betrübte Kind erzählte alles, was sie vernommen hatte, so gut sie konnte.

»Gottes Wille geschehe!« sprach die Frau. »Weine nicht um mich, mein Kind, ich bin rein von Schuld; weine um die Lebenden, um meinen Gemahl, der einst vielleicht erkennt... höre mich«, unterbrach sie sich selbst, »du sollst mir helfen, meine Unschuld zu beweisen, wenn du willst.«

Sie gab dem begierig aufhorchenden Kind die Schlüssel ihrer Gemächer, die sie noch bei sich trug, und bat sie, ihr Feder, Tinte und Papier zu holen. Flüchtigen Fußes eilte das Mädchen davon und brachte bald das Gewünschte. In der dunklen Zelle auf ihren Knien schrieb die Gräfin an ihren Gemahl. Träne um Träne fiel auf die Blätter, die sie sorgsam zusammenfaltete, nachdem sie geendet hatte, und dem außen wartenden Kind durch das enge Fenster übergab. »Nimm«, sagte sie, »lege es in mein Zimmer, und sorge, daß niemand davon erfährt. Es ist mein Abschieds- und Sterbebrief, nur mein Gemahl darf ihn finden.«

Das kluge Mädchen versprach, alles wohl zu besorgen, und ging weinend fort.

Genovefa blieb schlaflos die ganze Nacht; sie rang in heißem Gebet zu Gott um Kraft für das, was kommen sollte.

Der Morgen graute, Schritte nahten ihrer Tür, sie erhob sich gefaßt, hüllte das Kind eng in ihr Gewand und gehorchte schweigend, als zwei Männer eintraten und ihr rauh geboten, ihnen zu folgen. Sie ließ es geschehen, daß man ihr Antlitz verhüllte, damit niemand sie erkenne, sie drückte das Kind, das erwacht war, an sich und flüsterte ihm zu, wie ja bald alles Leid, alle Qual ein Ende habe und wie sie beide schuldlos eingingen durch den Tod zum ewigen Leben. Sie merkte, wie sie über die Brücke der Mosel gingen, zog den Trauring vom Finger und warf ihn in die Fluten. »Versink für immer«, sprach sie für sich, »wie mein Glück versank.«

Die Männer machten endlich halt. »Wir sind zur Stelle«, sagte der eine, »bereitet Euch zum Tode, Ihr müßt sterben.«

»Sterben!« wiederholte sie. »Den Tod der Verbrecherin! Herr Gott, erbarme dich! Herr Gott, dein Wille geschehe!«

Sie sank auf die Knie, das Kind schlummerte friedlich im Gras, einer der Henker zog sein Messer und streckte die Hand aus...

Mit einem Aufschrei riß die Mutter das Kind an sich: »Erbarmen!« stöhnte sie. »Ich kann es nicht morden sehen! Was tat euch das schuldlose Geschöpf? Was tat ich euch, die niemals Böses verübte? Ich gehe zu Tode, weil mein Gemahl es begehrt, doch schont mein Kind, und ich will euch, meine Mörder, segnen.«

»Wir tun nach des Herrn Befehl«, sagte finster der eine der Männer, »seid Ihr unschuldig, was kümmert's uns?«

»Ich weiß«, sprach die Gräfin, »ihr könnt nicht anders, und doch, und doch! Bedenkt, was ihr tut! Das Blut der Unschuld fällt auch auf euch; Gott, der Barmherzige, sieht euer Tun; er wird euch vergelten nach euren Werken. Stoßt zu, wenn ihr dürft...!«

Sie blickte zu ihnen auf mit den Augen voll Tränen.

»Alle Wetter, Hans«, rief der erste Sprecher wieder, »mach ein Ende!«

Der Angeredete hob das Schwert und ließ es wieder sinken. »Ich kann nicht!« sprach er heiser. »Tu du's!«

»Ich?« murmelte der erste. »Warum ich? Gott sei uns gnädig, Hans! Verflucht ist meine Hand, wenn ich die Frau berühre! Geht, geht, schwört, nimmer heimzukehren, edle Herrin, geht, Ihr seid frei! Lebt wohl, so gut Ihr könnt. Komm, Hans.«

Die Schritte verhallten in der Ferne, Genovefa erhob sich von den Knien, ihr Kind ans Herz gepreßt, und sah umher.

»Allein«, flüsterte sie, »in öder Wildnis allein, ohne Hilfe als bei Gott.«

Drei Tage irrte sie umher, nährte sich spärlich von Wurzeln und Beeren und schlief unter Bäumen, bis sie endlich in einem Felsen eine Höhle fand. Hier wollte sie bleiben, dachte sie, hier war ein Obdach für sie und ihr Kind, eine klare Quelle, die in der Nähe rann, spendete labenden Trank.

Laub und Moos bildeten das Lager; sie sammelte sich kärgliche Mahlzeit von Wurzeln, Beeren und Kräutern. Unter Mühsal und Entbehrungen vergingen Tage um Tage. Ihre Kräfte nahmen ab; das Kind, der kleine Schmerzenreich, wie sie ihn nannte, siechte hin aus Mangel an passender Nahrung. Sein Weinen und Schreien ward zum kläglichen Wimmern, das der unglücklichen Mutter das Herz zerriß. Sie konnte ja nicht helfen, sie konnte nur beten, beten zu dem, der Rat und Trost verleiht.

So lag sie in Schmerz vergehend auf ihren Knien, da schritt, als habe Gott ihr Flehen erhört, aus dem Waldesdickicht eine Hirschkuh hervor, sah sie zutraulich mit klugen Augen an und kam langsam näher, als wisse sie, daß ihr hier nichts Übles widerfahre. Zitternd vor Freude erhob sich Genovefa. Sie reichte dem Wild eine Hand voll saftiger Kräuter, die es furchtlos nahm und ihr ruhig zu dem verschmachtenden Knaben folgte. Geduldig blieb es stehen und litt es, daß die Mutter das hungrige Kind mit seiner Milch tränkte, zutraulich leckte es die allmählich sich rötenden Wangen des Kleinen, der endlich gesättigt in tiefen Schlaf fiel. Als sei nun seine Pflicht erfüllt, wandte das Tier sich dem Waldesdickicht zu, sah aber noch einmal nach der glücklichen Mutter zurück, als wolle es sagen: »Sei nur getrost, ich komme wieder!« Von nun an erschien die Hindin täglich zweimal, den Hunger des Kindes zu stillen. Genovefa pries in brünstigem Gebet den Geber alles Guten, der ihr einziges Glück so wunderbar erhalten hatte.

Der Sommer verging, und der Herbst, der Winter brach herein mit voller Macht; Eis und Schnee deckte die hartgefrorene Erde, spärlich rann das Brünnlein, mühsam mit erstarrten Fingern mußte Genovefa, die hochgeborene, zartgewöhnte Frau, ihre armselige Nahrung aus dem Boden graben. Sie zitterte vor Kälte in ihren dünnen Gewändern und nahm doch, was sie irgend entbehren konnte, um ihr armes frierendes Kind einzuhüllen. Wenn dann nachts die Winterstürme brausten, das Gebell und Geheul der Wölfe und anderer wilder Tiere von allen Seiten hörbar wurde, dann saß sie auf ihrem Lager, zagend und verzweifelnd in bitterem Jammer. »Erbarme dich, mein Gott«, flehte sie, »ich kann nicht mehr; meine Seele ist müde und matt zum Tode.«

Und doch zogen Mut und Geduld immer neu in ihr verzagtes Herz, ob auch Mühsal und Not fortwährten wochen- und monatelang. Der Frühling kehrte endlich wieder, milde Lüfte wehten, der Schnee zerschmolz, die Bäume wurden grün, Schneeglöckchen und Anemonen sprossen empor, und die Vögel sangen und jubelten von Lust und Liebe und seliger Zeit, da kam auch zu ihr, der Schwergeprüften, heimliche Hoffnung mit leisem Schritt. Ihr war, als müsse auch ihr Leid jetzt enden, als dürfe sie nun ruhen nach hartem Streit. Doch der Frühling entschwand, der Sommer kam und ging, der Herbst brach an, es wurde abermals Winter, Genovefa blieb einsam in ihrer Höhle, fern von den Menschen, ohne Hilfe als bei Gott.

Ein Jahr um das andere zog langsam dahin, endlos lange für die Verlassene, ihr einziger Trost war ihr Sohn, der kleine Schmerzenreich. Der Knabe wuchs frisch und fröhlich heran, sein heiteres Lachen, sein fröhliches Plaudern und Kosen war ihr Glück. Er ergötzte sich im Sommer an dem Spiel der Blätter im Wind, sie lehrte ihn beten zu dem Vater im Himmel und erfreute sich an seinen klugen Fragen, sie sagte ihm indes nie von der Welt da draußen, er sollte nichts wissen von dem, was ihm fehlte. Seine Spielgefährten waren die Tiere des Waldes; er scherzte und sprang mit ihnen um die Wette, und keines von allen tat ihnen ein Leid. Die Höhle schien geheiligt für das wilde Getier; Hirsche und Rehe, selbst der furchtsame Hase weilten vertraulich neben dem grimmigen Wolf, der zahm wie ein Hund dem kleinen Schmerzenreich als Reitpferd diente. Einst, bei harter Kälte, als die arme Mutter kein Mittel mehr wußte, das halberstarrte Kind zu erwärmen, ihre eigenen Gewänder waren fast unbrauchbar, trabte jener Wolf aus dem Dickicht hervor. Er trug ein Schaffell in seinem Rachen, warf es vor ihr nieder und bellte heiser, als wolle er sagen: »Nimm das für dein Kind!«

Er kam seitdem öfter, spielte mit dem Kleinen, ließ sich von ihm zausen und rupfen nach Belieben, zahm und sanft wie ein treuer Hund.

Die Vögel des Waldes blieben auch nicht fern; sie setzten sich auf des Knaben Kopf und Schultern und zeigten ihm oft, wo süße Beeren sich vorfanden.

Jahre kamen, Jahre gingen, Genovefa wußte nicht, wie viele. Sie litt ergeben und trug geduldig ihre Prüfung, denn sie dachte: Mein Erlöser litt mehr als ich.

Der Geist blieb stark und unverzagt, doch der schwache Körper erlag endlich der Mühsal. Genovefa erkrankte; sie war nicht mehr imstande, sich Nahrung zu suchen. Der kleine Schmerzenreich weinte bitterlich bei ihrer Not. Da rief sie ihn zu sich und sprach: »Mein Sohn, mein Liebling, ich muß dich verlassen, Gott will es so, darum murre nicht! Sieh, wir sind nicht die einzigen Menschen auf Erden, es gibt ihrer viele, doch du kennst sie nicht.«

Und nun erzählte sie ihm von dem Schlosse seines Vaters, wo er hingehen solle, wenn sie gestorben sei. Sie sagte ihm, wie sie selbst in die Wildnis gekommen sei, wie Heimtücke und Bosheit sie hierhergebracht hätten.

»Zu deinem Vater geh, mein Kind; Gott wird dich schützen auf deinem Pfad. Leb wohl, mein Sohn, mein einzig Glück! Wie gleichst du ihm, der mich einst geliebt! Er wird nicht zweifeln, wenn er dich sieht. Nun will ich ruhen, gute Nacht! Gute Nacht!«

Ihre Hand sank matt auf das Lager zurück; Schmerzenreich schluchzte laut auf und schmiegte sich an sie: »Was soll ich bei anderen Menschen? Ich liebe nur dich!«

»Gottes Wille geschehe!« flüsterte sie wie im Schlaf. »Ich will nun ruhen, gute Nacht, gute Nacht! Der Vater droben hält treue Wacht.

Du hier, mein Gatte? Wie schön der Traum!
Gib deine Hand, nimm unsern Sohn.
Engel schweben vom Himmelsraum,
Tragen mich sanft zu des Höchsten Thron.
Da bin ich genesen von allem Weh –
Lebt wohl, lebt wohl...!«

Sie schloß ihre Augen mit seligem Lächeln und antwortete nicht, als Schmerzenreich sie fragte: »Mütterlein, schläfst du? Ich bin auch müde, ich will ruhen wie du, bis du wieder erwachst.«

Wie süße Harmonie klang es um sie her; waren es Engel, die sie umschwebten? Sangen sie von Tod und Schlafengehen, von seligem Erwachen und Auferstehen?

In der Höhle war es stille, feierlich stille; Schmerzenreich schlief, vom Weinen ermattet, den Kopf an der Mutter Brust gelehnt; die Hirschkuh lag daneben und senkte das Haupt mit den treuen Augen, als schlummere sie auch, nur ein Vogel zwitscherte leise sein Frühlingslied.

3. Reue und Sühne

Im Schlosse zu Trier auf seidenem Pfühle wälzte sich ruhlos der Herr des Landes. Der Morgen graute, er erhob sich endlich mit finsterem, gramvollem Angesicht.

»Der alte Zweifel, die alte Qual«, murmelte er, »wann kommt das Ende?«

Da trat Berthold, sein treuer Knappe, herein mit freundlichem Gruß und fragte ehrfurchtsvoll, wie sein Gebieter in der Nacht geruht habe.

»Geruht! Geruht!« wiederholte der Graf. »Wie mag ich ruhen, wenn es täglich, stündlich mir in den Ohren gellt: Wehe dir, Mörder! Dein Weib hast du erschlagen ohne Urteil und Recht!«

»Mein teurer Herr«, sprach Berthold sanft, »quält Euch nicht länger; noch fehlen die Beweise ihrer Unschuld.«

»Berthold, Berthold«, versetzte der Graf, »dein Trost ist schwach. Weißt du nichts mehr von dem Brief, den ich in ihren Gemächern fand? Sie hat ihn in der Sterbestunde geschrieben, mir zum Abschiedsgruße, geängstigt von den Schatten des Todes. Glaubst du, wie Golo, der falsche Verräter, mir versicherte, daß sie log vor Gottes Angesicht? Und weißt du nicht mehr, wie Dragos Geist mit klirrenden Ketten vor mir erschien, bis wir seine Leiche fanden, an dem Ort, den er mir zeigte, und den Toten in geweihter Erde begruben. Was bedarf ich noch Zeugnisse? Berthold, du hast mich gewarnt, du hast mir's gesagt: Die Reue wird kommen, und es ist zu spät. Genovefa, mein Weib, was habe ich getan?« Ein Schluchzen erstickte seine Stimme, er wendete sich ab und winkte dem Diener, zu gehen. Zögernd folgte der Alte dem Geheiß, und der Graf blieb allein den ganzen Morgen. Erst gegen Mittag kam er aus seinem Gemach, finster und rauh, daß die Dienerschaft ihm scheu aus dem Wege ging.

So trieb er es schon seit Jahr und Tag, seitdem sein erster Zorn vergangen, Ruhe und Überlegung wieder Macht gewonnen hatten über ihn. Der falsche Golo war längst entflohen; er fühlte sich nicht mehr sicher auf der Burg, seitdem sein Herr Genovefas Abschiedsbrief gefunden hatte. Lange noch suchte der Graf sich selbst zuweilen zu überreden, er wollte die Überzeugung von Genovefas Schuld festhalten, es gelang ihm nur selten. Eines Tages kam die Nachricht aus Straßburg, man habe eine elende Zauberin um vieler Verbrechen willen zum Tode verurteilt, vor Vollstreckung des Richterspruches habe sie noch bekannt, wie sie auch die Schuld trage an dem Tod einer edlen, hochgeborenen Frau und ihres unschuldigen Kindes. Sie habe, von Golo veranlaßt, durch ihre Gauklerkünste und Trugbilder den Grafen Sigfrid, den Gemahl der Dame, berückt und verblendet, daß er die Gattin für falsch und treulos hielt und erschlagen ließ. Man solle dem Herrn sagen, was sie hier im Angesicht des Todes gestehen müsse, um die schwere Last von ihrer Seele zu wälzen.

Sigfrid las die Botschaft, das Blatt entsank seiner Hand: »Unschuldig gerichtet«, sprach er dumpf. »Die Reue kommt – zu spät, zu spät.« Dann stand er auf, ging nach seiner Kammer und schloß sich ein. Berthold stand voller Angst lauschend vor der Tür, er vernahm keinen Laut. Am anderen Tag erst erschien der Burgherr, finster wie immer, ohne ein Wort der Erwiderung auf alle teilnehmenden Fragen.

Verschlossen, alle Freuden und Freunde meidend, brachte er seine Tage hin, sieben ganze Jahre lang. Was er in seiner Seele erwog, wußte niemand, was er litt, sah man in seinem Angesicht, an seinem Haar, in dem sich lichte Fäden zeigten wie Silberschein. Seine Diener, besonders Berthold, staunten deshalb nicht wenig, als er eines Tages erklärte, er gedenke, eine große Jagd zu halten, er habe seine sämtlichen Verwandten und Freunde zur Feier der Heiligen Drei Könige zum Schmause geladen. Noch mehr verwunderte sich Berthold, als kurz vor der anberaumten Zeit auch Golo erschien. Graf Sigfrid hatte demselben eine gar freundliche Einladung gesandt, und so meinte denn der listige Mann, des Herrn Zorn sei wohl vergangen. Er wurde in der Tat mit großer Freude begrüßt und als werter Freund willkommen geheißen. Der alte Berthold stand daneben und schüttelte den grauen Kopf: War das wirklich sein gramgebeugter Gebieter, der da so fröhlich lachte und scherzte? Er konnte es nicht fassen und traute seinen Augen nicht, als gegen Mittag der glänzende Jagdzug das Schloß verließ, allen voran der Graf auf seinem Rappen, den er seit langer Zeit nicht mehr bestiegen hatte. »Das Menschenherz ist ein seltsam Ding«, murmelte der Alte, »wandelbar wie die Zeit. Meine edle unglückliche Herrin ist vergessen.«
Die Hifthörner klangen durch Wald und Feld, das aufgescheuchte Wild floh aus seinen Verstecken, hierhin und dorthin zerstreute sich die Gesellschaft. Graf Sigfrid, nur von seinem Hund begleitet, trabte allein durch das Dickicht. Er ließ dem Roß die Zügel und atmete tief auf, wie von schwerer Last befreit. Alle Heiterkeit war aus seinen Zügen verschwunden, starr und düster blickte er vor sich hin. »Endlich«, sprach er halblaut, »endlich ist mein Ziel erreicht. Der Verräter ist in meiner Gewalt. Wehe dir, Golo, deine Stunde ist nahe!«
Der Hund schlug an und unterbrach sein Selbstgespräch. Er blickte auf und sah eine prächtige Hindin vor sich, die ihn furchtlos mit klugen Augen anblickte, bevor sie im Sprung

über das Gebüsch setzend entfloh. Des Grafen Jagdlust erwachte; er gab dem Roß die Sporen und jagte nach. Immer hitziger wurde die Verfolgung, immer dichter das Gestrüpp und Gehölz, da verschwand das Tier in einer Felsenspalte.

Der Graf sprang von dem Rappen, um nachzueilen, doch er wich betroffen zurück, es war ihm, als habe er in der Öffnung eine menschliche Gestalt neben der Hirschkuh erblickt. Er schalt sich ob seiner Torheit und kam abermals näher, allein eine Stimme, schwach, klanglos und dennoch vernehmbar, drang aus der Höhle hervor: »Warum störst du den Frieden der Waldeinsamkeit? Weich von hinnen. Hier ist keine Stätte für deine Mordbegier.«

»Wer redet hier?« fragte der Graf bestürzt. »Wer du auch seist, Mensch oder Geist, laß dein Angesicht schauen!«

»Ich bin ein Menschenkind, sündig und schwach«, versetzte die Stimme. »Soll ich vor dir erscheinen, so gib mir ein Gewand, mich damit zu verhüllen.«

Graf Sigfrid riß den Mantel von seinen Schultern und warf ihn in den dunklen Raum. Einige Sekunden verstrichen, dann erschien in der Felsenspalte in den Mantel gewickelt eine abgehärmte, von Mangel und Entbehrungen aller Art verzehrte, geisterhaft bleiche Frauengestalt, von langem goldschimmerndem Haar umwallt.

Abermals wich der Graf zurück.

»Noch einmal, wer bist du?« rief er. »Was treibst du hier in dem wilden Wald? Wie nennst du dich?«

»Wer ich bin, weiß der Vater im Himmel droben, dem ich diene in Treuen, so gut ich vermag«, versetzte sie. »Lange bin ich hier, viele Jahre schon; Haß, Bosheit und die Rachegier eines Menschen trieben mich in die Waldeinsamkeit. Gott war mir Schutz in meiner Not, die Tiere der Wildnis, von ihm gesandt, sind meine Gefährten.«

Sie legte die Hand auf den Kopf des Wildes, das sich traulich an sie schmiegte. »Du fragst, wie ich mich nenne?« fuhr sie fort.

»Hier kümmert sich niemand um Namen und Stand, mein Name ist verklungen seit langer Zeit. Forsche nicht weiter, kehre wieder hin in deine Welt, mir laß meinen Frieden!«
Sie wollte sich zurückziehen, doch der Graf streckte die Hände aus.

»Weich nicht von dannen!« rief er. »Deine Stimme, deine Züge gleichen ihr, die ich... Bist du ihr Geist, der Schatten meines unglücklichen Weibes, die ich in wahnsinniger Verblendung ermorden ließ, dann sage mir, wie ich meine Missetat sühnen und büßen kann.«

Ein seliges Lächeln, ein Abglanz früherer Zeiten, verklärte das todbleiche Angesicht, ein leuchtender Strahl brach aus den eingesunkenen Augen:

»So weißt du nun, wer vor dir steht? Sigfrid, mein Gatte, ja, ich bin Genovefa. Gott hat mich errettet, ich lebe!«

Wie vom Blitze getroffen sank der Graf zu ihren Füßen nieder.

»Genovefa, mein Weib! Du lebst! Du lebst!« Der starke Mann weinte laut wie ein Kind. »Ich finde dich hier, verlassen, von allem entblößt durch meine Schuld! Vergib! Vergib mir! Oh, Gott im Himmel, kann sie mir denn verzeihen, was ich getan?«

Sie beugte sich zu ihm, eine Träne rann aus ihren Augen in sein ergrautes Haar:

»Du hast gesühnt in bitterer Reue«, sagte sie mild. »Ich grollte dir nie. Erheb dich; sieh, Gott hat mich behütet. Ich sehe dich wieder, mein geliebter Gemahl, und unser Kind...«

»Ei, Mütterlein, da bin ich endlich«, rief eine frische Stimme: »Ich habe Wurzeln und Kräuter genug. Hopp, hopp, mein Wölfchen!«

Aus dem Gebüsch trabte lustig auf dem Rücken des Wolfes der kleine Schmerzenreich. Er hielt sein seltsames Reittier an und betrachtete erstaunt den fremden Mann, der seine Mutter umschlungen hielt.

»Wer ist denn das?« fragte er. »Ist es ein Mensch? Was will er,

Mutter? He, du? Was willst du? Tu meiner Mutter kein Leid, sie ist noch krank.«

»Der Mann tut mir nichts«, sprach Genovefa, »komm her, mein Liebling, gib ihm die Hand, er ist dein Vater.«

Der Knabe sprang von dem Wolf herab, der eilig im Dickicht verschwand, legte zutraulich seine kleine Hand in die des Grafen und ließ es geschehen, daß ihn derselbe emporhob und zärtlich herzte und küßte. Er schlang seine Arme um des Vaters Hals.

»Du gefällst mir«, sagte er lächelnd. »Dich habe ich lieb, beinahe wie Mutter. Bleibst du nun bei uns im grünen Wald? Bei unsern Hirschen und Rehen, den lieben Vögeln, die so fröhlich singen, den drolligen Hasen mit den langen Ohren und dem guten Wolf, der mir das Fell gebracht hat, mein warmes Kleid, und mich reiten läßt?«

»Ich nehme euch mit mir«, erwiderte der Vater. »Ich führe euch in ein schönes Haus mit großen Sälen und Prunkgemächern, da wird es dir wohl gefallen, mein Sohn.«

»Besser als hier im grünen Walde?« meinte Schmerzenreich zweifelnd. »Sieh doch die Bäume, sieh das Getier! Mütterlein, wollen wir fort von hier?«

Freundlich beugte sich die Mutter zu dem Knaben, sagte ihm, wie sehr der Vater sich um sie härme, wenn sie ihn nicht begleiteten, wie dort nicht Tiere, sondern Menschen sie umgeben würden und Blumen blühten in den Gärten, noch schöner als im Wald.

Schmerzenreich hörte staunend zu; er hatte ja nie von dergleichen vernommen, und während die Eltern miteinander redeten, setzte er sich seitwärts zu der Hirschkuh und plauderte mit ihr von all den Herrlichkeiten. Sie nickte mit dem Kopf und sah ihn an, als ob sie das alles wohl verstünde.

Genovefa indessen erzählte dem Gemahl von Golos Verfolgung, wie er sie von Anfang an geängstigt mit seiner Liebe und, weil sie auf keine Verlockung hörte, sie in enger Kerkerzelle mißhandelte und sie endlich zum Tode führen ließ. Sie berichtete ihm von der Barmherzigkeit der gedungenen Mörder, von ihrem Elend, ihrer Verlassenheit, ihrer Verzweiflung.

»Gott übte Gnade an dem verzagten Weibe«, schloß sie endlich. »Er achtete nicht meinen Kleinmut, hörte nicht mein Murren, er sandte mir Hilfe, wo ich ihrer bedurfte. Seine schützende Hand war über mir; die Tiere des Waldes wurden mir dienstbar, die Hindin dort nährte mein verschmachtendes Kind. Engel des Himmels umschwebten mich in lichtem Glanz, als ich krank und schwach dem Tode nahe auf dem Lager ruhte. Sie sangen von der Liebe in Ewigkeit, von heiliger Wonne und Seligkeit. Dann legten sie segnend die Hände auf mein Haupt und sprachen: Genovefa, du sollst nicht sterben, es ist Gottes Wille! Und ich genas.«

Ihre Augen strahlten in überirdischem Glanz, wie sie also sprach. Der Graf sah sie an in stummer Verehrung, es war ihm, als müsse er anbetend knien vor ihr.

Die Hifthörner klangen durch den Wald; die Leute des Schloßherrn suchten ihren Gebieter. Sie hörten seinen Jagdruf in weiter Ferne und drangen dem Ton folgend immer tiefer in das Dickicht. Jetzt erscholl das Horn immer näher und näher, sie stürmten vorwärts, und einer nach dem andern blieb verwundert stehen. Dort graste friedlich des Grafen Pferd neben einer Hirschkuh; der treue Hund lag still zur Seite, ihr Gebieter selbst hielt einen Knaben auf dem Arm mit dunklen Locken und blitzenden Augen, fast wie er selbst. Das seltsamste aber war eine Frauengestalt mit langem, blondem, wallendem Haar und geisterhaft bleichem Angesicht. Wer war die Fremde? Mit strahlendem Lächeln winkte der Graf sie alle heran. »Seht, hier, wen ich fand«, sprach er. »Berthold, alter Knappe, erkennst du sie nicht? Genovefa ist's, mein verlorenes Weib, und der Knabe, mein Sohn, mein Schmerzenreich!«

Ein Aufschrei des Erstaunens ließ sich vernehmen; dann drängten sie sich um die edle Frau, die teure, lange vermißte

Herrin, sie küßten ihre Hände, ihr Gewand, aus manchen Augen rannen Freudentränen. »Gott sei gelobt«, sagte der greise Berthold, »ich habe diese Stunde erlebt!«

Zwei Diener eilten, den säumigen Golo herbeizuholen, Berthold, auf des Grafen schnellem Rappen, jagte fort nach einer Sänfte für die schwache Gräfin.

Golo kam widerwillig und murrend mit finsterem Gesicht, als ahne er, was seiner warte.

»Wo ist das wunderseltene Wild, das Ihr gefangen, wie mir die Diener berichteten?« forschte er grimmig.

Der kleine Schmerzenreich versteckte scheu das Köpfchen: »Wer ist der dort?« fragte er ängstlich. »Den mag ich nicht!«

Beschwichtigend strich Sigfrid ihm über die Locken: »Sei ruhig, mein Kind! Golo, komm her«, wandte er sich an diesen, »sieh hier diese Frau, ahnst du, wer sie ist?«

Ein Zittern überlief den Körper des Bösewichtes – »Die bleiche Frau!« –, er wollte entfliehen, doch kräftige Fäuste hielten ihn fest.

»Elender Verräter, du entrinnst mir nicht«, rief der Graf in lange verhaltenem Groll. »Deine Frist ist um, Gottes Langmut zu Ende. Mein schuldloses Weib, das du morden wolltest, sie lebt und steht vor dir.«

Mit dumpfem Laut sank der Verbrecher zur Erde; Graf Sigfrid winkte seinen Leuten, ihn fortzuschaffen. Dann bat er, Genovefa möge, auf seinen Arm sich stützend, diese Stätte der Not und Mühsal verlassen.

Die Vögel sangen und flatterten in den Zweigen, wie sie heimwärts wanderten, als wollten sie sagen: Lebt wohl, lebt wohl! Die scheuen Tiere des Waldes blickten ihnen traurig nach, der Wolf rannte vorüber mit heiserem Geheule, die Hirschkuh aber folgte getreulich nach auf Schritt und Tritt. Sie kümmerte sich nicht um die Menschenmenge, die immer mehr anwuchs, je näher sie dem Schlosse kamen, sie ging neben der Sänfte, die Berthold mit anderen Dienern brachte, als sei das ihr Recht.

Die Nachricht von der Wiederkehr der totgeglaubten Gräfin verbreitete sich schnell, Männer, Frauen und Kinder eilten herbei, sie zu sehen, zu begrüßen. Man brachte Blumen, Früchte, und ein alter Fischer drängte sich mühsam durch die Menge, um selbst, wie er sagte, seine Gabe, einen wunderseltenen großen Fisch, zu überreichen. Das gräfliche Paar dankte herzlich, und der riesige Fisch sollte alsbald zugerichtet werden.

Wie staunte Sigfrid, als plötzlich der Koch in das Gemach stürzte, ein blitzendes Kleinod in der Hand: »Wunder über Wunder«, rief er, »seht hier, was ich fand im Bauch des Fisches, einen Ring, Herr! Mit Eurem Wappen.« Der Graf nahm das Kleinod, es war der Trauring seiner Gattin, den sie einst selbst in die Fluten der Mosel geworfen hatte.

Im Schlosse herrschte große Freude und Jubel; die Verwandten kamen von allen Seiten, die Heimgekehrte festlich zu begrüßen und Gott zu loben, der sie errettet und ihre Unschuld endlich ans Licht gebracht hatte.

Als der erste Freudenrausch verflogen war, kam das Gericht über den falschen Golo. Wohl bat Genovefa um ein mildes Urteil, allein man hörte sie nicht an. »Er leide die Strafe, die er verdient«, sprachen die Richter. »Man soll nicht in späteren Zeiten sagen: Die Unschuld der Gräfin war wohl nicht erwiesen, sonst hätte man den Verräter nicht geschont.«

Mit Golo zugleich fielen durch das Schwert alle, welche ihm beigestanden hatten, dagegen erhielten die, welche es treu mit der Herrin gemeint, reichen Lohn.

In den Hallen des Schlosses waltete wieder die Gräfin, sanft und freundlich, wie sie immer getan. Ihr Gatte umgab sie mit sorglicher Pflege, man suchte ihr zu dienen in jeglicher Art, und sie lächelte so mild, sie klagte nie. Doch die bleichen Wangen wollten sich nicht mehr röten, ihre Kräfte schwanden mehr und mehr, und endlich, nur wenige Monate nach ihrer Heimkehr, erhob sie sich nicht wieder vom Lager. Vergebens berief Sigfrid alle Ärzte von nah und fern, vergebens versuchten sie ihre Kunst, es kam ein Tag, da rief sie den Gemahl und auch ihren Knaben zu sich ans Lager.

»Ich will Abschied nehmen«, sagte sie sanft, »und will euch segnen, bevor ich scheide. Klage nicht, mein Sigfrid«, fuhr sie fort, als er sich nicht fassen konnte in Schmerz. »Sieh, ich bin müde, müde von dem schweren Gang; doch bliebe ich noch gern hier bei dir, um deinetwillen und für mein Kind. Es soll nicht sein, Gott ruft mich heim, darum weine nicht!«

Sie strich ihm sanft über das Haar. »Weißt du, mein Sigfrid«, redete sie weiter, »die Himmelskönigin erschien vor mir, begleitet von ihrer Jungfrauenschar in weißen Kleidern mit Himmelsblumen. Sie selbst hielt in den Händen eine leuchtende Krone und sprach: Die sollst du tragen, du hast sie erworben; harre, mein Kind, bald ist sie dein! Die Krone seh' ich über mir schweben, mein Heiland steht und winkt mir zu! Ich kann nicht bleiben! Gott segne euch alle! Mein Haus, mein Gesinde, dich und mein Kind! Lebt wohl! Lebt wohl...!«

Sie sank zurück mit verklärtem Lächeln und schloß die Augen.

»Weine nicht, Vater, die Mutter schläft«, flüsterte Schmerzenreich, »sie wird genesen.«

»Genesen, ja, genesen für alle Zeit«, stöhnte der Mann und sank über ihr hin in wildem Schmerz, in dumpfer Betäubung.

Aus dem Schlosse bewegte sich ein Trauerzug, man brachte die sterblichen Reste der Gräfin zur Gruft. Der Graf folgte nach, ein gebrochener Mann, neben ihm ging Schmerzenreich in heißen Tränen, er verstand jetzt, daß er die Mutter auf Erden nicht mehr sehen werde. Tief betrübt kam auch das Hofgesinde, der Herrin die letzte Ehre zu erweisen, doch dicht hinter dem Sarg schritt mit kläglichem Jammern die Hindin. Sie blieb auch zurück auf der Stätte, wo die Tote ruhte, man fand sie verendet auf ihrem Grab.

Griseldis

1. Die Brautwahl

In Oberitalien, in den fruchtbaren lieblichen Ebenen von Piemont, die der Po durchströmt, liegt oder lag vormals die Herrschaft von Salutz. Heute kennt man nur noch eine Stadt dieses Namens, welche der italienischen Provinz Cuneo zugeteilt ist, einst aber umfaßte sie Städte, Dörfer und stolze Burgen, die alle unter der Oberhoheit eines Markgrafen standen.

Reiche Grafen und edle Ritter bewohnten die Landschaft zur Zeit unserer Geschichte, allein der junge Markgraf *Walter* überragte sie alle an körperlichen und geistigen Vorzügen sowie an hohem Rang und Geburt. Darum fügten sich die edlen Herren, alte und junge, gerne seinem Machtgebot.

Markgraf Walter, in der Blüte der Jahre, lebte fröhlich und ohne Sorgen. Das Leben lag glänzend vor ihm; er liebte sein Herrscheramt, sorgte für seine Untertanen und pflog nebenbei des edlen Waidwerks sowie auch der Fischerei mit großem Eifer. Wenn das Horn erklang, wenn die Rüden bellten, fühlte er sich leicht und frei und beneidete keinen König um sein Los.

Oft trabte er schon am frühen Morgen mit seinem Gefolge auf edlem Rappen durch Wald und Feld; oft schritt er, nur von seinem Hund begleitet, mit der Armbrust bewaffnet, auf einsamen Pfaden dahin und folgte der Spur des flüchtigen Wildes bis spät in die Nacht.

Wenn ihn indes die Pflicht seines Amtes rief, wenn es galt, Gesetz und Ordnung aufrechtzuerhalten, Recht und Gerechtigkeit zu üben, dann war er allezeit zur Stelle und griff mit starker Hand ein, wo es not tat.

Deshalb war er beliebt bei jung und alt, hoch und nieder. Man beklagte nur das eine, daß er noch unvermählt war und auch, wie es schien, wenig Lust hegte, dereinst eine Herrin auf sein Schloß zu führen.

Seine Freunde und Verwandten ließen es nicht an guten Ratschlägen und Ermahnungen fehlen. Sie meinten, eine sorgsame Hausfrau sei für seinen Haushalt gar nötig und eine Markgräfin dem Lande sehr erwünscht.

»Manche edle Dame kenne ich«, rief oftmals Ritter *Kuno*, sein würdiger Ohm, »der das Los an deiner Seite ein beneidenswertes dünkt. Dir steht die Wahl frei unter den vornehmen Jungfrauen des Landes.«

Der Markgraf lachte über solche Reden und ging unbekümmert seines Weges. Als man aber mit solchen Vorschlägen nicht nachließ, ja sogar von dem Volk sprach, das sehnlichst eine schöne Markgräfin begehre, erklärte er einstmals entschieden, er liebe seine Freiheit und gedenke, sie zu behaupten.

»Soll ich mein trotziges Haupt dem Ehejoch beugen? Ob ihr es glaubt oder nicht, ihr alle, die ihr euch vermählet, steht unter der Oberhoheit eurer Frauen, und seien es auch nur die sogenannten sanften Gängelbande der Liebe, an denen sie euch führen. So war es von Anbeginn der Welt bis auf heute. Ich aber will frei, nicht der untertänige Diener eines Weibes sein. Was dünkt euch, Vettern, hab' ich recht?« wandte er sich an zwei junge, ihm verwandte Ritter, die Brüder Kurt und Leupold.

Lachend versicherten beide, auch ihnen scheine es für jetzt besser, fröhlich und ungefesselt zu leben, als fein ehrbar und gesittet den Hausvater darzustellen.

Manches Jahr war auf diese Weise verstrichen. Im ganzen Lande, besonders aber in der Stadt Salutz, wurden Stimmen laut, die immer bedenklicher davon redeten, daß der edle Landesherr noch unbeweibt sei. Die Leute schüttelten die sorgenschweren Häupter, wenn der Markgraf auf seinem Rappen durch die Straßen jagte, fröhlich, sorglos und freundlich grüßend wie immer.

»Ein leutseliger, ein gnädiger Herr«, sagte Veit, der Bürgermeister, »aber, aber...«, er seufzte tief.

»Ja, Gott sei's geklagt!« meinte Kunz, der dicke Ratsherr. »Was soll das werden, wenn der gute Herr dereinstens stirbt ohne Erben.«

»Ich erleb's nimmermehr, ich bin ein alter Mann«, sprach Veit. »Doch unsere Kinder! Du meine Güte!«

»He, Freunde, Nachbarn!« rief entschlossen Meister Steffen, ein ehrsamer Bürger. »Wie wär's? Seht, ich meine, der Bürgermeister und die Ältesten des Landes gehen zum Herrn und – was dünkt euch? – klagen ihm unsere Not.«

Der Vorschlag fand Beifall. Eines Tages erschienen eine Anzahl Männer im Schlosse und baten den Grafen geziemend um Gehör.

Huldvoll empfing der Landesherr die Abgesandten. Er hörte schweigend zu, wie sie in schlichten Worten ihre Liebe für ihren gütigen Gebieter schilderten und von ihrer Sorge sprachen, weil noch immer keine holde Herrin an der Seite des erlauchten Herrschers stehe. Sie sagten ihm endlich von ihrer Furcht, es werde das Land in späteren Jahren fremden Gewalthabern preisgegeben sein, wenn ihr gnädiger Herr und Graf ohne rechtmäßigen Erben einst nach Gottes Ratschluß von ihnen scheiden müsse.

»Möge«, schlossen sie ihre Rede, »unser hoher Markgraf uns ob unserer Kühnheit nicht zürnen, sondern unsere Bitte gnädiglich erhören, damit bald eine edle Dame als seine Gattin neben ihm herrsche! Wenn unser Gebieter befiehlt, wollen wir ausziehen und für ihn eine Jungfrau suchen, die so hoher Ehre würdig ist.«

Die Männer hatten geendet und harrten einer Antwort.

Nachdenklich schritt der Markgraf einige Male hin und wieder. Endlich blieb er stehen.

»Wohlan«, sagte er, »ich will euer Begehr erfüllen. Schweres verlangt ihr von mir; doch ich bin von Gott berufen, für euch und eure Wohlfahrt zu sorgen, und weil ich das tun will in rechtem Maße, sei euer Wunsch gewährt. Das Weib aber, das nach dem Willen des Höchsten bestimmt ist, den Herrschersitz mit mir zu teilen, suche ich mir selbst und werde sie finden, doch fordere ich eines: Die, so ich mir wähle, sie sei hohen oder niederen Standes, arm oder reich, eines Königs oder Bettlers Kind, sollt ihr ehren und lieben als eure Herrin. Das schwört mir in eurem und aller Namen.«

Hocherfreut leisteten die Abgesandten den verlangten Schwur und eilten dann fort, die frohe Mär zu verbreiten. Bald erscholl im ganzen Gebiet die willkommene Kunde von der bevorstehenden Vermählung des Landesherrn. Man sprach und redete von nichts anderem in Stadt und Land, niemand aber wußte, wer oder wo die erkorene Braut, die zukünftige Markgräfin, zu finden sein möge.

Graf Walter ritt oder ging Tag für Tag, nur von seinem Windspiel begleitet, nach dem nahen Wald, doch brachte er nicht, wie sonst, reichliche Beute mit heim; indes wenn seine Freunde ihn fragten, ob er vielleicht unterwegs eine Wahl getroffen, lachte er und schwieg.

So verstrich Woche um Woche. An einem schönen Sommernachmittag schritt Markgraf Walter in Gedanken verloren am Saume des Waldes dahin, der sich weit ins Land hinein erstreckte. Lässig hing die Armbrust an seiner Seite, achtlos ließ er das scheue Wild an sich vorüberjagen; auch sein Hund ging neben ihm her, als sei er des Ganges so gewohnt, er blickte nur von Zeit zu Zeit seinen Herrn an, oder er hob den klugen Kopf, als lausche er auf etwas. Plötzlich blieb er stehen und knurrte leise, als wolle er sagen: »Hab acht!«

»Was gibt es, Alter?« fragte der Graf. »Möchtest wohl, wie sonst, in raschem Lauf dem flüchtigen Hirsche folgen? Laß gut sein, treues Tier, auch diese Zeit kommt wieder. Jetzt gilt's, ein edler Wild zu jagen. Wie schwer ist der Entschluß«, fuhr er fort, »wo finde ich, was ich suche? O ja, Markgräfin zu sein gelüstet's gar manches stolze Jungfräulein, was aber hilft das mir? Ein liebend Weib, das um der Liebe willen sich selbst vergißt, das wird mir keine derer, die ich kenne, und doch... still, was ist das?«

Der süße Gesang einer menschlichen Stimme drang vernehmlich an sein Ohr. Geräuschlos folgte er dem lieblichen Klang und stand mit wenig Schritten auf freiem Feld.

»Beim Himmel«, murmelte er überrascht, »Griseldis ist's nur, die Tochter Janikolas, aber...«, er verstummte und blickte nach der Mädchengestalt, die, seitwärts an einen Baum gelehnt, ihn nicht bemerkte. Einige Schafe weideten friedlich um sie her, die Spindel hielt sie in der Hand. Ärmlich war ihr Gewand, aber ihre Gestalt, schlank und edel, umwallt von dem lang herabfließenden Haar, erschien, vom Glanze der untergehenden Sonne beleuchtet, wie verklärt in wunderbarer Schönheit. Mit leuchtenden Augen schaute sie nach dem stolzen Grafenschlosse dort auf dem Berg, dessen Fenster und Zinnen herüberblitzten, und sang leise wie im Traum der Gedanken:

> »Wie ragt es so herrlich, das stolze Schloß,
> Wie ist unsre Hütte so klein:
> Folgt dem Markgrafen ein Dienertroß,
> Sitz' ich und spinne allein.
> Doch froh ist mein Herz und freudig mein Mut,
> Zufrieden und glücklich mein Sinn;
> Ich weiß ja, ich stehe in Gottes Hut,
> So arm und gering ich auch bin.
> Da beneid' ich nimmer des Fürsten Los,
> Grün ist der Rasen, und weich ist das Moos,
> Die Vögel, sie singen, leis säuselt der Wind;
> Sei still und getrost...«

»Du liebliches Kind!« vollendete der Markgraf an ihrer Statt mit tiefer, bewegter Stimme und stand vor der erschrocken Zurückweichenden, die ihn mit großen Augen anstarrte wie ein entsetztes Kind.

Einen Augenblick blieb er zaudernd stehen, dann wandte er sich kurz um und ging, gefolgt von seinem Hund. An einer Biegung des Weges sah er noch einmal zurück; sie stand noch immer an derselben Stelle und blickte ihm nach, wie von einem Zauber gebannt.

Schneller als zuvor setzte der Graf seine Wanderung fort. Das Mädchen war ihm seit langem bekannt; er hatte sie zuweilen gesehen, wenn er vom Jagen heimkehrend durch das kleine Dörfchen kam, das unweit von Salutz am Waldessaum lag. Dort wohnte sie mit ihren Eltern in der ärmlichsten Hütte am Ende des Ortes.

In Gedanken verloren schritt der Markgraf seinen Weg entlang; plötzlich blieb er stehen. »Ein wundersames Bild!« murmelte er. »Die holde Erscheinung dort oben auf der Höhe, im Glanze der Jugend, Unschuld und Schönheit, von der Sonne beleuchtet! Wahrlich, zum erstenmal sah ich ihr Antlitz genau! Trüge sie den Schmuck, der ihrem Liebreiz ziemt, sie würde die edelsten Damen des Landes überstrahlen. Torheit! Ein armseliges Bauernkind! Wie käme sie dazu?«

Er brach ab und ging weiter, bald schnell, bald langsam, bis er seine Burg erreichte.

Lauter Zuruf und fröhliches Hallo begrüßte ihn. Mehrere seiner Freunde und Genossen waren inzwischen angekommen und neckten ihn nun weidlich, weil er, wie sie sagten, mit leeren Händen von der Jagd heimkehre. Der Graf bewillkommnete seine Gäste zwar freundlich, aber er ging nicht wie sonst auf ihre Scherze ein. Auch bei der Abendmahlzeit saß er gegen seine sonstige Art in sich gekehrt und nachdenklich da.

»Heda, werter Neffe und Zechgenosse«, rief Ritter Kuno, sein Oheim, ihm zu, »was sinnt Ihr Gutes? Denkt Ihr der Braut, die Ihr Euch kiesen wollt? Wird Euch die Wahl schwer, oder habt Ihr die rechte bereits in Kopf und Herzen?«

»Mir scheint das letztere«, lachte ein anderer Ritter. »Vielleicht ist ihm im Wald ein Gnomen-, Nixen- oder Elbenkind erschienen, das er uns demnächst als Herrin zuführt.«

»Heidnischer Aberglaube«, meinte ein dritter, »mit solchem Spuke läßt sich ein gläubiger Christ nicht ein. Mich deucht, er sieht aus, als habe ein Engel aus himmlischen Höhen ihm heute die Auserwählte zu schauen vergönnt.«

»Ja, wer weiß!« warf leise der Graf ein.

»Heißa, holla! Habt ihr gehört?« rief Kuno. »Nun, heraus mit dem Namen, wie heißt, wo weilt die Erkorene? Ist sie...«

»Bezähmt Eure Neugier, mein würdiger Ohm«, unterbrach der Markgraf lächelnd den eifrigen Frager. »Geduldet euch alle, bis die Zeit kommt, dann erfahrt ihr, was ihr zu wissen begehrt. Heute aber laßt uns fröhlich sein, füllet die Becher bis zum Rande, und leert sie, bevor der Wein verschäumt. Auf, teure Freunde! Das Leben, die Freude!«

Heiteres Geplauder flog hinüber und herüber, man scherzte, lachte und trank. Als die Lust am höchsten gestiegen war, erhob sich der Markgraf unbemerkt von seinem Platz und trat hinaus auf den Altan. Es war dunkle Nacht; still lag Salutz, die sonst so belebte Stadt, im Tale, vereinzelte Lichter glänzten herauf. Graf Walter blickte in das schweigende Dunkel hinaus; dort am Waldessaum in der Ferne sah man gleichfalls schwachen Lichtschein, er kam wohl aus dem kleinen Dörfchen bei Salutz.

»Einen Engel aus himmlischen Höhen habe ich erschaut, so meinten die Freunde«, murmelte der einsam Träumende, »und so erschien sie mir, als ich sie heute sah. Und sie ist doch nur die Tochter des Landmanns, das Kind der Armut! Habe ich in ihr gefunden, was ich suche?«

»Hei, Walter! Graf Walter, wo seid Ihr? Was treibt Ihr?« klang die Stimme Ritter Kunos aus dem Saale heraus. »Beim Himmel, werte Genossen, mit ihm...«

Der Eintritt des Gerufenen unterbrach den Sprecher. Lachend

versicherte der Markgraf, er habe sich von den Sternen Rat holen wollen, und dabei erhob er den vollen Pokal: »Trinkt, Freunde!« rief er. »Auf daß ich finde, was ich mir wünsche, die wahre Liebe, die echte, reine!«

Wenige Tage später schritt der Markgraf frühmorgens mit seinem Knappen Hans hinab zum Flusse. Er wollte fischen gehen.

Bald waren sie in die Nähe des Stromes gelangt und machten sich bereit, die Angeln auszuwerfen, als plötzlich der Graf innehielt, und Hans winkte, stehenzubleiben.

»Siehst du das Mädchen in unserer Nähe?« fragte er.

»Wohl, Herr, es ist Griseldis, des Janikola Tochter«, versetzte der Gefragte. »Ich sah sie gar manchmal im Vorüberreiten, wenn ich mit Euch vom Jagen heimkam. Sie ist fleißig und sittsam, ein jeder lobt sie.«

»Armselig und dürftig ist ihre Kleidung«, sagte sinnend der Markgraf.

»Ach, Herr«, meinte Hans, »das Mädchen hat nichts an Geld und Gut, doch wie ich sie kenne, ist sie reicher als andere. Mit treuer Liebe pflegt sie die Eltern, ist rastlos und nimmermüde im Dienen und Sorgen für die beiden Alten vom frühen Morgen bis spät in die Nacht. Herr, glücklich sind ihr Vater und auch ihre Mutter im Besitze der Tochter, glücklich wird der Mann, der sie dereinst als Gattin heimführt.«

Drüben am Flusse stand Griseldis, ohne die beiden zu bemerken; sie spülte emsig Wäsche im brausenden Strom, und als sie fertig war, breitete sie die einzelnen Stücke auf dem Gras am Ufer aus und sang dazu mit leiser Stimme. Nur zuweilen ließ sie die geschäftigen Hände sinken und blickte vor sich hin, als stiegen seltsame Traumbilder vor ihr auf, dann aber begann sie ihre Arbeit eifriger als zuvor.

Lange stand der Markgraf und beobachtete das emsige Mädchen, endlich winkte er dem Knappen: »Laß uns gehen, Hans«, sagte er, »ich habe die Lust am Fischen verloren.«

Verwundert betrachtete der Alte seinen Gebieter, allein er schwieg.

Droben auf dem Schlosse hatte sich wieder Kuno, der Oheim des Landesherrn, eingefunden.

Er schalt und wetterte, daß sein wählerischer Neffe mit seiner Brautwahl allzulange zögere.

»Dir steht die Wahl frei«, schloß er seine Rede. »Der schönen Jungfrauen gibt es genug. Geduld, sagst du? Immer Geduld! Das ist eine harte Nuß, an der man weidlich knacken muß. Die meine ist längst am Ende. Ich bin dein alter Verwandter und habe das Recht zu fragen. Wie, was? Er ist fort? Ja, da geht er die Freitreppe hinab! He, Neffe, ein Wort! Er hört mich nicht an, und ich bin so klug als zuvor. Da soll doch...!«

Verdrießlich setzte sich der ehrenfeste Ritter in seinen Sessel und leerte brummend und murrend einen vollen Humpen nach dem andern.

Spät am Abend wanderte der Markgraf noch immer allein draußen im Felde umher. Er war der ewigen Fragen müde und vermied, seinen Freunden zu begegnen, bevor er selbst wußte, was er wollte. Planlos schritt er auf engen Pfaden dahin, ohne des Weges zu achten. Der Mond war aufgegangen und beleuchtete mit silbernem Schein die ganze Gegend. Da stutzte der einsame Wanderer und blieb stehen. Er hatte Stimmen vernommen in seiner Nähe und erblickte auch dicht vor sich einige Häuser.

»Beim Himmel«, murmelte er, »bannt mich ein Zauber an diesen Ort? Seit drei Tagen endet mein Gang an derselben Stelle.«

Er stampfte unwillig leicht mit dem Fuße, und doch blieb er von einem Gebüsch gedeckt lauschend stehen, denn Griseldis trat aus der Hütte, die Spindel in der Hand, und setzte sich auf eine Rasenbank. Mehrere Mädchen des Dorfes eilten zu ihr.

»Endlich, Griseldis, endlich!« riefen sie. »Wir warten schon lange. Erzähle, erzähle!«

Sie lächelte träumerisch, ihre Spindel tanzte, und sie sprach:
»Hier in unserem Tale lebte einst ein Mädchen, gering und
arm wie wir alle. Sie spann und webte, sie schaffte im Felde bis
spät in die Nacht. Doch wenn sie im Dunkel heimwärts schritt,
sah sie oftmals lichte Gestalten schweben, gleich luftigen
Schatten schnell und leicht. Und manchmal war es, als ob sie
spräche:

>Komm mit, komm mit!
Was willst du sitzen im Kämmerlein?
Komm, geh mit uns tanzen im Mondenschein.
Wir ziehen leise die luftigen Kreise,
Schaffen und walten nach unsrer Weise.‹

›Was redest du, Mädchen?‹ sagte streng ihre Mutter, wenn sie
zu Hause von dergleichen sprach. ›Törichte Gedanken, Hirn-
gespinste trägst du im Kopfe, hüte dich nur.‹
Die Jungfrau schwieg wohl, indes sie meinte, das, was sie sähe
und höre, seien nicht eitel Träume und Täuschung. Die Nixen
unten in der Tiefe des Stromes, die Elben, die tagsüber im
Waldesdickicht schlummern, die, meinte sie, kämen des
Abends hervor im Vollmondschein, mit den Menschen zu kosen, die Blumen zu küssen, daß sie frischer dufteten und blühten.«
»Wie du das alles weißt und erzählst, Griseldis«, unterbrach sie
eine ihrer Zuhörerinnen, eine frische Dirne mit dunklen Haaren gleich den anderen Mädchen. »Wer sagt dir davon?«
»Mir singen's und zwitschern's die kleinen Vögel«, versetzte
sie sinnend, »auch die Bäume flüstern und lispeln im Winde,
der Strom da unten rauscht und murmelt, wer aufmerksam
lauscht, kann vieles verstehen.«
»Wir nicht, nur du allein, Griseldis; du bist anders als wir, du,
mit den Haaren wie Gold.«
Griseldis lächelte abermals und fuhr dann fort:

»Ein Abend kam, da stand die Jungfrau am Saume des Waldes auf einer Anhöhe. Sie sah nach der langsam sinkenden Sonne, die Höhen und Täler rosig verklärte, und sann und sann, sie wußte nicht, was. Doch wie beschworen von ihren Gedanken erschien mit einemmal vor ihr in all dem Glanz des Abendrotes eine hohe Gestalt, stolz und mild. War's ein Traumbild nur? War es Wahrheit? Der König der Elben, deuchte es sie. Und er sprach, sie verstand nicht der Worte Sinn, sie sah nur den Blick der leuchtenden Augen, er drang ihr zum Herzen, tief, tief hinein, und – still, stille«, rief sie jäh erschreckend, »was sprach ich da? Was ist geschehen? Wer kommt...?«

Die Mädchen sprangen erschrocken auf: »Was hast du, Griseldis? Es regt sich nichts. Erzähle weiter.«

Griseldis nahm ihre Spindel auf.

»Heute kann ich nicht, ihr seht es selbst«, versicherte sie, »mein kleines Märchen macht mir Furcht und Grauen. Auf morgen denn. Gute Nacht, ihr Lieben, und denkt nicht zuviel an das, was ich sagte. Nixen und Elben gibt es ja nicht, doch über uns wohnt ein gütiger Vater, der schenkt uns allen, was uns gebührt. Gute Nacht, gute Nacht!«

Die Mädchen gingen, Griseldis blieb allein. Sie wandte sich langsam dem Hause zu:

»Im Mondenschein tanzen die Elben den Ringelreih'n
Und erzählen viel von seliger Lust,
Von der Liebe Glück in der Menschenbrust.
Von –«

»O still, fort mit den Gedanken!« unterbrach sie sich selbst. »Was soll das mir, der armen Bauerndirne? Wenn auch der leuchtende Blick mich traf, daß ich es nimmer vergessen kann, er ist unser hoher Herr und Gebieter, und ich bin nur Griseldis, die niedere Magd.«

2. Die Hochzeit

»Hochzeit! Hochzeit! Der Markgraf hält Hochzeit!« riefen Ritter und Edle, Bürger und Bauern. Nun endlich ist der Tag bestimmt, und alle sind geladen, Verwandte und Freunde, Vornehme und Geringe. Ja, der vom ganzen Lande ersehnte Tag war gekommen; in festlich geschmückten Sälen und Prunkgemächern sammelten sich zahlreiche Gäste aus nah und fern, Grafen und Ritter mit Frauen und Töchtern, ehrenwerte Bürger und Bürgerinnen. Der hohe Wirt empfing sie freundlich; man lagerte sich um zierlich hergerichtete Tafeln; man schmauste köstliche Gerichte, die eifrige Diener darreichten; man trank den kostbaren, süßen Wein, und Lust und Leben herrschte allenthalben.

Doch seltsam, oben an der Tafel, an der Seite des Landesherrn, stand für die Braut ein Stuhl bereit, allein sie selbst war nicht zu sehen. Der Tag rückte vor, man fing an sich zu wundern.

»Traun, ein Hochzeitsfest scheint's, das der Braut nicht bedarf«, brummte Ritter Kuno, »ein wunderlich Ding.«

»Der hohe Herr treibt seinen gnädigen Scherz mit uns«, meinte Kunz, der dicke Ratsherr.

»Das sagt' ich ja immer«, sprach der Bürgermeister, »unser Markgraf ist gar ein lustiger Herr.«

Indes erhob sich der Landesherr vom Stuhle und rief: »Auf, edle Damen und Herren! Auf, meine Getreuen, rüstet euch, daß wir geziemend die Braut einholen, wie alte Sitte es verlangt.«

Ein allgemeiner Tumult, Rufe des Staunens; Fragen: wer, wo wohin? wurden laut, indes der Markgraf gab keine Antwort weiter, sondern stieg die Stufen hinab in den Hof. Ihm folgten im buntem Schwarme die überraschten Gäste. Sie fanden unten ihre Pferde gesattelt und gezäumt, die Wagen angeschirrt. Bald war der glänzende Zug geordnet und bewegte sich langsam von der Burg hernieder. Allen voran ritt der Markgraf selbst in reichem, fürstlichem Gewande, ihm folgte Hans, sein treuer Knappe, der führte einen schneeweißen ledigen Zelter an der Hand, dann kamen die Gäste zu Wagen und zu Rosse. Bald hatte man Salutz erreicht; das Volk lief schreiend und jubelnd zusammen und folgte allmählich, Männer, Frauen und Kinder, eiligen Laufes nach. Sie waren alle begierig, die Braut, die künftige Herrin zu sehen.

Die Fahrt ging weiter durch grüne Gelände, üppige Wiesen, immer weiter. Auf Bergen und Anhöhen nah und fern lagen stolze Burgen und Herrensitze, und mancher edle Ritter meinte, es gezieme sich wohl für ihn, der Schwiegervater des Landesherrn zu sein, der jedoch sah nicht rechts noch links, sondern lenkte seinen edlen Rappen nach dem kleinen Dorfe unweit von Salutz.

»Zum Henker, Neffe, Ihr habt uns zum Narren«, polterte grimmig Ritter Kuno. »Holt Ihr die Braut in Wald und Feld? Oder wohl gar aus...«

Das Wort erstarb ihm vor Staunen im Munde, denn jetzt hatte man das Ende des Dörfchens erreicht, und hier vor der ärmlichsten Hütte hielt der Fürst und sprang von dem Rappen.

An der Tür des niederen, mit Stroh gedeckten Häuschens lehnte halb scheu, halb neugierig nach dem Zuge sehend eine Bauerndirne, ein junges Mädchen in schlechtem Gewande. Schweigend warf der Markgraf dem Knappen die Zügel hin und schritt zu ihr. Ein dunkles Rot übergoß ihre Wangen, doch blieb sie stehen, als der hohe Herr sie freundlich fragte, wo ihr Vater sei, der würdige Janikola.

Leise versicherte sie, er sei im Hause.

»So geh, ihn zu rufen, willst du, Griseldis?« fuhr er fort und beugte sich zu ihr nieder; da floh sie eilends in die Hütte.

»Was treibst du, Griseldis? Was gibt es da draußen?« fragte ihre Mutter, die im engen Stübchen emsig die Spindel tanzen ließ.

»Wie bin ich erschrocken«, versetzte das Mädchen. »Der

Markgraf, unser Herr, ist vor der Tür, er fragt nach dem Vater.«

»Nach mir?« rief erstaunt der alte Janikola aus der Nebenkammer. »Was will der Herr von mir, dem armen Bauern?«

»Ich weiß es nicht, Vater«, gab sie zur Antwort. »Geht nur, geht, laßt ihn nicht warten.«

Kopfschüttelnd folgte der Alte der Aufforderung; Griseldis blieb drinnen. Mit gefalteten Händen stand sie stille: »Willst du, Griseldis?« wiederholte sie leise. »Willst du ... still, still, du ungestüm pochendes Herz! Was soll das sein? Schnell fort an die Arbeit!« Sie ging zum Herd, um das Feuer zu schüren; doch wieder stand sie und sah vor sich hin.

»Was treibst du, Mädchen?« weckte sie die Stimme der Mutter aus ihrem Sinnen. »Was stehst du und träumst, statt rüstig zu schaffen.«

Die Tür ging auf, sie hielt im Reden inne und sprang erschrocken von ihrem Platze empor, denn der Markgraf trat ein mit dem alten Janikola, der bestürzt, wie es schien, ihm folgte. Griseldis lehnte zitternd am Herde; sie hörte nicht, was gesprochen wurde, wie Nebel schwamm alles um sie her und dann – dann stand er plötzlich vor ihr, ergriff ihre Hand, und wie im Traum vernahm sie die Worte: »Dich wähl' ich, Griseldis; sprich, wirst du mir folgen nach deiner Eltern und meinem Willen als mein treues Weib?«

Ein Schwindel ergriff sie: »Mein Herr und Gebieter! Ich! – Oh, mein Gott!« stammelte sie bebend und wäre zu Boden gesunken, doch er hielt sie aufrecht und sagte sanft: »Zittere nicht, Mädchen, und fürchte dich nicht. Sieh, dich hab' ich gewählt vor allen Jungfrauen zu meiner Gattin, zur Herrin des Landes. Mein Wort ist ernst, mein Wille ist fest. Willst du mir nun folgen als liebendes Weib, so versprich mir das eine in dieser Stunde: Gehorsam und Treue nach Gottes Gebote.«

Griseldis hatte sich aufgerichtet, als sei jede Angst, jeder Zweifel überwunden. Mit leuchtenden Augen sprach sie laut:

»Ich bin nur Griseldis, die geringe Magd, doch was ich gelobe, vermag ich zu halten. Ich will Euch dienen und gehorchen, was immer Ihr fordert, in Liebe und Treue bis in den Tod.«

Draußen auf der Straße hielt wartend das Gefolge des Landesherrn. Ungeduldig stampften die Pferde den Boden, verwundert blickten die Leute sich an und fragten und flüsterten untereinander: »Wo säumt der Herr? Was soll das bedeuten?«

»Zum Henker, der Vetter hält uns zum Narren, es ist kein Zweifel«, murrte Kuno.

Da trat der Fürst durch die enge Pforte, an der Hand das Mädchen in dem schlechten Gewande. Stolz flog sein Blick über die edlen Damen, die vornehmen Herren und die ganze Versammlung, dann rief er laut: »Seht hier, die Braut, die ich mir erkoren! Seht, meine Getreuen, hier eure Herrin!«

Ein Murmeln des Staunens ging in die Runde; doch Kuno, der alte Haderer, sagte: »Die Bauerndirne des Landes Gräfin? He, werter Neffe, Ihr treibt Euren Spott.«

Der Graf sah ihn an und sprach weiter, als habe er kein Wort gehört: »Drei edle Damen hab' ich ersehen, die Braut zu schmücken, so wie sich's gebührt für sie, die ich mir auserwählte. Komm, Hans, mein Knappe, bringe die Gewänder, die Kleinodien und Perlen, die ihr geziemen.«

Und wieder stand harrend das Volk umher, da trat sie heraus zum zweitenmal, von den edelsten Frauen des Landes geleitet, in fürstlichem Schmucke. Ein jeder staunte die Jungfrau an, die still stand mit gesenktem Haupte. »Wie, ist denn das wirklich Janikolas Kind?« – »Ist das Griseldis, unsere Gespielin?« fragten die Bauern und Mädchen des Dorfes. – »Wie schön die Jungfrau, voll Anmut und Liebreiz«, flüsterten die Ritter und Edeldamen. Doch als nun der Markgraf ihre Hand ergriff und den Trauring an ihren Finger schob, als er sie emporhob auf den weißen Zelter, da jubelten alle wie aus einem Munde: »Hoch lebe der Markgraf, der Herr des Landes, es lebe die Maid, die sein Herz gewann!«

Griseldis blickte zurück nach der Hütte; dort stand der Vater, die Mutter winkte, ein letzter Gruß noch hinüber, herüber, und fort ging die Fahrt aus der friedlichen Heimat, hinauf nach dem Schlosse voll Pracht und Glanz.

Einsam blieben die Eltern im Hause. Der Vater schritt still im Stübchen umher; er hob die armseligen Kleider seiner Tochter vom Boden, wo sie noch lagen, und packte sie in eine Lade.

»Was schaffst du, Alter?« fragte die Mutter erstaunt. »Was willst du mit den elenden Hadern tun?«

»Die will ich bewahren«, versetzte finster der Bauer, »wer weiß, ob das Mädchen sie nicht wieder braucht.«

»Aber, Mann!« rief die Frau. »Was für ein Gedanke! Des Markgrafen Weib, des stolzesten Herrn...«

»Laß gut sein, Alte«, unterbrach sie der Vater, »das eben ist's: Der stolze Markgraf und unsere Tochter, die Bauerndirne, das paßt nicht zusammen, das hält nicht stand.«

In der Burg oben feierte man fröhliche Hochzeit; da schmausten und zechten und jauchzten die Gäste bis spät in die Nacht.

Als die Festzeit vorüber war, nahmen sie Abschied von dem Landesherrn und seiner Gemahlin. Sie wünschten dem Paare Segen und Heil und kehrten heim nach ihren Wohnsitzen, der eine hierhin, der andere dorthin. Drei Herren nur ritten dieselbe Straße, das war Ritter Kuno, der verdrießliche Graukopf, Junker Kurt, ein heiterer Geselle, und außerdem noch dessen Bruder Leupold. Sie plauderten mancherlei auf der Fahrt von der Heirat des Grafen und der neuen Gräfin.

»Ja, ja!« rief fröhlich Junker Kurt. »Unseres Vetters Augen sind scharf und klar. Aus der Verborgenheit brachte er ein Kleinod zutage, wie es, traun, sich am Hofe des Kaisers kaum findet. Keinem anderen wäre dasselbe gelungen, sag, Leupold, hab' ich nicht wahr gesprochen?«

»Recht hast du«, rief feurig der junge Leupold, »mit der schönen Herrin kann sich keine vergleichen, so weit wir auch blikken im ganzen Lande. Wie schimmert ihr Haar, wie leuchten ihre Augen, blau wie der Himmel, der in ihnen ruht; wie klug ihre Rede und voll Anmut ihr Wesen, als sei sie aus fürstlichem Stande geboren.«

»Gemach, junge Gesellen«, brummte verdrießlich der alte Kuno, »spart euer Lob noch eine Weile, wer weiß, welch Liedlein ihr später singt.«

»Hei, werter Ohm, was habt Ihr zu knurren«, rief Junker Kurt spöttisch dem Alten zu, »was gefällt Euch nicht an der schönen Herrin?«

»Die Bauerndirne, die...«

»Ist des Landes Markgräfin, unseres Vetters Gemahlin«, unterbrach den Alten scharf der junge Leupold, »daran denkt, Herr Ohm, und hütet Euch wohl.«

»Nun, nun, ich kann schweigen«, murrte Ritter Kuno, »he, dort ist meine Feste, lebt wohl, ihr Herren.«

Grollend kehrte er seinen Gefährten den Rücken und hörte nicht, wie Kurt spöttisch sagte: »Der arme Kuno! Nun muß er es büßen, daß nicht seine Tochter die Wahl getroffen.«

»Die stolze Mechthild!« warf Leupold ein. »Allzuklug ist der Markgraf, er ließ sich nicht fangen. Nun sitzt sie und schmollt, und die Mutter schilt auf den törichten Vater, der alles verschuldet hat, wie sie meint!«

Laut lachend gaben sie den Rossen die Sporen und jagten weiter nach ihrer Burg. Doch wo sie Städte und Dörfer berührten, erzählten sie stets von der schönen Gräfin und priesen des Markgrafen glückliche Wahl. Bald drang die Kunde in die fernsten Gauen, Herren und Fürsten und edle Damen machten sich auf nach Salutz, das Wunder zu sehen. Ein jedes staunte und konnte nicht begreifen, daß solche Würde und solcher Liebreiz, wie sie Griseldis zeigte, die Gemahlin des Markgrafen, aus ärmlicher Hütte hervorgegangen sei.

3. Die erste Probe

Im gräflichen Schlosse in dem großen Saale saß Ritter Kuno, brummig wie immer, auf einem Sessel, am Fenster standen Kurt und Leupold.

»Unser Vetter bleibt lange«, meinte der letztere gähnend.

»Was schadet das uns?« sagte der heitere Kurt. »Seine schöne Gemahlin versieht seine Stelle und wartet des Herrscheramtes voll Weisheit und Güte.«

»Ja, bei Gott!« rief Leupold. »Sie herrscht und waltet in Reich und Haus, als sei es wahr, was die Leute sagen, vom Himmel sei sie herabgesendet zur Wohlfahrt des Landes, dem Volke zum Segen, ihrem Gatten zum Glück.«

»Und den Frauen allen zum Vorbild«, sprach Kurt, »was meint Ihr, Ohm...?«

»Laßt mich in Frieden«, polterte Kuno, »was kümmert's mich? Mir scheint sie jedoch«, fuhr er spottend fort, »ein Weib zu·sein wie alle anderen, gar sanft von außen und voller Klugheit. Der gute Markgraf, nun, der ist verliebt und blind, wie auch ihr. Ja, lacht nur und spottet, ihr klugen Gesellen, ich bin alt und er-fahren und kenne die Weiblein; seit Mutter Eva sind sie sich gleich. Sie führen uns lieblich am Gängelbande, sind fügsam und freundlich, solange wir tun, was ihnen gefällt.«

»Die Gräfin ist nicht wie alle die Frauen, die Ihr da schildert«, fiel Leupold ein, »nein, würdiger Ohm, sie liebt ihren Gatten, und sein Wille allein ist ihr Gebot.«

»Das käme drauf an«, lachte grimmig der Alte. »Die Frau aus niederem Stande geboren – ich hab's nicht vergessen und kenne manche, die denken wie ich –, die Frau, so sage ich, was macht sie besser und würdiger als alle? Wer hat's erprobt? Wo sind die Beweise? Sie ist jetzt Herrin und Fürstin im Lande, ein jeder dient ihr, der Markgraf genauso wie ihr alle, indes zeigte er sich als Herr und Gebieter, was gilt die Wette, sie hielte nicht stand!«

»So, meint Ihr das, Oheim?« fragte plötzlich der Markgraf, er hatte schon lange an der offenen Tür gestanden und den ganzen Streit mit angehört.

»Wer weiß, vielleicht irrt Ihr«, fuhr er ruhig fort, während der Alte verlegen von Neckerei sprach und Scherz. »Nicht also, Ohm, das ist Eure Meinung, ich kenne sie und die vieler anderen. Genug jetzt davon! Willkommen, ihr Freunde! Zum erstenmal wieder seit fast drei Jahren seh' ich euch beisammen. Seit meiner Hochzeit, gedenkt's euch noch? Doch kommt zur Tafel, daß wir den fröhlichen Tag heut feiern, mein liebes Weib hat ein Festmahl bereit.«

An des Gatten Seite saß Frau Griseldis; sie füllte die Becher, plauderte anmutig mit den fröhlichen Junkern und kredenzte dem alten Ohm den Trank nach höfischer Sitte. Der saß und leerte den vollen Pokal, horchte auf die Reden und schüttelte wie staunend das graue Haupt. Der Markgraf dagegen blickte ernst vor sich nieder, dann wieder sprach er laut und eifrig mit allen, lachte und trank und versank abermals in Schweigen.

Das Mahl war beendet, die Gräfin erhob sich mit freundlichem Gruß und ging hinüber nach ihrem Gemache.

Dort saß auf dem Schoße einer alten Dienerin ein rosiges Kindlein von fast zwei Jahren. Es jauchzte der Eintretenden freudig entgegen, streckte die Ärmchen aus und rief: »Nimm, Mutter, nimm!« Sie hob es empor und trug es im Zimmer umher; sie koste mit ihm, lachte und scherzte, bis es müde die glänzenden Augen schloß und das Köpflein senkte. Da legte sie es sanft in sein kleines Bettchen, setzte sich zu ihm und sang ganz leise:

> »Schlaf ein, mein Liebling, mein süßes Kind,
> Im Schutze der Mutter ruhst du gelind.
> Der Vater im Himmel, der dich uns geschenkt,
> Der alle Geschicke des Weltalls lenkt.
> Der kennet auch dich, schlaf sanft mein Kind,
> Im Schutze der Mutter schläft sich's gelind.«

Die Dienerin hatte das Zimmer verlassen, die Gräfin saß allein bei dem schlummernden Kinde. Sie betrachtete sinnend die rosigen Wangen und murmelte lächelnd: »Wie süß es ruht, mein kleines Mädchen! Wie groß ist mein Glück, ich fasse es kaum. Dein Vater freilich hätte es lieber gesehen, wärst du ein Knabe, doch er liebt dich auch so, wenn du den Bart ihm zupfst mit den kleinen Fingern« – sie lachte leise und saß dann wieder still, wie in seliges Träumen und Denken verloren.

»Drei Jahre sind's nun«, begann sie wieder, »da kam er herab in die niedere Hütte, und er warb um mich, um die arme Griseldis; er, der hohe Herr, den ich so oft von ferne gesehen, staunend, verwundert, dessen Blick mich traf, daß der leuchtende Strahl mir zum Herzen drang. Mir war's wie ein Traum, daß er mich liebe, die niedere Dirne, und doch ist es Wahrheit, ich bin sein Weib. O Herr, mein Gott! Du gabst mir das große unendliche Glück! Lehre mich Demut, daß ich niemals vergesse, was ich einstmals war.«

Die Stunden verrannen, sie saß noch immer an des Kindes Wiege.

»Wach auf, Griseldis!« unterbrach eine Stimme die tiefe Stille in der Kammer. Sie schrak zusammen und sprang vom Stuhle auf. An der Tür stand der Markgraf; wie bleich war sein Angesicht, wie bleich und streng.

»Was ist geschehen, mein Gemahl«, fragte sie bestürzt, »zürnst du mit mir?«

Er schüttelte das Haupt und kam näher. »Ich zürne dir nicht«, begann er finster, »doch kam ich zu dir, um mit dir zu reden. Ein ernstes Wort ist's, darum höre mich an.«

Er trat an die Wiege und betrachtete das Mädchen. »Dieses Kind ist dir teuer«, fuhr er fort, »und ist es auch mir; doch teurer ist mir der Friede des Landes. Griseldis, du weißt, welchem Stande du entsprossen bist; nun sieh, um des unschuldigen Mägdleins willen, dein Kind und meines, drohen Aufruhr und Zwietracht. Das ganze Volk, der Adel und die Bürger, sie schreien und zetern: Die Enkelin des armen Janikola, des niedrigen Bauern, kann nimmer Herrin des Landes sein. So muß ich das schwere Opfer bringen: Das Kind soll verschwinden für alle Zeiten, und von dir verlang' ich, als meiner Gattin, daß du meinem Gebote dich willig fügst. Du hast mich verstanden, du weißt, was du tun mußt, wenn Hans kommt, mein Knappe, das Kind zu holen.«

Damit wandte er sich rasch und ging hinaus. Sie blieb zurück, stumm, ohne Bewegung, wie sie alles angehört, was er geredet. Stumm schritt sie endlich nach dem Bettchen und sank auf die Knie, die Hände gefaltet, das Haupt gesenkt, wie in heißem Gebet.

Die Stunden verrannen, Mitternacht schlug, da klopfte es mit zagendem Finger an die Türe. Sie sprang vom Boden und öffnete selbst; Hans trat herein, der alte Knappe, langsam und zaudernd.

»O Herrin«, begann er, »der Markgraf, mein Gebieter! Schickt mich – ich soll – das zarte Fräulein! Ich soll es –«, seine Stimme brach, er konnte nicht weiter reden.

»Weine nicht, Hans«, sprach die Markgräfin ruhig, »es ist der Vater, der dir befiehlt, ich bin sein Weib, sein Wille ist meiner. Tu, was du sollst.«

Sanft hob sie das Kind aus den weichen Kissen, hüllte es sorgsam in warme Decken und gab es behutsam dem alten Diener.

»Weck's nicht auf aus dem Schlafe, trage es sachte«, sagte sie bittend, »und wenn alles vorüber und dir dein Herr nichts anderes gebietet, dann bedecke den Körper mit Erde und Rasen, damit nicht die Tiere des Feldes...« Sie hielt inne und winkte dem Alten, sich zu entfernen. Der stand und schaute auf das Kind in seinen Armen, eine Träne rann ihm in den grauen Bart.

»O Herrin, verzeiht...«

Da wandte sie sich zu ihm, aufrecht stand sie und weinte nicht.

»Geh, Hans, trag's von hinnen, eh es erwacht«, gebot sie noch einmal, und er schritt aus der Kammer. Still blieb es darinnen, ganz still, wie zuvor.

Tage vergingen, Wochen und Monate, Griseldis waltete in dem Schlosse, wie sonst als Hausfrau und Herrin mild und gütig. Sie war besorgt für das Wohl ihrer Untergebenen, wußte für jede Klage Trost und Rat, sie teilte mit dem Gatten Freud und Leid, wie sie von Anfang an getan.

Das Hofgesinde schwatzte viel von dem verschwundenen Kinde, von der Härte des Grafen, man konnte nicht begreifen, wohin wohl das zarte Fräulein gekommen, doch sie achtete nicht auf solche Reden, die ihr oftmals zu Ohren kamen, sie blieb sich gleich, voll Liebe und Sanftmut.

4. Neue Prüfungen

Jahre kamen, Jahre schwanden, das verschwundene Kind war, so schien es, vergessen, denn weder der Vater noch auch die Mutter gedachten sein in ihren Gesprächen. Da verbreitete sich im Lande die frohe Nachricht, in dem Grafenschloß sei wieder ein Kind geboren, ein Sohn und künftiger Erbe des Herrscherstuhles. Darüber erhob sich allenthalben großer Jubel, der Markgraf besonders schien hocherfreut. Der Knabe gedieh, war kräftig und gesund, bald versuchte er keck die kleinen Füße, lachte und plapperte in seiner Weise und war der Liebling im ganzen Schlosse.

An einem Abend war die junge Gräfin allein bei dem Kinde, wie sie oftmals pflegte. Es lag in seinem Bettchen in süßem Schlummer. Ihre Hände ruhten müßig im Schoße, und sie sah auf den kleinen Schläfer hernieder mit schmerzlichem Lächeln.

Gedachte sie wohl einer vergangenen Zeit, da sie auch so wie heute an der Wiege gesessen?

Sie murmelte leise für sich: »So alt wie der Knabe! So hold und lieblich war auch...«

Mit leisem Schrei sprang sie auf; an der Tür stand wie damals ihr Gemahl finsteren Angesichts, streng und ernst. Mit zitternder Hand erfaßte sie das kleine Bett, als wolle sie das schlafende Kind beschützen.

»Was ist geschehen?« fragte sie angstvoll. »Was willst du tun? Unser Kind! Dein Sohn...!«

»Ist Janikolas Enkel«, unterbrach er sie rauh, »das hast du vergessen, Griseldis, wie mir scheint. Du hörst nicht das Schreien und Toben des Volkes. Bei hoch und nieder, bei arm und reich heißt's überall: Der Bauernjunge, der soll einst unser Herr, unser Markgraf sein? Das dulden wir nicht, das wird nicht geschehen! Der Lärm und Aufruhr nimmt überhand. Ich hätt' es dir gern und auch mir erspart, doch ich will Frieden mit meinem Volke, und darum muß der Knabe dem Mädchen folgen; so schwer es mir wird, mein Wille steht fest. Willst du, mein Weib, mir widerstreben?«

»Nein, mein Gemahl«, versetzte sie sanft, »wie ich damals getan, so tue ich auch heut. Wir sind dein eigen, meine Kinder und ich, so handle mit uns, wie dir gefällt. Dein Wille ist meiner, was du auch forderst, in Liebe und Treue bis in den Tod.«

Er gab keine Antwort, sondern beugte sich herab zu dem schlafenden Kinde:

»Mein armer Knabe!« sagte er weich; wie von Schmerz übermannt, wandte er sich ab und ging hinweg.

Am anderen Morgen stand das Hofgesinde in allen Winkeln zusammen. Sie rangen die Hände, schwatzten und klagten: »Es ist kein Zweifel! Das Herrlein ist fort! Warum! Wohin?« »Ja, wer kann das wissen?« »Der Herr hat's befohlen! Er ließ es morden, weil er sich der Herkunft unserer Gräfin schämt!« »Es ist nicht möglich! Die eigenen Kinder!« »Der Wüterich! Der Mörder!« »Die gütige Herrin! Was wird sie beginnen?« So fragte und klang es durcheinander.

Da trat die Gräfin aus ihrer Kammer, sanft und freundlich, als sei nichts geschehen. Sie schickte die Diener an ihre Arbeit, hieß die Mägde ihr Tagewerk verrichten und ordnete alles, wie sie immer getan. Schweigend folgte man ihren Geboten, doch bald fragte der, bald jener verwundert: »Ist es denn möglich? Ist sie die Mutter? Unsere gnädige Herrin? Und sie schweigt und weint und klagt niemals?«

»Das will ich euch sagen«, sagte Hans, der Knappe, als er von einer Ausfahrt wiederkehrte und alles erfuhr, »unsere edle Gräfin ist still nach außen, stark und mutig, sie klagt nur im Herzen und vor unserem Herrgott, und der gibt ihr die Kraft zum Dulden und Leiden.«

Die Nachricht von dem Verschwinden des Knaben verbreitete sich schnell im ganzen Lande. Wie im Schlosse, so auch auf dem Markt und in den Straßen redete man von der Härte des Grafen und murrte und grollte über die grausame Tat.

Der Markgraf indes kümmerte sich wenig um das Gerede, er lebte wie früher, verwaltete sein Amt recht und gerecht, jagte, fischte und feierte Feste mit seinen Freunden. War er allein mit seiner Gemahlin, so sprach er oft von den verlorenen Kindern und beklagte die Härte des Schicksals, das ihn zwinge, ohne Erben aus dem Leben zu scheiden.

So saß er auch einst bei ihr im Gemache, wie es schien, in düsteres Sinnen verloren. Die rechte Hand lag geballt auf dem Tische, und der perlende Trunk verschäumte im Becher. Unweit am Fenster war Frau Griseldis mit Spinnen beschäftigt. Sie drehte die Spindel mit emsiger Hand, zupfte den Faden und schwieg wie ihr Gatte, obgleich sie ihn ängstlich beobachtete. Sie wagte es nicht, sein Nachdenken zu stören, denn er war in letzter Zeit oft rauh und heftig gegen sie ohne Ursache.

»Eine Torheit beging ich«, unterbrach er plötzlich die tiefe Stille. »Ich habe, was ich trage, selber verschuldet. Doch wäre die Torheit noch größer als früher«, fuhr er fort, sich vom Stuhle erhebend, »wenn ich aus weibischer Schwäche versäumte zu ändern, was noch zu ändern ist. Hätt' ich klüglich mein Weib...« Er hielt inne, schritt aus dem Zimmer und schlug schmetternd die Tür zu.

»Was war das?« murmelte Frau Griseldis, die Spindel entglitt ihrer zitternden Hand. »Oh, mein Gott, mein Gott! Du gabst einst das Glück! Lehre mich auch Leid und Weh ertragen, so wie ich soll nach deinem Gebote.«

Auf dem Wege nach Salutz trabten zwei Reiter, kraftvolle Männer in ritterlichem Gewande; es waren die Brüder Leupold und Kurt. Lange waren sie schweigend geritten, schon lag die Stadt und die stolze Burg vor ihren Augen, da begann Leupold:

»Was mag nur der Markgraf von uns begehren, daß er uns heute zu sich beruft? Ich gesteh's, nicht gern mache ich diesmal die Fahrt.«

»Es geht dir wie mir«, versetzte Kurt, »auch ich vermeide jede Begegnung mit unserem Verwandten, seit« – er hielt inne – »nun seit er sein ganzes Wesen verändert, und nicht mehr ist, was er früher war.«

»Besser sagst du, was er geschienen«, warf Leupold ein, »denn wahrlich, Bruder...«

»He! Holla! Haltet an! Hei, werte Neffen, der Alte will mit!« rief eine Stimme dicht hinter ihnen.

»Bei Gott! Unser Oheim, der alte Kuno!« sagte Kurt überrascht.

»Ganz recht, der ist's!« meinte lachend der Alte. »Ich ließ wakker mein Tier ausgreifen, als ich euch erblickte. Doch es tat nicht not, ihr rittet fein langsam.«

»Es eilt uns nicht«, versetzte Leupold, »wir erfahren frühe genug, weshalb uns der Markgraf zu sich geladen.«

»So, so, auch euch!« sprach der Ritter nachdenklich. »Und wie ich höre, noch viel andere. Doch, Freunde, wißt ihr, was sich begeben hat? Ihr scheint nichts zu ahnen, so vernehmt denn von mir: Der Markgraf Walter, unser edler Vetter, ließ sich vom

Heiligen Vater in Rom, dem Papste, den Scheidebrief schreiben. Es ist ihm gestattet, ein anderes Weib heimzuführen, die ihm gleich ist an edlem Rang und Stande.«

»So hat er denn endlich sein Werk gekrönt«, nahm Leupold das Wort. »Ich wollte es nicht glauben, daß alles wahr ist, was die Leute reden. Oh, edler Herr und Gebieter des Landes, wie zeigst du dich uns in deiner Hoheit!«

»Ich reite nicht weiter! Ich kehre um!« rief Kurt voll Grolles, doch der Oheim faßte sein Pferd am Zügel.

»He, toller Neffe!« rief er lachend. »Noch immer der alte? Schnell fertig mit der Tat! Was hilft Euer Wüten! Ihr ändert doch nichts am Laufe der Welt, der bleibt bestehen, wie ich immer gesagt: Nur Gleiches soll sich zueinander gesellen und – so schön sie war, die Frau unseres Vetters, und heute noch ist, das muß man ihr lassen, und ob man sie auch überall preist und von ihr redet als Landesmutter, sie ist doch nur niedrig von Geburt...«

»Die gilt mehr als jegliche Tugend, in Euren Augen, mein würdiger Ohm«, warf Kurt mit bitterem Spotte ein.

»So ist es, Herr Neffe«, versetzte der Alte. »Was würde aus uns und unserem Stande, wenn alle so dächten wie Ihr? Warum, wenn Name und Art Euch gleich ist, warum freit Ihr nicht selbst eine Bauerndirne, wie unser Markgraf. Es gibt noch viele von ihnen.«

»Doch keine wie sie, die er gefunden, der stolze Herr, der sich ihrer nun schämt«, sagte Leupold finster.

»Das alte Lied!« lachte der Ritter. »He, teure Neffen, singt ihr's noch immer? Dann rat' ich euch, reitet nur fein nach der Burg, vielleicht seht ihr dann, wie sie jetzt sich bewährt und – nun, nun, nur gemach! Gemach, ihr Gesellen, ich bin ein Graubart; wenn ich auch spotte, ich bin euer Ohm, darum...«

Doch die Brüder gaben den Rossen die Sporen und jagten davon. Der Alte sah ihnen lachend nach, während er in langsamem Trabe folgte.

»Noch immer dieselben«, brummte er vergnügt, »voll Leben und Feuer! Na, rennt nur voran, ich komme schon nach; die Neugier treibt sie ja doch aufs Schloß, das dachte ich mir gleich. Auch ich bin begierig, was es heute wohl gibt. Auf den Märkten und Straßen sind überall die Briefe angeschlagen. Ich denke, er wählt sich bald ein anderes Weib, eine edle, schöne – tugendhafte – so wie seine erste – ja, was wahr ist, bleibt wahr – schön ist sie, die Frau, und voll Güte und Würde, eine Landesmutter – he, alter Kuno! Nun stimm' ich gar selbst in den Lobgesang ein? Ja, wäre sie nur keine Bauerndirne!«

So redete der Alte mit sich selber beim Vorwärtsreiten. Endlich erreichte er die Burg auf der Höhe. Er stieg vom Pferde, übergab es dem Knappen und schritt hinein nach dem großen Saal. Dort stand der Markgraf in fürstlicher Pracht, umgeben von den edelsten Herren des Landes, dort lehnten auch Kurt und Leupold an einem Fenster.

»Willkommen, Ritter Kuno, mein wackerer Oheim!« rief der Landesherr dem Ankommenden freundlich entgegen. »Zur rechten Stunde triffst du hier ein. Denn wichtige Nachricht euch zu verkünden, ließ ich euch rufen, ihr werten Freunde, so hört denn.« Und nun sprach er weitläufig, wie er eingesehen, daß es gut sei, dem Rate kluger Männer zu folgen, und wie er vom Papste die Erlaubnis erhalten, sich von seiner jetzigen Hausfrau zu scheiden und eine andere heimzuführen von edler Geburt, wie es ihm gezieme.

»Schon hab' ich ein Fräulein mir auserkoren von fürstlichem Blute«, schloß er seine Rede, »das geleite ich sogleich als Herrin hierher, wenn sie, die fälschlich noch gebietet, mein Schloß für immer verlassen hat. Ich gehe und lasse sie hierher entbieten, damit ihr bezeugt, was heute geschieht.«

Er verließ den Saal, und ein dumpfes Gemurmel erhob sich ringsum:

»Wahr ist's«, sprach der eine, »ein edles Fräulein von hoher Geburt, das ist uns genehmer.« »Mir gilt es gleich, das ist seine

Sache«, meinte ein anderer, und wieder ein dritter: »Recht hat der Herr, wer wollte ihn tadeln?«

»Nun, werte Neffen«, höhnte Kuno, »ihr schweigt ja zu allem und tretet nicht als tapfere Ritter auf für die Frau, die edle.«

Ein zorniger Ruf unterbrach den Spötter, doch kam keine Antwort, denn der Graf kehrte wieder, und alles verstummte.

Da öffnete sich abermals die Pforte, unwillkürlich wichen die Gäste in den Hintergrund des Gemaches zurück, und aller Augen richteten sich auf sie, die ruhig und gelassen, wie sie immer pflegte, leichten Schrittes den Saal betrat. Sie achtete nicht der vielen Blicke, die auf ihr ruhten, sie sah nur den einen, der allein inmitten des Saales stand. »Was begehrst du von mir, mein Herr und Gemahl?« fragte sie sanft.

»Tritt näher, Griseldis«, sagte er rauh und hastig, als sei es ihm unlieb, sie anzureden, »du warst mir lieb, und ein treues Weib fand ich in dir bis zu dieser Stunde. Kein Tadel trifft dich, doch eins vergaß ich, als ich dich auf das Schloß meiner Väter führte, daß sich für den Grafen, den Herrn des Landes, die niedere Tochter des Bauern nicht paßt. Im Laufe der Jahre erkannte ich dies klar, und so wandte ich mich vor kurzem an den Heiligen Vater in Rom und erhielt die Erlaubnis, unseren Ehebund zu lösen und mich meinem Stande gemäß zu vermählen.«

Er hielt inne, als erwarte er eine Antwort, aber sie stand still mit gesenktem Haupte, und still war es in dem weiten Raum.

»Wohlan, Griseldis«, begann er wieder, »so verlaß denn mein Haus, und kehre zu deinen Eltern zurück. Eine andere Herrin dieses Schlosses habe ich mir gewählt, ein edles Fräulein; so geh nun hin, und nimm mit dir alles, was dir gehört.«

»Was mir gehört?« wiederholte sie leise, da er schwieg. »Wohl, es soll geschehen.«

Ernst und ruhig trat sie zur Seite; sie löste von Hals und Armen die Perlen, sie legte von sich das reiche Kleid, sie nahm den kostbaren Reif aus dem Haar, daß es frei und fessellos sie umwallte, sie zog den funkelnden Ring vom Finger...

»Nehmt«, sprach sie dabei mit fester Stimme, »nehmt hin das Zeichen Eurer Liebe, das mir nicht gebührt, nehmt den fürstlichen Schmuck. Arm und dürftig kam ich hierher, Eurer Huld verdankte ich Pracht und Glanz. Wie Ihr gebietet, scheid' ich von hinnen, nicht Euer Weib, eine Bettlerin. Denn um eins bitte ich, um das Gewand hier, das ich noch trage. Das wollet mir schenken, mein hoher Gebieter, ich kann es nicht missen und« – sie hielt einen Augenblick inne – »und ich lasse Euch ja dafür mein Glück. Arm kam ich hierher, arm geh' ich hinweg, arm wie zuvor. – Doch nein, verzeiht: Die Erinnerung bleibt mir, meine Liebe und Treue. Die beiden brachte ich voreinst hierher auf das Schloß, ich nehme sie wieder mit mir in die Hütte des Vaters zurück, sie folgen mir immer bis in den Tod. Lebt wohl und glücklich, Gott sei mit Euch und mit der Jungfrau, die Ihr liebt.«

Sie schwieg und verließ mit leisen Schritten, wie sie gekommen, den Saal. Und still war es in dem weiten Raum, nachdem sie gegangen, nur von draußen drang dumpfes Gemurmel herein, dann lautes Klagen und Weinen des Hofgesindes.

»Zum Henker!« brummte plötzlich der alte Kuno. »Das ist ja – he! Die Sonne scheint mir in die Augen, ich sehe nichts...«

»Die Sonne, Herr Ohm?« unterbrach ihn Leupold. »Die tat Euch nicht wehe!«

»Was kümmert's dich?« knurrte unwirsch der Alte, indem er sich die Augen wischte und rieb. »Potz Wetter! Ich wollte! He, Markgraf Walter! Heut habt Ihr ein treffliches Werk vollbracht. Die Frau laßt Ihr gehen...?«

»Ja, meint Ihr nicht, Vetter?« fiel ihm der Markgraf ins Wort. »Ich denke, ich tat nach Eurem Wunsche.«

»Ich denke«, murrte jener voll Grimm, »Ihr habt sie gewählt, nicht ich...« Doch Graf Walter achtete sein nicht weiter, er schritt nach dem großen Bogenfenster und blickte hinab in den Hofraum. Dort wandelte Griseldis dürftig bekleidet, umwallt von dem langen, schimmernden Haar, dem Burgtore zu. Ihr folgten weinend die Mägde und Knechte, am Torpfeiler lehnte schluchzend der treue Hans; sie hob das gesenkte Haupt empor und grüßte den Alten mit freundlichem Lächeln, dann ging sie hinaus durch die hohe Pforte.

Am Fenster stand noch immer der Markgraf, er merkte es nicht, daß unweit von ihm Kurt und Leupold gleichfalls nach der Scheidenden blickten, sie jedoch stutzten und wichen betroffen zurück, als er halblaut vor sich hin die Worte murmelte: »Du gehst, mein teures, geduldiges Weib, gelassen und still, wie du alles trugst, was ich dir lieblos angetan. Du ahnst nicht, warum, doch halte aus, nur kurze Frist...« Mehr vernahmen sie nicht.

»Was sprach er?« fragte Kurt den Bruder.

»Ich fasse es nicht, was kann er meinen?« erwiderte jener.

Indes schritt der Landesherr an ihnen vorüber.

»Frisch auf, werte Freunde!« rief er fröhlich. »Genug des Ernstes, kommt, ein Imbiß wartet unser. Beim funkelnden Weine erzähle ich euch dann von meiner jungen Braut, eurer künftigen Herrin.«

Schweigend folgten alle dem Gebote. Bald saß man an der gedeckten Tafel. Der hohe Wirt schien heiteren Sinnes; er berichtete, wie seine eigene Schwester, die Gräfin Panico in Bologna, mit ihrem Gemahl die von ihm erkorene Braut nach Salutz geleite und baldigst eintreffen werde. Dann mahnte er, fleißig die Becher zu leeren, sprach dies und jenes, lachte und trank, und allmählich vergaßen die Herren beim perlenden Tranke das Vergangene, zechten und plauderten wie sonst. Nur Kurt und Leupold waren still und kehrten zeitig heim nach ihrer Burg. Der alte Kuno blieb zwar sitzen, doch war er mürrisch und übler Laune, er ließ den Wein im Pokal verschäumen.

Das Gelage währte bis tief in die Nacht.

Derweilen stand in dem kleinen Dorfe vor seiner Tochter der greise Janikola. Er hatte sie schon von fern gesehen und war ihr entgegengeeilt.

»So ist es geschehen«, grollte er finster. »Verlassen, ins Elend hinausgestoßen, von dem, der dir Liebe und Treue schwur! Komm mit, mein schuldlos verratenes Kind, seine Liebe verging, wie der Schnee zerschmilzt, was liegt ihm, dem Herrn...« Er brach ab und führte sie nach der ärmlichen Hütte mit dem niederen Dach von Stroh, und sie ließ sich von ihm leiten wie einst als Kind.

In der Kammer drinnen saß spinnend die Bäuerin; sie sprang auf und schrie laut, als sie die Tochter erblickte: »Wie kommst du hierher, was ist geschehen?«

»Ich bringe sie heim«, sagte der Bauer, »was stehst du und schreist und ringst die Hände? Das Ende ist da, wie ich es gefürchtet. Schweig, Weib, und hol dort aus der Truhe die Kleider wieder, die sie einst trug. Sie bedarf des Gewandes. Griseldis, mein Kind, hier warst du einst fröhlich wie die Vögel im Walde bei Armut und Mangel, nun weine dich aus an den Herzen der Eltern. Fluch ihm, der also...« Seine Stimme brach, er wandte sich ab, die Mutter schluchzte, nur Griseldis blieb ruhig und tränenlos.

»Vater, Mutter«, sagte sie sanft, »ihr sollt ihm nicht fluchen, ihr dürft nicht klagen. Mir schenkte der Himmel ein unendliches Glück! Er hat mich geliebt, mich, die niedere Magd; und ist auch der selige Traum zerronnen, Gott hat ihn gegeben, er hat ihn genommen, wir müssen ihn preisen in Ewigkeit.«

So suchte sie, den eigenen Schmerz überwindend, mutig die Eltern zu beruhigen. Der Tag neigte sich endlich zum Abend, die Nacht strich sanft mit dunklem Fittich über Arme und Reiche, Glückliche und Bekümmerte.

Still ward es allmählich in Janikolas Häuschen, die Eltern schliefen längst in der Kammer nebenan, müde von des Tages Last und Leide; Griseldis stand allein im engen Stübchen, sie ging an das Fenster und blickte hinaus. Auf der Höhe schimmerte es wie ein leuchtender Stern: Kam der Schein von dem Schlosse? Sie wußte es nicht; sie blickte zum nächtlichen Himmel empor und faltete die Hände zu heißem Gebet: »Erhöre mein Flehen, Vater dort oben, erhalt ihn glücklich, was liegt an mir?«

Zu derselben Stunde lehnte droben im Schlosse auf dem Altane ein hoher Mann. Er blickte hinab in das schweigende Tal, als wolle er durch Nacht und Dunkel erkennen, was sich begebe.

»Es ist gelungen«, murmelte er endlich. »Mein edles Weib, dein Tun hat jegliches Herz bezwungen, selbst des alten Kuno trotzigen Sinn. Die Bauerndirne, wie er dich höhnend nannte, sie scheint ihm heute der höchsten Krone wert! Doch du, mein Weib, kannst du vergessen, was ich hart und lieblos dir zugefügt? Wie, wenn ich durch eigene Schuld sie verlor? Ein Frevel war es, nicht eine Prüfung, was ich begann in törichtem Stolz. Was kümmerte mich das Geschwätz der Sippen, ich kannte mein Weib, das war genug. Weh mir, wenn sie grollend sich von mir wendet, wenn ich ihre Liebe verscherzte, zerstörte – nein«, unterbrach er sich selbst, »nein, eitler Zweifler, ihre Liebe ist stark, sie bleibt getreu, getreu bis zum Tode. Mein teures Weib, ich muß es noch sühnen, all das Leid, was ich dir angetan.«

Nebenan aus dem Saale drang Gelärm der Zecher, er aber blieb einsam in düsterem Brüten.

5. Die neue Herrin

Einige Tage waren seitdem vergangen, da wanderten Boten durchs ganze Land. Sie pochten an den Toren der Städte und Schlösser und brachten vom Markgrafen Briefe und Grüße. Er schrieb:

»Frischauf, edle Freunde, die Zeit ist gekommen, die hohe Braut trifft morgen schon ein. Geschmückt sind Säle und Prunkgemächer, so machet euch eilends auf zur Fahrt, daß ihr die rechte Zeit nicht verfehlt und mit mir die Hochzeit feiert.«

»Schon wieder Hochzeit! Der Markgraf hält Hochzeit!« riefen Bürger und Edle, Männer und Frauen in Salutz.

»Was tausend!« ließ sich Kunz, der Ratsherr, vernehmen. »So nahe schon der Tag! Hätt's nimmer gedacht.«

»Ja, ja«, meinte stolz der Bürgermeister, »das wußt' ich längst, der Markgraf hat's eilig.«

»Ach, gebe Gott«, seufzte Meister Velten, »daß die neue Herrin der alten gleicht.«

»Da sagen wir amen!« riefen alle im Chor. »Und möge es ihr besser als jener ergehen.«

»Ja, das muß man sagen«, nahm Kunz wieder das Wort, »eine rechte Landesmutter ist sie gewesen, und keiner von uns wird sie je vergessen. Doch wie dem auch sei, mich plagt die Neugier. Ich will mir die künftige Gräfin beschauen, ich gehe hin.«

»Und ich! Und ich!« hieß es wieder im Chore.

Wie dort in Salutz war es allenthalben, wo die Boten hinkamen. Am anderen Morgen machten sich auf edle Herren und Damen, Bürger und Frauen von nah und fern. Sie alle zogen im reichsten Putze nach dem Schlosse. Im Burghofe waren die Diener bereit zum Empfang und geleiteten die Ankommenden in die Säle hinauf. Hier war alles mit Blumen und Kränzen geziert, die Tafeln gedeckt und schön geschmückt. Der Markgraf schritt unter seinen Gästen umher und hatte für jeden ein freundliches Wort.

Die Mittagsstunde rückte heran, die Geladenen waren fast alle versammelt, da kamen zuletzt drei stattliche Ritter, der eine mit eisgrauem Haar und Barte, die anderen beiden mit dunklen Locken, es waren Kuno, Leupold und Kurt. Sie hatten sich auf dem Ritte zusammengefunden, wie schon einmal vor wenigen Tagen.

»Hei, seid willkommen!« rief der Markgraf erfreut. »Ihr fehltet mir noch bei der festlichen Feier, zur rechten Stunde trefft ihr ein. Schon verkündete ein Späher das Nahen des Zuges.

Mein edler Schwager, der Graf Panico, und meine Schwester begleiten die Braut. Ich denke, ihr seid zufrieden mit meiner Wahl, mein würdiger Ohm.«

»Was geht das mich an?« sagte der Alte grämlich.

Er schwieg und schaute betroffen nach dem Kreise der dienenden Mägde hinüber. In ihrer Mitte stand eifrig beschäftigt eine ernste Frau im Bauerngewande. Sie sah nicht umher, sie sorgte und ordnete überall, wo es not tat, und schien nicht zu bemerken, wie viele der Anwesenden sie verwundert betrachteten.

»Das ist ja – wie? Vetter Walter! Nicht möglich!« polterte zornig der alte Kuno. »Das ist ja...«

»Griseldis, Janikolas Tochter«, fiel ihm der Markgraf gelassen ins Wort. »Wundert Euch das, mein lieber Ohm? Sie kam hierher, weil ich ihrer bedurfte. Mir fehlt es im Hause an einer Schaffnerin, sie kennt mich und weiß, wie ich alles wünsche. So hat sie denn jegliches hergerichtet, was ich verlangte, wie sich's für ihresgleichen ziemt.«

»Ihresgleichen, Graf Walter«, der Ritter erhob sich, glühend vor Zorn, »ich will Euch sagen...!«

»...Sie kommen! Sie kommen! Schon ist der Zug an der Freitreppe unten!« meldeten laut die Diener von außen. Der Graf ließ den grollenden Alten stehen und eilte aus dem Saale. Hinter ihm drängten sich die Gäste nach, die Ankommenden zu sehen.

»Wo ist sie? Habt ihr die Braut bemerkt?« rief und fragte man durcheinander.

Selbst Kurt und Leupold erhoben sich von ihren Plätzen, nur der alte Kuno blieb sitzen, doch wandte er sich um, als die Türe sich öffnete. Still ward es ringsum, das Gedränge löste sich: An der Hand des Grafen trat ein Mägdlein herein, zart und schlank in weißem Gewande; das goldig schimmernde, wallende Haar mit Blumen geschmückt. Sie senkte errötend das Köpfchen vor den vielen Blicken, die auf ihr ruhten, und folgte zaghaft ihrem

Führer. Er schritt neben ihr her, hoch und stolz in fürstlichem Schmucke, und ein Flüstern erklang im ganzen Saal: »Wie jung die Braut noch ist, ein Kind fast an Jahren.«

Dicht hinter ihr her schritt der Graf Panico mit seiner Gemahlin, der Schwester des Landesherrn. Sie führten einen Knaben in ihrer Mitte, mit dunklem Haar, dessen leuchtende Augen fröhlich und keck im Saal umherschauten.

»Seht doch den prächtigen Jungen an«, sagten die Herren und Damen untereinander, »beim Himmel, er sieht dem Markgrafen ähnlich wie ein Sohn dem Vater.«

»Ist die Schwester unseres Herrn seine Mutter?« fragte eine Dame.

»Nicht doch, es ist der Bruder der Braut«, versicherte eine andere.

Inzwischen hatte der Fürst die junge zukünftige Herrin nach ihrem Ehrensitze geleitet und die edlen Ritter mit ihren Frauen, die Bürger und Bürgerinnen nahten sich nach Rang und Ordnung, sie zu begrüßen. Dann folgte die Dienerschaft des Schlosses, und unter ihnen schritt Griseldis, die letzte von allen. Im Bauerngewande stand sie vor der Braut, die schüchtern zu Boden sah, als schäme sie sich der ihr dargebrachten Huldigungen. Allein sie erhob das liebliche Haupt, als sie die mit weicher Stimme gesprochenen Worte vernahm: Gott segne Euch jetzt und immerdar. Verwundert blickte sie in das bleiche, ernste und doch so milde Antlitz der vor ihr Stehenden, die sich tief mit edlem Anstande vor ihr neigte und dann still und bescheiden im Hintergrunde verschwand. Fragend blickte die Maid den Grafen an, der an ihrem Sessel lehnte, auch die Gräfin Panico wandte sich zu ihm, doch er schaute hinweg und achtete nicht auf das, was sich begeben hatte. Er sprach mit seinen Gästen und lud sie ein, Platz zu nehmen an den Tafeln, das Gastmahl sei bereit.

Geschäftig liefen die Diener ab und zu, trugen die köstlichsten Gerichte auf und schenkten fleißig den perlenden Wein. Lust und Heiterkeit herrschte in den Sälen; nur der Markgraf schien zerstreut. Er redete wenig und erhob sich endlich von seinem Stuhle. Langsam schritt er durch die Gemächer, von niemand beachtet, denn jeder hatte genug mit sich selbst zu tun.

Vor einer Fensternische stand er still, als habe er gefunden, was er suchte. Dort lehnte Griseldis vor aller Augen verborgen. Sie merkte es nicht, daß er sie still beobachtete, ihr Blick ruhte unverwandt auf der lieblichen Braut mit dem rosigen jungen Kinderantlitze. Erst als er halblaut ihren Namen sprach, fuhr sie aus ihrem Sinnen auf. Sie wollte entfliehen, ihr Tagewerk war ja hier getan. Man hatte sie berufen aus ihres Vaters Hütte, daß sie das Hauswesen ordne und richte zum Empfange der Gäste, nun war alles geschehen, und sie zauderte noch? Warum gab er nicht Raum für sie und ließ sie vorüber? Er schien ihre Unruhe nicht zu beachten, sondern redete freundlich von dem und jenem und fragte sie schließlich, wie ihr die künftige Herrin gefalle.

Erstaunt sah Griseldis in sein ruhiges Gesicht, doch sie zögerte nicht mit ihrer Antwort.

»Sie ist schön, voll Anmut, von edler Art, Euer würdig, mein hoher Herr«, sagte sie ernst und freundlich. »Sie wird Euch und dem Lande Segen bringen. Doch«, fuhr sie fort, und ihre Stimme bebte, »verzeiht, mein Gebieter, die junge Maid mit den frohen sonnigen Kinderaugen ist zur Liebe geboren, nicht wie – wie jene andere aus niederem Stand an Leid gewöhnt. O hört meine Bitte, bewahrt sie vor Schmerz, tut ihr kein Leid.«

»Griseldis!« Wie ein Laut aus vergangener Zeit traf der Name ihr Ohr, sie sah empor – indes sie stand allein in der Nische, einsam wie zuvor in dem Menschenschwarm. Sie lehnte das Haupt an den kalten Marmor, es war alles vorüber und Zeit zum Scheiden. Aber der Weg, den sie gehen mußte, schien so weit, und sie war müde, müde zum Tode. Sie schloß die Augen; gleich dumpfem Summen vernahm sie das Lachen und Plaudern umher, nur eine Stimme hörte sie deutlich und doch wie aus weiter Ferne: »Mutter! O Mutter!« Ach ja, das war einst vor vielen Jahren; da schaute sie in lachende Kinderaugen, und rosige Lippen riefen schmeichelnd den trauten, hehren Mutternamen und – was war geschehen? Das konnte nicht Täuschung sein! Weiche Händchen erfaßten die ihren, sie sah wieder die strahlenden Kinderaugen, und eine süße Stimme bat innig: »Mutter, sieh her! Wir leben, sind bei dir! Erkennst du uns nicht?« Ein holdes Antlitz schmiegte sich an sie, umwallt von langem, goldschimmerndem Haar, und neben dem lieblichen, blonden Köpfchen erschien ein anderes mit dunklen Locken. Der Saal, die Menschenmenge verschwamm wie im Nebel, doch stützte sie fest ein starker Arm und hielt sie aufrecht.

»Griseldis, vergib! Mein armes Weib, das ich herzlos gequält so viele Jahre. Sieh mich an, ich bin's, und hier deine Kinder, sie kehren endlich zu uns zurück. Nicht meine Braut, unsere Tochter ist sie, die fremde Maid, für die du batest, und der Knabe, ihr Bruder, ist unser Sohn. Sie leben beide.«

War das der Markgraf, der also sprach? Sie wußte es kaum, sie wiederholte nur zweifelnd: »Sie leben beide! Oh, sagt es noch einmal, damit ich es fasse.«

»Ei, sieh mich nur an!« rief fröhlich der Knabe. »Ich bin der Walter, das ist meine Schwester. Sie heißt Griseldis, Mutter, wie du.« Sie beugte sich herab, strich zaghaft über seine dunklen Locken, er indes schlang jauchzend die kleinen Arme um ihren Hals und jubelte laut: »Nun hab' ich mein Mütterlein, wie andere Kinder.« Sie hob ihn empor, drückte ihn fest an ihre Brust und umschlang zugleich die liebliche Tochter, die schmeichelnd sagte: »Ich wußte es ja; ich liebte dich gleich, als ich dich sah.«

»Meine Kinder leben!« wiederholte Griseldis. »Vater im Himmel, ich danke dir!«

Seitwärts stand schweigend der Markgraf, unbeachtet im Sturme der Freude.

»Griseldis«, begann er endlich; sie wich zurück wie in plötzlichem Schrecken und blickte angstvoll zu ihm auf. »Du zitterst vor mir«, fuhr er fort, »der harte Mann, der dir alles nahm, der dich kalt und lieblos von sich stieß, ihm wird nun das, was er verdient. Mein edelstes Kleinod hab' ich verloren, deine Liebe starb, ich darf nicht murren, und dennoch...« Er schwieg und wandte sich ab. Da stand sie vor ihm und blickte ihn an mit leuchtenden Augen: »Die Liebe lebt! Sie verweht nicht flüchtig und leicht gleich Spreu vor dem Wind, sie ist stark und treu. Doch das Leid schwindet hin bei dem Schimmer des Glückes, wie des Winters Eis vor der Sonne Strahlen. Ich habe wieder, was ich verlor, ich halte die teuren Kinder im Arm! Oh, mein Gemahl! – Vergib! Verzeih! Die Tochter des Bauern ist nicht würdig!«

»... Nicht würdig, du?« unterbrach sie der Markgraf. »Griseldis, du weißt nicht...! Komm mit, komm mit!«

Er zog sie stürmisch in die Mitte des Saales. Verwundert sahen die Gäste auf die beiden; den hohen Mann in dem reichen Gewande und die bleiche Frau in dem ärmlichen Kleide. Kurt und Leupold sprangen auf, und Ritter Kuno fuhr empor aus finsterem Brüten: »Was war das wieder?«

Der Markgraf blickte im Kreise umher. »Wohlauf, liebe Freunde! Wie, meine Getreuen! Ihr scheint erstaunt? Erkennt ihr nicht mehr hier eure Herrin an meiner Hand? Gedenkt's euch noch? Vor vielen Jahren lud ich euch gleichfalls zum Hochzeitsfeste. Da ward sie mein Weib, deren Hand ich hier halte, und mancher aus meiner edlen Sippe zog hämisch den Mund oder spottete laut, weil sie aus Bauernstamme entsprossen. Sie meinten, ein stolzer Name zieme vor allem meiner Gattin. Ich aber suchte köstlichere Schätze, und die fand ich bei ihr. Wer unter euch weiß nicht, was geschah, was ich ihr antat in törichtem Stolze, in eitlem Wahne! Ihr solltet sie erkennen in ihrer Hoheit, in ihrer Würde! Ein frevelndes Spiel war es, was ich trieb, und sie hat es ertragen in Geduld und Langmut,

Liebe und Treue. Prüfung ihrer Tugend nannte ich meine Handlung, doch, wiederhole ich, es war ein Frevel an ihr, meiner Gattin. Und vor euch allen, ihr Ritter und Edlen, ihr Bürger des Landes, bitte ich mein schuldlos gekränktes Weib: ›Vergiß, vergib, was ich dir angetan! Sei wieder mein eigen, ich bedarf deiner Liebe, ich kann sie nicht missen. Du Edle, Hohe! Du bist die Herrin, dein Diener bin ich, und ich beuge vor dir in Demut und Reue das trotzige Haupt.‹«

Er neigte sich tiefer und tiefer herab. »Oh, mein Gemahl!« rief sie und faßte nach seiner Hand. »Nicht also vor mir, du tust mir weh!« Und sie, die keine Träne vergossen bei seinen rauhen, kränkenden Worten, barg schluchzend das Haupt an seiner Brust.

Er umschlang sie fest: »Geliebtes Weib, nun wieder mein«, sagte er innig, »das Band, das uns heute neu vereint, trennt nur der Tod. Nimm wieder den Ring, den ich dir einst gab, als Pfand der Treue und Liebe von mir.«

Er steckte den Trauring an ihren Finger, und als sei nun endlich ein Bann gelöst, der alle Zungen gefesselt hatte, erhob sich plötzlich lauter Jubel, der in allen Gemächern widerhallte.

»Gott sei gelobt!« riefen Kurt und Leupold.

»Hab’ ich doch so was mein Tag nicht gedacht«, meinte bedächtig der dicke Ratsherr Kunz.

»Ihr denkt nichts und wißt nichts«, lachte sein Nachbar. »So wie unsere Gräfin ist doch keine in allen Landen. Das fremde Fräulein – ei! Hörst du Kunz, was der Herr da sagt! Potz alle Wetter! Und das schöne, kecke muntere Herrlein! Sie sind seine Kinder! Die eigenen Kinder! Hurra! Nachbar, ich...!«

»Wollt Ihr schweigen!« fiel ihm Kunz ins Wort. »Man hört und sieht ja bei Eurem Geschrei nicht, was geschieht.«

An den Gatten gelehnt stand Frau Griseldis, sie hielt den Knaben an der Hand, die Tochter schmiegte sich in ihren Arm, und vor ihr stand die Gräfin Panico. Die stolze Frau bot ihr freundlich die Rechte und grüßte sie herzlich als Schwägerin, erzählte von den Kindern, die sie treulich gepflegt und mit großer Freude heimwärts geleitet habe.

»Warum trägt die Mutter das garstige Kleid? Sie soll sich auch schmücken, wie alle die Frauen! Geh, geh doch, Mutter!« rief der kleine Walter.

»Der Knabe hat recht«, sprach lächelnd der Markgraf, »ihr gebührt es, in reichem Gewande zu erscheinen. Wohlauf, edle Damen, zieret die Herrin, wie ihr einst getan.«

Und als sie nun wieder im Saale erschien in fürstlicher Pracht, den glänzenden Reif in dem schimmernden Haare, da gab es ein Murmeln und Flüstern ringsum: »Wie schön ist noch immer die edle Frau.« Jauchzend eilte der Knabe zu ihr: »Nun bist du schön, viel schöner als alle.«

Von den Kindern begleitet, trat sie ihrem Gemahl entgegen, er ergriff ihre Hand und führte sie vor den Priester, der seitwärts stand. »Ehrwürdiger Vater«, sagte er, »gewährt meine Bitte, segnet noch einmal unseren Bund. Zum Hochzeitsfeste lud ich euch ein, ihr Freunde alle, wir wollen es feiern.«

Dann saßen die Gäste wieder zu Tisch beim festlichen Mahl, bei dem perlenden Trunk, und an des Gatten Seite Griseldis mit ihren Kindern, die sie mit liebenden Blicken ansah. Da erhob sich der alte Kuno vom Tische, er kam zu ihr und beugte das Knie: »Vergebt, edle Herrin«, begann er stockend, »vergebt dem Alten, der mit hämischer Zunge Euch Leides getan, mehr, als er ahnte.«

»Nicht so, Ritter Kuno, kniet nicht vor mir«, unterbrach sie ihn. »Ich zürne Euch nicht. Was mir geschah, war Gottes Wille, ich mußte es tragen. Und seht, wie die Welle im Meer verrinnt, so verrann mein Leid! Steht auf! Steht auf!«

Er ergriff die Hand, die sie ihm bot, und erhob sich ruhig: »Ihr könnt nicht grollen, das wußte ich längst, doch mir ziemt zu sühnen, was ich verbrach. Was steht ihr und staunt über den alten Ohm?« wandte er sich knurrend an seine Neffen Leupold und Kurt. »Ich weiß, was ich tue, und ich sage euch jetzt, die edle Frau hat den Alten bezwungen. Stimmt ein, ihr alle, in den Ruf mit mir: ›Der Segen des Himmels sei mit unserer Herrin, der fürstlichen Frau, und mit ihrem Gemahl!‹«

Saal und Gemächer widerhallten nochmals von lautem, nicht enden wollendem Jubel: »Die Herrin lebe! Die Landesmutter mit ihrem Gemahl und mit ihren Kindern!«

Während überall Glück und Frohsinn herrschte, winkte der Markgraf, und von Hans, dem alten Knappen, geleitet, nahten ein Greis und eine alte Frau unsicher und zögernd dem Landesherrn. Griseldis sprang auf, doch er sagte lächelnd: »Nicht ziemt es den Eltern meiner Gemahlin, ferner in Armut und Elend zu leben. Hier in meinem Haus an meinem Tisch ist fortan ihr Platz.« Damit reichte er beiden freundlich die Hand und hieß den Diener neben sich für den greisen Janikola und sein Weib Sitze bereiten.

In Frieden, Liebe und Glück lebten fortan der Markgraf und seine Gemahlin. Bald kam ein vornehmer, edler Herr und führte die schön erblühte Tochter des glücklichen Ehepaares als Herrin auf sein väterliches Schloß. Der Knabe wuchs heran zu der Eltern Freude. Er ward ein stattlicher Jüngling und Mann und erbte nach seines Vaters Tode das ganze Land.

Der arme Heinrich

Im Schwabenlande lebte vordem ein edler, mit allen ritterlichen Tugenden geschmückter Herr, genannt *Heinrich von Aue*. Des Name war weithin bekannt, minder seines Reichtums als seiner Ehren wegen, so er bei seinen Zeitgenossen fand. Er war, wie es die Sage heißt, in Wahrheit eine Blume der Jugend, ein Diamant echter Treue, die Krone aller edlen Zucht, die Zuflucht der Bedrängten, das Urbild der Gerechtigkeit, Geduld und Aufopferung und dabei ein Freund und Pfleger der Kunst, insbesondere des Gesanges. Doch es gibt nichts Vollkommenes auf der Welt, und das Glück ist nicht von Dauer. »Wer hoch steigt, fällt tief«, sagt das Sprichwort, und »Mitten im Leben sind wir vom Tode umringt« lehrt schon die Heilige Schrift. Wie eine Kerze verlischt unsere Lust, unser Lachen erstickt in Tränen, in des Lebens Süßigkeit mischt sich die bittere Galle, und wenn unseres Daseins Blüte am schönsten zu sein scheint, da welkt sie oft plötzlich dahin.

Das sollte auch Herr Heinrich erfahren, der auf einmal von dem Aussatz befallen ward, so daß er von jedermann gemieden ward, wie einst Hiob. Nur ertrug er sein Leid nicht mit gleicher Geduld wie dieser, sondern er fluchte seinem traurigen Schicksal. Doch nicht ganz floh ihn der süße Trost, als er vernahm, die Krankheit sei in manchen Fällen heilbar. Deshalb fuhr er nach Montpellier, dort einen berühmten Arzt um Rat zu fragen. Leider wußte der kluge Mann keinen Rat. Wiewohl niedergebeugt, verzweifelte er noch nicht ganz an seiner Rettung und reiste nach Salerno, allwo viele weise Meister der Arzneikunst lebten. Einer von diesen, der beste dem Ruf nach, gab ihm eine seltsame Antwort: »Es gibt wohl ein Mittel«, sprach er geheimnisvoll, »doch niemand ist reich genug, es zu gewinnen; darum müßt Ihr wohl Euer Leben lang krank bleiben.«

Da bot ihm Heinrich all seine Schätze an, ihm das Mittel zu verschaffen, aber kopfschüttelnd erwiderte der Arzt: »Auf keinem Markte der Welt ist das zu kaufen. Nur eine reine keusche Jungfrau, die für Euch in den Tod gehen will, kann Euch erlösen; ihr Herzblut allein kann Eure Krankheit heilen.«

Da sah der arme Heinrich wohl ein, daß er eine solche Opferwillige nicht finden würde. So war ihm denn jeder Trost und jede Hoffnung genommen. Der Welt entsagend kehrte er heim, vermachte all sein Hab und Gut Freunden und Armen und der Kirche und zog sich auf einen einsamen Meierhof zurück, beklagt und beweint von allen Menschen, die ihn gekannt. Ja selbst Unbekannten erweckte sein Mißgeschick tiefes Mitleid.

Die Meierei bewirtschaftete ein freier Bauer, der ihm nunmehr vergalt, was er von ihm früher Gutes erhalten. Es war ein gesunder, reicher Mann mit einer glücklichen, gesegneten Familie. Unter seinen netten Kindern befand sich auch ein blühendes Mädchen, das sich von den übrigen durch ihr liebreiches Wesen und ihre anmutige Gestalt auszeichnete. Sie war so zierlich und zart, daß man sie wohl für eines Vornehmen Kind hätte halten können. Die Kleine übertraf an Freundlichkeit und aufopfernder Hilfeleistung dem kranken Herrn gegenüber alle ihre Verwandten. Wie ein treues Schoßhündchen saß sie ihm zu Füßen; kein Wunder, wenn er sie auch vor allen anderen liebte und mit Geschenken reich bedachte. Dadurch ward sie immermehr in Liebe an ihn gekettet, so daß er sie scherzweise oft sein kleines Frauchen nannte. Doch nicht der Geschenke wegen liebte sie ihn; ihr kindlich tiefes Gemüt fühlte sich von dem Unglück und der Herzensgüte ihres Herrn angezogen.

So waren schon drei Jahre verflossen, als eines Tages der Meier mit seinem braven Weib bei dem armen Heinrich saß, der sein Leid besonders beklagte. Sie klagten mit und sprachen davon, daß sie nach seinem Tod keinen so milden Herrn mehr bekommen würden. »Wie kommt es nur«, so fragte der Bauer teilnehmend, »daß keiner der geschickten Ärzte in Salerno Euch hat heilen können?«

Da seufzte der arme Heinrich tief auf und sprach: »Ach! Ich habe wohl diese Krankheit von Gott verdient, denn allzusehr war ich weltlichen Freuden zugetan und zu wenig auf mein Seelenheil bedacht. Darum kommt mir diese Schickung vom Himmel, so daß mich alle fliehen, außer dir, der du treu bei dem Siechen aushältst mitsamt deinem Weib und deinem lieben Töchterlein. Darum will ich euch anvertrauen, was der Arzt mir für einen Bescheid gab. Es ist ein gar seltsames Mittel, das kein Mensch gewinnen kann. Nur eine reine, keusche Magd, die freiwillig ihr Herzblut für mich opfert, kann mich erlösen. Doch wie ist das möglich? Darum muß ich mich mit meinem Elend hinschleppen bis zu meinem Tod.«

Aufmerksam hatte diesen Worten die Jungfrau gelauscht, die ihres Herrn Füße sanft in ihren Schoß gebettet hatte. Milde sah sie zu ihm auf, wie ein Engel. Kein Wort sprach sie, doch sie dachte an ihres Herrn Rede, als sie schlafen ging. Kaum wähnte sie alle im sanften Schlummer, so vergoß sie, von Mitleid überwältigt, reichlich Tränen, so daß die Eltern darüber erwachten. »Was für ein Kummer drückt dich, mein liebes Kind?« fragten beide erschrocken. Anfangs wollte sie es nicht gestehen, endlich schüttete sie ihr Herz aus, indem sie ihres Herrn Elend tief beklagte. Die Eltern suchten sie, so gut sie konnten, zu beruhigen, doch der Schlummer floh sie, und der Kummer um ihren Gebieter verließ sie nicht mehr. Den ganzen folgenden Tag beschäftigte sie sich in ihren Gedanken mit dem Jammerbild ihres geliebten Herrn, wie sehr man sie auch zu zerstreuen suchte. Und als es wiederum Abend ward, da legte sie sich wieder traurig ihren Eltern zu Füßen und badete sich in Tränen. Auf einmal stand der Entschluß bei ihr fest, so sie den folgenden Tag erlebe, sich für ihres Herrn Rettung zu opfern. Nur das eine Bedenken hatte sie, ihre Eltern und der arme Leidende möchten sich ihrem Willen widersetzen. Dies machte ihr solchen Kum-

mer, daß sie laut zu wehklagen begann und darob Mutter und Vater erwachten. Erschreckt fuhren sie vom Lager auf und fragten sie teilnehmend: »Was fehlt dir nur, liebes Kind? Ist es nicht töricht, in so unnütze Klagen auszubrechen? Du störst uns ja nur im Schlaf.« – Sie kannten ja noch nicht den unbeugsamen Willen des Mädchens. Sie aber sprach: »Nicht unheilbar ist unser Herr, wie er euch ja selbst gesagt, und wenn ihr mich nicht hindern wollt, so bin ich gern bereit, mich für ihn zu opfern. Lieber will ich sterben, als ihn so hinsiechen zu sehen.« Wie erschraken da die guten Eltern und baten sie dringend, davon ihrem Herrn nichts zu sagen; sie könne es ja doch nicht ausführen. »Glaube mir«, so sprach der Vater, »du weißt nicht, was du sagst; du hast dem Tod noch nicht ins Antlitz geschaut. Du würdest davor zurückschaudern und dich ans Leben klammern. Darum schweig still, törichtes Kind!«
Damit glaubten sie das Mädchen abschrecken zu können, aber umsonst.

»Mein lieber Vater«, versetzte das Töchterlein ruhig, »wenn ich auch noch so jung bin, so bin ich doch schon verständig genug, die Schrecknisse des Todes zu begreifen. Aber auch ein langes Leben voller Pein ist kein beneidenswertes Los, und den Tod müssen wir zuletzt ja doch erleiden. Leidet man aber an seiner Seele Not, so wäre es besser, man wäre nie geboren. Ich bin nunmehr zum Entschluß gekommen, meinen jungen Leib für das ewige Leben dahinzugeben. Dies sollt ihr mir nicht verleiden, wenn ich euch auch noch so weh damit tue. Dafür rette ich ja euch vor Not und Schande; denn solange unser Herr lebt, ergeht es euch immer wohl. Darum muß es sein.«
Als die Mutter ihre Tochter so fest entschlossen sah, brach sie weinend in die Worte aus: »Gedenke doch, mein Kind, der Schmerzen, die ich um deinetwillen erlitten habe. So willst du mir es lohnen und das Herz zerbrechen? Kennst du nicht Gottes Gebot: Ehre Vater und Mutter, auf daß es dir wohlgehe und du lange lebest auf Erden? Du sagst, du wollest dein Leben op-

fern, um uns Freude zu bereiten, aber was soll uns dein Tod, die wir ja doch nur um deinetwillen leben. Du sollst ja unsere einzige Wonne im Leben, unsere Stütze im Alter sein. Bereitest du uns so unsäglichen Kummer, so bringst du dich um die ewige Glückseligkeit.«

Das Mädchen aber erwiderte: »Wohl weiß ich, daß ich euch, meine lieben Eltern, alles verdanke, was ich bin und habe, Schönheit, die jedermann bewundert, mein Leben und Sein. Gern möchte ich daher folgsam sein, soweit es mir meine Pflicht gebeut. Aber, wenn ich Seele und Leib euch verdanke, so erlaubt mir auch, sie aus des Teufels Macht zu retten und sie Gott zu weihen. Noch ist meine Seele rein von Sünde, doch wer bürgt mir, sie stets vor der Verführung zu bewahren? Mich reizt das Leben und die Welt nicht so, daß ich nicht freudig sterben möchte. Ist ja doch ihre Wonne meistens Herzeleid, ihr süßer Lohn nur bittere Not, ihr langes Leben jäher Tod. Weder Reichtum noch vornehme Geburt, weder Stärke noch hoher Mut, weder Ehre noch Tugend schützen gegen den Tod. Jugend und Leben sind Nebel und Staub, und wie Espenlaub zittert unsere Festigkeit. Ein Tor ist, wer nach Rauch greift, wer sich durch den gleißenden Teppich blenden läßt, der über Moder und Totengeruch gebreitet ist. Also tröstet euch, teure Eltern, über meinen Verlust; von meinem gestörten Dasein hättet ihr nichts, denn nimmer fände ich Ruhe, wenn ich meinen Herrn nicht errette, da es in meiner Macht steht. Wenn unser Herr stürbe, kämen wir wohl alle in große Not. Lebt aber unser Herr noch mehrere Jahre so weiter, und gelingt es euch, mich mit einem reichen, ehrenwerten Mann zu vermählen, dann denkt ihr wohl, alles sei gut. Anders aber sagt mir mein Herz: Liebe ich ihn, so sorge ich mich um ihn, wird er mir leid, so ist es gar mein Tod. Gesetzt, es begehrte meiner ein freier Bauer, dem alles in Haus und Hof glückt, wo man nicht Hunger und Not kennenlernt, kein Streit die eheliche Einigkeit stört, so schiene euch dies freilich beneidenswert. Aber was hätte ich von einem

Hause, das Feuer zerstört und Hagel versehrt oder die Wogen überfluten? Und wäre dies nicht, glaubt ihr, ich vergäße, daß ich meinen Herrn in seiner Not verließ? Wenn ihr mich also liebt, so laßt mich zurückkehren in die selige Heimat zu meinem Herrn Jesus Christus, des Gnade unvergänglich ist. Euch bleiben ja noch andere Kinder, deren ihr euch erfreuen könnt. Ihr sagt, ihr wolltet nicht an meinem Grab stehen. Nun denn, nicht hier, zu Salerno will ich ja sterben.«

Da deuchte es die Eltern, als ob Gottes Geist aus ihrem Kind spreche, und sie wagten nicht, sie in ihrem Entschluß zu hindern. Doch es überlief sie ein eiskalter Schauer, wenn sie ihres Todes gedachten; endlich ergaben sie sich in das Unvermeidliche, indem sie sich mit dem Gedanken trösteten, ihr Kind könne gar keinen schöneren Tod sterben.

Darüber freute sich die reine Magd und lief in aller Frühe zu ihres Herrn Kammer und teilte ihm ihren Entschluß mit. Gerührt dankte er ihr für den guten Willen, glaubte aber doch, es würde sie zuletzt gereuen. Wie erstaunte er aber, als ihm auch die Eltern die Absicht der Tochter offenbarten! Noch mehr aber verwunderte es ihn, daß die Eltern so gefaßt ihre Einwilligung dazu gaben. Als es aber an die Stunde der Trennung ging, da erhob sich von den dreien großes Wehklagen um den Verlust des lieben Mädchens. Der arme Heinrich begann zu zweifeln, ob es besser sei, das Opfer anzunehmen oder es auszuschlagen. Dies machte auch das Mädchen verzagt, und so waren sie alle in großer Trauer.

Endlich faßte sich der kranke Herr, sagte allen gerührt seinen Dank, und die beiden rüsteten sich zur Abreise nach Salerno. Ein schönes Roß harrte ihrer; für die Maid aber hatte der arme Heinrich prächtige Gewänder von Hermelin und Samt angeschafft. Die Eltern klagten und weinten laut, als sie ihre Tochter zur Todesfahrt entließen; nur in ihrer Engelsgüte und himmlischen Ergebenheit fanden sie Trost.

So zog die reine Magd frohgemut mit ihrem Herrn gen Salerno, wohin ihr der Weg gar weit erschien. Kaum waren sie dort angelangt, so suchte der arme Heinrich jenen Arzt auf, der ihm das Mittel zu seiner Heilung angeraten.

»Hier bringe ich die Jungfrau«, so sprach er zu ihm, »die für mich zu sterben bereit ist.«

Der weise Mann sah das Mägdlein an und sagte: »Mein Kind, du weißt wohl nicht, was du tun willst, oder zwang dich dein Herr?«

»Nein«, versetzte das Mädchen ruhig, »aus eigenem Antrieb tu' ich es und gern.«

Der Arzt traute nicht recht, besprach sich mit dem Mädchen noch einmal insgeheim und stellte sie auf die Probe. »Mein Kind« – so redete er ihr ein – »wenn du es nicht freiwillig und gern tust, nützt uns dein Blut nichts. Bedenke es wohl, ich werde dich nackt ausziehen, so daß dich Scham ergreift, dir Arme und Füße festbinden und dir lebend das Herz aus dem Leibe schneiden. Graust es dir nicht beim bloßen Gedanken, oder traust du dir den Mut zu, ohne Reue die Qual zu ertragen?«

Also sprach er, doch sie beharrte standhaft auf ihrem Willen. Ja, sie dankte ihm sogar mit lächelndem Munde, daß er sie so auf den Tod vorbereitet; sie zage nicht vor den Schmerzen, nur bange ihr vor seinem eigenen Mut. Sie schalt ihn ein Weib, einen Feigling, dem es an Zuversicht zu seiner eigenen Kunst gebreche. »Glaubt Ihr«, fuhr sie fort, »ich sei hierhergekommen, ohne mir die Kraft zuzutrauen, den Schmerz auszuhalten? Ich fühle mich so freudig gestimmt, als sollte es zum Tanz gehen. Erkaufe ich mir doch für die Pein eines einzigen Tages die ewige Seligkeit. Also, wenn Ihr wahr geredet, wenn Ihr meinem Herrn um diesen Preis, den Ihr nanntet, die Gesundheit wiedergeben werdet, so betätigt es an mir! Ich weiß gar wohl, warum ich es tue und für welchen Lohn. Es geschieht im Namen dessen, der Hingebung und Opfertod zum Heil eines anderen mit der Krone des ewigen Lebens vergilt.«

Als sie so der Meister unerschütterlich in ihrem Entschluß sah, führte er sie zu ihrem Herrn mit den Worten zurück: »Seid getrost, Ihr werdet sicherlich genesen.«

Hierauf nahm er sie mit sich in sein Gemach, in das der arme Heinrich nicht schauen konnte, und verschloß die Tür. In dieser mit Arzneien aller Art gefüllten Kammer sollte das schauerliche Opfer vollbracht werden. Ohne Scheu entkleidete sie sich hastig vor ihm, als könne eine Verzögerung die Ausführung des Opfers hindern. Voll Bewunderung blickte der Meister auf die liebreizende Gestalt der Jungfrau, und es jammerte ihn, sie zu töten. Doch faßte er sich und ließ sie einen Tisch besteigen, worauf er sie an Händen und Füßen festband. Dann ergriff er ein langes, breites Messer, schickte sich an, es auf einem Wetzstein zu schleifen. Dies Geräusch drang dem armen Heinrich zu Ohren, der in peinlicher Erwartung vor der Tür stand. Ängstlich und voll Gewissensbisse lugte er durch einen Spalt, bis er die liebliche Maid gebunden auf dem Tisch erblickte. Da jammerte ihn des jungen, unschuldigen Lebens, und es rührte ihn ihre Opferwilligkeit. »Was nützt es mir, um diesen Preis mein Leben zu verlängern«, so sprach er zu sich, »da ich doch einmal sterben muß? Wer weiß, ob mich dieser Opfertod wirklich heilt, und wenn es wäre, muß ich nicht das Geschick, das Gott über mich verhängt, geduldig und ohne Murren ertragen? Nein! Ich will, ich kann den Tod des Kindes nicht verschulden.«

Er klopfte an die Tür und begehrte Einlaß. Anfangs wollte ihm der Meister nicht öffnen, aber er ließ nicht nach mit Bitten. Als er eingetreten war, befahl er sofort dem Meister, die Jungfrau loszubinden, er wolle nicht das Opfer eines so reinen, unschuldigen Blutes, und bat schließlich den Arzt, all das ausbedungene Silber umsonst anzunehmen.

Das Mägdlein aber jammerte, zerraufte ihre Haare und klagte, daß man sie so um den Lohn ihrer Tat brächte. Als ihr Bitten und Flehen nicht erhört ward, schalt sie auf ihres Herrn Verzagtheit; der aber hörte es mit Geduld an, ohne sich erweichen zu lassen. Sodann hieß er die Magd sich ankleiden, zahlte dem Meister seinen Lohn und rüstete seine Heimfahrt, unbekümmert um den Spott, der ihn zu Hause erwarte.

Doch der allbarmherzige Gott, der in die Tiefe des Herzens schaut und nur dieses Paar hatte prüfen wollen, wie weiland den geduldigen Hiob, heilte beide von ihrem Leid, indem er von dieser Stunde an den armen Heinrich gesund machte.

Schon unterwegs ward er mit Staunen gewahr, wie schön, kräftig und gesund er wurde. Eiligst ließ er diese Botschaft in seine Heimat vorausverkünden, damit sich alle seine Freunde seiner Genesung mit ihm erfreuten. Freudig eilten ihm diese entgegen und priesen Gottes Wunder. Am meisten aber freuten sich der Meier und sein Weib, als sie ihr geliebtes Kind an der Seite ihres genesenen Herrn froh heimkehren sahen. Mit Tränen in den Augen bedeckten sie den Mund des wiedergefundenen Kindes wieder und immer wieder mit Küssen.

Von den biederen Schwaben aber wurden sie reichlich mit Gaben und Ehren überhäuft, wie denn dieses Volk durch seine treuherzige Gesinnung männiglich bekannt ist.

Aber auch den braven Bauersleuten gegenüber zeigte sich der genesene Ritter über die Maßen dankbar, indem er ihnen die ganze Meierei, die sie in Pacht gehabt, zu eigen schenkte. Nicht minder floß sein Herz in Liebe und Güte über gegen die Maid, die für ihn sich hatte opfern wollen.

Als nun seine Freunde und Ratgeber in ihn drangen, sich zu vermählen, berief er eine große Versammlung, zu der er alle seine Verwandten und Bekannten beschied. Da entspann sich denn ein langes Hinundherraten, bis endlich Ritter Heinrich mit den Worten unter sie trat:

»Meine lieben Leute! Es ist euch bekannt, wie ich noch vor kurzem am Aussatz litt, so daß mich jedermann mied. Was würdet ihr dem geben, der euch davon geheilt?«

»Herz und Gut!« riefen alle, wie aus einem Mund.

Nun stand gerade sein liebes Gemahl, wie er das Mägdlein schon zuvor genannt, neben ihm, und indem er sie zärtlich umarmte, rief er aus:

»Dieser hier verdanke ich meine Gesundheit, und sie oder keine soll meine Gattin werden.«

Da billigten alle seine Wahl, und so wurden sie zu langem glücklichem Leben vereint. Danach aber erwartete sie der ewige Lohn im Himmel, den uns allen Gott verleihen möge! Amen!

Der Graf im Pfluge

In Metz, der altberühmten Hauptstadt von Lothringen, lebte vormals, wie die Sage erzählt, der edle Graf *Alexander*. Er hatte Geld und Gut von seinen Vätern ererbt, war weise im Rat und tapfer zur Tat, wie alle seine Vorfahren, beliebt und gepriesen um seines freundlichen, liebreichen Wesens willen bei alt und jung, hoch und nieder. Als nun Herr Alexander ein junges schönes Weib, die Tochter eines benachbarten Edelmannes, in seine Burg als Hausfrau einführte, meinten er sowohl als alle, die ihn kannten, seine Wünsche seien sämtlich erfüllt und sein Glück unerreichbar.

Das edle Ehepaar war und blieb einander in inniger Liebe zugetan; manches Jahr verfloß ihnen in ungestörtem Frieden. Indessen kam allmählich eine Zeit heran, in der Frau Anna mit Sorgen bemerkte, daß ihres Eheherrn Angesicht nicht mehr heiter und unbesorgt in die Welt schaute wie sonst. Er zog nicht hinaus in Wald und Feld, des edlen Waidwerks zu pflegen, er saß zu Hause oft stundenlang in Grübeln und Sinnen verloren, und wenn Frau Anna ihn fragte, was ihm fehle, stand er nicht Rede. Sie grämte sich darob und suchte alles mögliche heraus, seine üble Laune zu zerstreuen, aber umsonst.

Einstmals, als er wieder am Erkerfenster seinen trüben Gedanken nachhing, trat sie zu ihm, legte schmeichelnd die Arme um seinen Hals und bat ihn, ihr zu sagen, was ihm den heiteren Sinn geraubt habe.

»Bist du in Unmut um meinetwillen«, setzte sie hinzu, »so laß mich wissen, was ich dir angetan habe, damit ich sehe, wie ich dem Übel abhelfe.«

»Du trägst keine Schuld, mein trautes Gemahl«, erwiderte Herr Alexander, »schon längst möchte ich dir mitteilen, was mich ängstigt, aber ich scheute mich, dich zu betrüben. Und doch, du bist ja mein tapferes, treues Weib, du wirst mich ziehen lassen, wenn ich dir sage, mich treibt mein Gewissen, am Grab unseres Erlösers im Gelobten Lande zu beten, und ich finde nicht Ruhe, bis ich gleich vielen meines Geschlechtes und Standes dahin wallfahrte, wohin mich die innere Stimme ruft. Du wirst nicht weinen und klagen, wenn ich dich allein lasse für kurze Frist.«

»Allein, mein Gemahl?« wiederholte sie trübe. »Allein bin ich nimmer, wenn du gehst. Zwei Gefährten werden mich überall begleiten: die Sorge und die Angst um dich und was für Gefahren deiner warten in dem fremden, den Christen feindlich gesinnten Lande. Oh, bleib hier«, bat sie flehend, »sieh, wie schön die Heimat, wenn wie jetzt die Sommerlüfte wehen, wenn alles grünt und blüht. Dem Herrn unserm Gott dienen in Ehrfurcht und Treue kannst du auch hier. Oder, wenn es sein muß, wenn du fahren mußt weithin übers Meer, dann nimm mich mit; ich will mit dir alle Not und Entbehrungen ertragen, nur laß mich nicht zurück in Leid und Gram.«

»Du sollst dich nicht grämen«, sagte er, »vertraue auf Gott, er wird dich beschützen, ungekränkt kehre ich zu dir zurück. Dann begrüße ich freudig die alte Heimat, mein Herz ist leicht und froh wie voreinst, du eilst mir entgegen mit all deiner Liebe, laß mich gehen, Geliebte, ich kann nicht anders.«

Frau Anna schwieg, sie sah wohl, ihre Bitten waren umsonst; allein in der Nacht lag sie weinend und wachend auf ihrem Lager in bangem Zagen um das, was geschehen könne. Einsam sollte sie bleiben zum erstenmal, und er – wann würde er wiederkehren?

Unter Tränen schlief sie endlich ein, aber selbst im Traume verfolgten sie die Gedanken.

Es war ihr, als säße sie noch immer im Mondschein trostlos weinend in ihrer Kammer und klage über ihr bitteres Leid. Und mitten in ihrem tiefen Kummer schien es ihr, als höre sie ein melodisches Klingen und eine Stimme, die also sprach:

»Warum zagst du, Menschenkind? Vergänglich ist dein Weh, vergänglich wie dein Leben; ewiger Friede ist nur bei Gott, zu ihm blicke auf! Vertraue und hoffe.«

Sie erhob den Kopf, ihre Tränen versiegten – von Strahlen umgeben wie von einer Glorie stand eine hohe Gestalt vor ihr.

»Bist du ein Engel, von Gott gesandt?« fragte sie im Traume.

»Die Menschen auf Erden nennen mich also«, redete die Erscheinung. »Wer ich auch sei, ich diene dem Herrn. Tue du auch also, irdisches Weib, folge seinen Geboten, bewahre Liebe und Treue in deinem Herzen, dann kehrt einst dein Gatte zu dir zurück.«

»Liebe und Treue sind der Gattin Schmuck«, versetzte sie, »die wanken nicht, sind stark und fest. Gebiete, ich gehorche dem Gebot.«

»Wohlan, so wirke und webe ein Kleid für deinen Gemahl; das soll er tragen auf seiner Fahrt. Von schlichtem Linnen muß es sein und weiß wie der reine frische Schnee. Bleibt stark und treu die Liebe dein, so bleibt das Gewand wie Schnee so rein.«

Das Traumbild verschwand, Frau Anna erwachte. Es war heller Tag, ihr Gemahl stand vor ihr und sah sie verwundert an.

»Du schliefst so fest«, sagte er, »daß mir bangte. Was hast du? Was ist dir Besonderes geschehen?«

Sie erzählte ihm, was sie geträumt, und er war gern bereit, nach des Engels Gebot ein solches Kleid unter der Rüstung zu tragen. Unter allerlei Zurüstungen verging schnell die Zeit, der zur Abreise bestimmte Tag kam heran. Im Hofe warteten Knappen, die dem Herrn eine Strecke das Geleit geben wollten, er selbst nahm Abschied von der weinenden Gattin.

»Bald kehre ich wieder«, sagte er, sie noch einmal fest umschlingend, »lebe wohl, Geliebte, und denke mein.«

»Meine Gebete und Wünsche, meine Liebe und Treue sind einverwoben in das Gewand, das ich dir gab«, sprach sie. »Es wird dich behüten in Stunden der Gefahr. Vergiß auch du der Harrenden nicht, der trauernden Gattin in der Heimat. Sieh an das

Kleid, ohne Fehl muß es sein, wie meine Treue licht und rein.«

Sie stand auf dem Altan und schaute ihm nach, wie er mit raschen Schritten die Straße hinzog; noch einmal wandte er sich grüßend zu ihr, sie winkte mit dem Tuche und folgte ihm mit den Blicken, solange sie konnte, dann ging sie still in ihr Kämmerlein, schloß die Tür zu und blieb allein.

Die Knappen, die den Herrn geleitet hatten, kehrten wieder heim, mit seinen letzten Grüßen, und die Tage vergingen einförmig langsam. Frau Anna klagte und weinte nicht; sie barg den Gram in ihrem Herzen und waltete sorgsam wie sonst im Hause. Einförmig still vergingen die Tage, zogen Wochen und Monate hin; die Blätter welkten und fielen zur Erde, über die kahlen Felder wehten kalte Winde; der Winter kam und hüllte in weiße Decken, was einst gegrünt und geblüht auf den Fluren. Doch in der Erde heimlich verborgen ruhten die Keime zu neuer Blüte und harrten geduldig der Auferstehung.

Am Erkerfenster, wo er gesessen, stand oft Frau Anna und schaute hinaus. Geschäftige Menschen wanderten hin und wieder in den beschneiten Straßen der Stadt, doch keiner lenkte den Fuß zu ihr, teilnahmslos eilten alle vorüber. »Wo war er, wo weilte der traute Gemahl?« Der Frühling kehrte wieder mit Sang und Klang, mit Maienblüten und Waldesgrün. Die Nachtigall klagte von der Liebe Leid...

> »Frau Nachtigall, zogst doch umher so weit,
> Und sahst du ihn nicht in der Ferne?«

Umsonst, das Singen und Klingen geht fort; doch vom Gatten weiß keins ihr zu sagen.

Der Sommer erschien mit Blumen und Früchten, der Sommer kam, der Sommer ging, einsam und traurig verstrichen Wochen und Monate, verging ein Jahr um das andere.

»Wo bist du, wo weilst du, mein trauter Gemahl?« Frau Anna

saß einsam in ihrem Gemache in gramvollem Sinnen, die Hände müßig im Schoß gefaltet. Die Hoffnung, die sie still im Herzen gehegt, senkte matt und traurig die Flügel hernieder, sie flüsterte nicht mehr von Mut und Geduld und einstigem fröhlichen Wiedersehen. »Wo bist du, wo weilst du, mein trauter Gemahl?« Es kam keine Antwort auf all ihre Fragen.

Ein Diener pochte sacht an ihre Tür und bat um Einlaß. Auf ihren Ruf trat er ein und berichtete zögernd, ein fremder Ritter in seltsamer Tracht begehre sie, die Herrin, zu sprechen.

»Was verlangt er von mir?« meinte sie verwundert. »Ich bin eine einsame, verlassene Frau.«

»Er bringt eine Botschaft aus fernen Landen«, meldete er ihr.

»Aus fernen Landen?« Frau Anna sprang auf. »Ich will ihn hören, schnell, führe ihn zum Saale.«

Zögernd, mit einem erstaunten Blick auf seine Gebieterin, folgte der Alte dem Befehl. Bald stand der Unbekannte im hohen Prunkgemache vor der Herrin des Schlosses, und sie fragte hastig: »Ihr bringt mir Botschaft? Von wem? Wer seid Ihr?«

Der Fremde, ein stattlicher Mann mit dunklem Haar und blitzenden Augen, betrachtete lange wie verwundert die Frau in dem schlichten schmucklosen Gewand. Sie beachtete nicht die Blicke, die auf ihr ruhten; ihre Wangen glühten in freudiger Erwartung: Brachte er ihr Kunde von dem fernen Gatten? »Was wollt Ihr hier?« forschte sie weiter. »Wer sendet Euch?«

»Mich sendet niemand, edle Herrin«, sprach sich tief verneigend jetzt der Fremde, »ich kam hierher, um Euch zu sehen. In meiner Heimat im Morgenlande ward mir Kunde von Euch durch einen Mann, er nannte sich Alexander aus Metz...«

»Mein Gemahl! Mein Gemahl!« fiel sie jubelnd ein. »Er lebt! Er sprach zu Euch! Gott sei gelobt.«

»Wohl lebt der Mann, von dem ich rede«, fuhr der Fremde fort, »doch wäre er besser vielleicht gefallen im Sturme der Schlacht, als so zu leben. Er ist gefangen, ist Sklave des Sultans, unseres Herrschers und...«

»Er lebt!« rief sie. »Was bedarf ich mehr? Gott, der Allgütige, ist meine Hoffnung, ich traue auf ihn, was er tut, ist gut.«

»Täuscht Euch nicht mit vergeblicher Hoffnung«, sprach der Unbekannte. »Ist der Alexander, den ich kenne, Euer Gemahl, so ist er Euch auf immer verloren. Nur der Tod wird seine Bande lösen, denn er ist ein Feind unseres heiligen Glaubens. Beharrt er bei seinem falschen Propheten, schwört er nicht zu Mohammed, so ist er tot, gestorben für alle, die ihn gekannt, gestorben auch für Euch, beachtet wohl meine Worte. Ihr seid frei, edle Frau, dem toten Mann braucht Ihr nicht länger Treue zu halten.«

»Mein Gatte lebt«, wiederholte sie. »Doch wäre er tot und sähe ich ihn hienieden nicht wieder, meine Liebe und Treue sind sein eigen, ich will sie bewahren, bis ich ihn einst finde dort in jener Heimat, wo nicht Trennung, nicht Leid noch Geschrei mehr ist.«

Sie hatte das bleiche Antlitz erhoben, ihre Augen strahlten in leuchtendem Glanze, als sehe sie die Heimat vor sich, von der sie sprach. Ihre Lippen zuckten, sie faltete die Hände wie im Gebet.

»Bei Allah!« rief der Muselmann. »Der Giaur sprach wahr! Schön ist die Frau mit den schimmernden Locken, mit den Augen blau wie der Himmel! Und der Tor ging von ihr, ließ sie weinen? Er verdient sein Geschick. Höre mich, Holde, du darfst nicht einsam in diesem Schloß dein Leben vertrauern um des Mannes willen, der dich verließ. Er liebte dich nicht, ich aber ... sieh mich an ... ich, Abdallah, der Günstling des Sultans, bin reich an Schätzen, Gold und Juwelen. Sklaven sind mir dienstbar in meinen Palästen, und das alles ist dein, Schmuck, Kleinod, Glanz, Wonne und Herrlichkeit, wenn du willst: Ich trockne deine Tränen, komm, vergiß, was war, werde mein Weib, zieh mit mir in mein Heimatland. Du weichst zurück? Erschreckt dich mein Ungestüm? Die Sonne bei uns brennt heißer als hier, und glühender rollt uns das Blut in den Adern. Ich kann nicht bergen, was ich empfinde. Ich sehe dich vor mir, holdselig, voll Liebreizes, wie ich es nie geahnt und geträumt, und der Mann, der dich einst sein Weib genannt, ließ dich allein um eitlen Tandes willen? Er ist nicht deiner Klage wert, er ist...«

»Still, Herr«, unterbrach sie ihn ruhig und sah ihn an; er schwieg betroffen. »Euch ziemt es nicht, sein Tun zu richten«, fuhr sie fort, »was wißt Ihr von uns und unserer Pflicht?«

»Ich weiß nur von Liebe! Von heißer Liebe!« rief wieder der Fremde. »Du hast mich bezwungen, holdselige Frau. Ich will tun, was du willst, nur werde mein Weib. Gelobst du mir dies, dann, ich schwöre es dir bei Allah und seinem heiligen Propheten, dann sollst du den anderen, den du meinst, noch einmal sehen, und gewiß, ich finde Mittel, ihn zu befreien aus seiner Knechtschaft. In deiner Hand liegt seine Freiheit, sein Leben, denn lange erträgt er dies Dasein nicht mehr. Bedenke meine Worte: Ich kehre in meine Herberge zurück und komme morgen, mir Antwort zu holen. Allah sei mit dir und mit dem, was du tust. Lebe wohl.«

Er eilte fort, ehe sie erwidern konnte. Was? Sie wußte es nicht, sie sann und sann. Den Geliebten erretten um solchen Preis? Die Treue ihm brechen um seinetwillen? Sie konnte es nicht, und doch, und doch – wo war ein Ausweg aus dem Wirrsale von Sorge, Angst und Schmerz?

»Herr Gott, hilf du!« So betete sie in dunkler Nacht allein in ihrer Kammer, und als der lichte Morgen tagte, da fand sie Hilfe, Trost und Rat. »Du hast mir deinen Boten gesandt, Vater da oben«, sprach sie sich erhebend, »ich weiß, was geschehen muß, du segnest mein Tun.«

Als der Fremde kam, trat sie ihm entgegen, voll stiller Hoheit, ernst und mild.

Er drang noch einmal mit schmeichelnden Worten in sie, sprach von dem Leben voll Glück und Wonne, das ihrer harre, wenn sie ihm folge, doch sie lächelte nur und sagte ruhig: »Ihr kennt nicht deutscher Frauen Art. Die Treue ist unser Schmuck, unsere höchste Zier, die werfe ich nicht von mir wie ein altes Kleid, die muß ich bewahren bis zum Tode.«

»Bei allen Wonnen des Paradieses!« rief der Muselmann. »Der Giaur log nicht. Das weiße Gewand, das kein Staub besudelt, kein Flecken entstellt bei aller Arbeit, Mühsal und Pein, seines Weibes Treue hat es gefeit und...«

»Das weiße Gewand!« unterbrach sie ihn. »Er trägt es noch! – Mein Traumbild sprach wahr! O dann, dann!« Sie vollendete nicht, sie wandte sich ab und winkte dem Fremden zu gehen.

Zögernd blieb er an der Tür stehen und sah nach ihr zurück, die wie verklärt mit seligem Lächeln seiner nicht achtend vor sich nieder blickte. »Lebt wohl!« rief er endlich. »Vergebt dem Fremdling, wenn er in ungewohnter Weise zu Euch sprach. Allah sei mit Euch und möge es fügen, daß der, den Ihr liebt, Euch wiederkehrt. Lebt wohl.«

Er eilte fort nach seiner Herberge und befahl den Knechten, die Abfahrt zu rüsten. Ungeduldig wartend saß er in dem Gemache oder ging auf und nieder in halblautem Selbstgespräch: »Unser Herrscher, der Sultan, wird mich verhöhnen, weil der Anschlag mißlang. Der stolze Sklave wird sein Haupt nicht beugen, und ich, ich wollte, ich wüßte ein Mittel, ihn zu befreien, damit das holde liebreizende Weib, dies hehre Wunder, wie ich keines noch sah, nicht einsam und in der Stille klagt.«

Während er diese Worte murmelte, hatte sich die Tür geöffnet. Ein Pilger trat herein, im langen, grauen Gewand, den Muschelhut tief in die Stirn gedrückt.

»He, Pilgersmann, woher des Weges?« fragte der Ritter. »Ei, ei, dein Gesicht ist jung und fein wie das eines Knaben, und doch wagst du dich allein in die Welt?«

Mit leiser Stimme berichtete der Eingetretene, er sei müde und matt von beschwerlicher Wanderung, doch dürfe er nicht lange säumen, denn sein Weg sei gar weit. Nur einen Labetrunk wolle er nehmen.

»Tu mir Bescheid«, meinte freundlich der Muselmann, »sind wir auch nicht eines Glaubens, Allah erschuf uns alle beide.« Schweigend folgte der Pilger dem Geheiß. Als er sich gestärkt, ergriff er ein Harfenspiel, das neben ihm auf der Holzbank lag. Mit kundiger Hand griff er in die Saiten und sang erst zaghaft, dann frisch und fröhlich wie Lerchengesang ein Dankeslied für den milden Geber. Der Ritter hörte verwundert zu und sagte, als jener geendet hatte: »Deiner Stimme Klang ist süß und lieblich; sag, Freund, wohin führt dich dein Weg? Gern nähme ich dich mit auf meine Fahrt.«

Ein Lächeln überflog des Pilgers Züge, er griff nochmals in die Saiten und sang, wie er wandern wolle zum Heiligen Grab, zu beten für seiner Liebsten Heil, doch sein Beutel sei leer, sein Herz drum schwer, »denn«, schloß er, »wer fährt mich über Meer?«

»Ist das deine Sorge?« lachte der andere. »Hei, junger Geselle, dann sei getrost. Zieh nur mit mir, unser Weg ist derselbe. Da wird dein Spiel und dein süßer Gesang mir noch manche Stunden verkürzen. Bist du's zufrieden? Topp, schlag ein.«

Er hielt seine Hand hin, mit leisem Zaudern legte der Pilger die seine hinein. Der Muselmann hielt sie fest.

»Weich ist deine Hand und klein wie die einer Frau«, meinte er lächelnd. »Nun, kleiner Spielmann, das paßt wohl zu dir, allein nicht, wenn irgendwo Gefahren drohen. Doch an meiner Seite bist du gesichert. Und nun, frischauf, die Knechte rufen, es ist alles bereit, frischauf zur Fahrt.«

Der Mohammedaner und sein Begleiter verließen auf flüchtigen Rossen die Stadt. Sie erreichten glücklich das Ufer des Meeres und schifften sich ein nach dem Gelobten Land. In Metz aber und besonders im Schloß des Grafen Alexander war in den nächsten Tagen viel Fragen, Staunen und große Verwirrung. Frau Anna war urplötzlich verschwunden, und wie man auch nach ihr suchte und forschte, es fand sich keine Spur von ihr.

Freunde und Verwandte, besonders die Mutter des Grafen, kamen herbei, man fragte die Dienerschaft, doch die wußte nicht das geringste zu sagen, als daß ein Unbekannter aus fernen Landen mit der Herrin geredet habe und sie tags darauf nicht mehr zu finden war.

»So ist die Elende mit ihm entwichen«, sagte die Mutter, und alle stimmten ihr bei, zeterten und schrien über das treulose Weib.

Die Sonne des Gelobten Landes brannte heiß, kein Wölkchen trübte den klaren Himmel, mühsam, im Schweiße ihres Angesichts, zogen die unglücklichen Christensklaven über ausgedorrte Felder den Pflug, ächzend und stöhnend unter der Peitsche des Treibers. Ohne Aufenthalt fast vom frühen Morgen bis spät in die Nacht ging die harte Arbeit, Ruhe und Erholung gab es für sie nur im Tod.

An den Feldern vorüber trabten zwei Reiter, der eine in reichem, kostbarem Gewande, der andere im grauen Pilgerkleid.

»Siehst du, Geselle«, sprach der Ritter, »das sind Gefangene unseres Sultans, Frankensklaven. In ihrer Heimat waren sie einst hohe Herren, jetzt sind sie ärmer als die ärmsten Knechte. Dort ist auch der Giaur in dem weißen Gewande, es leuchtet noch licht und rein wie sonst. Sein Weib hält ihre Treue bis in den Tod.«

»Bis in den Tod!« flüsterte der Pilger und blickte hinüber nach dem Gefangenen. Unwillkürlich zog er den Zügel an, daß sein Pferd stehenblieb, das Saitenspiel klang in seiner Hand, er spielte leise eine Melodie.

Ächzend zogen die Sklaven vorüber, nur der in dem weißen Kleid hielt ein, als habe ihn ein Zauber berührt. Da traf ihn erbarmungslos die Peitsche des Treibers: »Willst du arbeiten, Frankenhund!« Er ballte die Fäuste in ohnmächtigem Grimm und stöhnte auf vor Schmerz und Zorn.

Seitwärts auf ihren Rossen hielten die beiden Reiter; das Saitenspiel war dem Pilger entglitten, ein vorübergehender Sklave hatte es aufgehoben und hielt es dem Besitzer hin, der merkte es nicht. Erst als sein Begleiter seinen Arm berührte, fuhr er wie aus einem Traum empor: »Verzeiht«, sagte er mit bebender Stimme, »solch Schauspiel ist mir ungewohnt. Es wäre besser, Ihr hättet mich nicht hergeführt; Euer Herrscher wird mich . . .«

»Laß dich's nicht reuen, mein Freund«, versetzte beruhigend der Muselmann, »daß du meinem Wunsche folgtest. Der Sultan wird dir nichts anhaben, auch wenn du in deinen Irrtümern beharrst. Du hast mich mit deinen Liedern erfreut, du wirst den König weidlich ergötzen, daß er nicht fragt, wer und was du bist. Doch fort von diesem Ort, der dir das Herz betrübt.«

In seinem Palast, auf weichem, seidenem Ruhebett, lehnte der Herrscher und Gebieter des Landes. Liebliche Sklavinnen fächelten ihm Kühlung zu, brachten ihm labenden Trank; er rauchte seine Pfeife und scherzte mit ihnen, dann gähnte er und brummte verdrießlich über die Langeweile des Lebens. »Ein Tag wie der andere, ein Jahr wie alle.« Mürrisch erhob er sich endlich vom Lager, winkte den Dienerinnen zurückzubleiben und schritt hinaus in seine Gärten. Die Blumen dufteten, hochragende Palmen strebten stolz empor, Springbrunnen schleuderten ihre Wasser zum Himmel auf, sie blitzten in der Sonne in allen Farben, der Sultan sah das alles seit vielen Jahren und gähnte dazu. Doch plötzlich hob er das Haupt empor: »Bei Allah!« rief er. »Er ist zurück! Her zu mir, Abdallah! Wie ist's mit deiner Sendung? Dein Plan ist mißlungen, wie mir scheint, denn des Sklaven Gewand ist weiß wie zuvor.«

Von dem Pilger gefolgt kam Abdallah, der Mohammedaner, zu seinem Gebieter. Er neigte sich nach morgenländischer Sitte, bevor er sprach:

»Ich zog, wie Ihr gebotet, hoher Herrscher, weit über Meer und Land, gen Norden. Des Christen Weib habe ich gesehen, mit ihr geredet und tat, wie Ihr es wünschtet. Wie mir's gelang, das könnt Ihr ahnen, Ihr seht es an des Sklaven Kleid, es ist noch weiß, sagt Ihr, wie Schnee.«

»Ha«, lachte höhnisch der Sultan, »ist das deine Kunst? Soll der elende Sklave an dem Pflug noch ferner meiner lachen und sein Haupt erheben, als sei er noch auf seiner Väter Schloß?«

»Er verlachte Euch nicht, er gab Euch Antwort, Herr, als Ihr nach seinem weißen Gewande fragtet. Er erzählte Euch von seines Weibes Tugend und...«

»Spare deine Worte«, unterbrach ihn der Sultan, »ist's nicht ein Hohn, daß der Christenhund sich besseren Weibes rühmt als ich? Wie ist die Frau, erzähle kurz.«

»Sie schmückt sich nicht mit Steinen und Perlen«, versetzte der Ritter, »im schlichten Kleid, von schimmernden Locken umwallt, wie von lichtem Gold stand sie vor mir, ernst und mild! Oh, Herr, sie ist nicht wie unsere Frauen, das Christenweib birgt im Herzen Schätze, die kann man nicht kaufen für Gold und Gut; sie läßt sich nicht locken durch schmeichelnde Reden. Sie sagte nur: Ihr kennt nicht unsere Art: Liebe und Treue sind all mein Schmuck, die...«

»Dein Mund ist sehr beredt im Lob«, lachte spöttisch der Sultan auf. »Laß gut sein, Freund, und sage mir, wer ist der Gefährte, den du bei dir hast?«

»Ein fremder Pilger, mächtiger Gebieter«, sagte der Ritter. »Ich brachte ihn mit, weil sein Sang und Spiel mein Herz erfreute. Gestattet Ihr, daß er ein Lied beginnt?«

Der Sultan nickte; dienende Sklaven brachten eilig bequeme Decken und Sitze für den Herrn. Der Pilger griff alsbald in die Saiten, erst zaghaft, schüchtern, dann lauter und voller, daß es weithin klang und alles lauschte nah und fern. Er sang:

> »Von Liebe und Seligkeit,
> Von seliger Wonne und Herzeleid.
> Von Mannespflicht und Kampfeslust,
> Von des Weibes Treue in stiller Brust.

Von Trennungsweh und trüber Zeit,
Vom Frieden nach langer Müh' und Streit,
Vom Wiedersehen in Ewigkeit.«

Auf den Feldern draußen bei den Gärten senkten die Treiber
lässig die Peitschen, die müden Sklaven standen still; sie hörten
alle auf den süßen Ton, der bis zu ihnen herüberdrang. Der Gefangene am Pflug mit dem weißen Gewand neigte das Haupt,
eine Träne rann über sein bleiches Angesicht: »Oh, Gott im
Himmel«, murmelte er, »sendest du mir ein Zeichen von oben?
Die Stimme, die süße Melodie sind mir vertraut.«
Der Pilger hatte sein Lied geendet, ingrimmig mahnten die
Wärter die saumseligen Knechte an ihre Arbeit, weiter ging das
schwere Werk.
Der Sultan erhob sich von seinem Platz. »Sei mir willkommen,
fremder Sänger, wer du auch seist«, sagte er. »Folge mir zum
Palast, und so dir's behagt, laß dir's eine Weile bei mir gefallen,
bis du selbst zu scheiden begehrst. Deine Stimme ist schön; mit
deinen Liedern scheuchst du mir Sorgen und Grillen fort.« Er
winkte dem Pilger, ihm zu folgen, und der, von seinem Gefährten geleitet, betrat zaghaft mit scheuem Blick das stolze Kö-
nigshaus.
Mehrere Wochen waren seitdem vergangen. In seinem Gemache auf den seidenen Kissen ruhte wieder der Sultan, umgeben
von seinen Dienern und Dienerinnen. Er fragte nach dem Sänger, den er heute noch nicht gesehen hatte. Da trat er herein
mit dem Wanderstab, gerüstet zur Fahrt, und sang, als der
Herrscher ihn staunend fragte, was das bedeute, wie er nun
lange genug gesäumt, wie er wallen müsse zum Heiligen Grab
und dann zurückkehren in die ferne Heimat, nach der er krank
vor Sehnsucht sei.
»Du willst mich verlassen«, sprach traurig der Herrscher,
»gern hielt ich dich hier, doch du hast mein Versprechen, zieh
denn hin, da du es verlangst. Doch zuvor sprich, was begehrst

du zum Lohne? Du hast mich mit deinen Liedern erfreut, willst du Gold, Juwelen? Was du wünschest, ist dein.«

Der Pilger stand am Fenster, er blickte vor sich hin, als sänne er über die Worte nach, die er vernommen hatte, dann erhob er das Haupt, griff in die Saiten und schlug sie mächtig wie in Jubel und Wonne. Er sang von des Fürsten Gnade und Güte, von des armen Wanderers heißem Dank, der weder Geld noch Schätze bedürfe. Nur eine Gabe erbitte er sich, gering und klein, doch für ihn genug. »Laß«, schloß er, »einen der Christen mir frei, daß er des Sängers Gefährte sei.«

»Du hast mich überlistet«, sagte lächelnd der Sultan, »nun, wie dem auch sein mag, dein Wunsch ist erfüllt. Geh auf die Felder, suche dir den, der dir am besten gefällt, und dann zieh hin. Abdallah, der dich hierhergebracht, mag dir den Geleitbrief und das, was du zur Reise bedarfst, aushändigen. Lebe wohl.«

Die Sklaven auf den Feldern hielten am anderen Morgen verwundert in ihrer Arbeit ein. Die Treiber riefen sie alle zusammen. Von Abdallah begleitet, schritt der graue Pilger an der langen Reihe der Gefangenen vorüber.

»Höre mich, Freund«, flüsterte der Ritter, »du darfst ja wählen, nimm dir den dort in dem weißen Kleid, den Grafen Alexander. Ich habe dir einst von ihm erzählt und von der Treue seines Weibes. Um ihretwillen mache ihn frei. Und siehst du sie einst in ihrer Heimat, dann sage ihr, Abdallah, der Mohammedaner, habe getan, was er vermochte, damit der Gatte, dem sie Treue gehalten, ihr wiederkehre.«

Schweigend drückte der Pilger des Ritters Hand. »Ich will es tun«, sagte er endlich, »wo ist der Mann? Doch was wird aus den anderen?« fuhr er leise fort. »Ich kann sie nicht retten, wehe den Armen!«

»Sei nur getrost«, meinte Abdallah, »ich weiß, euer Fürst kauft noch manchen frei. Nur für den Grafen Alexander war unserem Herrscher kein Preis hoch genug. Er haßte ihn um seines weißen Gewandes willen.«

So redeten die beiden, bis sie endlich vor dem Genannten standen.

»Willst du mit mir gehen?« fragte der Pilger, zu dem Sklaven tretend. »Du sollst mich begleiten zum Grabe des Herrn. Dort wollen wir knien und den Ewigen loben, dann kehren wir in die Heimat zurück, du in die deine, ich in meine. Willst du?«

»In die Heimat!« Der Sklave blickte den Sprecher an, als ob er träume. »In die Heimat gehen!« wiederholte er. »Wer bist du, der also zu mir spricht? Ein Bote Gottes, ein Engel des Herrn?«

»Ich bin ein Menschenkind wie du«, versetzte der Pilger. »Frage nicht weiter, gib mir Antwort!«

»Du siehst es ja«, fiel Abdallah ein. »Er ist bereit. He, Treiber, hierher! Schließ ihn los auf des Sultans Befehl.«

Zu des Pilgers Füßen lag Graf Alexander: »Frei!« jubelte er. »Frei! Wer du auch seist, wohin du mich führst, ich folge dir nach und frage nicht, führe mich nach deinem Willen.«

»Nur bis übers Meer sollst du mich begleiten«, sagte leise der Pilger. »Dann geh nach deiner Burg zurück, wo dein Weib auf dich wartet.«

»Genug der Worte«, fiel der Muselmann ein, »es ist alles zu eurer Fahrt gerüstet, die Pferde stehen bereit, hier ist der Geleitbrief des Sultans und noch ein Beutel mit blanken Dublonen, deren ihr zu der Reise bedürft.«

Also redend geleitete er den Pilger und den befreiten Sklaven nach dem Orte, wo die Rosse wohlgesattelt und gezäumt hielten. Die Reisegefährten stiegen auf. Noch einmal hielt Abdallah des Pilgers Hand fest in der seinen.

»Lebe wohl«, sagte er, »ich weiß nicht, wie es kommt, ich habe dich lieb, als seist du mein Bruder. Der Abschied wird mir schwer, indes – Trennung ist der Menschen Los, es muß so sein, lebe wohl. Und noch einmal, siehst du die Frau, von der ich sprach, das Weib des Mannes dort, der dich begleitet, sage ihr, sie soll meiner törichten Worte nicht gedenken, sondern nur dessen, daß ich um ihretwillen, soviel ich konnte, für ihren Gatten getan. Ich werde ihrer nie vergessen, sie hat mich verwandelt in meinem Sinnen und Denken; ich kann den Glauben nicht mehr verachten, der solche Liebe und Treue gibt, dem solch ein Weib angehört. Er kann nicht falsch, nicht irrig sein.«

»So zieh mit uns nach dem Lande, wo dieser Glaube herrscht«, erwiderte der Pilger.

»Mit euch ziehen? Das kann ich nicht; hier ist meine Heimat, hier muß ich leben und sterben. Geht, geht, gedenkt Abdallahs als eures Freundes.«

»Lebe wohl!« rief der Pilger, sein Pferd antreibend. »Wir werden dich segnen immerdar, wir alle, besonders sie, der du mehr Gutes getan, als du ahnst.« Seine Stimme zitterte, er winkte grüßend mit der Hand.

Lange stand Abdallah und sah ihnen nach.

»Was war das?« murmelte er. »War ich blind all diese Zeit? Alberner Tor, begreifst du erst jetzt, was eines Weibes Liebe vermag? Beim Himmel, selbst als Sklave war er reicher, dieser Giaur, als der Sultan mit allen seinen Schätzen. In unserem Lande ist kein Weib gleich ihr.«

Er wandte sich und schritt gesenkten Hauptes nach dem Königspalast.

Zu Metz im gräflichen Hause war urplötzlich, wie sie verschwunden war, Frau Anna wieder heimgekehrt. Ihre Schwiegermutter empfing sie mit Schelten und Klagen; sie jammerte über ihre Landstreicherei, wie sie sagte, fragte, wo sie gewesen sei, und weinte, daß ihr Sohn nicht wiederkehre, damit er sein Haus reinige. »Oh, er ist tot, gestorben, verdorben, und du, die seinen Namen trägt, bist...«

»Nicht weiter«, fiel Frau Anna ein, »bald kehrt mein Gemahl, so Gott will, zurück; dann sagt ihm, was Euch gut dünkt, ich steh' Euch nicht Rede mehr.«

»Nicht!« rief die Mutter. »Und wenn er nun kommt und fragt, wo du warst dieses ganze lange Jahr, was ist dann deine Antwort? Was kannst du sagen.«

»Ich war, wohin Gottes Gebot mich gesandt«, versetzte Frau Anna. »Ich tat, was ich mußte, ja – seht dort! Wer naht? Er ist's, er tritt zum Tor herein. Wo er mir scheidend zum Gruße gewinkt, blickte er heimkehrend zu mir herüber! Oh, mein Gemahl, Geliebter! Ich komme.«

Sie eilte hinaus, sie sank in seine Arme, er hielt sie fest. »Mein treues Weib! Sieh, mein Gewand ist weiß, wie es war.«

Wie im Sturme verbreitete sich die Nachricht von der Heimkehr des Grafen, Freunde, Bekannte und Verwandte eilten herbei, ihn zu begrüßen, er saß wieder in ihrer Mitte, seines Weibes Hand in der seinen, und erzählte von seiner Fahrt nach dem Gelobten Lande, von seiner harten Gefangenschaft bei dem Sultan, von seiner Befreiung durch den Pilger.

»Er zog mit mir«, schloß er, »und erst in der Heimat, nur wenige Tagesreisen von Metz entfernt, da trennte er sich von mir und ging in sein Kloster, wie er sagte, zurück. Oft spielte und sang er auf unserer Fahrt, und seltsam war es, seine Lieder, seine Stimme gemahnten mich immer an dich, mein teures Weib. O wie hast du dich wohl gebangt und gesorgt um mich in Liebe und Treue.«

»Treue«, fiel seine Mutter ein, »glaubst du Tor dem weißen Gewande, das sie dir listig angelegt? So frage sie doch, wo sie gewesen ist ein ganzes Jahr, denn hier war sie nicht. Du siehst mich staunend an, ja, ja, dem Himmel da oben sei es geklagt, dies Weib, das dir rein wie ein Engel scheint, lief über ein Jahr, Gott weiß wo, umher. Du zweifelst an der Wahrheit meiner Worte? Frage doch alle deine Freunde, schau in ihr eigenes Angesicht, und dann sprich: Mutter, du lügst.«

Der Graf sah umher, rings blickten die Gäste auf die zitternde Frau, und ein dumpfes Gemurmel erhob sich unter ihnen: »Frage sie selbst.«

Frau Anna erhob sich, bald bleich, bald rot: »O zweifle nicht! Ich war dir treu auch fern von hier.«

»Wo warst du?« rief er bebend vor Groll und Schmerz. »Wehe dir, Weib, wenn du mich nur mit täuschenden Worten umgarntest. Wenn das weiße Kleid nur Trug und List gewesen... Rede!« schrie er und zückte das Schwert. Erschrocken eilten seine Freunde herzu, selbst die Mutter mahnte ihn, sich zu beruhigen. Als der allgemeine Tumult und Lärm sich legten, war Frau Anna aus dem Gemach entwichen.

Während man noch nach ihr forschte, ertönten vor der Tür melodische Klänge, die sich zur süßen Melodie gestalteten.

»Der Sänger, der mich erlöste, ist hier«, rief der Graf. »Das ist seine Weise, herein, mein Bruder. Wer weiß, vielleicht bringst du mir wieder Frieden und Trost. Sei willkommen!«

Im grauen Gewande trat der Pilger ein, den Muschelhut tief in die Stirn gedrückt, das Saitenspiel hielt er in der Hand und sagte leise: »Ich komme zu dir, wie du gewünscht, dein treues, geduldiges Gemahl zu sehen. Doch du scheinst voll Harm, mein Freund, sag an, was ist geschehen? Wo ist die, von der du sprachst?«

»Mein treues Weib«, wiederholte der Graf, »sie ist nicht hier, sie ist...« Er stockte – der Pilger hatte das Haupt erhoben und sah ihn an –, mit einem Griffe riß ihm Alexander den Mantel von den Schultern, er schleuderte den Hut weit fort in das Gemach, und von den Strahlen der scheidenden Sonne beleuchtet, schön im Glanze der schimmernden Locken, mit den blauen Augen voll Liebe und Treue stand Frau Anna vor dem erstaunten Gatten.

»Du! Du selbst!« Er sank vor ihr nieder in stummer Bitte, und sie beugte sich zu ihm: »Erkennst du mich endlich? Ja, ich war der Pilger. Sieh hier das Stück von dem weißen Kleide, du gabst es mir, als ich dich vor Metz verließ; sieh den Geleitbrief des Sultans, den ich verwahrte; mein Herr und Gemahl, nun weißt du, wo ich war, daß ich treu dir blieb auch fern von hier.«

»Mein Weib, mein Weib!« sprach er noch einmal und barg sein Haupt in ihr Gewand.

Still standen die Gäste alle umher, doch die Mutter kam bittend: »Vergib auch mir. Ich konnte um den Sohn nur jammern und weinen, du aber hast alles um ihn gewagt. Ich tat dir weh mit bitteren Worten, ich schmähte dich.« – »Es ist vergessen«, fiel ihr Frau Anna freundlich ins Wort. »Weinet nicht, Mutter, steh auf, mein Gemahl, was ich getan, war Gottes Gebot. Ich bin nur ein Weib, zaghaft und schwach, doch habe ich Glauben, Hoffnung und Liebe.« Sie lehnte sich an ihren Gemahl, der sie fest umschlang.

Der Himmel strahlte in rosiger Glut, verklärt von Liebe und Glückseligkeit ruhte Frau Anna an des Gatten Brust, die Gäste schlichen still hinweg, und wie von Geisterhänden berührt, erklangen leise die Saiten der Harfe.

Doktor Faust

1. Fausts Abfall von Gott und Pakt mit dem Teufel

Gegen Ende des 15. und zu Anfang des 16. Jahrhunderts soll in Deutschland ein berühmter Schwarzkünstler, genannt Dr. Faust, gelebt haben, von dem sich der Volksmund allerlei wunderbare Geschichten erzählt. Über seinen Geburtsort gehen die Überlieferungen auseinander. Ein Volksbuch vom Jahre 1587 gibt Roda, einen weimarischen Flecken bei Jena, an; andere nennen Soltwedel oder Sandwedel im Anhaltischen; ein Zeitgenosse, Manlius, der den Dr. Faust persönlich gekannt zu haben vorgibt, sagt, er sei aus einem württembergischen Städtchen, Kundlingen, gebürtig, das jetzt Knittlingen heißt. Seine Eltern sollen arme, aber gottesfürchtige Bauersleute gewesen sein; doch hatte er angesehene Verwandte, unter anderen einen reichen Vetter oder Onkel zu Wittenberg, der den talentvollen Knaben ausbilden und in Ingolstadt Theologie studieren ließ. Er tat sich in den Wissenschaften baß hervor, so daß er im Examen elf oder gar sechzehn Meister der Theologie besiegte und mit dem Doktorhute geziert ward.

Er fiel aber von Gott ab, warf sich mehr auf das Studium der Medizin und verlegte sich besonders mit Eifer auf Magie und Astrologie, so daß er mit übernatürlichen Mitteln Wunder zu bewirken sich verhieß und aus der Stellung der Gestirne den Leuten ihr Schicksal voraus verkündigte. Dazu geriet er in böse Gesellschaft, gab sich viel mit Zigeunern ab und trieb allerhand Zauberkünste, wie zum Beispiel Chiromantie, das heißt die Kunst, aus den Händen zu prophezeien. Sein Oheim hatte ihm ein ansehnliches Vermögen hinterlassen, das er nur zur Erlernung von Afterwissenschaften verwandte. In Krakau befand sich eine Hochschule der Zauberei, auf welcher er die Kunst,

Geister und den Teufel zu beschwören, gründlich erlernte. Dabei fuhr ein gewaltiger Hochmut in seinen Kopf, so daß er sich etwas Besonderes deuchte. So kam er denn wieder nach Wittenberg zurück, wo er sein sündhaftes Gebaren fortsetzte und seine Freude daran hatte, wenn ihn die höllischen Geister besuchten.

Eines Tages ging er zum Tore hinaus, um an einem geeigneten Platze vor der Stadt den Teufel zu beschwören; er wartete bis zum Abend, wo es einsam ward, und beschrieb dann am Kreuzwege des Spesserwaldes seine magischen Kreise. Es war aber gerade in der heiligen Osternacht, und schon erklangen die Glocken zur Ostermette. Doch Faust vernahm von alldem nichts, sondern achtete auf den höllischen Tumult und die Erscheinungen, die sich jetzt im Walde erhoben. Es schien, als wolle ihn der Teufel äffen mit allerhand Spuk; denn bald sah er feurige Drachen, glühende Kugeln flogen mit Getöse vorüber, bald heulte der Sturm in den knackenden Bäumen, daß es dem Geisterbeschwörer ganz angst und bange ward. Endlich entwickelte sich aus einer Schar tanzender Irrlichter in der Höhe eine lange Gestalt, die wie ein feuriger Komet um den Kreis wandelte. Es war Beelzebub selbst, der, im Aussehen einem grauen Mönche gleich, vor ihm stehenblieb, ihn fragend nach seinem Begehr. Da kehrte dem Dr. Faust der Mut zurück, und er sagte ihm, er begehre seiner Dienste. Unter allerhand Bedingungen willigte der Geist ein, auch versprach er, zur näheren Festsetzung ihres Verhältnisses ihn am anderen Tage zu besuchen. Wohlgemut ging Dr. Faust wieder der Stadt zu, wo er kaum den anderen Tag erwarten konnte.

Ungeduldig saß er zur bezeichneten Stunde lange in seiner Studierstube, bis er endlich hinter dem Ofen einen Schatten aufsteigen sah, den er alsbald beschwor. Sofort füllte sich der Raum mit Feuerqualm, und ein Ungeheuer gleich einem zottigen Bären mit funkelnden Augen ward sichtbar. Faust befahl ihm erschrocken, sich wieder hinter den Ofen zu ducken oder sich ihm in einer anderen Gestalt zu zeigen. Als der Geist sich weigerte, dieweil er kein Knecht, sondern ein Fürst der Geister sei, war Faust eine Weile betroffen; doch der Teufel verhieß ihm alsbald, einen seiner Diener zu schicken, wenn er einen Pakt, den er ihm diktiere, unterschreiben wolle. Faust erklärte sich bereit, und jener sagte ihm folgendes vor:

1. Ich entsage Gott und allen himmlischen Heerscharen.
2. Ich will aller Menschen Feind sein, sonderlich derer, die mir mein sündiges Leben vorhalten.
3. Ich versage den Gehorsam allen Pfaffen und hasse sie.
4. Ich gehe weder in die Kirche, noch empfange ich die Sakramente.
5. Ich werde mich nie verheiraten.

Der Wortlaut dieser fünf Artikel wird auch anders überliefert, wonach sich Faust in den beiden ersten dem Teufel mit Bezeugung seines eigenen Blutes zu eigen gibt, worin aber der letzte Artikel, das Gelöbnis der Ehelosigkeit, fehlt; dafür verhieß ihm der Teufel auch alle sinnlichen Freuden der Welt. Obwohl dem Gelehrten nicht wohl dabei zumute war, blieb er doch halsstarrig bei seinem Vorsatz und suchte sich alle Gewissensbisse auszureden. Nachdem sie sich verständigt, sandte ihm der Teufel einen seiner höllischen Geister in Franziskanermönchstracht, genannt Mephostophiles (gewöhnlicher Mephistopheles, das heißt Lichtfeind). Vor diesem stach sich Faust mit einem spitzen Messer eine Ader der linken Hand auf, wobei man eine blutige Schrift gesehen haben soll: »*O homo fuge!*«, das heißt: »Flieh, o Mensch!«, und besiegelte so mit seinem Blute die Teufelsverschreibung, die nach ältester Überlieferung folgendermaßen lautete:

»Ich, Johannes Faustus, Doctor, bekenne mit meiner eigenen Hand öffentlich in Kraft dieses Briefes:

Nachdem ich mir vorgenommen, die Elemente zu erforschen, aus den Gaben aber, die mir von oben herab beschert und gnädig mitgeteilt worden, solche Geschicklichkeit in meinem Kopfe nicht befinde und solches von den Menschen nicht erlernen mag, so habe ich gegenwärtigen Geist, der sich Mephostophiles nennt, einem Diener des höllischen Fürsten im Orient, mich untergeben, auch denselben mich solches zu berichten und zu belehren mir erwählt, der mir auch versprochen hat, in allem untertänig und gehorsam zu sein. Dagegen verspreche ich ihm hinwieder, daß er, so das vierundzwanzigste Jahr von dato dieses Briefes an verlaufen, mit mir nach seinem Gefallen zu schalten und zu walten gute Macht haben solle, mit allem, es sei Seele, Fleisch, Blut und Gut, und das in Ewigkeit.
Dazu absage ich allen denen, die da leben, allem himmlischen Heer und allen Menschen.
Zu fester Urkunde und mehrerer Bekräftigung habe ich dieses Revers mit eigener Hand und mit meinem eigenen Blute beschrieben und unterschrieben.

Johannes Faustus, Doctor.«

Außer seinem dienstfertigen Geiste Mephistopheles hatte Faust in seine von seinem Oheim ererbte Wohnung noch einen jungen wilden Burschen, namens Christoph Wagner, als Famulus angenommen, dem das lustige Leben, das jetzt darin begann, sehr wohl gefiel, denn Mephistopheles sorgte für alles, was sein Herr nur wünschte, zunächst für Geld, Speise und Trank; er machte seinen Koch und Aufwärter; ebenso sorgte er für schöne Kleider. Wie er das fertigbrachte, blieb freilich dem Dr. Faust rätselhaft; doch das Leben gefiel ihm; er brauchte ja nur zu bestellen; was er wünschte, geschah. Da begann er denn ein wildes Leben in Saus und Braus; an solchen, die es mit ihm genossen, fehlte es ihm auch nicht. Zur Unterhaltung mußte Mephistopheles für allerhand Gaukelwerk und Mummenspiel sorgen. Einmal war der Saal voll von Vögeln, welche das lieblichste Konzert anstimmten, so daß man glaubte, ins Paradies selbst versetzt zu sein. Ein anderes Mal gestaltete sich vor ihren Augen gleichsam ein Garten von lebenden, buntfarbigen und wohlduftenden Blumen, die sich zu den anmutigsten Girlanden verschlangen und wieder auflösten oder wie in einem künstlichen Reigen hin und her bewegten zur angenehmsten Augenweide. Eines Tages wandelte Faust die Lust an, sich zu verheiraten, doch der höllische Geist verbot es ihm, als dem Kontrakt zuwiderlaufend. Als er aber darauf bestand, setzte ihm der Teufel mit Höllenspuk und Mißhandlung so zu, daß er klein beigab und versprach, davon abzustehen.

Trotzdem war dem Dr. Faust der Sinn zu ernsten Studien nicht abhanden gekommen, wie er denn Kalender verfaßte und Astrologie betrieb; doch des Teufels Diener beschränkte ihn auch hierin: Was auf die Dreifaltigkeit, auf die Sakramente und andere Glaubenspunkte Bezug hatte, verbot er ihm zu lesen; dafür unterrichtete er ihn in der Geschichte vom Abfall der Geister, von der Hölle und ihren Bewohnern; er führte ihm nicht nur die höllischen Geister leibhaftig in ihrer abschreckenden Gestalt vor, sondern der teuflische Geist Beelzebub unternahm auch mit ihm eine Höllenfahrt, wobei er viel Angst ausstand und Schreckliches erlebte. Ja, einem angeblich von ihm an einen gewissen Jonas Victor zu Leipzig geschriebenen Briefe zufolge fuhr er einmal in einem feurigen Drachenwagen acht Tage lang im Sternenraum umher. Ein andermal bereiste er auf einem geflügelten Pferde, in das sich sein Geist Mephistopheles verwandelt hatte, die ganze Welt, wobei es an Ausfällen gegen das Papsttum nicht fehlte. Auf alle seine wißbegierigen Fragen gab der höllische Geist, soweit er durfte, Bescheid. Dabei verfehlte er nicht, ihn seine Torheit und Verblendung fühlen zu lassen, weil er sich des ewigen Heiles durch eigene Schuld verlustig gemacht. Darüber machte sich Faust denn zeitweilig Vorwürfe, aber es war zu spät. Dann suchte er die Stimme des Gewissens durch allerlei Lustbarkeiten zu betäuben. Er besaß ein prächtiges Haus, von dem er zwei Säle bewohnte. Darin schlugen Amsel und Wachtel, flötete die Nachtigall und schwatzte ein Papagei; die Zimmer waren mit den kostbarsten Tapeten geziert und den herrlichsten Gemälden geschmückt. Im Hofe entfalteten Pfaue ihr prächtiges Gefieder; Perlhühner und Fasanen wandelten zwischen den Büschen, die ewig grünten; an den Mauern rankten Reben mit saftigen Trauben; bunte Blumen wie Tulpen, Narzissen, Nelken und Rosen prangten auf den Beeten. Im Obstgarten lachten aus frischem Blättergrün die schönsten Kirschen, Birnen und Äpfel; ja Früchte, die man sonst nur in den südlichen Ländern trifft, wie Granaten, Pomeranzen, Zitronen und Datteln, reiften in seltener Größe und Lieblichkeit. Auch offenbare Wunder zeigten diese Bäume: So trugen Kirschbäume Feigen und Apfelbäume schwarze Kastanien. Oben im Dachstuhl war ein Taubenhaus, vor dem die herrlichsten Tauben sich blähten und ruckernd voreinander dienerten. Vor der Einfahrt aber lag des Doktors Zauberhund, Prästigiar oder Hexenmeister genannt, mit feuerroten Augen und schwarzem, zottigem Haar; strich ihm sein Herr über das Fell, so wechselte er die Farben wie ein Chamäleon.

2. Fausts Zauberkunststücke

Der Ruf von Dr. Fausts Schwarzkunst verbreitete sich gar bald im ganzen Reiche. Als daher Kaiser Karl V. gen Innsbruck kam und von der Anwesenheit des berühmten Zauberers hörte, lud er ihn zu sich zur Tafel und beschied ihn danach in sein Gemach, um sich eine Probe seiner Kunst zeigen zu lassen. Er wünschte den großen Alexander samt seiner Gemahlin zu sehen, wie sie im Leben ausgesehen. Faust besprach sich zunächst mit seinem Geiste und erklärte hierauf, den Wunsch des Kaisers zu erfüllen, unter der Bedingung, daß jener nichts rede noch frage. Das sagte denn der Kaiser zu. Alsbald öffnete sich die Tür, und Alexander mit rotem Barte und Basiliskenaugen erschien; er war in vollem Harnisch und verneigte sich tief. Sodann kam seine Gemahlin im blauen Samtkleid herein, frischen, blühenden Antlitzes. Nun erinnerte sich Kaiser Karl, gelesen zu haben, sie habe im Nacken eine Warze gehabt. Darum trat er neugierig hinzu, um danach zu sehen, und richtig, die Warze fand sich. So war des Kaisers Begehr befriedigt.

Am Abend desselben Tages erlaubte sich Faust noch einen Scherz mit einem Ritter, Baron von Hardeck, den er vom flachen Dache aus gegenüber in seinem Zimmer schlafend sah; er zauberte ihm nämlich ein Hirschgeweih auf den Kopf, zum großen Ergötzen aller, die es sahen, bis endlich Faust den Gefoppten wieder aus seiner peinlichen Lage befreite. Doch dieser schwur Rache und wollte später mit seinem Gefolge den Schwarzkünstler überfallen. Plötzlich aber sahen sich diese selbst von einer Menge geharnischter Ritter umringt und mußten um Gnade flehen. Zur Strafe zauberte ihnen Faust Ziegenhörner an die Stirn und ihren Pferden Kuhhörner an, die sie einen Monat lang tragen mußten. Doch damit war die Geschichte noch nicht zu Ende. Als Faust später gen Eisleben zog, lauerte ihm derselbe Ritter noch einmal auf. Aber Faust machte sich unsichtbar. Verdutzt machte sein Gegner auf einer Anhöhe halt, um nach dem Verschwundenen zu spähen. Da vernahm man plötzlich im Tale einen großen Kriegslärm von Trommeln und Trompeten, und ein großes Heer rückte gegen ihn heran. Kaum hatte der Ritter das erkannt, so nahm er Reißaus. Aber ein anderes Heer verlegte ihm den Weg. In seiner Angst wandte er sich seitwärts, doch es erging ihm nicht besser. So von allen Seiten bedroht, mußte er sich dem Dr. Faust, der jetzt wieder sichtbar ward, ergeben; er und seine Begleiter mußten ihre Waffen ausliefern, und statt ihrer eigenen Pferde führte man ihnen verzauberte zu. Als die Troßknechte mit diesen später zur Tränke ritten, verschwanden ihnen dieselben unter dem Leibe, so daß sie beinahe alle elend ertrunken wären. Naß wie begossene Pudel kamen sie zu Fuße wieder heim zu ihrem Herrn, der nun merkte, daß es wieder einer von Fausts Streichen war.

Einstmals kam Faust gen Gotha in ein Städtchen zur Zeit, als man Heu einfuhr. Da begegnete ihm ein Bauer mit einem hoch beladenen Wagen und ersuchte ihn, auszuweichen. Nun war der Doktor in einer lustigen Gesellschaft, und alle hatten weidlich gezecht; in seinem Übermute weigerte er sich also, aus dem Wege zu gehen, indem er sagte: »Hast du noch nicht gehört, daß man einem Betrunkenen ausweicht?« Darüber ward der Bauer grob, aber der Doktor zornig. »Wenn du nicht auf die Seite gehst, fresse ich dir die Pferde mitsamt deinem Wagen!« rief er drohend. Dabei machte er den Mund weit auf, so daß es dem Bauer vorkam, als mache er Ernst. Erschreckt lief er weg, es dem Bürgermeister zu melden, ward aber von diesem gehörig ausgelacht; denn alles erwies sich als eitel Blendwerk, und Roß und Wagen standen da, wie zuvor.

Ein lustiges Stücklein führte Faust mit drei jungen Freiherren zu Wittenberg aus, welche gern das Kurfürstliche Bayrische Beilager in München mitgemacht hätten. Auf den Vorschlag des einen luden sie den Schwarzkünstler zum Bankett, versprachen ihm eine reichliche Schenkung und trugen ihm ihr Begehr vor. Der Doktor versprach, ihnen behilflich zu sein, wenn sie während der ganzen Fahrt kein Wort redeten; auch nach ihrer Ankunft im fürstlichen Palaste sollten sie auf jede Anrede kein Wort erwidern; sobald er selbst aber rufe: »Wohlauf!«, sollten sie seinen Mantel anfassen. Das versprachen sie und hielten sich zur festgesetzten Stunde bereit. Da breitete Faust im Garten seines Hauses seinen weiten Nachtmantel aus, worauf sich dann die drei Barone setzen mußten. Sofort erhob sich ein Wind, der sie sachte noch vor Morgengrauen gen München trug bis zur Schwelle des Palastes. Dort empfing sie der Hofmarschall und geleitete sie in den oberen Saal. Sowohl ihm wie dem sie begleitenden Hofjunker fiel es gar sehr auf, daß sie auf alle Fragen keine Antwort gaben, sondern nur Verbeugungen machten. Doch man hatte keine Zeit, dem sonderbaren Benehmen der Fremden weiter nachzudenken; denn die Vorbereitungen zur feierlichen Handlung drängten. Nach der Trauung nahte die Stunde der Tafel. Der Sitte gemäß gingen Diener herum, den Gästen das Handwasser zu reichen. Da fiel einer der Fremden aus der Rolle und bedankte sich. Dieser mußte zur Strafe zurückbleiben; denn sofort rief Faust: »Wohlauf!«, worauf die beiden anderen, sich an Fausts Mantel haltend, davonfuhren, wie sie gekommen. Natürlich machte die Geschichte Aufsehen, und der Zurückgebliebene sollte dafür büßen. Man hielt ihn scharfbewacht zurück, doch er hoffte, seine Verwandten würden ihn befreien. Darin täuschte er sich auch nicht. Noch ehe der kommende Tag anbrach, stand Faust vor seiner Zelle, schläferte die Wächter ein, sprengte Tür und Riegel und führte den sanft Schlafenden in seinem Zaubermantel wieder unversehrt zu seinen Vettern gen Wittenberg, worauf er reich beschenkt von dannen zog.

Obwohl Mephistopheles seinem Herrn an Speise und Trank sowie an Geld und Kleidung heimlich zur Nachtzeit zusammenholte, was dieser nur wünschte, kam es doch manchmal vor, daß es augenblicklich an etwas gebrach. Dann pflegte wohl der sonst so dienstfertige Geist zu sagen: »Ei, so gebrauch doch deine Kunst; die wird dir schon die Mittel verschaffen!« In einer solchen Verlegenheit ging einmal Faust zu einem reichen Juden, um sechzig Taler von ihm zu borgen; er hatte aber nicht im Sinne, sie ihm jemals wiederzugeben. Zum Scherz verpfändete er sein Bein, falls er ihm das Geld nicht in Monatsfrist zurückzahle; doch der Jude nahm es für Ernst.

Als die Zeit um war, kam dieser mit zwei Glaubensgenossen, sein Kapital samt Zinsen zu holen; aber Faust erklärte sich für zahlungsunfähig. Da ward der Hebräer wütend und erinnerte ihn, um ihn einzuschüchtern, an sein verpfändetes Bein. »Ja, mein Mausche, du sollst dein Pfand haben!« versetzte Faust ganz gelassen. Damit streckte er sich auf eine Pritsche, reichte dem erstaunten Juden die Säge und hieß ihn, das Bein abzusägen; aber er möge es sorgfältig verwahren, um es ihm nach abgetragener Schuld wieder zustellen zu können. Wütend wie der Jude Shylock in der bekannten Geschichte vom Kaufmann von Venedig fuhr der Gläubiger auf den verhaßten Christen los, sägte ihm das Bein ab und ließ den Schuldner, wie er meinte, halbtot liegen. Erst unterwegs reute ihn seine Tat, zumal ihm der Beinstumpf doch zu nichts nütze war, und er besorgte, Faust müsse an der Wunde sterben. Ärgerlich warf er darum das Bein in einen vorüberfließenden Bach, sein verlorenes Geld bejammernd.

Wie erschrak er aber, als er nach drei Tagen eine Vorladung erhielt, das Bein seinem Herrn gegen Rückerstattung der geliehenen Summe wieder zurückzugeben! Faust wußte gar wohl, was mit dem Pfande geschehen war. Zitternd versprach der Jude, die Schuldverschreibung zu vernichten, ja, ihm sogar noch sechzig Taler dazu zu bezahlen, wenn der Verstümmelte auf sein Bein verzichte. Lachend gewährte dies Faust, und als der Jude weg war, stand er wohlbehalten auf seinen zwei Füßen. Dann aber ward auf des Geprellten Kosten wacker gezecht.

In ähnlicher Weise spielte er auch auf einem Jahrmarkte einem Roßtäuscher, Pfeiffering genannt, mit. Er kam nämlich dorthin auf einem prächtigen, braunen Pferde geritten, das er zum Kaufe ausbot. Dieser glaubte einen vortrefflichen Kauf gemacht zu haben. Nachdem Faust sein Geld vergnügt eingestrichen hatte, befahl er dem Käufer, das Roß nicht vor zwei Tagen zur Schwemme zu reiten. Das versprach der auch, konnte es aber aus Neugier nicht halten. Als er daher heimwärts an einem fließenden Gewässer vorbeikam, ritt er hinein. Aber, o Wunder! Das Pferd verschwand, und statt seiner zügelte er einen Strohwisch. Beinahe wäre er selbst dabei ertrunken. Zornig eilte er spornstreichs zum Jahrmarkt zurück, wo er denn auch im Wirtshause seinen Verkäufer schlafend auf der Ofenbank fand. Grimmig fiel er über ihn her und wollte ihn am Beine von der Bank reißen. Doch zu seinem Entsetzen fiel er heftig rücklings zu Boden und hielt das Bein in Händen. Faust aber schrie Zetermordio, so daß alles zusammenlief. Da machte sich der Roßtäuscher schleunigst aus dem Staube. Ähnlich erging es einem Sautreiber, dem Faust fünf Schweine für dreißig Gulden verkaufte; auch sie verwandelten sich in der Schwemme in Strohwische. Als Dr. Faust einst in Zwickau mit einigen Magistern nach dem Abendessen spazierenging, begegnete ihnen ein Bauer mit einem großen Wagen Grummet. Da fragte ihn Faust, was er ihm bezahlen müsse, wenn er sich an dem Heu satt essen dürfe. Der Bauer lachte, da er es für Scherz hielt, und nannte einen Kreuzer. Da fing aber Faust so gewaltig an zu fressen, daß ihn der Bauer rasch mit einer großen Summe abfinden mußte, um wenigstens die Hälfte seiner Ladung zu retten. Als er aber nach Hause kam, fand sich sein Heu wieder unversehrt vor.

Ein andermal geriet er in einem Wirtshaus in die Gesellschaft lärmender Bauern, und als sie auf sein Zureden nicht hörten, verzauberte er sie so, daß sie plötzlich alle mit offenen Mäulern verstummten. Erst als sie ihm gelobten, einer nach dem anderen ruhig aus dem Zimmer hinauszugehen, nahm er den Bann von ihnen.

Nun studierten damals zu Wittenberg einige vornehme polnische Herren, die zur Leipziger Messe wollten, wozu sie sich gern der Kunst des Dr. Faust bedient hätten. Dieser erklärte sich bereit, und am anderen Tage stand vor der Stadt ein mit vier Pferden bespannter Landwagen, auf dem sie wohlgemut davonfuhren. Obgleich sie einen Hasen quer über den Weg laufen sahen, was allgemein für eine ungünstige Vorbedeutung galt, kamen sie doch gegen Abend ohne Unfall in Leipzig an. Als sie am folgenden Tage in der Stadt umhergingen, sahen sie in einem Weinkeller einige Küfer sich abmühen, ein Faß Wein heraufzuschieben, ohne damit zustande zu kommen. Höhnisch rief ihnen Faust zu: »Wie stellt ihr euch doch so einfältig! Seid euer so viele und bringt das nicht fertig!« Das verdroß die Weinschröter, und sie gaben ärgerlich zurück, wenn er es besser könne, so möge er es doch versuchen. Ja, der Herr des Kellers, der dazukam, versprach ihm sogar das Weinfaß zum Geschenk, wenn er es allein hinaufbrächte. Da setzte sich Faust quer auf das Faß wie auf ein Roß und ritt wohlgemut darauf die Kellertreppe hinauf. Hierauf trank er es in Gesellschaft fideler Studenten, die er sich zu Zeugen geladen, im nächsten besten Wirtshause aus; denn der Wirt durfte sein Wort nicht brechen.

Die Studenten liebten überhaupt den Faust ob seiner belustigenden Kunststücke sehr. In einer fröhlichen Gesellschaft zu Erfurt unterhielten sich dieselben einst über die Schönheiten der Homerischen Gedichte und Heldengestalten, über Agamemnon, Menelaos, Achilles, Odysseus, Ajax und andere. Da erbot sich Faust, ihnen diese Helden am anderen Tage leibhaftig im Hörsaale vorzuführen; nur sollten sie dieselben nicht anreden. Voll stummer Erwartung saßen anderen Tages die Studenten im Auditorium. Plötzlich klopfte der Doktor an die Wand, und siehe da! Es erschienen in ihrer klassischen Tracht die trojanischen und griechischen Helden mit unwilligen Gesichtern, als ob sie sich ungern zitieren ließen. Nun wollte Faust seinen Zuschauern zum Schlusse noch einen gelinden Schrecken einjagen. Auf wiederholtes Klopfen erschien der greuliche Riese Polyphem, der sich bücken mußte, um zur Tür hereinzukommen, mit feuerrotem Barte und einem einzigen Auge auf der Stirn; im Maule hatte er ein halbaufgefressenes Kind, von dem noch die Beine hervorragten, so daß allen die Haare zu Berge standen. Darüber lachte Faust herzhaft; den übrigen aber war es nicht geheuer zumute; denn der Kyklop stieß wütend mit seiner Keule auf den Boden, indem er sich mit dem furchtbar rollenden Auge umsah, als wolle er sich einige der Zuschauer aussuchen zum Fraße. Den Studenten brach der Angstschweiß aus, und Faust winkte dem Ungetüm abzutreten. Von nun an wurde aber keine derartige Vorstellung mehr begehrt. Ein andermal, als man sich in einer Gesellschaft von Gelehrten daselbst über den beklagenswerten Verlust von 108 Komödien des Terenz und 41 des Plautus unterhielt, machte sich Dr. Faust anheischig, dieselben zur Stelle zu schaffen, aber nur für ein paar Stunden, immerhin, wie er meinte, für lange genug, daraus hinreichend Abschriften zu machen. Da meinte aber ein Pedant, dabei könnte der Teufel zum Schaden der studierenden Jugend Unkraut unter den Weizen säen, und so unterblieb es.

In der Schlossergasse zu Erfurt wohnte ein Freund Fausts im »Anker«, der einmal eine lustige Gesellschaft geladen hatte. Daselbst vermißte man den beliebten Schwarzkünstler, der gerade nach Prag verreist war. Da nahm einer im Weinrausche sein Glas und trank es dem abwesenden Doktor mit dem Wunsche zu, er möchte zugegen sein. Nach einer kurzen Weile klopfte es an die Haustür, und als man nachsah, stieg Faust gerade vom Pferde ab. Der Diener, der dies meldete, ward zuerst ausgelacht, aber als es zum zweitenmal klopfte, sah der Gastgeber selbst nach und gewahrte in der Tat ganz deutlich im Mondenschein den befreundeten Doktor. Erstaunt führte man ihn herein und befragte ihn, wie denn das möglich sei. »Sehr einfach«, versetzte Faust, »weil ihr so heftig nach mir verlangt habt, bin ich gekommen, muß aber bei Tagesanbruch wieder in Prag sein.« – »Aber wie wollt Ihr das machen?« riefen alle aus einem Munde. »Oh!« erwiderte lächelnd der Schwarzkünstler. »Dafür lass' ich mein Roß sorgen.« Sie waren alle heiter und aufgeräumt; auch Faust wollte das Seinige zur Kurzweil beitragen. »Wollt ihr einmal ausländische Weine versuchen?« fragte er sie, um ihnen neue Zechlust zu erwecken. »Etwa spanischen oder französischen oder echten Rheinwein?« – »Ja, ja!« lallten die Kneipkumpane. »Nur her damit! Sie sind alle gut.« Da ließ sich Faust einen Bohrer bringen und bohrte die Tischplatte an den vier Ecken an, die Löcher verstopfte er mit Kranen. Dann zog er sie heraus, und aus den Löchern sprudelten die genannten Weine, an denen sich die Zecher erlabten.

Auf einmal kam des Gastgebers Sohn mit der Meldung, des Doktors Pferd sei ganz unersättlich; es fräße mehr als zwanzig, es habe wohl den Teufel im Leibe. Darüber lachten alle unbändig, zumeist aber Faust, der ihn schließlich beruhigte, indem er sagte, er möge das Pferd nur gewähren lassen, solle ihm aber kein Futter mehr bringen, weil es nie satt werde. Der Junker aber hatte so unrecht nicht; denn das Roß war niemand anderes als Fausts dienstbarer Geist Mephistopheles. Gegen Morgen stieß das sonderbare Pferd einen Schrei aus, und Faust wollte sich verabschieden. Doch er ließ sich erbitten, noch ein Stündlein zu verweilen, und machte einen Knoten in seinen Gürtel. Danach fing das Roß an, laut zu wiehern. »Ich muß fort«, rief da sein Herr, »ich werde gemahnt.« Abermals drang man in ihn, zu bleiben, und wiederum machte er einen Knoten in seinen Gürtel und gab ein Stündchen zu, weil er gerade ein Zauberkunststück zu erzählen begonnen. Kaum hatte er es vollendet, vernahm man einen dritten Schrei. Nun riß sich Faust eiligst von seinen Freunden los und schwang sich auf sein Roß. Wie der Sturmwind stob dieses die Schlossergasse hinauf, setzte über das noch nicht geöffnete Stadttor und war bald den Nachschauenden aus den Augen. Faust aber war noch am frühen Morgen wieder in Prag. Gewissermaßen um sich zu revanchieren, lud er dieselbe Gesellschaft, die ihn zu Erfurt so liebenswürdig herbeigewünscht hatte, später zu sich in sein Losament nicht weit vom großen Collegio bei St. Michael ein. Gern folgten sie seiner Einladung, nicht etwa bloß des besonderen Traktaments wegen, das sie erwarten durften, sondern wegen der Kurzweil, die sie sich versprachen. Und in der Tat, als sie kamen, gewahrten sie weder Feuer noch Rauch, weder Speise noch Trank. Obwohl sie sich im stillen darob sehr verwunderten, ließen sie sich doch nichts merken, indem sie dachten: Er wird schon Rat schaffen. Und so war's. Als die Gesellschaft vollzählig war, klopfte er mit dem Messer auf den Tisch, und es erschien ein Diener, der nach seinem Begehr fragte. »Wie behend bist du?« fragte ihn Faust. »Wie ein Pfeil«, antwortete der dienstbare Geist. »Das genügt mir nicht«, versetzte Faust, hieß ihn gehen und klopfte abermals mit dem Messer. Da erschien ein anderer und erwiderte auf Fausts Frage, wie schnell er wäre: »Wie der Wind.« »Das klingt schon besser«, sagte Faust, »ist mir aber noch nicht schnell genug.« Und so zitierte er einen dritten, der seine Frage beantwortete: »Wie der Gedanke.« Da sagte Faust: »Du bist mein Mann, du sollst uns zu essen und zu trinken bringen« und gab ihm Aufträge. Sehr rasch brachte der dienstbare Geist in neun verdeckten Schüsseln die köstlichsten Gerichte von Fisch und Wildbret, Gemüse und Pasteten. Und wie war's mit den Getränken? Zunächst wurden leere Gläser vor die Gäste gesetzt, dann fragte sie Faust, was sie trinken wollten. Hatte ihm einer ein Getränk genannt, so setzte Faust sein Glas vors Fenster, und gleich war's damit gefüllt. Aber auch für Musik war gesorgt, obwohl man niemanden außer Faust sah, der viele Instrumente zugleich erklingen ließ. Auch einer seiner Diener spielte wahre Bravourstücke, wie man sie schöner nie gehört, so daß ein jeder befriedigt nach Hause ging.

Ein andermal reiste der Doktor mit Kaufleuten auf die Frankfurter Messe. Unterwegs machten sie in einem Städtchen Boxberg im Odenwalde Rast. Dort wohnte auf einem Bergschlosse ein Vogt, mit dem einer der Herren befreundet war; dieser lud sie zu sich und traktierte sie aufs beste. Da meinte einer, es sehe aus, als wolle sich das Wetter ändern. »Nicht doch!« versetzte ein anderer. »Am Himmel steht ja ein Regenbogen.« Faust trat zum Fenster und rief aus: »Was gilt's, so erfasse ich den Regenbogen?« – Verwundert liefen alle herzu, und in der Tat erfaßte er denselben und zog ihn heran bis zum Fenster, ja, er vermaß sich sogar, sich auf denselben zu setzen; doch das war den Herren zu gruselig.

Auf der Frankfurter Messe angekommen, erfuhr Faust von seinem Diener Mephisto, daß in einem Wirtshause in der Judengasse sich vier verwegene Gaukler aufhielten, die einander die Köpfe abschlügen, selbige dann vom Barbier waschen und säubern ließen, um sie schließlich zu aller Welt Verwunderung wieder aufzusetzen. Dies Gaukelspiel trüge ihnen viel Geld ein. Das verdroß unsern Doktor; denn er wollte gern allein den Ruhm eines Hexenmeisters haben. Deshalb ging er hin, den Schwarzkünstlern das Handwerk zu legen. Auf der Erde lag ein roter Teppich, rechts in der Ecke des Gemachs stand ein Tisch, darauf ein verglaster Topf mit Wasser, in dem vier Lilienstengel schwammen, sogenannte Lebenswurzeln. Das Schauspiel begann. Einer der Gaukler kniete auf der roten Decke nieder, worauf ihm ein anderer mit einem breiten Schwerte den Kopf abhieb. Dieser wurde dann von einem Barbier gewaschen und rasiert, worauf ihn der Meister dem Publikum zum Beschauen hinreichte. Hierauf ward er unter allerhand Zeremonien dem auf einem Stuhle sitzenden Rumpfe aufgesetzt; zugleich sprang dann ein Lilienstengel aus dem Topfe zum Zeichen, daß der Mensch wieder heil sei. Dies trieben sie immer so fort. Als nun die Reihe wieder an den Meister selbst kam, gedachte Faust, obwohl er ihn nie zuvor gesehen, ihm das Handwerk gründlich zu legen. Er ging heimlich zu dem Topfe und schlitzte den Lilienstengel, der dem Gaukler zugehörte, auf und entfernte sich heimlich wieder. Des Meisters Kopf fiel hierauf leblos von seinem Rumpfe herab, und zu ihrem Entsetzen gewahrten seine Jünger, daß seine Lebenswurzel zerstört sei.

Einstmals schickte ein schwindsüchtiger Marschall der Stadt Braunschweig nach ihm, um ihn zu Rate zu ziehen. Der Doktor, der sich damals gerade in der Nähe aufhielt, sagte dem Boten, er werde ihm sogleich zu Fuße folgen; den angebotenen Wagen schlug er nämlich aus. Nicht weit von der Stadt hörte er hinter sich her einen leeren, aber mit vier Pferden bespannten Wagen kommen, den ein Bauer führte. Diesen bat er, er möge ihn aufsitzen lassen, doch derselbe schlug es ihm rundweg ab. »Warte, du Flegel!« dachte da Faust. »Das sollst du gleich bereuen!« Auf einmal flogen die vier Räder des Wagens in der Luft herum, die Pferde fielen tot zu Boden, und das Fuhrwerk stand still. Da jammerte der Bauer und bat den Fremden um Gnade. »Nun, für diesmal sollst du mit einem Denkzettel davonkommen«, antwortete Faust, »wirf etwas Erde auf deine Pferde, dann werden sie dir wieder erstehen; deine Räder kannst du dir aber an den vier Stadttoren wieder suchen!« Der Bauer tat also, seine Pferde wurden wieder lebendig; seine Räder aber wieder zu suchen, brauchte er einen halben Tag.

Auf seiner Heimreise gen Wittenberg kehrte Faust unterwegs in einem Wirtshause ein und unterhielt eine Gesellschaft Kaufleute und Reisende mit seinen Kunststücken. Hinter ihm stand der Wirtsjunge und goß ihm ungeheißen wieder sein Glas voll, weil er ihn für einen Abenteurer hielt. »Wenn du das noch einmal tust«, drohte ihm Faust, »so fresse ich dich mit Haut und Haar!« Der Junge lachte ihn aus und schenkte ihm noch einmal voll. Da sperrte der Doktor das Maul weit auf und schluckte ihn zu aller Erstaunen in der Tat hinunter. »Auf einen guten Bissen gehört auch ein guter Trank!« sagte er dann, nahm einen Schwenkkübel voll Wassers und trank ihn rein aus. Der Wirt, der nicht zugegen gewesen, nahm, als er die Geschichte erfuhr, die Sache sehr übel auf und verlangte seinen Schenkburschen wieder. »Ei, so seht doch einmal hinter den Ofen«, versetzte Faust ganz ruhig. Da saß denn auch wirklich der Junge im Schwenknapfe, naß wie ein begossener Pudel und zitternd wie Espenlaub, worüber die ganze Gesellschaft ein helles Gelächter aufschlug.

So trieb denn der berüchtigte Schwarzkünstler sein Wesen vornehmlich in Wittenberg; doch fehlte es nicht an ernsten und gottesfürchtigen Leuten, die darob den Kopf schüttelten und sich vornahmen, ihn von seinem sündhaften Treiben abzubringen. In dieser Absicht besuchte ihn einst ein alter, würdiger Mann. Viele behaupteten, es sei der getreue Eckhart gewesen, der Wächter vom Venusberge, der schon seit vielen hundert Jahren die Menschen vor den Fallstricken teuflischer Unholdinnen warne. Andere nennen ganz bestimmt einen berühmten Barfüßermönch, Dr. Klinge, den auch Dr. Luther und Dr. Lange gekannt haben sollen. Aber Faust erklärte ihm, er müsse sein dem Teufel gegebenes Versprechen halten. Ein andermal wollte ihn ein benachbarter christlicher Arzt von seinem gottlosen Lebenswandel abbringen, und es gelang ihm auch, ihn weich und reumütig zu machen, aber Mephistopheles setzte ihm dann durch Drohungen so zu, daß er sich dem Teufel aufs neue verschrieb, ja er mußte geloben, an dem wohlmeinenden Ratgeber sein Mütlein zu kühlen.

Als dieser zwei Tage darauf sich nach gesprochenem Nachtgebet zur Ruhe begeben wollte, entstand ein solches Gepolter vor seiner Kammer, daß er vermeinte, der Teufel sei los. Nicht genug! Die Tür öffnete sich, ein Teufelsgespenst kam herein und grunzte wie ein Schwein. Dem guten alten Manne ward es eine Weile schwül, doch er erholte sich gar bald und redete es spöttisch also an:

»Ei, was ist denn das für eine liebliche Musik! So etwas hab' ich ja meiner Lebtag' noch nicht gehört! Das klingt ja wie ein Schweinekonzert! Nun gut! Halt du die Noten, und ich will den Text dazu singen!«

Damit fing er an, mit lauter Stimme ein geistlich Lied zu singen, und auf einmal schwieg der Teufelsspuk. »Nicht wahr! Das Lied gefällt dir?« fuhr der Alte dann fort. »Spar du deine

Katzenmusik für feierlichere Gelegenheiten, für ein Hofkonzert oder fürs Jüngste Gericht im Flammensaal auf!« Das Gespenst verschwand auf Nimmerwiedersehen. Als aber Faust am anderen Tage seinen Geist fragte, was er ausgerichtet habe, erwiderte dieser kleinlaut: »Dem ist nicht beizukommen, der ist geharnischt!«

Um diese Zeit soll einer Überlieferung gemäß Faust seinen Famulus angenommen haben. Es war dies ein junger Schüler, der vor seiner Wohnung der Sitte gemäß im Winter das Responsorium sang. Der Doktor fand Wohlgefallen an ihm und fühlte Mitleid mit seinem dürftigen Aussehen; er ließ ihn zu sich ins Zimmer kommen und fragte ihn aus. Da erfuhr er denn, er sei eines Priesters Sohn zu Wasserburg und seinem Vater wegen übler Behandlung davongelaufen. Faust fand ihn anstellig und verschmitzt, so daß er ihn zu seinem Diener bestellte. Auch erwies er sich sehr verschwiegen, verriet seines Herrn Geheimnisse nicht, sondern teilte vielmehr seine Teufeleien, so daß Faust ihn liebgewann, ja, sogar ihn zu seinem Erben einsetzte. Nun konnte der Doktor seinen Zauberhund entbehren und schenkte ihn einem Abte zu Halberstadt, einem sogenannten Kristallseher. Aber nach einem Jahre verbarg sich das Geistertier immer winselnd vor seinem Herrn und wollte nicht recht den Grund offenbaren. »Ach, Herr Abt«, so heulte er, »ich vermeinte immer, recht lange in deinem Dienste verbleiben zu können; doch leider sehe ich jetzt, daß es nicht möglich ist; bald müssen wir uns trennen; binnen kurzem wirst du das erfahren!«

Acht Tage darauf verfiel der Abt in ein hitziges Fieber und starb im Wahnsinn.

Einstmals besuchte Faust wiederum mit seinen Freunden die Leipziger Messe, wo einem vornehmen Kardinal, namens Campegius, vom Magistrat viel Ehre erwiesen ward. Diesem ging der Doktor zu Gefallen, um auch bei ihm seine Kunst zu zeigen. Er verhieß nun, ihm eine sonderbare Jagd zu veranstalten, die aber keinen Schaden anstiften sollte. Es hatte sich viel Volk versammelt, dem Schauspiel beizuwohnen. Zuerst erschienen Mephisto und Faust als Jäger, von vielen Hunden begleitet. Da blies letzterer in sein Horn, und es kamen der Reihe nach Hasen und Füchse in der Luft, von den beiden Jägern verfolgt. Der Kardinal, der selbst ein leidenschaftlicher Jäger war, sah dem mit großem Vergnügen zu. Auf einmal verschwand das Gaukelwerk, und Faust fuhr aus der Luft herab zu seinen Gefährten. Da schickte Campegius einen Boten hin, sich zu erkundigen, wer er wäre. Als er erfuhr, daß es der berühmte Schwarzkünstler sei, von dem er auch schon soviel gehört, ließ er ihn zu sich zur Tafel bitten. Faust folgte der Einladung, bei Tische verhieß ihm der Kardinal, ihn zu hohen Ehren zu befördern, sich seiner als Wahrsager zu bedienen, wenn er ihm nach Rom folgen wolle. Doch Faust bedankte sich stolz, indem er sagte, er bedürfe keiner Ehren, ihm sei der höchste Fürst der Welt untertan, damit verabschiedete er sich unter höflichen Verbeugungen.

Wie Dr. Faust einst dem Kaiser Karl V. den großen Alexander samt Gemahlin heraufbeschworen, ist bereits erzählt. Andere berichten diesen Vorfall von Kaiser Maximilian und verbinden damit noch folgendes Zauberkunststück, welches Faust aus Dankbarkeit für das reiche Geschenk geliefert.

Als nämlich der Kaiser am anderen Tage erwachte, befand er sich anstatt in seinem Schlafgemach in einem prächtigen Park voll der herrlichsten Fruchtbäume. Der Monarch wähnte sich eingewiegt in die herrlichsten Traumgebilde und wollte gar nicht aufstehen, aus Furcht, sie zu zerstören. Endlich aber erhob er sich leise und setzte sich neben sein Bett in einen Sessel. Da vernahm er lieblichen Gesang von Vögeln, die von Zweig zu Zweig hüpften; auch schneeweiße Kaninchen und Hasen sah er durchs Gebüsch huschen. Inzwischen wunderte sich die Dienerschaft, was doch den hohen Herrn so lange im Bette fessele. Leise öffneten sie das Schlafgemach und staunten die seltsame

Verwandlung an. Der Kaiser ließ nun seinen ganzen Hofstaat kommen, der sich ob der Zauberei nicht zu fassen wußte. Plötzlich aber welkten die Blätter und Blumen, ein heftiger Wind jagte das Laub von den Bäumen, und im Nu war die ganze Herrlichkeit verschwunden. Noch lange saß der Kaiser sinnend und gedachte unwillkürlich des berühmten Schwarzkünstlers als Urhebers. Er ließ ihn zu sich kommen, ihn darob zu fragen. Faust bekannte sich zu dem Zauberspiel, und der Kaiser lud ihn am folgenden Tage zu einem Bankett, damit er allda auch seine Kunst zeige. Daselbst ließ dieser denn alle möglichen wechselnden Himmelserscheinungen an der Decke hinlaufen, bis zuletzt ein künstliches Unwetter mit Donner und Blitz, ja mit Hagel und Regen das Publikum auseinanderjagte.

Ein anderes Abenteuer, bei dem Faust seine Hand mit im Spiele gehabt, hat große Ähnlichkeit mit der wunderbaren Heimkehr Heinrichs des Löwen. Ein Ritter, der sich kaum vermählt hatte, ließ sich von zwei Vettern bereden, mit ihnen nach Palästina zu reisen. Nach mancherlei Unfällen kamen nur drei von der ganzen Reisegesellschaft ans Ziel, der Ritter und seine Verwandten. Auf der Heimreise wollten diese ihren Weg über Griechenland und Konstantinopel nehmen, wurden aber als Kundschafter gefangengenommen. Fünf Jahre schmachteten sie in harter Knechtschaft. Während dieser Zeit starb der eine von den Vettern. Die Kunde von seinem Tode drang nach Deutschland, und damit auch die von dem Verschwinden des Ritters. Es dauerte nicht lange, so ward die schöne junge Witwe von Freiern umworben. Nach langem Drängen gab sie nach und gelobte einem wackeren Edelmanne die Hand. Schon waren die Anstalten zur Hochzeit getroffen, da vernahm Faust von dem allem. Er bezweifelte des Ritters Tod und erfuhr durch seinen Geist denn auch, jener lebe noch, wenn auch in harter Gefangenschaft, und er beschloß sofort, ihn zu befreien. In einer Nacht wälzte sich in weiter Ferne der unglückliche Sklave unruhig auf seinem harten Lager, auf der blanken Erde, da sah er plötzlich eine Gestalt vor sich, in der er bald seinen Freund Faust erkannte. Dieser forderte ihn auf, ihm zu folgen, und verbrachte den Schlaftrunkenen mit Windeseile in seine Wohnung nach Wittenberg. Dort erzählte er ihm, was inzwischen vorgefallen, und führte ihn noch zeitig genug zu seiner Gemahlin, ehe der neue Ehebund geschlossen war. Diese traute anfangs kaum ihren Augen, ließ sich aber bald von der Wahrheit überzeugen. Freudig löste sie das neue Verlöbnis, und auch das Gericht stand ihr bei Wahrung ihrer Treue bei. So mußte denn der zweite Freier mit langer Nase abziehen. Diese Erzählung erinnert auffallend an die Sage von Heinrichs des Löwen mit Hilfe des Satans noch rechtzeitig bewerkstelligter Heimkehr aus dem Orient, um auch eine neue eheliche Verbindung seiner Gemahlin zu verhindern.

Die tollsten Streiche führte Faust zur Fastnachtszeit auf. Nachdem er seine Kneipkumpane gehörig traktiert, erweckte er ihnen die Lust nach besonders köstlichen Weinen, wie sie in dem Keller des Bischofs zu Salzburg vorrätig wären. Um dahin zu gelangen, holte er eine Leiter, hieß seine Gefährten sich auf die Sprossen setzen und fuhr mit ihnen davon. Gleich nach Mitternacht waren sie im bischöflichen Keller. Sie zündeten ein Licht an und begaben sich weidlich ans Zechen, indem sie höhnisch auf des Bischofs Gesundheit tranken. Auf einmal kam der Kellermeister, der ahnungslos das Gewölbe aufschloß und eintrat. Beiderseitiges Entsetzen. Endlich faßte sich der biedere Mann, schalt die Eindringlinge Diebe und drohte, Lärm zu schlagen. Da fiel den Zechbrüdern das Herz in die Schuhe, nur Faust lachte, faßte den Kellermeister am Schopf, und nachdem alle seiner Weisung gemäß wieder auf den Leitersprossen saßen, fuhr er mit ihnen davon. Unterwegs ließ er jedoch den vor Schreck halbtoten Kellermeister in die Krone einer Tanne fallen. Dort blieb dieser hängen, bis er endlich am Morgen zu sich kam. Er schüttelte sich vor Frost und schrie so lange, bis zwei des Weges kommende Bauern von seiner Not vernahmen.

Diese eilten denn sogleich zu Hofe, wo man ihnen anfangs keinen Glauben schenkte, bis man ihre Aussage mit der Abwesenheit des wackeren Kellermeisters und der geöffneten Kellertür in Einklang brachte. Da holte man denn den seltsamen Vogel aus seinem Neste, er wußte indessen nicht zu sagen, wer ihm den Streich gespielt.

Faust aber und seine lustigen Gesellen waren wohlbehalten, jeder noch dazu mit dem Raub einer guten Flasche Weines, nach Hause gekommen.

Am Fastnachtsdienstag waren sie wieder alle in Fausts Wohnung zusammen. Sie freuten sich schon im voraus über das gute Traktament, das sie erwarten würde, waren aber sehr enttäuscht, als nur gesottenes Rindfleisch aufgetragen ward. Einige ahnten zwar, daß dahinter eine Schalkheit stecke. In der Tat entschuldigte sich zuerst Faust wegen des frugalen Mahles und Trunkes, doch – wie er sagte – seine Mittel erlaubten ihm nichts Besseres; dagegen wolle er sie jetzt von hoher Herren Tische bewirten. Hierauf ließ er mehrere riesige Flaschen von Mephisto im Garten hinsetzen und befahl, sie ihm mit ungarischen und welschem Wein zu füllen. Desgleichen wurden mehrere flache Schüsseln hingesetzt, die alsbald mit Wildbret und Braten gefüllt hereingebracht wurden. Daran erlabte sich denn die ganze Gesellschaft.

Das alles gefiel den Studenten so gut, daß sie am Aschermittwoch wiederkamen. Da belustigte er sie mit allerhand Zauberpossen. Man hörte abwechselnd verschiedene Instrumente spielen, wozu die Becher und Gläser tanzten. Wollte aber einer sein Glas fassen, aus Besorgnis, der Wein möchte verschüttet gehen, so mußte er mithüpfen, so daß es eine große Heiterkeit verursachte. Dann ließ Faust zehn irdene Töpfe lustig tanzend aneinanderstoßen, bis sie zerbrachen. Hierauf holte er einen Hahn und machte ihn betrunken, worauf derselbe gar sonderbar zu pfeifen und zu tanzen anhob. Zuletzt kam ein alter Affe, der auf einer Harfe Musik machte und dazu tanzte.

Unter dieser Kurzweil war die Zeit bis zum Abendessen verstrichen. Da gelüstete es einige nach einem Gericht Vögel. Sofort hielt Faust eine Stange zum Fenster hinaus und pfiff auf einer Pfeife. Da kamen eine Menge Drosseln und Krammetsvögel geflogen, die auf der Stange haftenblieben. Die ergriffen und erwürgten sie, worauf sie der Famulus rupfte und briet. Nach dem Abendessen wollten sie zum Mummenschanz gehen. Faust hieß sie ein großes weißes Hemd anziehen und vorangehen. Da kam es ihnen vor, als hätten sie alle keine Köpfe. Der Sitte gemäß holten sie in diesem Aufzuge in den Häusern Fastnachtskrapfen, worüber die Leute sehr erschraken. Wenn sie sich nun der üblichen Einladung zufolge zu Tische gesetzt hatten, erhielten sie ihre wahre Gestalt, so daß man sie erkannte, danach aber veränderten sie sich abermals gar seltsam, indem sie Eselsohren, riesige Nasen und dergleichen bekamen. So trieben sie es bis Mitternacht.

Selbst am Donnerstag setzten sie ihre Ausgelassenheit fort. Auch an diesem Tage ergötzte sie Faust mit seinem Gaukelspiel. Er setzte ihnen außer anderen Gerichten einen Kalbskopf vor und bat einen seiner Gäste, ihn zu zerlegen. Kaum hatte dieser das Messer angesetzt, so schrie der Kopf: »Au weh! Mordio! Was hab' ich dir denn getan?« Die Studenten erschraken, Faust aber lachte aus vollem Halse. Da merkten sie den Jux und lachten mit. Da es tüchtig geschneit hatte, richtete Faust einen großen drachenähnlichen Schlitten zu. Dann setzte er sich selbst auf den Kopf des Fuhrwerkes, die anderen ins Innere, und auf dem Schwanze gaukelten vier Affen, von denen einer die Schalmei blies. Der Schlitten aber lief unter großem Geräusch von selbst, wohin sie nur wollten.

Am Weißen Sonntage kamen die Studenten wieder zu Faust zu einem sogenannten Picknick, das heißt, es brachte jeder sein Teil zum Schmause mit. Bei der Tafel kam die Rede auf die schönsten Frauen, und als man der schönen Helena, um derentwillen Troja zerstört worden war, den Preis zuerkannte, äußerte einer den Wunsch, sie sehen zu können. Da verhieß Faust, sie leibhaftig zu zitieren, aber alle müßten sich stille verhalten. Darauf ging er zur Türe hinaus und kam nach einer Weile, von Helena gefolgt, wieder herein. Ihr wunderholder Anblick verwirrte allen die Köpfe: Sie erschien in einem schwarzen Purpurkleid, und ihr goldblondes Haar fiel in langen Flechten bis an die Knie; feurig funkelten ihre kohlschwarzen Augen, kirschrot schwollen ihre Lippen, rosenrot leuchteten ihre Wangen, und schwanenweiß erglänzte ihr Nacken. Mit Wohlgefallen ruhten die Augen der Studenten auf ihrem schlanken Gliederbau. Kaum konnten sie sich ruhig verhalten, bis die Holdselige lächelnd entschwand. Wiederholt verlangten sie ihr Wiedererscheinen, doch Faust schlug es ihnen ab. Dagegen versprach er ihnen ein Konterfei; sie aber konnten die ganze Nacht nicht vor Aufregung schlafen. Sie war ihnen aber nicht beschieden, sondern Faust verlangte sie selbst im 23. Jahre seines Kontraktes von Mephisto als seine Geliebte. Sie gebar ihm einen Sohn, den er Justus nannte. Es war ein frühreifes, mit der Gabe der Weissagung behaftetes Kind, entschwand aber mitsamt der Mutter ebenso spukhaft, wie sie gekommen.

4. Fausts Testament und Ende

Das Ende des Teufelskontraktes nahte heran; um so toller trieb Faust sein wüstes Treiben, gleich als ob er sich betäuben wollte.
An allen diesen Schlemmereien nahm sein Famulus Wagner, früher ein Bettelbube, jetzt eingeweiht in alle Bübereien seines Herrn, teil, ja er trat bei ihm völlig in Sohnesrechte; ihm vermachte er Haus und Garten in der Scheergasse an der Ringmauer, item alles an Barschaft und liegender Habe. Darunter befanden sich viele Kostbarkeiten wie eine goldene Kette, 300

Kronen wert, und Silbergeschirr aus des Papstes und Sultans Küche, wohl 1000 Gulden wert; sonst war an Hausrat nicht viel da, weil er zumeist außerhalb geschwelgt hatte. Außerdem hieß er ihn sich noch eine besondere Gnade ausbitten. Da wünschte derselbe, in die Kunst seines Meisters eingeweiht zu werden. Faust riet ihm, besonders seine nekromantischen Bücher fleißig zu studieren; er versprach ihm auch einen dienstbaren Geist, ähnlich wie seinen Mephisto, und fragte ihn, in welcher Gestalt er ihn am liebsten habe. Wagner meinte, in der eines Affen. »Gut!« versetzte Faust. »Den sollst du haben.« Sofort erschien ein mittelgroßer Affe, der behende auf ihn zusprang. »Dieser wird dir aber erst nach meinem Tode dienen«, sagte der Meister, »er heißt Auerhahn.« Dann befahl er ihm noch, seine Taten fleißig aufzuzeichnen, wobei ihm sein dienender Geist behilflich sein werde, sie aber erst nach seinem Tode zu veröffentlichen. Der Gedanke, daß sein Name auch nach seinem kläglichen Ende fortleben würde, gewährte ihm einigen Trost. Zur Erinnerung gab er auch noch den Studenten allerhand merkwürdige Prophezeiungen. Je näher sein Ende herankam, desto verzagter wurde er, und es sind uns mehrere jämmerliche Klagen und Ausbrüche der Reue über sein verfehltes Leben erhalten. Ebenso auch höhnische Antworten seines höllischen Dieners Mephistopheles.

Inzwischen lief Fausts Stundenglas seinem letzten Sandkorne zu; er hatte nur noch einen Monat vor sich. Es ward ihm immer banger zumute, die Angst ließ ihn nicht rasten und ruhen. Eines Tages erschien ihm denn wieder der Satan zottig wie ein Bär und erinnerte ihn an seinen Pakt. Da jammerte Faust und wollte schier verzweifeln. Umsonst versuchte sein Famulus, ihn zu trösten; als alles vergebens war, bewog er einen gelehrten Geistlichen, ihm zuzusprechen. Dieser wies ihn auf Gottes Barmherzigkeit hin, die keinen, sei seine Sünde auch noch so groß, wenn er bereue, verdamme. Daraufhin ward Faust etwas gefaßter und legte sich abends beruhigt zu Bett. Aber alsbald stand der Satan wieder vor seinem Lager mit höhnenden Worten. »Ei, bist du auf einmal fromm geworden?« So grinste ihn das höllische Gespenst an. »Zieh dir doch gleich die Mönchskutte über, aber es nützt dir nichts. Deiner Sünden sind zuviel, und wo sind deine guten Werke? Aber, was gilt's, dich kümmert die Seligkeit minder als der Abschied von der Welt.« Faust wußte darauf nichts zu sagen und verbrachte eine schlaflose Nacht. Am anderen Morgen ließ er wieder den Geistlichen kommen, der ihn abermals mit Gottes unerschöpflicher Barmherzigkeit trösten wollte. Doch die Verzweiflung kehrte wieder bei dem Elenden ein, und der Geistliche mußte all seine Beredsamkeit aufbieten, ihn mit dem Hinweis auf den Heiland zu trösten, der ja selbst dem Schächer am Kreuze verziehen. Allein der Teufel ließ sein Opfer nicht mehr los, er wollte Faust die Möglichkeit seiner Begnadigung ausreden, indem er ihm klarzumachen suchte, es gäbe nun einmal vom Schicksal zum Bösen bestimmte Menschen, daran sei nichts zu ändern.

In solch qualvollen Gedanken verbrachte Faust Tag und Nacht. Einmal träumte er, er sähe mehr als tausend böse Geister mit feurigen Schwertern in seine Kammer treten, um ihn damit zu schlagen. Einer aber davon redete ihn mit schrecklicher Stimme an: »Nun, mein Faust, kommst du bald an den Ort, den näher kennenzulernen deine Wißbegierde so brannte. Da wirst du denn auch erkennen, was für ein großer Unterschied ist zwischen dem Aufenthalte der Seligen und dem der Verdammten.« In Angstschweiß gebadet erwachte der Unglückliche; denn die Deutung des Gesichtes war ihm klar.

Von nun an konnte ihn auch die Gesellschaft nicht zerstreuen; vielmehr liebte er die Einsamkeit. Oft schlug er wohl die Bibel nach Troststellen auf; wenn er aber glaubte, eine solche gefunden zu haben, sagte er, nachdem er sie gelesen, seufzend zu sich: »Ach! Das hat ja keinen Bezug auf mich!« Manchmal wollte er auch in der Verzweiflung Hand an sich legen; doch der Teufel ließ es nicht zu; jedesmal waren ihm dann die Finger wie gelähmt. So glich er in Wahrheit einem zum Tode verurteilten Verbrecher, der in Angst sein Stündlein erwartete.

Noch zehn Tage waren es bis zum festgesetzten Termin, da ließ er wiederum seinen Famulus rufen und jammerte vor ihm in Verzweiflung. Vergebens suchte ihn dieser zu trösten; weder Gesellschaft noch geistlicher Zuspruch wollten ihm frommen. Am vorletzten Tage erschien der Satan abermals, zeigte ihm seine mit Blut besiegelte Verschreibung und hieß ihn sich für die folgende Nacht bereithalten. Da winselte und jammerte Faust ganz gotteserbärmlich, umsonst versuchte ihn Mephisto mit dem Troste zu beruhigen, es müßten ja doch alle Menschen einmal sterben, und er sei ja auch der einzige Verdammte nicht.

Noch einmal ermannte sich Faust. Um von seinen Freunden und den Studenten feierlich Abschied zu nehmen, lud er sie für den letzten Abend zu einem Schmause in dem benachbarten Dorfe Riemlich ein; dort wollten sie noch einmal recht lustig sein. Als dies der Geistliche hörte, ergriff ihn ein Schauder. Die Geladenen versammelten sich denn auch alle in dem Orte und waren guter Dinge. Als Mitternacht herannahte, wollten sie sich verabschieden; doch Faust bat sie, die Nacht mit ihm zu verbringen; er habe ihnen noch Wichtiges anzuvertrauen. Dadurch ließen sie sich halten und folgten ihm nach dem Schlaftrunk in eine besondere Stube. Hier legte er ihnen eine vollständige Beichte seines vergangenen Lebens ab. »Gott hatte mich«, sagte er unter anderem, »mit reichem Verstande begabt, doch ich habe seine Gaben zur Erlernung teuflischer Künste mißbraucht; da erging es mir wie dem aus dem Himmel gestürzten Geiste Luzifer. Ich verhandelte meine Seligkeit für sündige Lust und eitle Hoffart, ich gab mich dem Satan zu eigen, der mich mit Wohlleben und Befriedigung meiner Wünsche zu kirren suchte, mich aber doch nur zum Hohn und Spott gehalten hat. Vierundzwanzig Jahre meines Lebens hat er mich so verblendet, der Termin ist abgelaufen, nun wird er sein Opfer holen. Seid darum ruhig, was ihr auch jetzt hören möget, euch wird nichts widerfahren. Lebt wohl, und behaltet mich in freundlichem Andenken! So ihr aber irgendwo meinen Leichnam findet, bestattet ihn! Nehmt euch ein warnendes Beispiel an meinem Ende – und nun gute Nacht!« – Gerührt traten seine Freunde zu ihm und versuchten vergebens, ihm Trost einzusprechen. Faust wehrte ihnen weinend ab, indem er traurig sagte: »Laßt es gut sein; es ist zu spät; für mich gibt's keine Erlösung mehr!«

Während sie noch redeten, entstand im Hause Poltern und Lärmen, so daß sie entsetzt flohen und Faust allein ließen. Um Mitternacht tobte ein furchtbarer Sturm um das Haus, als wollte er es aus dem Fundamente heben. Zu gleicher Zeit vernahm man aus dem Zimmer, in dem Faust war, ein Zischen und Pfeifen wie von lauter Vipern und Nattern. Dann hörte man ein Hinundherstoßen wider die Wände und ein Wehegeheul Fausts. Plötzlich ward es leichenstill; die armen Studenten zitterten wie Espenlaub. Beim Morgengrauen öffneten sie bebend Fausts Zimmer. Die Wände und der Fußboden waren mit Blut und Hirn bespritzt, doch Faust selbst fanden sie nicht. Sie suchten im ganzen Hause, bis sie endlich seine Leiche furchtbar entstellt im Hofe in einem Winkel fanden. Da trugen sie den Toten in das Haus und beratschlagten, wie sie es machen sollten, seinen Letzten Willen zu erfüllen. Sie gaben dem Wirt ein ansehnliches Geldgeschenk, wenn er den wahren Sachverhalt verschwiege und bestätige, der Doktor sei eines plötzlichen Todes gestorben. Auf diese Weise bestimmten sie auch den Schultheiß und den Geistlichen, den Leichnam zu bestatten. Dies geschah bei furchtbarem Unwetter. Aber selbst nach seinem Tode hatte Faust keine Ruhe, sondern sein Geist ging um und erschien öfters seinem Famulus. Dieser trat auch Fausts Erbschaft an; denn Helena und Justus waren verschwunden wie Nebel. Noch lange Jahre spukte Faust im Hause als kleines dürres Männchen mit einem Höcker und grauem Barte.

Die Schildbürger

1. Die Schildbürger bauen ein Rathaus

Die Schildbürger standen keineswegs von vornherein im Geruche der Torheit. Im Gegenteil! Ob ihrer Weisheit wurden die Männer als Ratgeber an auswärtige Höfe berufen, und ihr eigenes Hauswesen geriet darob in Unordnung und Verfall. Denn die Weiber konnten dem Ackerbau und den sonstigen Berufsgeschäften ihrer Männer nicht so vorstehen wie diese selbst, zumal die Sorge um das Haus und die Erziehung der Kinder schon hinlänglich ihre Zeit in Anspruch nahm. Deshalb sandten sie ein eindringliches Schreiben an ihre abwesenden Männer, sie sollten wieder nach Hause zurückkehren, widrigenfalls sie sich nach anderen umsehen würden. Das wirkte. Sie kehrten zurück, teils freudig, teils mit Scheltreden empfangen.

Damit sie nun aber nicht mehr in Versuchung kämen, ihre Weiber zu verlassen, ward ein großer Rat gepflogen, wie sie sich in Zukunft anstellen müßten, um nicht wiederum ob ihrer Klugheit berufen zu werden. Da gab ein alter Schildbürger den absonderlichen Rat, sie möchten sich hinfüro durch alberne Streiche auszeichnen; dann würde sie niemand mehr berufen. So kurios auch dieser Vorschlag war, nach reiflichem Erwägen nahm ihn die ganze Gemeinde an, und von nun an war es aus mit der Weisheit der Schildbürger.

Zunächst dachten sie an den Bau eines neuen Rathauses. So dumm stellten sie sich nun doch nicht, daß sie nicht gewußt hätten, es sei Holz und Stein als Material nötig. Sie fällten deshalb einmütig hinter einem Berge im Walde Bäume und richteten sie zu. Nun war es aber eine schwere Arbeit, das Bauholz all den Berg hinauf- und dann wieder hinabzuschleppen. Unter vielem Schnaufen waren sie damit zu Ende gekommen, bis auf einen mächtigen Baumstamm, den sie mit Seilen umbunden mühsam den Berg hinauf- und dann wieder jenseits vor sich her hinabschoben. Da, auf der Hälfte des Weges, rissen die Seile, und der Klotz rollte von selbst den Abhang hinab. Darüber waren die Schildbürger sehr verwundert. »Was waren wir doch für Narren!« riefen sie wie aus einem Munde. »Was hätten wir uns da für Mühe sparen können!« – »Ei!« meinte hierauf einer. »Der Schaden läßt sich wiedergutmachen; man braucht die Stämme nur wieder auf die Höhe zu schaffen und hinabzukugeln.« Das leuchtete allen ein, und so trugen sie das Holz wieder mühsam den Berg hinauf; nur den einen Klotz, der von selbst hinabgerollt war, ließen sie zur Belohnung seiner Klugheit unten liegen. Dann aber hatten sie oben ein kindisches Vergnügen, die Stämme hinabzurollen. Ja sie waren so stolz auf die erste Probe ihrer Narrheit, daß sie fröhlich ins Wirtshaus zogen, wo sie ein großes Loch in den Stadtsäckel zechten. Anderwärts erzählt man noch, daß sie beim Hereinschaffen die Stämme quer trugen und, weil dafür das Stadttor zu eng war, dasselbe niederrissen. So berichtet man auch von Beckum in Westfalen.

Nun ging es an ein Mauern und Zimmern, und bald stand das Fundament da, sonderbarerweise dreieckig. Wohlweislich hatten sie eine große Öffnung als Einfahrtstor für das Heu gelassen, dessen Erlös der Gemeinde zugute kam. Dies war sehr gut; denn sonst hätten ja die Ratsherren zum Dach hereinsteigen müssen; an eine Tür für dieselben hatte niemand gedacht. So bauten sie nun ruhig weiter in die Höhe bis zum Dachstuhle. Um das Rathaus zu decken, bildeten sie Handlangerreihen von unten bis hinauf. Sobald aber die Glocke zum Ausruhen läutete, ließ der dem Ziegelhaufen zunächst Stehende seinen Stein niederfallen und lief ins Wirtshaus. So kam es, daß die letzten bei der Arbeit die ersten bei der Erholung wurden und die besten Sitze bekamen. Geradeso machten es die Zimmerleute, ganz dem Charakter der Narrheit entsprechend. Endlich, nach

vollendetem Werke, gingen sie alle zusammen in ihr neuge-
bautes Haus, um zu sehen, wie es sich darin beraten lasse. Wie
aber erstaunten sie, als sie fanden, daß es stockfinster darinnen
war! Da gingen sie wieder zu ihrem Heutor hinaus, um das Gebäude von außen zu besehen, und sie entdeckten keinen Fehler;
auch war es draußen taghell. Niemand kam auf die Wahrneh-
mung, daß – die Fenster fehlten.

Zum festgesetzten Ratstage erschienen alle mit einem brennenden Lichtspan, den sie sich nachher beim Niedersetzen auf
den Hut steckten, damit sie einander erkennen konnten. Nun
fingen sie an, sich die Köpfe zu zerbrechen, wie das fehlende
Licht in das Rathaus zu bringen wäre. Da kam endlich einer auf
den Einfall, das Tageslicht in einem Sack hereinzutragen. Dieser Vorschlag fand allgemeine Billigung. Um nun möglichst
viel von der Tageshelle zu erhaschen, kamen mittags um ein
Uhr, wo die Sonne am geradsten schien, die Schildbürger mit
Säcken und Töpfen, worin sie das Licht hineinstrahlen ließen
bis zum Grunde, um es dann eiligst einzuschließen. Ja, einige
luden sogar mit Schaufeln und Gabeln den Sonnenschein in
Körbe, als wollten sie Stroh einpacken. Besonders schlau verfuhr einer, der den Tag in einer Mausefalle zu fangen gedachte.
Solche Narrenpossen trieben sie im Schweiße ihres Angesich-
tes den lieben langen Tag bis zum Sonnenuntergang. Leider
aber richteten sie damit so wenig aus wie weiland die Riesen,
welche die Berge aufeinandertürmten, den Himmel zu stürmen. Als sie dann wieder auf Gemeindeunkosten beim Weine
saßen, meinten sie: »Es wäre aber doch gar schön gewesen,
wenn es geraten wäre!«

Nun war aber gerade, als die Schildbürger eifrig mit dem Einfangen des Sonnenlichtes beschäftigt waren, ein fremder Wan-
dersmann vorbeigegangen und hatte ihnen offenen Mundes
zugeschaut. Als er den Grund ihres wunderlichen Gebarens erfuhr, kitzelte ihn die Lust, ihnen einen Streich zu spielen; denn
er war ein loser Vogel. Er sagte ihnen, sie hätten die Sache nicht

richtig angefaßt. Darüber waren die Schildbürger erfreut und traktierten ihn reichlich. Am anderen Tage hieß er sie das Dach abdecken und sprach: »So, jetzt habt ihr Licht; wenn es euch lästig wird, jagt es wieder hinaus!« Dann eilte er lachend mit dem Gelde davon, das sie ihm zum Lohne für seinen klugen Rat gegeben. Da saßen sie denn nun im Rathause unter freiem Himmel, und das tat so lange gut, als das Wetter schön blieb. Wenn es regnete oder gar später im Winter fror, konnten sie es nicht aushalten; deshalb mußten sie es wieder aufsetzen. Nun merkten sie erst, daß der Fremde sie hinters Licht geführt hatte. Was war da zu machen? Sie rieten hin und her, bis endlich einer, dem der brennende Span auf dem Hute erloschen war, durch Herumtappen an den Wänden in der Mauer einen Riß bemerkte, durch den das Licht eindrang. Dies brachte ihn auf die Idee, daß es an Fenstern fehle, und er meinte, dies Versehen sei doch für den Anfang ihrer Torheit gar zu grob. Darüber schämten sich alle und fingen auf einmal ein jeder an, sich in der Wand ein Fenster zu brechen. Da ward es denn auch sofort hell.

Nun ging man an die innere Einrichtung und teilte die Gemächer ab. Man machte drei abgesonderte Stuben: eine Witzstube, eine Schwitzstube und eine Badestube. Dann ward das Haus der Narrheit zur Ehre eingeweiht.

Inzwischen war es Winter geworden, und man mußte ans Einheizen denken. Es brachte auch jeder, um das Gemeinwesen nicht zu beschweren, selbst sein Scheit Holz mit, aber siehe da! Der Ofen fehlte; ja, selbst an Raum dazu mangelte es. Da meinte einer, man solle ihn hinter die Tür setzen. Doch da des Schultheißen Sitz an dem Ofen sein sollte, so fand man es unpassend, daß er hinter der Tür säße. »Könnte man ihn nicht«, so meinte ein anderer, »vor das Fenster setzen, dann bräuchte er nur, sozusagen, zur Stube hereinzugucken.« – »Ja, aber dann geht uns ja die Hitze verloren«, rief ein Dritter. »Dafür weiß ich Rat«, versetzte der Klügste, »ich habe ein altes Hasengarn, das will ich vor die Ofentür hängen, damit die Wärme nicht zur Ofentür hinaus kann, die Hitze aber können wir uns auch zunutze machen, wenn wir in der Kachel Äpfel braten.« Diesen Vorschlag staunten alle Schildbürger an, und zum Lohne ward ihm, wie allen seinen Nachkommen, der Ehrensitz zunächst dem Schultheißen bei der Äpfelkachel angewiesen.

2. Die Schildbürger säen Salz

In einer weiteren Ratssitzung schlug ein Schildbürger vor, bei ihrem Salzmangel, der in Kriegszeiten zu einer wahren Not werde, sich für Vorrat auf irgendeine Weise zu sorgen. Er meinte schließlich: »Wie wäre es denn, wenn wir einen Gemeindeacker mit Salz besäten? Ein Salzkorn sagt sich so gut wie ein Weizenkorn, muß sich also wie dieses säen lassen. Sieht nicht das Salz aus wie Zucker, und so gut dieser wächst, muß auch das andere sprossen.« Gesagt, getan. Zur Vorsorge stellte man sogar Feldschützen auf, die Vögel zu schießen, die etwa das aufkeimende Salz auffressen oder auflecken wollten. Nach einiger Zeit wuchs allerhand Kraut in die Höhe, worüber die Schildbürger eine unbändige Freude hatten. Sie banden nun den Flurhütern auf die Seele, den Acker vor dem Vieh zu hüten. Nun liefen gar bald Kühe und Schafe auf das Feld und fraßen die Pflanzen ab. Da waren die Flurwächter mit ihren armseligen Vogelflinten in Verlegenheit; sie liefen in den Gemeinderat, es zu melden. Die weisen Herren zerbrachen sich lange die Köpfe. Endlich schickte man vier Ratsherren ab, welche einen Flurschützen, dem man eine Rute in die Hand gab, auf dem Acker umhertrugen, das Vieh zu verscheuchen. Sie verfuhren dabei auch so fein säuberlich, daß sie mit ihren breiten Füßen nicht allzuviel zertraten.

Indessen wucherte das Kraut fort, nach dem Sprichwort: »Unkraut vergeht nicht.« Nun ging einmal ein ehrlicher Schildbürger an dem Acker vorbei und konnte es nicht unterlassen, von dem vermeintlichen Salzkraut auszuraufen. Brannte es ihn schon in der Hand, so biß es ihn noch mehr, als er es zum Munde führte. Darüber schrie er nun vor Schmerz und Freude laut auf: »Wie lecker, wie lecker!« Dann lief er zum Dorf hinein, ließ die Sturmglocke läuten, und als alles versammelt war, verkündete er die frohe Mär von dem scharfen, bissigen Salzkraut, und sie liefen alle auf das Salzfeld, das Kraut zu versuchen. Da fanden sie denn, daß der Bote wahr gesprochen, und sie freuten sich ihres Erfolges und sahen sich schon als reiche Salzherren. Zur Erntezeit kamen sie mit Sicheln und Wagen, das Salz zu mähen; ja, einige hatten schon die Dreschflegel mitgebracht, das Salzkorn auszudreschen. Als sie es aber anfaßten, verbrannten sie sich gar sehr die Hände. Was war da zu tun? Zum Handschuhanziehen war es zu heiß. Da riet einer, weil es gar so hitzig sei, es mit der Armbrust niederzuschießen wie einen tollen Hund. Doch es fehlte ihnen an geeigneten Schützen, und so mußten sie das Salzkraut stehenlassen. Dem Salzmangel war also nicht abgeholfen. Im Gegenteil! Sie hatten ja noch viel Salz umsonst versät. Woran es ihnen aber am meisten gebrach, das war das Salz der Weisheit. Denn was sie eigentlich geerntet hatten und was überall gut wächst, besonders wenn man es mit Salz düngt, wirst du, lieber Leser, schon erraten haben – Brennesseln.

3. Besuch des Kaisers bei den Schildbürgern und der neue Schultheiß

Der Ruf von der Torheit der Schildbürger verbreitete sich bald überallhin. So drang er auch zu den Ohren des Kaisers von Utopia, der sich darob baß verwunderte, zumal er früher aus dieser Gegend so kluge Ratgeber bezogen. Um sich persönlich von der Wahrheit dieser seltsamen Kunde zu überzeugen, ließ er ihnen seine baldige Ankunft verkünden und verhieß ihnen Schutz und Schirm in ihren alten Privilegien, sofern sie ihm auf seinen Gruß eine gereimte Antwort vorbrächten. Darüber erschraken die armen Schildbürger gar sehr, weil sie besorgten, der Kaiser möchte sie durchschauen und zwingen, wieder witzig zu sein. Nun waren sie auch noch in einer anderen großen Verlegenheit. Ihr armer Schultheiß war aus Kummer über seine verleugnete Weisheit zu einem wirklichen Narren geworden. Was tun? Sie kamen überein, den zum Schultheiß zu wählen, der über Nacht den besten Reim ersinnen würde. Nun zerbrachen sich hierüber die hochwohlweisen Herren die ganze Nacht den Kopf. Am unruhigsten jedoch schlief derjenige Schildbürger, der bisher einer anderen Gemeinde vorgestanden, das heißt, der die Schweine gehütet hatte. Er warf sich die ganze Nacht wild umher, so daß ihn seine Frau besorgt fragte, was ihm denn eigentlich fehle. Er durfte freilich das Amtsgeheimnis nicht verraten; aber sein Weib entlockte ihm endlich die Ursache seines Kummers. »Was gibst du mir«, sagte sie listig, »wenn ich dich einen schönen Reim lehre?« – »Wenn du das kannst«, versetzte der Mann, »kaufe ich dir einen schönen neuen Pelz.« Darüber war die Frau froh, besann sich eine Weile und hob dann also an:

> »Ihr lieben Herrn, ich tret' herein,
> Mein feines Weib, das heißt Kathrein,
> Ist schöner als mein schönstes Schwein
> Und trinkt gern guten, kühlen Wein.«

Auf diesen Vers tat sich die Schildbürgerin nicht wenig zugute; sie sagte ihn ihrem Manne wohl 99mal vor, bis er ihn auswendig wußte. Aber auch die anderen Schildbürger hatten sich ihre Reime ausgeklügelt, um Schultheiß zu werden.

Am anberaumten Tage sollte die Versprobe sein. Da konnte man denn infolge lang angewöhnter Narrheit und daraus erwachsender Gedächtnisschwäche gar wunderbare Reime hören. Allemal fehlte im geeigneten Moment das Schlagwort, so daß zum Beispiel einer folgenden Vers vorbrachte:

> »Ich heiße Meister Hildebrand
> Und lehne meinen Spieß an die – Mauer.«

Darob erhob sich denn jedesmal schallendes Gelächter, nur wer an der Reihe war, der lachte nicht. Zuletzt trat unser biederer Schweinehirt hervor, der in tausend Ängsten schwebte, es möchte ihm einer seinen Reim weggeschnappt haben. Jedesmal wenn in eines anderen Versen eins seiner Wörter vorkam, erschrak er zu Tode. Endlich kam die Reihe an ihn; kühn trat er vor und hob an:

> »Ihr lieben Herrn, ich tret' – hierher,
> Mein feines Weib, das heißt Kathrein,
> Ist schöner als mein schönstes – Ferkel
> Und trinkt gern guten, kühlen – Most.«

»Das ist einmal ein Reim!« riefen wie aus einem Munde sämtliche Ratsherren. »Das klingt doch nach etwas! Der könnt' uns helfen!« So ward denn der Schweinehirt einstimmig zum Schultheißen ernannt. Darüber schwoll dem biederen Landmann so der Kamm, daß er, um sich feinzumachen, beschloß, in der Nachbarschaft ein Bad zu nehmen; denn zu Schilda kannte man diesen Luxus nicht.

Unterwegs begegnete ihm ein früherer Kollege, der vor nicht langer Zeit mit ihm die Schweine gehütet hatte. Dieser redete ihn vertraulich mit du an. Aber jener betrachtete ihn von der Seite und versetzte feierlich: »Wisse, daß Wir nicht mehr sind, was Wir zuvor waren; Wir sind jetzt unser Herr, der Schultheiß zu Schilda!«

Lachend ließ ihn der frühere Kamerad ziehen.

Im Bade benahm er sich gar auffällig. Wie in tiefen schweren Gedanken setzte er sich auf eine Bank, seine Finger abzählend, so daß man ihn für melancholisch hielt. Plötzlich fragte er einen, der neben ihm saß, ob dies die Bank sei, auf der die Herren zu sitzen pflegten. Als ihm dies bejaht wurde, sprach er zu sich: »Ei, wie fein hab' ich's da getroffen; die Bank hat mir's sicherlich angerochen, daß ich Schultheiß in Schilda bin!« So saß er eine Weile, bis ihm vor Grübeln der Schweiß ausbrach. Da meinte der Bader, weil sein Kopf naß war, er habe schon gebadet und wollte ihn reiben. Zerstreut antwortete der Schultheiß: »Mein lieber Freund! Ich weiß wirklich nicht, ob ich mich gewaschen habe, aber gerieben bin ich noch nicht. Wisse, unsereiner hat gar viel zu simulieren, denn wie Ihr mich seht, ich bin der Schultheiß von Schilda!« Da erhob sich ein allgemeines Gelächter, und um ihm Ehre anzutun, ließ man ihn ruhig weiter schwitzen.

Die gnädige Frau Schultheißin hatte aber auch nicht vergessen, ihren Mann daran zu erinnern, daß er ihr einen Pelz schulde. Deshalb fragte er beim Nachhausegehen den Torwart, wo ein Kürschner wohne, bei dem sich die Schultheißenfrauen ihre Pelze zu kaufen pflegten. Da merkte der Wächter, daß es bei unserem guten Manne nicht richtig im Oberstübchen bestellt sein müsse, und wies ihn zu einem Kübler, einem lustigen Gesellen. Dieser roch sofort den Braten und versetzte: »Es tut mir leid, Ew. Wohledlen nicht dienen zu können; gestern war Markttag, da hab' ich alle vorrätigen Pelze verkauft. Aber ich will Ew. Wohlgeboren zu einem anderen Kürschner schicken.« Damit schickte er ihn ganz weit in die Vorstadt zu einem Wagner. Als er bei diesem sein Anliegen vorbrachte, merkte er den Scherz seines Vorgängers und sandte ihn zu einem Schreiner, der aber wieder zu einem anderen, und so ward unser Schultheiß, wie man zu sagen pflegt, von Pontius zu Pilatus geschickt. Zuletzt kam er zu einem Lebküchner. Dieser versetzte, er habe gerade keine passenden, er wolle ihm aber einen feinen von Lebkuchenteig anmessen und backen; den könne er, wenn er seinem Weibe nicht gefiele, selber essen, alle Morgen einen Mundvoll. Der Schultheiß bedankte sich höflich, meinte aber, sein wichtiges Amt erlaube ihm nicht, so lange zu warten. Da dauerte dem Lebküchner der Gefoppte, und er wies ihn endlich dahin, wo er das Gewünschte fand. Darob war seine Frau sehr froh, bekleidete sich damit und drehte sich nach allen Seiten, zu sehen, wie er ihr stehe. Ihr Mann jedoch war müde und hungrig und bat seine Frau, ihm Schnitten zum Abendbrot zu bakken. Sie tat nach seinem Begehr, er aber fand die Schnitten viel zu grob und dick. »Hältst du mich etwa noch für einen Schweinehirten?« sagte er. »Denkst du nicht daran, daß ich jetzt Schultheiß zu Schilda bin?« Da backte sie ihm feinere Schnitten, die sie zusammen vergnügt verzehrten und dazu einen guten Schluck Weines tranken.

Der Frau Schultheißin war aber die neue Würde noch viel mehr in die Krone gestiegen als ihrem Manne.

Am anderen Morgen stand sie in aller Frühe auf, schmückte sich mit ihrem Pelze und tänzelte selbstgefällig vor dem Spiegel auf und ab, sich von allen Seiten betrachtend. Sie wollte in ihrem Staate zur Kirche gehen; denn es war Sonntag. Beständig fragte sie ihren Mann, ob sie denn auch aussähe wie eine Frau Schultheißin, so daß sie das Läuten zur Messe überhörte. Darüber versäumte sie die rechte Zeit und kam erst, als gerade die Predigt zu Ende war. Da erhoben sich alle Leute, und die dumme Frau glaubte, es geschehe aus Respekt vor ihr. Deshalb verneigte sie sich nach allen Seiten, indem sie herablassend sprach: »Liebe Nachbarn, ich bitte euch, behaltet doch Platz; ich bin gar nicht hochmütig und denke noch gar wohl der Zeit, wo ich gerade so arm und zerlumpt wie ihr zur Kirche ging.« Die Leute gingen lachend hinaus und ließen sie stehen. Noch hatte sie sich nicht von ihrem Erstaunen erholt, als ihr Mann, der solange an seinem Barett zurechtgestrichen hatte, kam, sie heimzuführen.

Endlich war der Kaiser unterwegs nach Schilda, und der ganze Ort darum nicht wenig in Aufregung. Man beschloß, den Kaiser mit der Anrede: »Seid uns willkommen!« zu begrüßen. Hierauf erwartete man die Antwort: »Und du auch!« Für den Fall hatte dann der Schultheiß den Reim in Bereitschaft: »Der witzigste unter uns ist ein Gauch!« Damit hielt man die Privilegien der Stadt für gesichert. Nun herrschte aber große Meinungsverschiedenheit über die Art, wie man dem Kaiser entgegenziehen sollte, ob zu Roß oder zu Fuß. Einer schlug vor, zwei Haufen, einer zu Pferd und einer zu Fuß, und zwar abwechselnd immer ein Reiter und ein Fußgänger zusammen, sollten ausrücken. Andere meinten, es solle jeder mit dem einen Fuß im Stegreif, mit dem anderen auf der Erde halb reiten, halb gehen. Wieder andere schlugen vor, auf Steckenpferden dem Kaiser entgegenzureiten, denn das sei ja auch halb und halb; außerdem seien derartige hölzerne Pferde geduldiger und rascher aufgezäumt. Dies fand aller Beifall, und jeder richtete sich sein Steckenpferd zu.

Am bestimmten Tage nahte der Kaiser mit seinem Gefolge, und das sonderbare Geschwader der Schildbürger sprengte ihm entgegen. Sobald der Schultheiß den hohen Herrn erblickte, sprang er von seinem Steckenpferd auf einen Misthaufen und band es an einen Baum. Weil er aber dazu seine beiden Hände gebrauchte, hielt er seinen Hut zwischen den Zähnen und murmelte halbverständlich: »Nun seid uns willkommen auf unserm Grund und Boden, fester Junker Kaiser!« Der Kaiser konnte den Gruß zwar kaum verstehen, erwiderte aber wie folgt: »Hab Dank, mein lieber Schultheiß, und du auch!« Nun hielt dieser den Hut zwischen den Zähnen, wußte auch nicht mehr recht das Stichwort, ob es »Gauch« oder »Narr« hieße. Statt seiner sprang schlagfertig sein Nachbar ein, indem er, nachdem er auch nicht auf den Reim kommen konnte, rasch einfiel: »Der Schultheiß ist ein ›Narr‹!« Da lächelte der Kaiser und fragte, warum er denn auf dem Miste stehe. »Ei, Herr!«, versetzte demütig der Schultheiß, »weil ich nicht wert bin, daß mich die Erde trägt.« Hierauf geleiteten sie den hohen Besuch in seine Wohnung. Um ihm Kurzweil zu verschaffen, führten sie ihn dann auf ihren Salzacker und baten ihn, wenn ihnen ihre Industrie gerate, um Bestätigung ihrer Privilegien. Der Kaiser gewährte es lachend.

Am anderen Tage luden die Schildbürger ihren hohen Gast zum Festmahl. Zuerst führten sie ihn im Dorfe herum, indem sie ihm ihre Misthaufen zeigten, dann geleiteten sie ihn ins Rathaus, wo die Tafel gedeckt war. Als vornehmstes Gericht ward ihm frische, kalte Buttermilch vorgesetzt; neben ihm nahm der Schultheiß Platz; die übrigen standen aus Ehrfurcht umher und langten von oben in die Schüssel. In die Milch hatten sie zweierlei Brot gebrockt: Vor des Kaisers Platz schwammen weiße Semmelbrocken in der Sahne, für die Bauern lagen schwarze Brocken auf dem Grunde. Da aber passierte es einem Bauern, daß er aus Versehen einen weißen Brocken fischte. Sogleich schlug ihm der Schultheiß wegen seines groben Verstoßes auf die Finger mit den Worten: »Du Flegel, warum frißt du dem Kaiser das Brot weg?« Erschrocken zog der Bauer seinen Löffel zurück, den schon angebissenen Brocken aber legte er dem Kaiser wieder vor die Nase in die Schüssel. Da hatte der Herrscher von der Festkost genug und schenkte den Schildbürgern den Rest.

Im übrigen hatte der Kaiser viel Spaß bei den närrischen Leuten und stellte ihnen gern auf ihr Verlangen einen Freiheitsbrief für ihre Narretei aus. Darüber erfreut, sprengten sie mit ihren Steckenpferden in ausgelassener Lust auf eine benachbarte Wiese, aßen und tranken, bis sie in einen süßen Weinrausch versanken. Als sie im Dusel erwachten, wußte keiner recht, wo seine Beine waren; denn sie lagen unter- und übereinander und hatten alle Hosen von einerlei Zeug. Da waren sie in großer Not und baten einen Vorübergehenden gegen Belohnung, er möge einem jeden zur richtigen Erkenntnis seiner Beine verhelfen. Dieser fuhr sofort mit einem dicken Prügel unter sie, und bald standen alle auf ihren Füßen und freuten sich, daß sie ihre Beine wieder kannten. Nur einer war bis zuletzt sitzen geblieben und rief: »Ich möchte auch gerne meine Beine wiederhaben! Wollt Ihr Euch nicht auch an mir ein Trinkgeld verdienen?« Das ließ sich der Passant nicht zweimal sagen und versetzte ihm einen kräftigen Hieb auf sein Hinterteil. Wie hurtig er da in die Höhe sprang! Reich beschenkt zog der Helfer in der Not von dannen, die Schildbürger aber nahmen sich vor, ein andermal besser auf ihre Beine zu achten.

4. Neue Torheiten der Schildbürger

Allmählich ward den Schildbürgern ihre Narrheit zur zweiten Natur: Sie konnten schließlich nicht mehr anders als Torheiten begehen. So hatten einmal zwei von dem Vorteil eines Tauschhandels gehört und wollten beim Weinrausch ihre Häuser vertauschen. Wie machten sie dies aber? Es brach jeder sein Haus ab, um es an die Stelle des anderen zu tragen. Auf diese Weise hatten sie redlich getauscht.

Ein andermal bemerkten die Schildbürger auf einer alten baufälligen Mauer frisches Gras, dessen Nutzlosigkeit sie dauerte. Wie konnte man es abmähen? Hätten sie nur gute Schützen gehabt, die es herabschössen. Da kam der Schultheiß auf den Einfall, es vom Vieh abweiden zu lassen. Dieser Vorschlag leuchtete allen ein, und man gönnte der Kuh des Schultheißen den Vorrang. Wie aber sollte man sie hinaufbringen? Auch dafür ward Rat geschaffen. Man schlang der Kuh ein Seil um den Hals, warf das Ende über die Mauer hinüber und fing nun von drüben an, das Vieh hinaufzuziehen. Doch das Seil schnürte der armen Kuh so die Kehle zu, daß sie die Zunge herausstreckte. »Ei, seht doch!« rief da der Schultheiß. »Wie gierig sie nach dem Grase leckt! Zieht doch höher! Sie ist zu dumm, sich selbst zu helfen!« Aber man brachte sie nicht oben hinauf; es wäre auch umsonst gewesen; sie war längst erwürgt. Das merkten die klugen Schildbürger erst, als es zu spät war.

Ebenso närrisch wie die Männer gebärdeten sich die Schildbürgerinnen. So hatte eine Witwe eine Henne, die ihr täglich ein Ei legte. Nun hatte sie deren so viele angesammelt, daß sie dafür drei Groschen zu lösen hoffte. »Dafür kaufst du dir« – so überlegte sie sich beim Gang zum Markte – »zwei Bruthennen; die legen dir soundsoviel Eier; dafür kaufst du dir noch drei Hennen; die legen dir im Monat soundsoviel Eier. Der Erlös dafür wie für die alten Hennen, die nicht mehr legen, sowie das Erträgnis für die Eier, welche die jungen Hennen noch legen, reicht dir hin, ein paar Gänse zu kaufen. Die legen dir auch Eier und tragen wertvolle Federn. In acht Tagen hast du sicherlich so viel, dir eine Ziege zu kaufen. Die gibt Milch und wirft dir junge Zicklein. Wie reich bist du jetzt schon? Du hast alte und junge Hühner und Gänse, davon Eier und Federn, du hast eine Ziege mit Milch und Zicklein und Wolle. Davon fällt so viel ab, daß du dir ein Mutterschwein kaufen kannst. Das wirft dir Spanferkel. So bekommst du Schinken, Speck und Würste. Das trägt dir gewiß so viel ein, eine Kuh zu kaufen; dann hast du auch Kuhmilch, Kälbchen und Dünger. Doch wozu der Dünger? Da mußt du dir einen Acker anlegen und Korn säen, so brauchst du keins mehr zu kaufen. Nun schaffst du dir noch Pferde und Knechte an, das Vieh zu besorgen und den Acker zu bestellen. Dann mußt du dein Haus vergrößern, Geld und Gut wie Gesinde unterzubringen. An Mitteln kann es dir ja jetzt nicht fehlen: Du hast ja Hühner, Gänse, Ziegen, Kühe, Pferde, Eier, Federn, Wolle, Milch – ach ja! Und den Kühen kann man die Hörner absägen, die verkaufst du dem Messerschmied – das gibt wieder Geld –, dann den Hauszins von vermieteten Wohnräumen – hu! Wie wirst du reich. Dann kommt gewiß auch noch ein schmucker Freiersmann, dich zu heiraten – warum auch nicht? – Du bist ja noch jung und reich! Hurra! Dann wird

Hochzeit gemacht! – Juchhe! Juchheißa! – Hopsa!« – Damit machte sie einen Sprung, der Korb fiel, die Eier zerbrachen – und alles war hin, Gans und Kuh und die Hochzeit dazu.

Zum Bau einer Mühle hatten die Schildbürger in einer Steingrube einen Stein ausgehauen; mit großer Mühe hatten sie ihn den Berg heruntergeschleppt. Kaum hatten sie ihn glücklich unten, als ihnen einfiel, wie sie vordem das Bauholz zum Rathaus hatten hinunterrollen lassen. »Was sind wir doch für Narren!« sprachen sie. »Wir hätten es doch wieder geradeso machen können. Nun, das läßt sich ja wiedergutmachen.« Damit trugen sie den Mühlstein wieder mit unsäglicher Mühe hinauf. Eben waren sie im Begriff, ihn hinabkugeln zu lassen, da rief einer: »Halt! Wie wollen wir denn nachher wissen, wohin er gerollt ist?« – »Ei!« sagte der Schultheiß. »Am besten wäre es, wenn einer den Kopf in die Öffnung steckte und mitliefe.« Der Vorschlag leuchtete ein, und man suchte sich einen Passenden aus. Es war possierlich, mit anzusehen, wie der arme Geselle gleich einem Hebebaum, oft aber mit ausgespreizten Beinen mit dem Mühlstein dahinwirbelte. Aber zuletzt verschwanden Stein und Mann in einem Weiher. Die Schildbürger jedoch meinten, er sei mit dem Mühlstein auf und davon gelaufen. Deshalb ließen sie ihn der ganzen Nachbarschaft durch folgendes Plakat steckbrieflich verfolgen: »Wofern einer erscheint mit einem Mühlstein am Halse, so soll man ihn als Gemeindedieb gefänglich einziehen.« Der arme Narr aber lag tief unten im Weiher und hatte so viel Wasser geschluckt, daß er sich nicht verteidigen konnte.

Bei Schilda floß ein Wasser, über das ein Baum seine Äste neigte. Die Leute hielten ihn für schwermütig, weil er nicht vom Wasser trinken könne. Dem Übelstand wollten sie abhelfen, indem sie den Baum mit einem Seile herabzögen. Sie glaubten nicht anders, als daß der weit herunterhängende Ast der Schnabel des Baumes sei, womit er trinken wolle. Es mußte also einer auf den Baum klettern, um ihm den vermeintlichen

Schnabel ins Wasser zu tauchen. Da plötzlich riß das Seil, an dem sie zogen, der Baum schnellte mit aller Wucht zurück, dem armen Kerl aber, der oben saß, wurde von einem Aste der Kopf abgeschlagen, so daß der kopflose Rumpf ins Wasser fiel. Darüber erschraken die Schildbürger über alle Maßen und fragten sich verwundert, ob denn der Verunglückte beim Hinaufklettern noch seinen Kopf gehabt habe. Da wußte niemand etwas Sicheres zu sagen; der Schultheiß aber meinte, er müsse damals schon keinen Kopf mehr gehabt haben, denn er habe ihn dreimal angerufen, ohne eine Antwort von ihm zu erhalten. Wolle man aber ganz sicher sein, so solle man nach Hause zu seinem Weibe schicken, um sie zu fragen, ob ihr Mann morgens beim Aufstehen noch seinen Kopf gehabt habe. Es geschah so, die Frau aber antwortete, sie wisse es selbst nicht ganz genau; nur so viel erinnere sie sich, daß sie ihm am letzten Sonnabend den Kopf gestriegelt habe. »Dort an der Wand«, fuhr sie fort, »hängt sein alter Hut; wenn da sein Kopf nicht drinsteckt, so wird er ihn wohl mit sich genommen haben, oder er hat ihn anderswohin gesteckt, was ich nicht weiß.« In dem Hute an der Wand aber stak der Kopf nicht; so wußte niemand, wo des Mannes Haupt hingekommen war.

Zur Kriegszeit bangte den Schildbürgern sehr für ihre Glocke am Rathause. Um sie vor den Feinden zu sichern, nahmen sie dieselbe im Schiffe mit und versenkten sie im See. Um sie aber später wiederzufinden, machte der Schultheiß am Bord des Schiffes einen Kerbschnitt zur Bezeichnung des Ortes, natürlich fanden sie später die Stelle im Schiffe wieder, die Glocke aber nicht mehr.

Zu dieser Zeit hatte sich auch ein unglücklicher Krebs nach Schilda verirrt. Die Schildbürger, die noch nie einen solchen gesehen hatten, konnten sich über das vielfüßige Tier, das vorwärts und rückwärts ging, nicht genug entsetzen. Sie läuteten deshalb Sturm und berieten, was sie mit dem Ungeheuer beginnen sollten. Der Schultheiß bemerkte die Scheren und meinte, es müsse ein Schneider sein. Sie setzten ihn also auf ein Stück ausländisches Tuch, und da sie ihn für einen Musterschneider hielten, schnitt ihm einer hinten mit der Schere nach, wohin er nur immer kroch. Aber bald sahen sie ein, daß nichts recht Gescheites dabei herauskam. Deshalb erklärten sie ihn für einen Betrüger. Endlich meinte einer, man solle seinen Sohn zu Rate ziehen; der sei weit gereist und wisse wohl, was es sei. Der Weitgereiste besah sich das Tier von vorn und hinten und gab den klugen Bescheid: »Das Tier hat einen Kopf wie ein Hirsch«, er hielt nämlich den Schwanz dafür, »wenn es nicht eine Taube oder gar ein Storch ist.« Nun waren sie so klug wie zuvor. Da wollte ihn noch einmal einer anfassen; der Krebs kriegte ihn aber mit der Schere zu packen und zwickte ihn so, daß er Zetermordio schrie. »Es ist ein Mörder!« rief er jammernd. Der Fall ward einem ernsten Gerichte unterbreitet, das folgendes Urteil fällte: »Sintemal das Untier sich fälschlich für einen Schneider ausgegeben, in Wahrheit aber ein Mörder sei, solle es im Wasser ersäuft werden.«

Vorsichtig ward es demzufolge auf ein Brett geschoben und unter Beiwohnung sämtlicher Schildbürger ins Wasser geworfen. Da ward es dem armen Krebs in seinem Elemente wieder wohl, und er zappelte mit allen Füßen. Einige mitleidige Seelen aber riefen aus: »Seht doch, wie weh der Tod tut!«

Das Kriegsgerücht, um deswillen die Schildbürger ihre Glocke versenkt hatten, war kein blinder Lärm. Auch an die Schildbürger erging der Befehl, eine Schar Bewaffnete zur Stadt zu schicken. Einem dieser Landsknechte begegnete ein Bauer mit einer Kuh, welche den mutigen Krieger zufällig mit ihrem Horn berührte. Da zog der Held seinen Dolch, ging auf die Kuh los und sprach: »Bist du eine ehrliche Kuh, so stoß noch einmal!« Der Kuh imponierte diese mannhafte Anrede so, daß sie dem kühnen Streiter aus dem Wege ging.

Bald darauf machten die Städter einen Ausfall, um nach dem Feind zu streifen und den Bauern Hühner und Gänse abzunehmen. Unser wackerer Schildbürger hatte nun kurz zuvor ein Panzerstück gefunden und dem Schneider befohlen, es ihm in seiner Kleidung einzusetzen, wo das Herz sei, damit es einen feindlichen Puff aushalte. Der Schneider versprach ihm lächelnd, er wolle es schon am rechten Fleck einsetzen. Bald darauf brachte er ihm die bestellte Arbeit. In der neuen Waffenrüstung zog nun unser Held mit auf den Beutezug. Doch die Bauern fielen über ihn her und jagten ihn in die Flucht. In seiner Angst wollte er schnell über einen Zaun, blieb aber mit der Hose hängen. Da stach ein Bauer von hinten nach ihm mit der Hellebarde, so daß er über den Zaun wegflog. Betäubt lag er am Boden und hielt sich für schwer verwundet. Als die Feinde vorübergezogen waren, befühlte er sich sorgsam, ob ihm das Blut durch die Hosen rinne. Doch siehe da! Er war unverletzt. Und was war die Ursache davon? Der Schneider hatte ihm das Panzerstück hinten in die Hosen eingesetzt und so den rechten Fleck getroffen, wo er am verwundbarsten war.

»Wie fein!« sprach er zu sich. »Wie richtig hat der Schneider den Fleck gefunden, wo einem tapferen Schildbürger das Herz sitzt!«

Der Krieg war nun zwar glücklich vorüber, aber nicht die Not. Besonders machten den Schildbürgern die Mäuse zu schaffen, die ihnen alles wegfraßen. Nun traf es sich, daß in Schilda ein Wanderer einkehrte, der eine Katze auf dem Arme trug. Auf Befragen, was er da habe, gab er zur Antwort: »Ei, einen Maushund!« In der Wirtsstube, wo er saß, spazierten die Mäuse frech umher. Da ließ der Fremde seine Katze laufen, die im Nu unter den Mäusen aufräumte. Das meldete der Wirt der Gemeinde. Diese kam überein, dem Wanderer seinen »Maushund« abzuhandeln. Anfangs meinte dieser, sein Tier sei ihm zwar nicht feil, doch für 100 Gulden wolle er es hingeben. Die Bauern gingen froh darauf ein, bezahlten ihm die Hälfte und sagten ihm, nach einem halben Jahr könne er die andere holen. Der Fremde trug ihnen ihre Katze in ihre Burg, wo ihr Getreidespeicher war, und machte sich mit dem Gelde eiligst davon, in Besorgnis, der Kauf möge sie reuen.

Nun hatten die Bauern vergessen zu fragen, was der »Maushund« fresse. Deshalb sandte man eiligst dem Fremden einen Boten nach. Als dieser jemand hinter sich herlaufen sah, meinte er, man wolle ihm sein Geld abjagen, und riß aus. Der Schildbürger schrie hinter ihm drein: »Was ißt er?« Sich rasch umdrehend rief jener zurück: »Wie man's beut!« Doch der andere verstand: »Vieh und Leut!« Er kehrte zurück, die Unheilsbotschaft zu verkünden. Darob erschraken die guten Leute und beschlossen, die Katze zu töten. Doch hatte keiner das Herz, sie anzugreifen. Darum zündeten sie die Burg an, in der die Katze war, von der Erwägung ausgehend, ein kleines Unheil mit in den Kauf zu nehmen, um dem größeren zu entrinnen.

Die Katze jedoch, als sie Gefahr merkte, sprang zum Dach hinaus in ein Nachbarhaus. Das Schloß dagegen brannte bis zum Grunde nieder. Die Schildbürger waren in großer Angst, weil sie doch des drohenden Ungeheuers nicht losgeworden. Was tun? Sie kauften das Nachbarhaus und brannten es gleichfalls nieder. Die Katze kletterte aufs Dach und hob nach Gewohnheit die Tatze auf, sich den Kopf zu putzen. Dies hielten die Schildbürger für einen Racheschwur. Da nahm einer seinen Spieß, um nach ihr zu stechen. Doch zu aller Entsetzen lief die Katze an der Stange herunter. Vor Schrecken nahmen alle Reißaus und ließen ihr Dorf abbrennen; nur ein einziges Haus blieb stehen.

Die Schildbürger waren mit Weib und Kind in den Wald entflohen. Dort lebten sie in großer Not, noch mehr aber in Angst vor dem schrecklichen Maushund. Deshalb verließen sie ganz die Gegend ihrer Heimat und zerstreuten sich in alle Lande. Von der Zeit an gibt es Schildbürger in der ganzen Welt.

Der Rübenzagel

1. Die Krankheit des Herzogssohnes

Am Walpurgistage des Jahres 1203 veranstaltete Herzog *Heinrich der Bärtige* von Liegnitz eine große Jagd im Riesengebirge. Mit Jagdspießen und Jagdhörnern ausgerüstet, von einer großen Meute begleitet, durchstreiften Ritter und Reisige die ungeheuren Forsten, die noch heute den Paß zwischen Schreiberhau und Neuwelt größtenteils bedecken.

Mitten hinein in den Hörnerklang und das Wiehern der mutigen Renner erscholl das wilde Gebell der Bracken, die ungeduldig an ihren Stricken zerrten. Hau, hau! Horrido und Hussassa! tönte es von den Bergen zurück. Allen voran stürmte der Herzog. Da plötzlich erhob sich vor ihm aus den grünen Farnkräutern, die halb mannshoch ringsum den Boden bedeckten, eine weiße Hindin. Doch sie war flinker als sein gutes Roß. Immer höher hinauf ging es auf die Berge. An der höchsten Stelle verschwand das Tier, und der Herzog sah sich allein in einer einsamen Gegend. Ein Stück weiter auf Böhmen zu erblickte er einen großen Meiler. Schwelend stieg der grauweiße Rauch in die Abendluft. Wie er näher darauf zuritt, bemerkte er einen wohl acht Fuß hohen rußigen Köhler mit bis auf die Knie reichendem struppigem Feuerbarte. Unheimlich sah der finstere Geselle mit seinen tückisch stechenden Augen aus. Doch furchtlos trat der Herzog an ihn heran: »Wo bin ich, und wie weit ist's von hier nach Schreiberhau?« fragte er. – »Wollt Ihr da hinten noch hin?« – »Gewiß, und morgen muß ich nach Liegnitz zurück, denn für übermorgen habe ich einen großen Staatsrat angesetzt, und wenn ich zu dem nicht erscheine, zeihen mich meine Standesherrn mit Recht der Pflichtvergessenheit.« – »Da seid Ihr wohl gar unser allergnädigster Herr Her-

zog selber?« erwiderte der Köhler, indem er dabei ziemlich un-
ehrerbietig grinste. »Gewiß! Aber wer bist denn du? Ich habe
doch schon oft hier im Gebirge gejagt, aber niemals bin ich einem so struppigen Kerle begegnet wie dir!« Eine lodernde
Flamme schlug aus dem Meiler heraus und beleuchtete grell
das seltsam finstere Antlitz des Gefragten! Schnell warf dieser
ein paar Schaufeln Waldboden auf die schadhafte Stelle, die
sich in der Erddecke des Meilers gebildet hatte. Die Flamme
verschwand, aber dichter und weißer quoll der Rauch zwischen
den Rasenstücken heraus. »Was geht's Euch an, wer ich bin.
Hier ist Eure Macht zu Ende. Reitet nur nach Schreiberhau zurück zu Euren Schranzen und Lakaien. Aber das rate ich Euch,
seht Euch unterwegs hübsch vor, sonst bringt Ihr Euer Rößlein
nicht heil nach Hause und brecht wohl auch noch selber Hals
und Beine. Es wird hinten so finster, daß Ihr die Hand vor den
Augen nicht seht, und Mondschein gibt's nicht, der Euch heim-
leuchten könnte.« – »Da hast du einen blanken Goldgulden, sei
vernünftig, und führe mich nach dem Dorfe zurück!« – »Euer
Geld, Herr, begehre ich nicht, aber wollt Ihr mir versprechen,
daß Ihr mir in drei Jahren hier überliefern wollt, was Euch zu
Hause zuerst begegnen wird, so bringe ich Euch bis morgen
früh nach der Liegnitz zurück.« – »Dir ist wohl der Rauch zu
Kopfe gestiegen, den du den Tag über hier eingeschluckt hast,
und hat dir den Grips umnebelt. Bis Liegnitz sind's zwölf gute
Meilen. Einen vollen Tag brauchte ich, um hinzukommen, und
da müßte ich noch einmal das Pferd wechseln unterwegs, denn
es hält's nicht aus so lange. Und da willst du mich bis morgen
früh hinbringen?« – »Gewiß, Herr Herzog, gebt mir die Hand
drauf, daß Ihr mir den Lohn geben wollt, den ich mir ausbe-
dinge, und in einem Hui seid Ihr vor Eurem Schlosse am Glo-
gauer Tore in der Liegnitz.« – »Das versuchst du«, dachte der
Herzog, »was kann dir weiter begegnen als dein treuer Hund
Bello, den du beim Torwart in Pflege gegeben hast.« – »Ich
nehme dein Anerbieten an«, sagte er laut und schlug seine

Rechte in die dargebotene rußige Hand des Köhlers. »Euer Roß aber laßt mir hier zu Pfande«, erwiderte dieser, »Euch hohen Herrn ist nicht zu trauen, Ihr red't ein'n Tag und lebt ein'n Tag.« – Der Herzog stieg aus dem Sattel und reichte dem Manne die Zügel des Renners. Der Köhler führte das stattliche Tier sorgsam in einen kleinen Stall, der an seine armselige Köhlerhütte angebaut war, band es dort fest, warf ihm Hafer und Heu vor und schloß die Türe hinter ihm mit einem hölzernen Riegel. Dann kehrte er zu dem Herzoge zurück. Dieser hatte sich inzwischen auf einen Baumstumpf niedergelassen und blickte sinnend in den Rauch des Meilers, der gar wunderliche Gestalten in die Luft kringelte. »Da, setzt Euch rittlings auf diesen Tannenstamm!« sagte der Köhler zu ihm. »Und murmelt: ›Nach dem Piastenschlosse in der Liegnitz‹, und Ihr werdet in kurzer Frist an Ort und Stelle sein.« Der Herzog tat, wie ihm geheißen war. Da erhob sich der Baumstamm mit ihm hoch in die Lüfte, und fort ging es durch Wolken, Nebel und Finsternis. Weit unten im Tale erglänzten traulich die Lichter aus den Häusern der friedlichen Dörfer und Städtlein, wo die guten Leutchen gerade bei der dampfenden Abendbrotsuppe saßen. Zwei Stunden mochte der Herzog so durch die Lüfte gefahren sein, da senkte sich der Baumstamm, und eben beschien die Sonne mit ihren ersten Strahlen das goldene Kreuz auf der Klosterkirche von Wahlstatt, als er, er wußte selbst nicht, wie, vor den Toren seines Schlosses in Liegnitz stand. Das seltsame Reitpferd war verschwunden. Zum Schloßtore heraus aber kam nicht sein treuer Hund Bello, sondern die Amme Bertha mit dem kleinen, ein Jahr alten Söhnchen des Herzogs. Sie wollte ihn hinaustragen in die Mailuft, damit er gut gedeihe. Als er den Vater erblickte, streckte er ihm die runden Ärmchen entgegen und jauchzte vor Freude. Dem Vater aber ging es durch Mark und Bein. Das also war der Lohn, den sich der rußige Köhler ausbedungen hatte. »Was kann da weiter sein?« tröstete er sich bald. »Er behält eben meinen guten Renner, aber meinen lieben Heinz, den Erben meines Thrones, bekommt er nie und nimmer, und wenn er leibhaftig in seinem schmutzigen Köhlerkittel ihn einfordern kommt.« Und er nahm den kleinen strampelnden Jungen auf seine Arme und herzte und küßte ihn. Dann gab er ihn der Amme zurück und schritt nach dem Schlosse, seine Frau zu begrüßen, die gute Herzogin Hedwig.

Drei Jahre waren seitdem vergangen. Der Herzog dachte gar nicht mehr an das Abenteuer mit dem Köhler, das er im Hochwalde bei Schreiberhau erlebt hatte. Er saß mit seiner Gemahlin und ihrer Schwester an der Tafel beim Abendmahle. Der kleine Heinz durfte auch schon mit am großen Tische essen. Seine treue Amme hatte ihn auf dem Schoße. Sie mußte darauf achten, daß er den Löffel hübsch zum Munde führte und die Suppe nicht wieder in den Teller träufeln ließ, wie er gerne tat, und daß er nicht tändelte und über dem Geplaudere das Essen vergaß. Sie wußte ihm aber auch dabei aus den herumgereichten Schüsseln die besten Bissen zuzustecken. Das bekam ihm vortrefflich. Er hatte ordentlich Pausbacken wie die kleinen Engel auf dem schönen Altarbilde in der Johanniskirche. Eben steckte sie ihm wieder einen dicken blauen Spargelkopf in den Mund, mit brauner Butter schön übergossen, da schrie er laut auf und stieß ihre Hand zurück: »Hu, Vater, sieh dort den schwarzen Mann, jetzt streckt er nach mir die Hand aus und will mich packen!« Und der arme Junge zuckte in Weinkrämpfen auf dem Schoße Berthas. Schnell wurde er in sein Bettchen gebracht. Die gute Herzogin selber wachte bei ihm die ganze Nacht, aber von Stunde zu Stunde fuhr er aus den weichen Kissen mit angsterfülltem, fiebergerötetem Gesichtchen in die Höhe und schrie und weinte, daß die Leute im Schlosse die ganze Nacht kein Auge zumachen konnten. Aus den im Halbschlafe gestammelten Worten konnte die Mutter entnehmen, daß seine Einbildungskraft noch immer von der furchtbaren Erscheinung gequält war, die er beim Abendbrote gesehen hatte. »Was hat der Junge bloß«, sagte die Mutter zu ihrem eben eintretenden Gemahle, der sich nach seinem Liebling erkundigen wollte. »Das kommt davon, wenn man den Kindern immer so gruslige Gespenstergeschichten erzählt«, erwiderte dieser. »Au au! Stich mich nicht so mit deinem struppigen roten Barte, du garstiger Mann, du!« jammerte der Knabe wieder. Da sank der Herzog betroffen auf einen Sessel nieder, der in der Nähe des kleinen Bettchens stand, und stützte sinnend den Kopf in die Hand. »Heute ist ja Walpurgis. Das war der Tag, an dem ich dem schwarzen Köhler mit dem Feuerbarte auf den Bergen begegnete. Jetzt fordert er von mir seinen Lohn.« –

Am folgenden Tage ließ der Herzog alle Ärzte von Liegnitz zu sich entbieten. Sieben an der Zahl traten sie in das Zimmer des kranken Kindes. Der eine befühlte ihm den Puls, der andere die Stirn, der dritte ließ sich die Zunge zeigen, der vierte fragte die Amme nach dem Stuhlgang, der fünfte schüttelte bedenklich den Kopf und betrachtete den Knaben sinnend von ferne. Schließlich zogen sie sich zur Beratung zurück. Zwei Stunden dauerte sie. Der erste verschrieb Tropfen, der zweite Pillen, der dritte Lindenblütentee, der vierte empfahl kalte Bäder, der fünfte warme, der sechste Schafgarbe und der siebente meinte, es wird sich schon geben, der Knabe hat bloß Furcht vor Gespenstern. Schließlich einigten sie sich auf warme Bäder, Kamillentee und Wermutstropfen. Doch nach acht Tagen war der Knabe kränker als zuvor. Nun wechselten sie die Kur, verschrieben kalte Bäder und Pfefferminztee und kritzelten ein noch viel gelehrter aussehendes Rezept für die Schloßapotheke, aber es half ebensowenig wie das erste. Schließlich verlor der Herzog die Geduld und warf die hochgelehrten Herrn Doktoren sämtlich zum Tempel 'naus. Dann rief er die Amme Bertha zu sich und nahm sie ins Gebet: »Du hast dem kleinen Heinz den Kopf verdreht mit deinen verdammten Geschichten vom Mann ohne Kopf, vom schwarzen Mann und von den Leuchtemänndeln. Nun sieh, wie du ihn wieder gesund kriegst, oder ich jage dich aus dem Hause.« – »Ach, gnädiger Herr, ich hab' ihm ja gar nichts von all den Dingen erzählt, die Ihr da nennt. Frau Herzogin hat es mir ja verboten, das ist alles Teufelsspuk, hat sie gesagt, und ich habe ihr Verbot stets treulich befolgt. Ich weiß auch, daß das all nichts taugt für die Kleinen, so klug bin ich schon selbst. Aber, gnädiger Herr, ich habe zu Hause in Panten noch einen alten Ohm, einen Schäfer, Krebs geheißen, der wird schon Rat wissen. Die Leute im Dorfe nennen ihn bloß den Doktor Krebs, weil er gar so gescheit ist und schon manchem wieder auf die Beine geholfen hat.« Der Herzog ließ den Schäfer vor sich kommen und erzählte ihm den Verlauf der Krankheit seines Söhnleins. – Der Schäfer erwiderte: »Hier dahinter steckt noch etwas, was Ihr mir nicht erzählt habt, Herr Herzog, und wenn ich das nicht weiß, so kann ich Euch auch nicht helfen.« Wohl oder übel mußte der Herzog dem Schäfer die Begegnung mit dem Köhler und die Abmachung, die er mit diesem getroffen hatte, offenbaren. »Für Euren Heinz gibt es nur ein Heilmittel!« sagte der Schäfer. »Ihr müßt ihm ein Tränklein aus den Blättern des Mondkrautes bereiten, das droben auf dem Riesengebirge in des Berggeistes Lustgärtlein wächst.« – »Dann geh du hin und hol mir welches, ich will es dir lohnen, daß du dein Lebtag keine Schafe mehr zu hüten brauchst.« – »O nein, Herr, das tue ich nicht. Vor sechzig Jahren, als ich noch beim Bauer Maiwald in Steinseiffen Kuhjunge war, da führte ich einmal die alte Liese auf eine schöne Bergwiese am Abhange des Riesenkammes. Ich wußte, daß dort die saftigsten Kräuter wuchsen. Auf einmal wurde das arme Tier von unsichtbaren Händen hoch in die Luft gehoben und an die Felsen geschmettert, daß die blutigen Fleischstücke nur so an den Steinblöcken klebenblieben. Ich rannte, was ich laufen konnte, hinunter zum Maiwaldbauer und erzählte ihm, noch ganz atemlos, was mir geschehen war. Der jagte mich mit sacksiedegroben Scheltworten aus dem Hause: ›Such dir anderswo dein Brot, du Galgenstrick, wenn du armer Leute Vieh nicht besser hüten kannst.‹ Damals habe ich dem Hirschberger Tale den Rücken gekehrt. Dort war mir's doch zu ungemütlich; wer weiß, ob sich nicht der Berggeist noch auf eine andere Art an mir gerächt hätte dafür, daß ich in sein Reich eingedrungen war. Ich zog zu meinen Eltern zurück nach Panten und hüte seitdem den Pantener Bauern die Schafe. Habe ich's bis jetzt getan, da werde ich's auch noch die paar Tage tun können, die mir noch bleiben; werde ich einmal krank, so habe ich mir auch schon einen Notgroschen zusammengespart. Und unser Schulze wird mich auch nicht verhungern lassen.« – Der Herzog sah schon, daß er den alten »Doktor Krebs« nicht würde bewegen können, ihm das Mondkraut zu holen. Er kannte die Halsstarrigkeit solcher Leute. Für den guten Rat schenkte er ihm einen Dukaten und entließ ihn dann. Am folgenden Tage aber ließ er durch einen Ausrufer bekanntmachen: »Wer unserm gnädigsten Herrn Herzog aus dem Lustgärtlein des Geistes des Riesengebirges eine Staude Mondkraut verschafft für seinen Sohn, der erhält so viel Gold, als er selber wiegt.« Das hörte der Müller Steffen vom Wolfshau, der wieder einmal wie schon oft zu einem Termin in Liegnitz war. Er gehörte zu den wenigen, die den Weg zu des Berggeistes Lustgärtlein kannten. »Das wäre ein gefundenes Fressen für dich«, dachte er und begab sich auf den Heimweg.

An demselben Abend, an dem er zu Hause anlangte, ließ er sich von seiner Frau Brot und Käse in seinen Ranzen packen und eine Flasche Bier dazu. Am anderen Morgen bei Sonnenaufgang hängte er ihn um, nahm eine Hacke über die Schulter und seinen Bergstock in die Hand und stieg durch den Melzergrund aufs Gebirge. Als er den schmalen Rücken erklommen hatte, auf dem heute die Riesenbaude steht, rastete er eine kurze Zeit und verzehrte sein mitgebrachtes Mittagbrot, dann stieg er auf der andern Seite wieder hinab, indem er immer vorsichtig am Rande der großen Aupa von Stein zu Stein kletterte. Endlich – die Sonne war schon beinahe hinter dem Hochstein verschwunden – hatte er des Berggeistes Lustgärtlein erreicht. Staude an Staude stand da das schöne, duftende Mondkraut und leuchtete mit seinen weißlichen Blüten geheimnisvoll durch die Dämmerung. Der Müller nahm seine Hacke von der Schulter und fing an, den Boden rings um eine kräftige Staude aufzuhacken. Das Mondkraut behält nämlich nur dann seine Heilkraft, wenn man es mitsamt der Wurzel ausgräbt. Unterdes verfinsterte sich der Himmel immer mehr und mehr; beim dritten Hau aber erfolgte ein furchtbarer Donnerschlag, daß die Berge ringsum in ihren Grundfesten erbebten, und von einem rötlichen Scheine umgeben stand vor Steffen ein gut sechs Ellen hoher Mann mit einem langen, struppigen, bläulich schimmernden Barte an seinem riesigen Kopfe. Der Müller fiel vor Schrecken auf den Rücken, und die Hacke glitt ihm aus der Hand. Der Berggeist aber schrie ihn mit dröhnender Stimme an: »Was unterstehst du dich, meinen Garten zu berauben, elender Erdenwurm.« – »Vergebt mir, Herr der Berge, das Söhnlein des Herzogs von Liegnitz ist krank, für ihn soll ich das Kraut holen.« – »Was du da nicht für Neuigkeiten auskramst. Das weiß ich alleine, und ich weiß auch, woher die Krankheit kommt. Euer Herzog ist ein Schelm, der sein Wort nicht halten kann. Sag ihm das, und du selber merke dir, wenn du ihn nicht dazu bringst, daß er mir seinen Sohn in aber drei Jahren am Johannistage hier zur Stelle schafft, so hole ich mir dein Kind. Für diesmal magst du ihm ein Würzlein bringen, einen kranken Jungen will ich auch nicht.« Der Geist verschwand in die Erde, und Steffen setzte seine Arbeit fort. Um Mitternacht stieg er bei Mondenscheine wieder auf den Kamm hinauf, und gegen Morgen langte er bei seiner Mühle an. Seine Frau kam, ihr neunjähriges Töchterlein an der Hand, aus der Schlafstube herunter und bestürmte ihn mit Fragen, wie es ihm im Lustgärtlein ergangen sei. Er verschwieg ihr aber sein Erlebnis mit dem Berggeiste und liebkoste die kleine Ilse, die ihr Stumpfnäschen in den duftenden Bergblumenstrauß vergrub, den ihr der

Vater mitgebracht hatte. Dann ging er zum Fenster, öffnete es und rief hinaus: »Johann, spann an, tu Heu und Hafer in den Wagenkasten, und wirf ein paar leere Säcke auf den Wagen. Ich muß noch heute nach der Liegnitz.« Seine Frau aber hieß er seinen Ranzen wieder mit Brot und Wurst füllen und drei Flaschen Bier in den Wagenkasten stellen, damit er unterwegs möglichst wenig einzukehren brauchte. Um Mittag stieg er selbst auf den Kutscherbock, ließ die Peitsche lustig knallen und fuhr auf Hirschberg zu.

Inzwischen war es mit der Krankheit des kleinen Heinz immer schlimmer geworden. Tag und Nacht war er von schreckhaften Gesichten geplagt und weinte und jammerte in seinem Bettchen. Trostlos saß die Mutter daneben und hielt ihm die weiche Hand auf die Stirn, aber das half nur ganz kurze Zeit. Sie hatte fast keine Hoffnung mehr, daß ihr ihr Liebling erhalten bliebe. Da trat ein Diener ein und meldete: »Der Müller Steffen vom Wolfshau ist da und begehrt, Euch zu sprechen, Frau Herzogin. Er sagt, er bringe Rettung und Genesung für den jungen Herzog!« – »Führ ihn sogleich herein!« befahl Hedwig. Als der Müller eintrat, verbreitete sich von dem Mondkraute, das er in der Hand hielt, ein angenehmer Duft in dem ganzen Zimmer. Der Knabe, der noch eben laut geschrien und wild um sich geschlagen hatte, sank friedlich in die Kissen zurück, und erquikkender Schlaf senkte sich auf seine müden Lider. Bald färbten sich seine abgezehrten Wangen wieder mit frischem Rot. – »Hab Dank, du mutiger Mann«, sagte die Herzogin, »daß du mir und dem Lande diesen Dienst erwiesen hast. Ich will mich gleich hinsetzen und eine Anweisung schreiben, daß dir unser Schatzmeister die ausgesetzte Belohnung zahlen soll.« – »Ach, Frau Herzogin, wenn es damit getan wäre«, seufzte Steffen, »der Berggeist ist dazugekommen, wie ich das Kraut ausgrub, und hat mir gedroht, mich umzubringen, wenn ich ihm nicht nach drei Jahren am Johannistage Euer Söhnlein nach dem Lustgärtlein bringe.« – »Weh mir!« jammerte die arme Mutter. »Meinen eben wiedergewonnenen Heinz soll ich dem bösen Berggeiste überlassen? Das darf nicht sein.« – Nach einer Weile aber fuhr sie ruhiger fort: »Geh nur getrost nach dem Schatzhause, Steffen, und laß dir deinen Lohn auszahlen. Drei Jahre ist eine lange Zeit. Inzwischen wirst du schon ein Mittel ausfindig machen, den bösen Wurzelhüter zufriedenzustellen, und wenn nicht, so komm nur wieder hierher nach Liegnitz. Da bist du ja seiner Gewalt entrückt.« Steffen hatte kein ganz reines Gewissen. Er hatte die Gefahr schlimmer dargestellt, als sie war. Er fuhr mit seinem Wagen nach dem Schatzhause, dort ließ er sich drei Säcke mit Gold und Silber füllen und lenkte dann sein Rößlein nach dem Wirtshause »Zum goldenen Baum«. Dort spannte er aus, trug die drei Säcke eigenhändig in das Zimmer, das er für die Nacht gemietet hatte, und ließ sich's den Abend bei Bier und Weine wohl sein. Am folgenden Tage fuhr er über die Berge nach dem Wolfshau zurück.

2. Die Müllerstöchter

Drei Jahre vergingen. Der gefürchtete Johannistag rückte näher und näher. Nun hatte Steffen hinter dem Mühlgraben einen großen Obstgarten, der von einem hohen Staketenzaune umgeben war. Jenseits der auf die Berge zu gelegenen Seite dieses Zaunes begann das eigentliche Besitztum des Berggeistes. In diesen Teil der Umfriedung war der Stamm eines mächtigen Apfelbaumes mit hinein verarbeitet, dessen Äste zur Hälfte in den Garten des Müllers und zur Hälfte in des Berggeistes Reich hineinragten. Am Nachmittage des ersten Sonntages im Brachmonate wollte nun Steffen einmal seine Äpfel-, Pflaumen- und Birnbäume besehen, ob sie auch ordentlich Früchte ansetzten. Er schritt darum über das schmale Brett, das über den Mühlgraben führte und vom Gehöfte aus den einzigen Zugang zu dem Obstgarten bildete. Da scholl ihm von der nach den Bergen zu gelegenen Seite desselben fröhlicher Kinderlärm entgegen. Gerade unter dem Apfelbaume, der die Grenze zwischen seinem Besitztume und dem Reiche des Berggeistes bildete, stand der kleine Fritz aus Krummhübel, ein Waisenkind, das der Kretschmer Fiebig zu sich ins Haus genommen hatte und das mit Ilse zusammen in die Dorfschule ging. Aus den Ästen des Baumes aber klang die Stimme Ilses: »Ätsch, fang mich doch, Fritzel, hier kriegst du mich doch nicht.« Der Kleine besah sich traurig seinen Sonntagsstaat; in ihm durfte er es nicht wagen, dem Wildfang nachzuklettern. Mit Schrekken dachte der Müller an die Drohung des Berggeistes. »Ilse, komm schnell herunter, ich hab' dir etwas Wichtiges zu sagen!« rief er seinem Töchterlein zu. »Nein, das gilt nicht, dann kommt Fritz und klapst mich, und ich hab' verloren.« – »Geh mal zu deinem Onkel, Fritz, und frag ihn, ob er mir nicht wieder einen Korb Kirschen abkaufen will, ich hab' gestern drei Körbe voll frisch gepflückt.« Der an blinden Gehorsam gewöhnte Knabe folgte willig der Aufforderung des Müllers, obwohl er das Spiel gar ungern aufgab, und nun ließ sich endlich Ilse bewegen herabzusteigen. Der Müller setzte sich auf das Bänklein, das unter jenem Apfelbaume angebracht war, und hielt Ilse an beiden Händen fest. »Daß du mir nicht wieder auf den Apfelbaum steigst, du weißt, er gehört nur zur Hälfte mir, zur Hälfte dem bösen Berggeist, und wenn du mein Gebot nicht befolgst, so wird er eines schönen Tages kommen und dich holen. Daß du dich auch nicht unterstehst, im Herbst, wenn die Früchte reifen, von den Äpfeln jenseits des Zaunes zu essen. Es möchte dir übel bekommen, und nun geh hinein, und hilf der Mutter das Abendbrot machen. Schämst du dich nicht? So ein großes Mädel, und spielst immer noch mit kleinen Jungen und kletterst auf Bäume, statt dich in der Wirtschaft und in Küche und Keller umzutun oder am Spinnrad zu sitzen und zu spinnen?« – »Pfui, das garstige Spinnrad!« sagte Ilse. »Gestern habe ich drei Stunden lang den Faden drehen und das Brett mit dem Fuße treten müssen und hab's doch nicht gelernt. Gönnst du mir nicht einmal den Sonntag Ruhe, Vater? – ›Du sollst den Feiertag heiligen‹, hat der Herr Lehrer gesagt.« – »Mach, daß du hineinkommst, Naseweis, und widersprich nicht immer!« sagte der Müller und jagte den Trotzkopf mit einem derben Klaps aus dem Garten. Er hatte aber noch einen anderen Grund, Ilse diese Strafpredigt zu halten. Seine Frau war schon seit längerer Zeit krank und wurde von Tag zu Tag elender. Als er denselben Abend in die Stube trat, kam sie ihm bleicher vor denn je. »Was fehlt dir nur, Frau?« fragte er besorgt. »Du siehst ja so weiß aus wie die Schneekoppe im Winter.« – »Ach, lieber Mann«, antwortete die Müllerin, »wenn du mir nicht auch ein paar Stauden Mondkraut verschaffst, wie du sie dem kleinen Herzogssohne gebracht hast, so muß ich sterben.« – »Na, na, so schlimm wird's wohl nicht gleich werden, Marie. Was ihr Weibsbilder auch immer für Gelüsten habt.« – »Aber lieber Mann, morgen ist ja Johannistag, da darf man ungestraft ein, zwei Pflänzlein ausraufen, wenn man nur nicht zu unverschämt ist.« – »So? Meinst du? Weißt du denn nicht, daß das nur unschuldige Waisenkinder dürfen, die weder Vater noch Mutter mehr haben? Der Herr Johannes möchte mir gar übel mitspielen, wollte ich mich morgen in seinem Reiche blicken lassen. Ich muß dir überhaupt noch etwas erzählen, was mir vor drei Jahren zugestoßen ist und was ich dir nicht sagen wollte, damit du dich nicht unnötig ängstigst. Als ich das Würzlein ausgrub, erschien mir der Berggeist und befahl mir, morgen den jungen Erbherzog zu ihm zu bringen, und wenn ich das nicht täte, wollte er sich unsere Ilse holen.« – »Meine Ilse, mein einziges Kind, nein, Mann, da darfst du morgen freilich nicht hinaufgehen. Dann muß ich eben sterben und du dir eine andere Frau suchen.« – »Ach red doch nicht immerzu vom Sterben, Micke! Aber weißt du, mir fällt was ein. Wir schicken den kleinen Fiebig-Fritz. Das ist ja eine Waise, und unschuldig ist er auch. Dem wird der Herr Johannes gewiß nichts anhaben können, und der Gevatter Kretschmer tut mir schon den Gefallen und überläßt ihn mir auf einen Tag.« – »Da hast du recht, Steffen, geh nur gleich hinunter, eh's dunkel wird, und berede dich mit Fiebigs. Nimm dir aber eine Laterne mit für den Rückweg.«

Es war ein heißer Tag gewesen. Der Müller spürte plötzlich wieder Lust auf einen Abendschoppen, den er sich bei der Gelegenheit zu leisten gedachte. Er hatte sich ihn seit langer Zeit nicht mehr gegönnt, weil ihm die Krankheit seiner Frau und die Drohung des Berggeistes zuviel Sorgen machten. Er stülpte sich die Zipfelmütze auf den Kopf, sagte seiner Frau gute Nacht und stieg, in der einen Hand eine Laterne, in der anderen einen derben Knotenstock, hinunter nach dem Krummhübeler Kretscham. Dort hielt er den Wirt samt Frau und Tochter frei. Erst als diese schlafen gegangen waren und Fiebig sich auch schon vor Schläfrigkeit die Augen rieb, rückte Steffen mit seinem Anliegen heraus. Der Wirt war ganz einverstanden mit dem Plan: »Der Junge ist mir sowieso zur Last, da kann er sich gleich einen Strauß Glücksmännlein mitpflücken, und dann brauche ich nicht mehr für ihn zu sorgen.« Als Steffen den Gevatter so willig fand, reute es ihn zwar, daß er soviel hatte draufgehen lassen. Er hütete sich aber, das zu verraten, und bestellte vielmehr noch eine Lage, um die Sache gleich festzumachen. Spät in der Nacht stand er vom Tische auf, zündete die Laterne an und nahm seinen Stock zur Hand. Bei Fiebig brauchte er sich nicht zu verabschieden, denn dem war der Kopf in die Hand gesunken. Er war eingenickt und schnarchte, daß die Gläser zitterten. Ob Steffen den Nachhauseweg diese Nacht gut gefunden hat, verschweigen wir lieber.

Als Fiebig aufwachte und sich allein in der Wirtsstube sah, machte er das Licht aus und begab sich zu Bette. Am Morgen weckte er den kleinen Fritz zeitig, ließ ihm von seiner Frau eine Schnitte trocken Brot abschneiden, gab ihm ein Grabscheit in die Hand und einen leeren Sack und schickte ihn dann nach dem Lustgärtlein mit dem Auftrage, für die Frau Müllerin im Wolfshau ein paar Stauden Mondkraut und für sich selber einen Strauß Glücksmännlein zu holen. Der arglose Junge dachte sich nichts Schlimmes dabei, hatte er doch schon oft auf die Berge steigen müssen, Enzian zu holen, aus dem Fiebig einen guten Schnaps braute, oder Erdbeeren, nach denen an den warmen Juliabenden auch viel Nachfrage war. Warum sollte er nicht auch einmal Mondkraut und Glücksmännlein holen, und vor dem Berggeiste fürchtete er sich in seiner Unschuld schon lange nicht. Fritz kannte jeden Weg und Steg im Gebirge und wählte darum den kürzesten, den übers Gehänge. Um Mittag war er schon auf der kleinen Koppe. Dort setzte er sich auf einen Stein im Schatten des Knieholzes und verzehrte seine Schnitte. Gerne hätte er mehr gehabt, aber er tröstete sich: »Auf dem Rückwege pflücke ich mir Erdbeeren, dann werde ich's schon aushalten.« Er stieg noch einige Schritte zurück bis zur Quelle des Tannengrabens, den er von seinem Ruheplätzchen aus hatte plätschern hören, und trank dort aus der hohlen Hand kristallklaren Gänsewein. Es mochte wohl vier Uhr sein, da hatte er den Eingang zu des Herrn Johannes Lustgärtlein gefunden. Betäubend dufteten ihm alle die würzigen Kräuter entgegen, der Judassilberling, das Johanniskraut, die Glücksmännlein und das Mondkraut. Er nahm sein Grabscheit in die Hand und fing an, sorgfältig um eine Staude den Boden zu lokkern. Mitten in der Arbeit hielt er inne, es kam ihm so vor, als ob ein langer Schatten sich vor ihm auf der Pflanzendecke hin und her bewegte. Als er aber aufschaute, wurde er niemand gewahr und setzte darum seine Arbeit fort. Ein Sträuchlein hatte er schon ausgegraben und neben sich gelegt und machte sich nun an ein zweites. Da bemerkte er wieder den Schatten. Diesmal stand Fritz auf und sah sich nach allen Seiten um; da erblickte er hinter dem Felsgrate, der das Lustgärtlein vom Teufelsgärtlein scheidet, einen schönen Greis mit langem weißem Barte, der ihm ruhig zuschaute. Fritz wollte sich wieder bücken, um weiterzugraben. Da redete ihn der Greis mit freundlicher Stimme an: »Laß das Graben, Heinrich, und komm zu mir. Ich will dich in einen Garten führen, da wachsen noch viel schönere Kräuter und Blumen als hier. Du sollst es bei mir nicht schlechter haben als zu Hause bei deinen Eltern.« – »Bei meinen Eltern? Ich habe ja gar keine Eltern mehr, ich heiße auch gar nicht Heinrich, sondern Fritz.« – »So, so! Und was willst du denn hier oben?« – »Mein Ohm, der Kretschmer Fiebig, hat mich heraufgeschickt, ich soll für seine Base, die Frau Müllerin, ein paar Stauden Mondkraut holen und für mich einen Strauß Glücksmännlein.« – »Wozu braucht denn die Müllerin das Mondkraut?« – »Sie ist so krank und glaubt, sie muß sterben, wenn sie nicht von den Wurzeln ein Tränklein für sich brauen darf. Ach, sie ist so gut zu mir; wenn ich zu ihrer Ilse spielen komme, dann schenkt sie mir immer eine schöne Butterschnitte mit Koppenkäse drauf. Sie sagt aber stets, ich soll's den Meister nicht sehen lassen, sonst schimpft er sie.« – »Du sollst es nicht entgelten, mein guter Junge, daß die Menschen so schlecht sind. Da hast du ein paar Würzlein, die steck dir in den Sack, sie werden dir und deiner lieben Muhme gute Dienste tun. Und nun geh und laß das Graben!« Der Knabe nahm die Wurzeln und verließ das Gärtlein. Er wagte gar nicht mehr, sich nach dem Greise umzugucken. Als er die Kammhöhe wieder erreicht hatte, setzte er sich auf einen Stein und schabte Veilchenmoos ab. Das wollte er der Ilse schenken als »Mitbringsel«. Auf dem Rückwege fand er im Walde eine Stelle, die war ganz rot vor lauter Erdbeeren. Er wunderte sich, daß er sie am Morgen nicht bemerkt hatte, und dachte: »Die mag mir wohl der gute Herr Johannes beschert haben« und kauerte sich nieder und schmauste nach Herzenslust. Dabei fand er auch eine ellenlange Staude Bärlapp, die wand er sich um den Hut, wie die Besucher der Wasserfälle noch heute zu tun pflegen. So gestärkt und geschmückt ging er weiter. Nach und nach aber wurden ihm die Wurzeln auf dem Rücken immer schwerer, immer schwerer. Schließlich warf er einen Teil heraus. Doch das half nicht viel, nach einer halben Stunde drückten die übriggebliebenen wieder geradeso wie vorher. »Ich darf keine mehr wegwerfen«, dachte er, »sonst schilt mich der Ohm.« Spät am Abend langte Fritz an. Der Pflegevater schimpfte ihn weidlich aus, als er das Mondkraut nicht in seiner Hand sah. Da fuhr Fritz in den Sack und langte eine Handvoll Wurzeln heraus, aber o Wunder! Sie glänzten, daß die Stube leuchtete, und als sie der Kretschmer näher betrachtete, merkte er, daß es eitel Gold war. Nun erzählte der Knabe, was ihm begegnet war. Im Grunde des Sackes fand er auch noch einige Wurzeln, die unverwandelt waren. Die brachte er am folgenden Morgen der Müllerin und erzählte ihr auch von dem Golde, das ihm der Berggeist geschenkt hatte. Die Müllerin kochte die Wurzeln in heißem Wasser und bereitete sich davon ein Schälchen Tee. Kaum hatte sie es getrunken, als sie von einer wohligen Müdigkeit umfangen wurde. Sie begab sich zur Ruhe, und in derselben Nacht genas sie eines Mägdleins, das die Müllersleute bei der Taufe Kläre nannten. Die Geschichte von dem Glücke des kleinen Fritz aber war in der ganzen Umgegend bekanntgeworden, und so durfte der Kretschmer Fiebig es nicht wagen, das Geld, das der Berggeist seinem Neffen geschenkt hatte, beiseite zu tun, wie er wohl gerne gewollt hätte. Er gab den Jungen auf die Lateinschule nach Hirschberg und ließ ihn dann später in der Adlerapotheke auf der Langstraße Lehrling werden.

Ein Jahr später bekamen die Müllersleute wieder ein Kind, und auch diesmal war's ein Mägdlein, dem sie den Namen Emma gaben. Ilse war inzwischen zu einer hübschen Jungfrau herangewachsen, aber sie wußte auch, wie schön sie war. Dem armen Fiebig-Fritz, dem »Pillendreher«, wie sie ihn jetzt hochmütig nannte, war sie längst untreu geworden, seit er nur noch an hohen Festtagen nach Krummhübel kam. Aus den Augen, aus dem Sinn! Sie hatte jetzt einen neuen Verehrer, den Fiedler-Hermann aus der Tannenbaude, einen schmucken Jägerburschen mit einem flotten blonden Schnurrbarte und blitzenden blauen Augen. Mit ihm ging sie einmal auf den Palmsonntagsmarkt nach Warmbrunn. Hei, was war da auf dem Schloßplatze für ein Leben. So tälsch war es ja noch nie zugegangen. Arm in Arm folgten Hermann und Ilse dem Strome der Menge, um zu sehen, was eigentlich los wäre. Da merkten sie, daß sich alles um den Stand eines einzigen Krämers drängte und die andern das Nachsehen hatten. Was bot er aber auch alles feil: Teller, Vasen, Stöcke, Stiefel, Schuhe, Perücken, falsche Schnurrbärte und Eßwaren. Besonderen Anklang fand bei den Käufern eine ganz neue Art Gebäck, die er verschleißte: Männer, aus Teig geformt, die statt der Augen ein paar große Rosinen hatten. Die jungen Burschen machten es sich zum Vergnügen, diese Teigmänner zu kaufen und ihren Mädchen zu schenken; denn das sollte bedeuten, sie würden bald einen Mann kriegen, so weich und fügsam wie der und mit ebenso süßen Augen. Als unser Pärchen sich endlich bis an den Verkaufstisch des fremden Krämers herangedrängt hatte, erstand Hermann ein reizendes kleines Handspieglein mit goldener Umrahmung, das er seiner Herzallerliebsten schenkte. Sie trug es seitdem stets an einem grünen Schnürlein unter der Schürze und zog es so oft vor wie heutzutage Knaben ihre Taschenuhr, die sie sich vom Vater geborgt haben, ohne daß er's weiß. Für Hermann aber kaufte Ilse ein duftendes Myrtensträußlein, das sie ihm ins Knopfloch steckte. Das stand ihm einmal gut. – Am folgenden gelben Dienstage gab es freilich bei vielen Käufern lange Gesichter; denn die neuen Stiefel hatten sich inzwischen in Röhren von Baumrinde, die Schuhe in Tüten aus Wollgras und Blättern, die Perücken gar in Geniste aus Moos und Schwämmen und die falschen Schnurrbärte in Eselschwänze verwandelt, die den Gelbschnäbeln von den Lippen herunterbaumelten. Da wußten die Jahrmarktbesucher gleich, wer der fremde Handelsmann gewesen war, und hatten neuen Grund, auf den »Alten vom Berge« zu schimpfen. Nur die Teigmänner waren geblieben, was sie waren, wenn sie auch inzwischen so steinhart geworden waren, daß man sich an ihnen die Zähne ausbeißen konnte. Die Hirschberger aber tauften sie »Tallsäcke«; seitdem heißt der Palmsonntagsmarkt in Warmbrunn bis auf den heutigen Tag der »Tallsackmarkt«, und die Tallsäcke werden auf ihm noch immer feilgehalten. Geh hin und kauf dir einen! Leute, die sich an dem Berggeiste rächen wollten, haben freilich aufgebracht, man backe diese »Tallsäcke« auch nur dem Herrn Johannes zum Spotte. Sie wollen wissen, daß er einmal in der Wut statt eines Mägdleins, das ihn an der Nase herumgeführt hatte, eine Teigpuppe, die sie so ausgestattet hatte, als wäre sie's selbst, und ihm in den Weg gesetzt hatte, mit seinem Degen durchbohrt habe. Helf' er sich!

Die Eltern Hermanns wollten gar nichts von einer Heirat mit der schönen Müllerstochter wissen. Als sie gemerkt hatten, was sich zwischen den beiden anzuspinnen drohte, hatten sie sich überall bei den Leuten im Wolfshau und in Krummhübel nach dem Mädchen erkundigt. »Der Vater ist schwer reich«, sagten die Männer, »aber geizig wie ein Hamster!«, und die Frauen fügten hinzu:

»Bäckers Söhne und Müllers Küh,
Wenn's gerät, ist's gut Vieh!

Auf allen Tanzböden ist die Müller-Ilse zu treffen und läßt sich von den jungen Burschen den Hof machen. Aber in der Küche sieht man sie nie, wenn man in die Wolfshauer Mühle kommt. Nicht einmal spinnen hat sie gelernt, wie sehr sich auch Mutter Marie bemüht hat, es ihr beizubringen. Als wir so alt waren wie sie, da hatten wir schon unsere ganze Aussteuer fix und fertig gesponnen im Schranke liegen.« – »Das wär' uns eine nette Schwiegertochter!« sagten die Eltern Hermanns und bemühten sich, ihrem Sohne die Heirat auszureden. Er aber ließ sich nicht davon abbringen. Endlich setzte er es bei ihnen doch durch, daß sie die Müller-Ilse für vier Wochen in ihr Haus zu nehmen sich bereit erklärten: »Ihr werdet schon sehen, daß sie nicht so schlecht ist, wie die Leute sagen.«

Als Ilse bei den Eltern Hermanns in Schmiedeberg eingezogen war, führte sie die Hausfrau in die Flachskammer und sagte zu ihr: »Wenn du mir binnen einer Woche all den Flachs hier zu Garne spinnst, dann will ich dich meinem Hermann geben. Dort ist das Spinnrad, nun zeig, was du kannst!« Damit ging sie hinaus und schloß die Türe hinter sich zu. »Na, das kann ja nett werden«, sagte Ilse für sich hin, zog erst das Spieglein unter der Schürze hervor und beguckte sich, und als sie sich beruhigt hatte, daß sie noch gerade so schön war wie vor einer halben Stunde, fuhr sie mit der Hand in die Tasche und holte sich einen rotbäckigen Borsdorfer heraus, den sie im Garten aufgelesen hatte. Sie tat einen kräftigen Biß hinein und betrachtete schmausend die Wälder am Abhange des Friesensteines, in denen heute ihr Liebster den Meister Reineke jagen sollte, der sich dort gar zu breit machte. Als sie so wohl eine Stunde vertrödelt hatte, sagte sie: »Jetzt muß ich aber doch anfangen, sonst schimpft Mutter Fiedlerin, wenn sie mich heut abend aus der Kamurke herausholt.« Mit einem tiefen Seufzer setzte sie sich ans Spinnrad. Erst spielte sie noch eine Weile mit dem Rädchen, dessen Schnurren ihr Spaß machte. Dann tat sie auch eine Handvoll Flachs auf den Rocken, aber einen Faden brachte sie nicht zustande, wie sehr sie sich auch bemühte. »Nun werde ich's doch noch bereuen, daß ich Muttern nicht besser auf die Finger geguckt habe«, sagte sie nach einigen neuen vergeblichen Versuchen. Schließlich gab sie es ganz auf und vertrieb sich die Zeit damit, daß sie ihre langen schwarzen Haare auflöste, kämmte und wieder flocht. Als am Abend Mutter Fiedlerin die Kammer öffnete, fand sie Ilse noch damit beschäftigt. »Nun, du hast ja recht viel gesponnen!« sagte sie. »Wenn's so weitergeht, wird's wohl nichts sein mit der Hochzeit.« – »Morgen ist auch noch ein Tag«, antwortete Ilse schnippisch, »eine

Woche habt Ihr mir Frist gegeben.« Der zweite Tag verging in ähnlicher Weise, nur daß Ilse ihren Gleichmut von Stunde zu Stunde immer mehr verlor. Am dritten Tage saß sie vor dem Spinnrad, das Taschentuch vor dem Gesicht, und weinte, daß es einen Stein hätte erbarmen können. »Ei, ei, Jungfer Müllerin«, ertönte da plötzlich eine dünne Stimme aus der Gegend des Ofens, »Ihr weint ja herzzerbrechend. Teilt mir doch Euren Kummer mit, vielleicht kann ich Euch helfen.« – »Du mir helfen, du kleine Knaupe?« sagte sie zu dem winzigen Männlein, das sie verschmitzt anguckte. »Klein, aber oho, ich kann mehr als heulen und faulenzen.« – »Nun, nun, sei doch nicht gleich so grob. Aber sag mal, kleiner Mann, kannst du auch spinnen?« – »Und ob! Ich und meinesgleichen, wir spinnen Gewebe wie Mondschein so weiß und dünn.« – »Guck dich einmal um, und sieh dir den Schober Flachs an in dieser Kammer, wenn ich sie nicht alle bis Sonnabend abend zu Garne gesponnen habe, dann kriege ich meinen Hermann nicht.« – »Was gibst du mir, wenn ich an deiner Statt den ganzen Vorrat in den dritthalb Tagen aufspinne?« – »Hier habe ich nichts, aber wenn es Zeit hat, bis ich wieder zu Hause bin, dann kannst du dir etwas aussuchen.« – »Versprecht Ihr mir, daß Ihr mir, wenn Ihr meinen Namen bis Sonnabend abend nicht erratet, folgen werdet, wohin ich Euch führe, so will ich den Flachs spinnen.« – »Spinnt das Männlein, so habe ich reichlich Muße, auf Namen zu sinnen«, dachte Ilse. »Meinetwegen!« sagte sie laut. Und der Knirps setzte sich hin und spann, daß es eine Lust war, ihm zuzusehen, so flink ging ihm alles von der Hand. Eine Zahl Garn nach der andern legte er fertig auf den Tisch. Der vierte Teil des Flachses, der in der Kammer war, war am Abend gesponnen, und die alte Fiedlerin machte große Augen, als sie diesmal Ilse aus ihrer Gefangenschaft befreite. Beim Abendbrot fragte diese den alten Fiedler über alle Leute in der Stadt aus und ließ sich ihre Namen sagen. Sie brachte sie in schöne Reimlein und schnurrte sie am nächsten Tag, als das Männlein wieder ein

Viertel des Flachses gesponnen hatte, der Reihe nach her. Aber der Kleine hüpfte quietschvergnügt in der Stube herum: »Du triffst es nicht! Du triffst es nicht!« Diesen Abend ließ sich Ilse von der Frau Fiedlerin, die aus Hirschberg stammte, alle die Namen ihrer dortigen Bekannten sagen und zählte sie am Freitagnachmittag, nach Vollendung der Arbeit, an den Fingern her. Aber der gesuchte Name war wieder nicht dabei. Da war Ilse am Abend ganz traurig und verzweifelte schier, der bösen Verpflichtung ledig zu werden, die sie eingegangen war. Plötzlich klopfte es an die Tür, und herein trat Hermann, der Urlaub bekommen hatte, seine Eltern über Sonntag zu besuchen. Er hatte von der Mutter gehört, daß Ilse soviel gesponnen hatte, und war ganz aus dem Häuschen darüber. Um so überraschter war er, Ilse weinen zu sehen. »Warum flennst du?« fragte er. »Freust du dich denn gar nicht ein bissel, daß wir nun bald Hochzeit machen können?« Da erzählte sie unter Schluchzen, wer ihr geholfen und welche Bedingung sie hatte eingehen müssen. »Gib dich zugute!« sagte er und wischte ihr die Tränen ab, die ihr die Backen herunterrollten. »Wie ich heute bei dem alten, verfallenen Bergwerkstollen am Schlüsselberge vorbeikam, sah ich ein kleines, drolliges Männlein um ein Feuer herumtanzen, das sang:

> ›Ei wie schön, daß niemand weiß,
> Daß ich Rübenzagel heiß'!‹«

Da küßte Ilse ihren Hermann herzlich auf den Mund und sang nach der gleichen Weise:

> »Ei wie schön, daß ich nun weiß,
> Daß er Rübenzagel heißt!«

Sonnabend abend, als das Männlein allen Flachs in der Kammer zu Garne gesponnen hatte, schabte ihm Ilse mit den Fingern ein Rübchen und sang:

»Ei wie schön, daß ich nun weiß,
Daß du Rübenzagel heißt!«

Da wurde das Männlein puterrot vor Zorn, schnellte mit furchtbarer Wucht an die Decke, brach das Dach des Hauses los und flog damit davon. Erschreckt kamen die alten Fiedlers und alle Knechte und Mägde herbeigelaufen, zu sehen, was da geschehen wäre. Ilse verriet aber nichts davon, wie die Sache zugegangen war, damit nicht etwa Hermanns Eltern ihr Versprechen rückgängig machten. Die Leute glaubten darum, daß eine Windsbraut das Dach erfaßt und fortgetragen habe. In der folgenden Woche aber fanden es Holzhacker unversehrt im Eulengrunde wieder.

Die Hochzeit wurde nun aufs nächste Michaelis festgesetzt. Fiedlers schickten ihre zukünftige Schwiegertochter wieder nach Hause. Der Alte aber schärfte ihr ein: »Daß du mir inzwischen auch tüchtig die Landwirtschaft lernst. Unser Hermann soll, wenn wir alt werden, unser Gütlein übernehmen. Die Jägerei kann er ja dabei immer weiter treiben. Und wenn du ihm nicht helfen kannst, seine Wiesen und Felder zu bebauen, so kommt ihr an den Bettelstab. Wir werden öfter deine Eltern besuchen und sehen, was du treibst.« Einige Tage darauf sollte Ilse im Obstgarten hinter der Mühle Gras mit der Sichel abschneiden für die Kühe. Sie war nicht gerade sonderlich zur Arbeit aufgelegt, und die Sonne schien heiß, und hier unter dem Apfelbaume war es schön kühl und schattig. Sie streckte sich hin ins Gras und betrachtete die blauen Berge. Wie sie aber ihre Blicke etwas tiefer schweifen ließ, sah sie jenseits des Zaunes einen wunderschönen reifen Apfel liegen, dessen rote Backen ihr verführerisch in die Augen stachen. »Den mußt du versuchen!« dachte sie. Das Klettern hatte sie noch nicht verlernt. Hurtig ging's über den Zaun; nach damaliger Sitte trug sie kurze Röcke, die sie bei diesem gefährlichen Wagestücke nicht sehr hinderten. Als sie aber einen Bissen heruntergeschluckt hatte, stand vor ihr ein schmucker Jägersbursch mit einer roten Hahnenfeder auf dem Hute, lachte und sprach: »Herrjeh! Meister Bügeleisen, wenn Ihr Weiberröcke anzieht, dann laßt Euch doch wenigstens den Ziegenbart abscheren! Ihr seid ja ein neckischer Racker! Oder ist's am Ende doch die Frau Meisterin?« Ilse wollte eine derbe Antwort geben, fuhr aber doch halb wider Willen mit der Hand an den Mund, und – o Graus! – an Kinn und Lippen fühlte sie ein Zottengewächs, auf das ein alter Ziegenbock hätte stolz sein können. Rasch griff sie unter die Schürze und holte ihr Spieglein hervor. Wirklich, es war so, wie der Jäger sagte. Der schlug eine helle Lache auf, als er sah, wie Ilse an dem Unglückszierat rupfte und zupfte. Da brach ein Strom von Tränen aus ihren Äuglein, daß schier das Mühlrad aus dem Takte kommen wollte. Sie lief an den Bach und wollte sich aus Verzweiflung hineinstürzen. Aber der Jäger kam ihr nach, hielt sie am Schürzenbande fest und zog sie dann am Arm zurück. Nun erfuhr er zwischen ihrem Schluchzen die ganze Begebenheit und begann, das unglückliche Mädchen zu trösten: »Kommt mit mir auf die Berge, Jungfer, dort weiß ich einen Apfelbaum, wenn Ihr von dessen Früchten eßt, dann werdet Ihr den Bart wieder los.« Ilse besann sich nicht lange; sie fürchtete, ihren Hermann zu verlieren, wenn er sie mit ihrem neuen Kinnschmucke zu sehen kriegte, und ließ sich von dem fremden Jägersmanne verleiten, mitzugehen. Er führte sie durch den finsteren Tannenwald an den Bergen hin immer höher und höher. Wunderlich knarrten und ächzten die hohen Stämme im Abendwinde, und die Bächlein, an denen sie vorbeikamen, schienen wilder zu rauschen und zu tosen als sonst. Allmählich wurden die Bäume immer niedriger und niedriger, bis sie schließlich ganz aufhörten und nur noch Knieholz den Boden ringsum bedeckte, zuweilen von ganz kahlen Flecken unterbrochen, an denen das bloße altersgraue Gestein zutage trat. Plötzlich versperrte ihnen ein hoher, aus lauter ungefügem Geröll bestehender Wall den Weg. Als sie ihn mühsam überklettert hatten, standen sie an einem finsteren, schwarzen Gebirgssee, der drohend die weißkämmigen Wogen an den Strand rollte. Jedem Besucher des Riesengebirges ist er heute unter dem Namen des großen Teiches wohlbekannt. Der Jäger hielt seinen Stock gebieterisch über die grollenden Fluten. Da teilte sich das Wasser, und sichtbar wurde eine schier endlose Treppe, die hinunterführte in schauerliche Tiefe. Er gab dem vor Angst zitternden Mädchen die Hand und hieß sie furchtlos mit ihm hinabsteigen. Je tiefer sie aber hinunterkamen, desto heller wurde es ringsum; denn die rote Hahnenfeder auf dem Hute des Jägers glühte und leuchtete wie das feuerflüssige Eisen drunten im Buschvorwerker Hochofen. Als sie auf dem Grund des Sees angelangt waren, verschwand die Treppe, und über ihnen wölbte sich das Wasser wie ein anderer Himmel, und die Sterne des Oberhimmels glänzten hindurch durch die schwarzblauen Fluten. Nach einer Weile gelangten sie an eine Mauer, aus Erzen kunstvoll gestaltet. In ihr war eine kleine verschlossene Tür. Wie sie aber der Jäger nur mit seiner Hand berührte, da sprang sie von selber auf und schloß sich auch hinter dem Paare von selber wieder. Ilse machte große Augen, als sie sich nun in einem weiten Garten voll hoher Bäume und blühender Sträucher befanden. Der ganze Boden war mit einem üppigen Pflanzenwuchse bedeckt, so dicht und hoch, wie er sonst nur an den saftigsten Stellen der sieben Gründe des Riesengebirges zu finden ist. Da standen Roßzagel, Enzian, Hundszagel, Wohlverleih, Habmichlieb, Schwalmzagel, Eisenhut, Löwenzagel, Alpenröslein, Königskerze, Mäusezagel und Hasenwurz. Über den Blumen schwebten stolze Schmetterlinge, Apollofalter, Trauermäntel, Tagpfauenaugen und Eisfalter. Aus den Zweigen der Bäume klang vielstimmiges Gepfeife von tausend und aber tausend Vögeln, die einander lockten. Eichelhäher, Mandelkrähen, Pirole und Bergfinken wiegten sich auf den Ästen, und ihr Federkleid schimmerte prächtig in den buntesten Farben. Auf dem saubergehaltenen Kieswege, den Ilse und der Jäger entlangschritten, hüpfte ein Wackelsterz immer vor ihnen her und guckte sich von Zeit zu Zeit schelmisch nach den beiden um. In der Mitte des Gartens stand ein vieltürmiges Schloß. Wieder öffneten sich die Flügel des hohen Tores ganz von selbst, als sie den Herrn der Berge nahen hörten. Dieser führte Ilse zunächst in einen großen, von Gold und Silber strotzenden Speisesaal. Der Tisch war schon für zwei Personen gedeckt. Zuvorkommend geleitete der Jäger Ilse zu dem für sie bestimmten Platze. Dann ging er zu einem Wandschrank und holte aus ihm die köstlichsten Speisen, dampfend, wie wenn sie gerade vom Herd kämen. Erst trug er eine kräftige Wildbretsuppe auf, dann Forellen. »Der Fisch will schwimmen«, sagte er und klopfte an eine andere Stelle der Wand, da traten zwei schöne, hochgewachsene Jünglinge heraus, der eine mit einer goldenen, der andere mit einer silbernen Kanne. Ihnen folgten zwei liebliche Mägdlein mit blonden Zöpfen, die brachten je einen goldenen und einen silbernen Becher. Wie wunderte sich aber Ilse, als die Gefäße alle leer waren. »Dem soll gleich abgeholfen werden!« sagte der Jäger, nahm dem einen Knaben die Kanne aus der Hand, hielt sie unter den Tisch und klopfte oben aufs Tischtuch, dann setzte er sie, gefüllt mit feurigem spanischem Rotweine, auf den Tisch, die zweite Kanne füllte er in der gleichen Weise mit weißem Portugieser, und nun schenkten die Jungfrauen dem Jäger und die Jünglinge Ilsen wacker ein. Mitten über dem Tische aber hing von der Decke herab an einem seidenen Faden ein Rohr, und wenn die Schmausenden kühlendes Wasser wünschten, brauchten sie nur ihre Becher darunterzuhalten und einen am Ende des Rohres angebrachten Hahn aufzudrehen. Nun trugen die dienstbaren Geister allerlei seltenes Geflügel auf, Birkhühner, Auerhahn und Kranewitsvögel, zuletzt kostbare ausländische Früchte, Orangen, Aprikosen, Datteln und Feigen auf Schalen, die mit bunten Blumen und wohlriechenden Kräutern anmutig geschmückt waren. Ilse aber wurde von all den schönen Sachen ganz schläfrig.

»Der Sandmann kommt wohl!« sagte der Jäger, als sie sich die Augen rieb und sich anstrengte, ein Gähnen zu unterdrücken. »Diese beiden Jungfrauen sollen Euch Euer Schlafgemach zeigen und Euch beim Auskleiden helfen, und über die Sache, die Euch hierhergeführt hat, sprechen wir morgen früh.« Ilse war froh, daß sie zur Ruhe kommen konnte, und zu was für einer Ruhe! Nie hatte sie ein so schönes Schlafgemach gesehen wie das, in dem sie diese Nacht zubringen sollte. An der einen Wand war ein großer Spiegel, in dem man sich vom Scheitel bis zur Sohle betrachten konnte – das war was für Ilse, wenn bloß nicht der abscheuliche Schnurrbart gewesen wäre –, an der zweiten ein Waschtisch mit marmorner Platte, die Waschschüssel und der Krug aus schwerem Golde, an der dritten ein hohes Himmelbett mit schweren purpurroten Vorhängen, hinter denen, als sie zurückgeschlagen wurden, schneeweißes Linnen sichtbar ward. Ilse war auch nicht gewöhnt, daß ihr beim Auskleiden geholfen wurde, und wie wohltuend empfand sie doch das gerade heute, wo sie von dem langen Aufstieg und von den Tafelfreuden hinterher so schrecklich müde war. Als sie aber ihre matten Glieder in den weichen Kissen ausstreckte, erscholl liebliche Musik, die sie freilich nicht lange hörte; denn sie schlief bald wie ein Ratz. Am anderen Morgen war aber niemand da, sie zu bedienen, und auch auf ihr Rufen erschien niemand. Sie zog sich darum selber an und stieg hinunter in den Speisesaal. Der Jäger saß schon am Tische, und das Frühstück wurde diesmal von unsichtbaren Händen aufgetragen. Nach der Mahlzeit aber übergab ihr der Jäger ein großes Schlüsselbund und sagte: »Ehe ich dir einen von den Wunderäpfeln geben kann, mußt du eine Probe deiner Treue und Gewissenhaftigkeit ablegen. Ich muß auf ein paar Tage verreisen und lasse dich unterdes als Hüterin dieses Schlosses zurück. Hier hast du die Schlüssel zu sämtlichen Gemächern dieser Gebäude. Du darfst sie alle öffnen; nur die kleine eiserne Tür am Ende des unteren Ganges darfst du nicht aufschließen. Du darfst alle

Blumen und Früchte des Gartens pflücken. Nur die Springwurz, die in der Mitte des Gartens blüht, darfst du nicht anrühren. Hüte dich vor einer Übertretung meines Gebotes, du würdest sie bereuen.«

Er stand vom Frühstückstische auf, nahm eine Armbrust von der Wand und ging hinaus. Draußen pfiff er zwei großen schwarzen Rüden und verließ mit ihnen den Garten. Und so war denn Ilse allein in dem großen unterseeischen Wunderschlosse. Dieser Gedanke bereitete ihr zunächst eine dumpfe Beklemmung. Vor dem Erdgeschosse, wo die verbotene Kammer war, empfand sie unüberwindliches Grauen. Sie stieg darum hinauf in das erste Stockwerk und begann, sich dort umzusehen. Sie befand sich in einem hohen Gange, der auf der einen Seite neun Fenster nach dem Garten zu hatte. Auf der anderen Seite aber mündeten auf ihn zwölf schwere, eisenbeschlagene Türen. Ilse wandte sich zur Rechten, schritt bis ans Ende des Ganges und öffnete das erste Gemach. Ein blendendroter Glanz strahlte ihr entgegen. An den Wänden waren lauter kupferne Gefäße aufgestellt, hohe und niedere, blank geputzt, und die Strahlen der Morgensonne, die wie das Sternenlicht durch die Fluten des Bergsees hindurch in diese unterirdische Welt Eingang fanden, wurden von den spiegelglatten Flächen nach allen Seiten zurückgeworfen. Auf den Gefäßen aber waren in getriebener Arbeit allerlei Bilder angebracht, die teils Gegenden aus dem Riesengebirge, teils wunderbare Tiere, teils Landschaften aus fernen fremden Erdteilen zeigten. Besonders wurde Ilse durch einen kostbaren Doppelhenkelkrug gefesselt. Auf ihm waren Häuserreihen dargestellt, zwischen denen sich an Stelle der Straßen schimmernde Kanäle hinzogen. In Gondeln ruderten die Menschen von Haus zu Haus, und diese Menschen waren ebenso gekleidet wie die fernher aus dem Südlande kommenden Edelsteinsucher, die Ilse oft in Trupps zu zweien oder dreien an der Mühle ihres Vaters hatte vorbeikommen sehen. Die Leute nannten sie »Walen«, hatten aber

vor ihnen eine heimliche Scheu und begegneten ihnen nicht
gerne, da sie sich untereinander in einer hierzulande ganz unbekannten, wohllautenden Sprache unterhielten und im Geruche der Zauberei standen. Als Ilse sich an den in dieser Kammer
aufbewahrten Kunstwerken satt gesehen hatte, ging sie hinaus
und schloß das zweite Gemach auf. Aus ihm leuchtete ihr noch
größere Pracht entgegen als aus dem ersten. Hier waren die
Gegenstände alle aus Silber, und während das erste Gemach gar
keine Möbel hatte, stand hier ein großer Tisch, der auf vier
wuchtigen Pfeilern ruhte, alles aus gediegenem Silber gearbeitet. An jeder Seite des Tisches aber lehnte ein silberner Stuhl
mit prachtvoller Lehne. Alle Stücke waren mit dem Wappen
des Schloßherrn versehen, einer eigentümlichen Pflanze mit
einer rübenförmigen Wurzel, die unten wie ein Schwalben-
schwanz auseinanderging. Ilse öffnete noch ein drittes Gemach. Hier fand sie lauter Arbeiten aus spiegelglatt geschliffe-
nen Edelsteinen, Achaten, Topasen und Bergkristallen. Sie
staunte über die wunderbaren Linien, die in buntester Farben-
pracht, in der Mitte in kleinen und dann immer in größeren
Kreisen und Windungen, sich umeinander herumlegten. Als
sie das Edelsteingemach wieder verlassen hatte, bemerkte sie
plötzlich, daß an Stelle des seltsam grünlichen Lichtes, das bis
dahin über dem Garten geschwebt hatte und durch die großen
Spiegelscheiben, milde abgetönt, auch in den hohen Gang eingedrungen war, nun eine dunkelbläuliche Dämmerung sich
verbreitete. Über dem Beschauen all der Herrlichkeiten war ihr
der Tag dahingegangen, sie wußte selber nicht, wie. Sie stieg
nun wieder hinab in den Speisesaal und setzte sich zum Essen
nieder, und ihre Erwartung täuschte sie nicht. Bald klapperte es
von Tellern und Gläsern, Messern und Gabeln, und die einzelnen Gänge einer üppigen Mahlzeit erschienen vor ihrem Platze
hintereinander. Wenn sie ein Tellerchen abgegessen hatte, trat
ein neues an seine Stelle mit anderen Leckerbissen. – Am folgenden Tage setzte Ilse die Besichtigung des Schlosses und sei-

ner Schätze fort. Sie öffnete das der Silberkammer benachbarte Gemach. Hier bestanden alle Möbel und Geräte aus purem Golde, und es fiel ihr auf, daß wieder alle Gegenstände als Abzeichen jene geheimnisvolle Wurzel eingemeißelt trugen, die sie schon in dem Silbergemache bemerkt hatte. Fünf Tage brauchte Ilse dazu, alle Gemächer des Hauptgebäudes kennenzulernen. Die verbotene Kammer aber ließ sie ungeöffnet, obwohl sich in ihr bereits die Neugierde regte, was wohl dahinter sich verbergen möchte. Da fiel ihr ein, daß sie sich noch nicht in den Gebäuden, die den Hof rings umgaben, umgesehen hatte. Sie öffnete darum einen der Ställe, entdeckte aber in ihm weiter nichts als lauter schwarze Kohlen, kleine und große, sorgsam in verschiedene Haufen getrennt. In einem Bretterverschlage aber an der einen Seite lag feiner schwarzer Kohlenstaub. In dem nächsten Stalle fand sie einen großen Vorrat Wurzeln von derselben Art, die sie auf den Möbeln eingegraben gesehen hatte. Sie nahm eine in die Hand und besah sie von allen Seiten, fand aber nichts Besonderes an ihr. Enttäuscht verließ sie den zweiten Stall und öffnete den dritten. Er war bei weitem geräumiger als die ersten beiden. In der Mitte stand eine Schnitzbank, an den Wänden aber waren Stämme und Wurzeln von Knieholz aufgeschichtet. Auf dem Tische lagen fertige Schnitzereien, den heiligen Laurentius, den Bergmönch, Walen und Venedigermännlein darstellend. Bald kannte Ilse alle Gemächer, die sie überhaupt öffnen durfte. Die Langeweile begann sie zu plagen. Sie ging darum eines Tages hinunter in den Garten und pflückte sich einen Blumenstrauß. Ohne es zu beachten, war sie dabei allmählich in die Mitte des Gartens geraten und hatte unversehens eine Springwurz mit ausgerauft. Während des Pflückens war in ihr das Verlangen, hinter das Geheimnis der verbotenen Kammer zu kommen, immer stärker geworden. »Ich möchte bloß einmal ein bissel durchs Schlüsselloch gucken!« sagte sie und schlich sich auf den Zehen an das Ende des unteren Ganges. Wie sie sich aber ein wenig bückte, um das Auge an das Schlüsselloch zu bringen, sprang die Tür plötzlich auf. Ilse mochte wohl mit der in den Strauß eingebundenen Springwurz dem Schlosse zu nahe gekommen sein. Vor den Blicken des verwunderten Mädchens befand sich ein kleiner Garten, in dessen Mitte ein hoher Apfelbaum stand mit lauter goldigen Äpfeln. »Das sind gewiß die Äpfel, die mir der Jäger versprochen hat«, dachte sie, »ich will sie doch einmal versuchen.« Und sie langte mit der Hand nach dem vordersten Aste, um sich einen davon abzupflücken. Aber der Ast wich zurück und ließ sich nicht fassen. Ebenso erging es beim zweiten und dritten Versuche. Das aber reizte Ilse gerade noch mehr, die verbotene Frucht zu kosten. Sie kletterte an dem Stamme in die Höhe, indem sie ihre Füße auf die Knorren setzte, die rechts und links herausragten, und ließ sich auf einem breiten Aste nieder. Als sie aber von dort nach der ihr nächsten Frucht greifen wollte, erging es ihr ebenso wie vorher. Darüber brach die blaue Dämmerung wieder herein. Sie wollte nun hinabsteigen, um Abendbrot zu essen und sich dann zur Ruhe zu begeben. Aber o Schreck! Ihre Glieder waren wie gelähmt, sie konnte sich von dem Ast, auf dem sie saß, nicht losmachen. Nun erst kam ihr recht zum Bewußtsein, daß sie das Gebot des Schloßherrn übertreten hatte. Da erschien auch schon dieser in der noch offenstehenden Tür des verbotenen Gemaches und maß sie mit Zornesblicken. »Du undankbares Geschöpf!« sagte er. »Zur Strafe für dein Vergehen sollst du nun ewig an diesem Baume hangenbleiben. Deine Zunge aber, deren Gelüsten du nicht bezähmen konntest, schneide ich dir aus, daß du niemals mehr süße Kost auf ihr zerschmelzen lassen noch deinen Geliebten mit zärtlichen Worten beglücken kannst.« Damit löste er sie von ihrem Sitze, ergriff ihre schwarzen Haare und wickelte sie um den Ast, der vorher ihren Ruheplatz gebildet hatte. Dann schnitt er ihr die Zunge aus und verließ sie.

»Ich muß doch sehen, ob die Müllerstöchter alle so neugierig und fürwitzig sind wie Ilse«, sagte er am anderen Morgen für sich und begab sich in Gestalt eines Paschers mit einer großen Kötze auf dem Rücken hinunter nach dem Wolfshau. Als er in die Nähe der Mühle kam, klang ihm Schreien und Weinen aus dieser entgegen. Der Fiedler-Hermann aus der Tannenbaude war gerade da und hatte von den Müllersleuten das Verschwinden seiner Braut erfahren. Kläre aber, die sich über den Verlust ihrer Schwester Ilse schon getröstet hatte, spielte mit der kleinen Emma auf dem freien Platze vor der Mühle. Ohne daß sie es im Eifer des Haschens merkte, berührte sie der Pascher, gleich mußte sie in die Kötze springen, die er auf dem Rücken trug. Die kleine Emma stieß einen Schreckensschrei aus, als sie ihre Schwester vor ihren Augen verschwinden sah. Die Müllersleute und Hermann kamen aus der Stube herbeigestürzt, aber weder Pascher noch Kläre waren mehr zu sehen. Steffen sank gebrochen auf die Steinbank neben der Tür. Marie aber umschlang die kleine Emma zärtlich mit ihren Armen und weinte, dann schalt sie ihren Mann: »Du hast all unser Unglück verschuldet, Steffen, mit deiner abscheulichen Geldgier.« – »Was gibst du mir die Schuld?« verteidigte sich Steffen kleinlaut. »Ich hab' es für den Herrn Herzog getan, daß ich den Berggeist beraubte. Der Herzog ist an allem schuld. Er hat dem Herrn Johannes sein Kind versprochen und sein Versprechen nicht gehalten. Morgen fahre ich in die Liegnitz und verlange von ihm, daß er den jungen Herrn Heinrich an den Berggeist ausliefert, denn sonst holt uns der Alte auch noch unser letztes Kind. Inzwischen aber habe gut acht auf unser Emmchen, und laß sie nicht allein hinausgehen!«

In der Liegnitz angelangt, erzählte der Müller dem Herzoge, wie es ihm mit seinen beiden Töchtern ergangen war. Dieser bedauerte das Unglück seines treuen Untertanen tief und bot ihm Gold und Silber in Menge als Ersatz für den Verlust. Steffen nahm wohl das Geld. Als er es jedoch in den mitgebrachten Sack gesteckt hatte, sagte er: »Ihr müßt aber das Versprechen einlösen, das Ihr dem Herrn Johannes in der Walpurgisnacht vor achtzehn Jahren geleistet habt, denn wenn Ihr das nicht tut, so verlieren wir unser letztes Töchterlein Emma auch noch.« – »Bring sie nur hierher nach Liegnitz!« erwiderte der Herzog. »Da will ich sie schon vor den Nachstellungen des Wurzelhüters in Sicherheit bringen.« Steffen leuchtete dieser Vorschlag ein, er hegte bloß Besorgnis, ob seine Frau damit zufrieden sein würde, daß sie sich von ihrem letzten Kinde trennen sollte. Sie war auch untröstlich, als sie von dem Wunsche des Herzogs hörte. Doch pflichtete sie endlich ihrem Gatten bei, der ihr klarmachte, daß sie Emma auf andere Weise nicht schützen könnten.

Unter Seufzern und Tränen suchte sie alle Sachen zusammen, die Emma in der Fremde brauchen konnte, und half ihrem Manne sie auf den Wagen packen. Dann nahm sie von ihrem Töchterlein Abschied und gab ihr eine Reihe guter Ratschläge mit auf den Weg, wie sie sich den Stadtleuten und den vornehmen Herrn und Damen vom Hofe gegenüber benehmen sollte. Lange schaute sie dem davonrollenden Wagen nach und winkte mit ihrem weißen Kopftüchlein Abschiedsgrüße, bis Emma und ihr Vater hinter einer Biegung des Weges verschwanden. Dann setzte sie sich einsam in die Küche auf einen Schemel vor den Herd und weinte, bis die Nacht hereinbrach. Ohne zu essen und zu trinken, begab sie sich zu Bette, fand aber auch dort keine Ruhe.

Steffen übergab dem Herzog sein Töchterlein und fuhr sogleich wieder nach dem Wolfshau zurück. Er besorgte, seine Frau möchte sich ein Leid antun, wenn sie so lange allein bliebe. Der Herzog aber traf die umsichtigsten Vorbereitungen, Emma vor den ihr drohenden Gefahren zu schützen. Er ließ einen großen dicken Turm, der noch heute in der äußersten Umfassungsmauer des Piastenschlosses steht und jetzt den Namen »Hedwigsturm« führt, für sie häuslich und behaglich einrichten und schloß sie dort ein. Die Müllerin aber fuhr alle vier Wochen nach Liegnitz, ihr Töchterchen zu besuchen, und tröstete sich, daß sie in diesem Turme gut aufgehoben sei und daß es sich dort schon leben lasse.

Kläre aber war es bei dem Berggeiste nicht anders ergangen als Ilse. Auch sie hatte eine verbotene Kammer geöffnet und in ihr einen Birnbaum gefunden. Als sie aber eine von den Birnen kostete, wuchs ihr die Nase ellenlang. Kläre strafte der Herr Johannes damit, daß er ihr den linken Fuß abhieb und sie gleichfalls an ihren dunkelbraunen Haaren an den Birnbaum hängte.

3. Rips, der Müllerknecht

Ein Jahr war vergangen, seit Emma nach Liegnitz gezogen war. Da erschien beim Müller Steffen in böhmischer Tracht ein klapperdürrer Mann mit Backen zum Durchblasen, der um Arbeit bat. Steffen brauchte gerade einen Mühlscher, und da der Fremde sich mit einem viel niedrigeren Lohne begnügte, als damals zu zahlen Sitte war, und auch nicht gerade aussah, als ob er viel verdrückte, stellte er ihn ein. Es war aber niemand anders als der Herr Johannes selber, der aus mehreren Gründen diese Verwandlung an sich vollzogen hatte. Das eigentümliche Treiben und Gebaren der Wesen, die in immer größerer Zahl und immer kecker das weite Gebiet bebauten und besiedelten, unter dem sein unterirdisches Reich sich ausdehnte, und nun sogar anfingen, die Berge hinauf sich einzunisten, hatten seine Neugier erregt. Besonders verwunderte es ihn, wenn er Menschenkinder lachen oder weinen sah. Er schüttelte darüber den Kopf, weil er es nicht verstand, sehnte sich aber danach, auch einmal lachen und weinen zu können, kurz, Erdenfreude und -leid einmal in der eigenen Brust zu durchleben. Vor allem hoffte er, in Erfahrung zu bringen, wo der Müller sein drittes Töchterlein, dem er bisher vergeblich aufgelauert hatte, hingebracht haben möchte. Daß er aber so sehr darauf bedacht war, Menschenweiber in seine Gewalt zu bringen, lag an einer Verheißung, die ihm seine Mutter vor vielen tausend Jahren gegeben hatte: »Höchste Seligkeit und höchstes Leid kannst du nur dann in deiner Seele erfahren, wenn du ein Menschenweib zu lieben vermagst.« Ilse und Kläre hatten ihn durch Übertretung seines Verbotes enttäuscht, und so hoffte er nun, daß er mit Emma mehr Glück haben würde.

Der neue Müllerknecht war recht fleißig und zuverlässig, und Steffen konnte nun an einem Tage mehr Getreide mahlen, als er sonst an dreien fertigbrachte. Er schenkte darum Rips nach und nach immer größeres Vertrauen und beauftragte ihn bald mit Geschäften, die er früher selber abzumachen pflegte. Eines Tages schickte er ihn mit Pferd und Wagen nach Schmiedeberg auf den Getreidemarkt, Roggen einzukaufen. Unterwegs begegnete Rips einem Bauern aus Arnsdorf mit einem Wagen voller Säcke. »Heda, Alter, was habt Ihr auf Eurer Karre?« – »Sechs Säcke Korn!« sagte dieser. »Wollt Ihr sie mir nicht gleich verkaufen? Dann braucht Ihr den weiten Weg nicht erst zu machen, und was sie wert sind, will ich Euch schon zahlen.« – »Meinethalben, Ihr werdet ja wissen, was heute der Marktpreis ist.« – »Ich sehe schon, Ihr seid eine ehrliche schlesische Haut, macht nur getrost kehrt, Euch soll der Handel nicht gereuen.« Rips half dem Bäuerlein den Wagen umdrehen. Dieser machte zwar ein schiefes Gesicht, als er hörte, es solle nach dem Wolfshau hinaufgehen. Doch half ihm Rips an den steilsten Stellen des Weges schieben, und sie brachten die Ladung glücklich hinauf. Die Pferde rauchten freilich wie aus dem Wasser gezogen. Rips leerte die Säcke und füllte sie mit etwas anderem. Dem Bäuerlein aber schärfte er ein, er solle sie ja nicht öffnen, bevor er zu Hause sei. Auf der Mitte des Weges wurden jedoch die Säcke so schwer, daß die Pferde nicht mehr ziehen wollten. Das Bäuerlein nahm einen Sack und warf ihn hinunter, aber eine Viertelstunde weiter brachten die Pferde auch die übrigen nicht mehr fort, so daß er wieder einen aufgeben mußte, und so kam die Reihe bald an den dritten, den vierten und den fünften. Den sechsten aber gedachte er sicher nach Hause zu bringen, doch der Mensch denkt, der Rübenzagel lenkt! Am Galgenberge blieben die Pferde wieder stehen und brachten den Wagen nicht mehr von der Stelle. Nun schimpfte das Bäuerlein wie ein Rohrspatz auf den Müllerknecht, der ihn so betrogen hatte: »Rips nanntest du dich, ich weiß schon, wer du warst, niemand anders als der schurkische Rübenzagel, der arme ehrliche Leute zum Narren hat!« Er band den letzten Sack auf und schüttete seinen Inhalt, der wie Kohlen aussah, in den Straßengraben, dann fuhr er verdrießlich in Arnsdorf ein. »Die Säcke weg, das Korn weg, und kein Geld dafür gelöst!« brummte er dabei immer vor sich hin. Zu Hause fiel es ihm ein, den einzigen geretteten Sacke vom Kohlenstaube zu reinigen. Aber o Wunder! Als er ihn umdrehte, rollten eine Menge Körner gediegenen Goldes heraus, die waren doppelt und dreifach soviel wert als das Getreide. Nun bereute das Bäuerlein, daß er nicht wenigstens eine Maß voll der vermeintlichen Kohlen mit nach Hause genommen. Er fuhr auch noch einmal nach dem Galgenberge zurück, um die ausgeschütteten Schätze wiederzuholen, aber er fand an der Stelle nichts als einen Haufen unbrauchbarer Kohlen und Schlacken.

Da war die Frau aus Harrachsdorf klüger, die auf die Berge gegangen war, Wurzeln zu suchen für die Apotheke. Sie hatte ihre vier Kinder mitgenommen, von denen das jüngste erst ein Jahr alt war. Der Schreihals ließ ihr keine Ruhe zum Sammeln; schließlich riß ihr die Geduld, und sie rief laut: »Rübenzagel, komm und friß den Schreihals!« Da erschien der Berggeist und tat, als wollte er den kleinen Bläker verschlingen. Wütend fiel ihm die Frau in den Bart und zog ihn vom Kinderwagen hinweg. »Na, na, ich bin kein Menschenfresser, aber was wollt Ihr für den Strampelpeter? Er gefällt mir!« – »Der Junge? Der ist mir um alles Gold in der Welt nicht feil, wenn ich auch noch so viel Mühe habe, Brot und Kleider für die Bälger zu schaffen.« – »Was wollt Ihr auch mit den dummen Wurzeln groß verdie-

nen? Da, nehmt was von dem Laube, das wird Euch mehr ein-
bringen«, und damit streifte er von einem in der Nähe stehenden Strauche so viel Blätter ab, als er mit beiden Armen fassen
konnte, und schüttete sie ihr in den Korb. Der Frau wurde zwar
auch die Last immer schwerer, je näher sie an Harrachsdorf
herankam, und zu Hause schien's auch weiter nichts zu sein als
Laub. Sie legte es darum den Ziegen vor. Aber wie erstaunte sie
am anderen Morgen, als sie in den Stall trat und ihre Ziegen
verreckt fand. In der Krippe aber lag ein Schock Dukaten.
Schnell schlachtete sie die Tiere und fand in den Mägen noch
zwei weitere Schock Dukaten, so daß sie in ihrem Leben nicht
mehr hinaufzugehen brauchte auf die Berge, Kräuter und
Wurzeln zu sammeln.

Ein andermal hatte Steffen mehr Gerste eingekauft, als er ver-
mahlen konnte. Er schickte daher Rips mit einer Ladung davon
nach Hirschberg, sie dem Bierbrauer Demnitz zu verkaufen.
Als Rips die Säcke abgeladen und das Geld für den Müller ein-
gesteckt hatte, schickte ihn Demnitz ins Brauhaus, er solle dort
zum Lohne fürs Abladen so viel Bier trinken, als er vertrüge.
Rips steckte die Nase in den ersten besten Bottich, der mit gol-
digbraunem Jungbiere bis zum Rande gefüllt war. Mit Entsetzen sah der biedere Braumeister, daß er in wenigen Minuten
den ganzen Bottich ausgetrunken hatte. Schnell lief er zu seinem Herrn, das Unglück zu berichten. Als aber Demnitz in die
Brauhalle kam, war Rips verschwunden und der Bottich wieder
voll.

Trotz aller Pfiffigkeit war es Rips nicht gelungen, das jüngste
Töchterlein des Müllers auszukundschaften. Das Säckeschlep-
pen und Mehlstaubschlucken, noch dazu bei kargem Verdienste, behagte ihm auf die Dauer wenig. Er sann darum auf eine
Gelegenheit, sich wieder frei zu machen und dabei seinem
Dienstherrn, dessen Geiz er jetzt erst so richtig kennengelernt
und am eigenen Leibe verspürt hatte, noch einen Possen zu
spielen.

Bei der nächsten Lohnauszahlung brach er absichtlich einen Streit vom Zaune. »Ja, aber Ihr müßt mir einen Taler mehr Lohn geben«, sagte er. »Nein, daraus wird nichts, jetzt, wo's auf den Winter zugeht und ich sowieso weniger verdiene.« – »Dann sucht Euch zum ersten Jänner einen andern Knecht, ich diene Euch nicht länger.«

Um Weihnachten herum hatte Steffen den Brückenberger Waldbauern Holz abgekauft. Am letzten Tage im Jahre brachte es ein Fuhrmann herüber. Aber Steffen zog ihm ein Viertel des Erlöses ab. Das ärgerte Rips. »Hol dir eine Axt, spalte das Holz und schichte es auf!« sagte der Müller, der ihm noch den Weihnachten schuldig war, zu ihm. »Als Weihnachten kannst du dir so viel Holz mitnehmen, als du auf dem Rücken wirst fortbringen können.« – »Die Axt habe ich bei mir!« erwiderte Rips und riß sich zum Entsetzen Steffens das rechte Bein aus der Hüfte, mit dem er wie toll und verrückt auf die Stämme einhieb, daß sie im Nu kurz und klein geschlagen waren. Dann steckte er das Bein ruhig wieder in die Hüfte, nahm eine frische junge Tanne und band das ganze Spaltholz in ein Bündel zusammen, das er unter höhnischem Lachen auf den Rücken nahm und forttrug. »Halt ein, du Schubiak«, schrie ihm Steffen, der wieder Mut gefaßt hatte und einsah, daß er der Geprellte war, erbost nach; aber Rips tat, als hörte er nicht, und ging unverwandt quer über den nächsten Berg auf den Brückenberg zu. Je weiter er aber sich entfernte, desto größer wurde seine Gestalt, so daß Steffen immer unheimlicher zumute wurde und er ihm nicht nachzusteigen sich getraute. Am Neujahrsmorgen aber fanden die Brückenberger Waldbauern jeder sein Holz, zu Spaltholz geschlagen und sauber aufgeschichtet, an derselben Stelle im Hofe liegen, von der es am vorhergehenden Tage der Fuhrmann abgeholt hatte.

4. Der Herr Johannes als Edelmann

Das Menschenleben im Knechtesstande hatte den Berggeist wenig befriedigt. Die Arbeit, die er verrichten mußte, deuchte ihm zu kindisch und zu klein, und Freude und Leid hatte er dabei wenig erlebt, zumal ihm sein Wunsch, Emma zu Gesichte zu bekommen, nicht in Erfüllung gegangen war. Viele Monde hatte er wieder in seinem unterirdischen Reiche zugebracht, da wurde in ihm das Verlangen, das Menschenleben weiter zu durchkosten, aufs neue rege. »Ich muß es doch einmal als Edelmann versuchen«, sagte er zu sich, »vielleicht lebt sich's da besser. Da kann ich mich als vornehmer Herr von jedermann bedienen lassen und mir die Menschen ringsum ordentlich besehen.« Er setzte sein Wunschhütlein auf und wünschte sich auf den Marktplatz nach Hirschberg. Der war gedrängt voll von Menschen; denn es war gerade Bauernsonntag, will sagen Markttag, aber die Leute wichen entsetzt vor dem Fremden zurück. »Was haben nur die dummen Erdenwürmer«, brummte der Berggeist verdrießlich, »daß sie sich vor mir alle so entsetzen?« Er stand gerade vor dem Laden eines Haarkünstlers und warf zufällig einen Blick in den Spiegel, den dieser in seinem Schaufenster aufgestellt hatte. Nun wurde ihm auf einmal klar, wodurch er so auffiel. Seit er den Dienst des Müllers verlassen hatte, war kein Schermesser an sein Haupt- und Barthaar gekommen. »Ich muß mich erst schönmachen, wenn ich den Menschen gefallen will«, dachte er und ging in den Laden. Der Barbier und seine Gesellen lachten, als sie den wilden Hinterwäldler erblickten. Dieser aber warf sich patzig in einen der hohen Polstersessel, die vor den Spiegeln aufgestellt waren. »He, Meister Barbutz«, rief er, »wollt Ihr mir Haar und Bart zurechtstutzen?« Dabei warf er ein blankes Goldstück auf den Tisch. »Leicht wird's nicht, das seh' ich schon«, erwiderte der Gefragte, »aber meine Kunden sollen staunen, was ich kann«, und indem er einen begehrlichen Blick auf das Goldstück warf, suchte er die kräftigste Schere heraus und begann zu arbeiten. Er hatte aber noch nicht zehn Schnitte getan, da war sie stumpf und verbeult. Er griff nach einer zweiten, aber auch mit der ging es nicht besser, und so kam die Reihe an die dritte und vierte, und dabei geriet der Barbier in ärgeren Schweiß, als müßte er in der Julisonne Holz sägen. Mit der letzten feinsten Schere gelang es ihm wohl, die letzte Strähne abzuschneiden, aber die Schere verbog sich dabei, daß sie aussah wie ein Fiedelbogen. Als der Haarkünstler dem Fremden den Kopf gewaschen und das Haar schön gescheitelt und festgepicht hatte, sagte er: »Aber den Bart laßt Euch woanders scheren, ich kann nicht mehr.« – »Da habt Ihr noch einen Zwanziger«, sagte der Berggeist, »und nun tut, was Eures Amtes ist.« – »Vierzig Gulden sind ein hübscher Verdienst, dafür kann ich mir auch mein Werkzeug wieder in Ordnung bringen lassen«, dachte der Meister und machte sich an den Bart. Aber binnen kürzester Zeit waren alle seine Messer so stumpf, daß man auf ihnen hätte nach Breslau reiten können, und dem Barbier lief der Schweiß von der Stirne, als wenn er über den Sattel auf den Schneegrubenkamm geklettert wäre. Endlich hatte er das schwere Werk vollbracht. Wie geleckt und geschniegelt erhob sich der Fremde aus dem Sessel, musterte sich wohlgefällig im Spiegel, schüttelte dem Meister herablassend die Hand und ging hinaus. »So einen Struwelpeter habe ich doch mein Lebtag noch nicht in der Mache gehabt«, sagte der Bader und hob ein paar Büschel des struppigen Haares von der Diele, um sie in den Ofen zu werfen. Mitten im Schwunge aber hielt er inne. »Sonst sind doch Haare so leicht wie Federn, die aber wiegen so schwer in der Hand wie Wackersteine«, murmelte er und besah sie sich näher. Da entdeckte er, daß sie aus gediegenem Golde waren. Nun kehrte er sie sauber auf eine Schaufel zusammen und schüttete sie in den Geldschub. Am Abend aber ging er zum Nachbar Goldschmied und wechselte sie in blanke Goldstücke um. Jetzt wußte er, wer der seltsame Kunde gewesen war, und schimpfte auch nicht weiter über die verhunzten Schneidewerkzeuge. Der Berggeist aber begab sich vom Bartscherer zu einem Tuchmacher und kaufte ihm einen großen Posten feinsten roten Tuches ab. Den Preis bezahlte er wiederum in blanken Goldstücken. Als er aber kaum die Ladentür hinter sich zugemacht hatte, verwandelten sie sich vor den Augen des Tuchmachers auf dem Tische in Bleiknöpfe. Wütend rannte er dem Käufer nach; an der nächsten Straßenecke holte er ihn ein, packte ihn am Ärmel fest und schrie ihn an: »Heda, mein sauberer Herr, Ihr habt mir Bleiknöpfe statt Goldstücke gegeben!« – »Weist doch einmal her!« erwiderte der Angehaltene ruhig. »Ihr versteht Euch wahrlich schlecht aufs Geld; seht Ihr nicht, daß es lauter Goldstücke sind?« Der Tuchmacher traute seinen Augen kaum, als er die Faust öffnete und sah, daß er sie voller Goldgulden hatte. Der Fremde aber wechselte ihm die blanken gelben Gickerlinge jetzt in harte Taler um. Beruhigt ging der Tuchmacher nach Hause. Wie er aber in den Beutel griff und die Taler nachzählen wollte, waren es lauter Topfscherben. Ganz aufgeregt ging er damit vor den Richter und beantragte, den Fremden, den er im »Goldenen Schwerte« hatte einkehren sehen, zu verhaften. Von zwei Häschern begleitet, trat er in die Gaststube: »Du Dieb, du Gauner, du Spitzbube!« schrie er den vornehmen Herrn an, der vor einer gebratenen Schöpsenkeule und einer Flasche Burgunder saß. »Wenn Ihr Euer ungewaschenes Maul nicht haltet und fortfahrt, ehrliche Leute zu beschimpfen, so verklage ich Euch wegen Beleidigung!« sagte dieser. »Was ist denn los, daß Ihr mich mitten im Mittagessen stört?« fuhr er ruhiger fort. »Ihr habt mich doch betrogen und mir Scherben statt Geld gegeben, da, seht her!« Dabei drehte der Tuchmacher den Geldbeutel über dem Tische um, aber statt der Scherben fielen harte Taler heraus und rollten über Stühle und Bänke auf den Erdboden, wo sie in alle Ecken und Winkel des Zimmers auseinanderkullerten. Der Tuchmacher besann sich nicht lange, schickte die Häscher fort, bat den fremden Herrn um Entschuldigung und klaubte sich seine Lösung zusammen. Zu Hause aber fand er oben im Geldbeutel ein weißes Zettelchen mit der Aufschrift:

»Für hohe Preise schlechtes Tuch
Macht Euch gewiß verderben,
Zieht deshalb ehrlich durch die Welt,
Sonst erntet Ihr nur Scherben.«

Als sich der Herr Johannes durch ein längeres Mittagsschläfchen gestärkt hatte, trug er das erhandelte Tuch eigenhändig zum Schneider Peters, von dem er wußte, daß er seine Kunden beim Zuschneiden betrog und von jedem wertvollerem Stoffe, der ihm ins Haus gebracht wurde, ein paar schöne Flecken für sich behielt und in seine Schublade tat, um sie noch bei anderen Arbeiten zu verwenden. Der Herr Johannes übergab ihm das feine rote Tuch und ließ sich zu einem Anzug Maß nehmen. »In acht Tagen müßt Ihr fertig sein, Meister Peters, haltet Wort, ich verlass' mich drauf!« Inzwischen war es Abend geworden, und der Herr Johannes suchte seinen Gasthof wieder auf. Er zog sich sogleich in die von ihm gemieteten Gemächer zurück. Als der Hausknecht kam, die Sachen holen, streckte ihm der Herr Johannes das rechte Bein entgegen und befahl ihm, den Stiefel auszuziehen. Aber der arme Kerl zog und zog, daß ihm die hellen Schweißtropfen auf der Stirne standen, und brachte den Stiefel nicht vom Fuße. Der fremde Herr begann ungeduldig zu werden und zu schelten; da tat August noch einmal einen besonders kräftigen Ruck. Pardauz flog er zur Erde. Statt des Stiefels hatte er das ganze Bein in der Hand. »Hol dich der Geier, du Unflat! Reißt mir der Kerl wahrhaftig das ganze Bein aus der Hüfte; nun sieh, wie du es wieder hineinkriegst!« Zu Tode erschreckt machte August, daß er fortkam, und erzählte unten leichenblaß die Schauergeschichte. Als aber die Wirtsleute heraufkamen, um nach dem seltsamen Gast zu sehen, lag dieser zweibeinig und wohlbehalten im Bette und schimpfte über die Störung. August aber wurde noch oft wegen seiner Einbildungen zum Gaukelmänndl gemacht. – Acht Tage später sprach der Herr Johannes wieder beim Meister Peters vor und besah sich den neuen Anzug. Er merkte wohl, daß der Schneider ein gröberes Tuch genommen hatte als das von ihm mitgebrachte, zahlte ihm aber trotzdem den ziemlich hohen Macherlohn. »Komm du mir nur einmal in mein Gehege, dir will ich's schon geigen«, dachte er bei sich. Am Abend merkte Peters, daß die Geldstücke lauter Rübenzagelspfennige waren, lauter dünn geschnittene Rübenscheibchen. »Ich habe ja noch das schöne Tuch«, tröstete er sich. Er baute sich aus einem Teile davon einen feinen Staatsrock, zu dem er auch noch viele andere Peterfleckel verwandte. Als er aber am nächsten Sonntag darin in die Kirche gehen wollte, erfaßte ihn vor der Tür des Gotteshauses ein arger Wirbelsturm, und sein Staatsrock flog ihm in tausend Flickflecken vom Leibe, und die Leute sahen, ein wie zerrissenes Hemd der Meister von der Nadel unter dem Sonntagsstaate trug. Beschämt flüchtete er sich ins nächste Haus, wo ihm der Nachbar Leineweber mit anderen Sachen aushalf. Inzwischen machte der Herr Johannes eine Reise nach Prag. Dort gefielen ihm aber die Menschen so wenig, daß er nach kurzem Aufenthalte verstimmt und voll Rachedurst in sein Reich zurückkehrte. Zu derselben Zeit mußte Meister Peters über das Gebirge zu einem vornehmen Kunden nach Trautenau. Plötzlich kam ihm zwischen der Mohornmühle und den Grenzbauden derselbe vornehme Herr, der seinen Anzug in Rübenzagelspfennigen bezahlt hatte, in diesem auf einem kohlschwarzen Ziegenbocke in rasendem Gachlaufe entgegengeritten. Vor dem zitternden Schneiderlein machte er plötzlich halt. »Aha, Meister Zwirn, Ihr hier, das freut mich sehr. Wir haben noch ein Wörtlein miteinander zu reden von wegen des Tuches, um das Ihr mich betrogen habt. Kommt, schwingt Euch auf mein Reitpferd, da können wir die Sache unterwegs abmachen.« – »Mit dem ist nicht zu spaßen«, dachte Meister Peters, »ich muß tun, was er sagt« und ergriff den Schwanz des Ziegenbockes, um sich auf den krummen Rücken zu schwingen. Aber kaum hatte er mit seinen dünnen Spinnefingern die Steißloden des Bockes erfaßt, da ging dieser hoch in die Lüfte und raste samt seinem Reiter und dem kläglich zappelnden Anhängsel hinten durch die Wolken längs über den ganzen Kamm hin bis zu den Elbwiesen. Dort ließ er den Schneider mitten ins Moor fallen, daß der Schlamm hoch über ihm zusammenspritzte. Anderen Tages kam Meister Peters über und über mit Kot besudelt in Agnetendorf an und sah sich genötigt, im Gasthause »Zur Forelle« ein Zimmer zu mieten und seine Kleider trocknen und reinigen zu lassen. Aber um einen tüchtigen Schnupfen kam er doch nicht herum. Seit diesem Erlebnis verfuhr er ehrlicher in seinem Handwerke, pfefferte von nun an die Rechnung seiner Kunden weniger und gab ihnen auch das übriggebliebene Tuch rechtschaffen zurück.

5. Was treue Liebe überwindet

Inzwischen war der Herzogssohn zu einem schlanken, stattlichen Jüngling herangewachsen. In allen ritterlichen Künsten war er wohl geübt und begleitete seinen Vater oft zu Turnieren und zur Jagd. Dabei ritten sie immer am Hedwigsturm vorbei, und jedesmal wurde sein Vater an dieser Stelle traurig. Als er dort einmal wieder einen tiefen Seufzer aus seiner Brust hervorholte, fragte ihn der junge Heinrich, warum ihn denn dieser Turm so traurig stimme, und der Vater erzählte ihm die ganze Geschichte. Der gutherzige Jüngling empfand tiefes Mitleid mit dem armen Mägdlein, das hier um seinetwillen eingeschlossen war und ihre schönsten Jugendjahre einsam vertrauern sollte. Er beschloß, ihr zu helfen. Bei festlichen Gelegenheiten, wo seine Abwesenheit am wenigsten bemerkt werden konnte, schlich er sich heimlich aus dem hohen Rittersaal und ging zu dem Turm. Stundenlang harrte er dort, aber niemals gelang es ihm, die Gefangene auch nur zu sehen. Da – es war gerade am Namenstag seiner Mutter, als er wieder einmal im Schatten der Nacht sich dem Turme näherte – vernahm er aus ihm ein schwermütiges Lied, das ergreifend durch die Stille hallte:

> »Nachtigall, ich hör' dich singen,
> Das Herz möcht' mir im Leib zerspringen.«

Leise und vorsichtig schlich er sich nach der Stelle, von der aus er das einzige Fenster, das an dem Gebäude angebracht war, beobachten konnte. Wie bezaubert blieb er stehen. Vom Mondenscheine hell beleuchtet saß am Fenster, in ein schneeweißes Gewand gehüllt, eine herrliche Jungfrau, die ihre langen, goldenen Haare kämmte und dabei die traurige Weise sang. Heinrich suchte nach einer Türe, die in den Turm hineinführte, aber vergeblich. Die Gelegenheit, das schöne Mädchen kennenzulernen, wollte er nicht ungenützt vorübergehen lassen. »Emma, arme Emma!« rief er ihr zu, als sie ihr Lied geendet hatte. Das Mädchen erschrak, wie sie ihren Namen nennen hörte. Sie erhob sich und wollte in das Innere des Turmes zurückweichen. Aber Heinrich bat: »Verweile doch und sprich mit mir!« Und da sie sah, daß der Rufende ein junger schöner Mann sei, mit milden und sanften Gesichtszügen, ließ sie sich bewegen, am Fenster zu bleiben. Es tat ihr wohl, endlich einmal wieder mit einem Menschen reden zu dürfen und von der Welt da draußen zu hören. Sie bat aber den Jüngling, seine Stimme zu dämpfen, damit sie nicht belauscht würden. Wohl wußte sie, daß sie hier eingeschlossen war, um nicht in die Hände des »Alten vom Berge« zu fallen, wie es ihren beiden Schwestern ergangen war. Daß aber an dem Raube dieser und an ihrer eigenen Einschließung im letzten Grunde der Herzogssohn schuld war, davon wußte sie nichts. Nun erfuhr sie es aus dessen eigenem Munde. Sie faßte ein tiefes Vertrauen zu dem edlen Fürstenkinde, das alle Pracht und allen Jubel mied, um deren Los zu mildern, die für ihn litt. Sie sehnte sich danach, vertrauter mit ihm reden zu können. Aber wie sollte er zu ihr hinaufkommen? Da kam ihr ein seltsamer Gedanke. Sie band ihre langen goldenen Haare an einen Haken des Fensterkreuzes und ließ sie außen am Turme herunter. Sie reichten bis an den dornbestandenen Mauerabsatz, den man vom Erdboden aus erreichen konnte. »Steig herauf an meinen Haaren, und komm zu mir!« sagte sie zu dem Jüngling, und es gelang Heinrich, sich daran emporzuschwingen. Lange plauderten sie nun in trauter Umarmung, während die Klänge der rauschenden Festmusik durch die Stille der Nacht zu ihnen herübertönten. Heinrich erklärte Emma, daß er fest entschlossen sei, sie zu befreien. »Komm nächste Nacht wieder!« erwiderte sie. »Und bring jedesmal, wenn du mich besuchst, einen Strang Seide mit; daraus will ich eine Strickleiter flechten, an der ich hinabsteigen kann. Dann magst du mich fortführen, wohin du willst.« Alle Nächte des Wonnemondes verbrachte nun der junge Heinrich bei der Gefangenen. Die Strickleiter war schon beinahe fertig, die sie zu ihrer Flucht benützen wollten. Da wartete er eines Abends vergeblich darauf, daß Emma am Fenster erschiene. Umsonst rief er:

»Emma, liebste Emma, laß dein Haar herunter!«

Niemand gab Antwort als der Widerhall, der ihm seine eigenen Worte von den finsteren Mauern des Schlosses im Hintergrunde schauerlich zurückgab. Zu Tode betrübt kehrte er in sein Schlafgemach zurück. Am anderen Morgen erkundigte er sich vorsichtig bei der Frau des Torwarts, von der er wußte, daß sie von seinem Vater beauftragt war, Emma mit Speise und Trank zu versorgen, wo die Gefangene hingekommen wäre. Er hörte, daß sie ihr Vater Steffen zu sich ins Gebirge geholt habe, weil seine Frau im Sterben liege. Vor der Torwartsfrau ließ

Heinrich sich's nicht merken, wie sehr ihn diese Nachricht erschreckte. Er zitterte bei dem Gedanken, daß Emma wie ihre Schwestern in die Gewalt des Berggeistes geraten und damit ihm für immer verlorengehen könnte. Erst jetzt erkannte er, eine wie tiefe Liebe er zu der einfachen Müllerstochter gefaßt hatte. Aber davon seinen Eltern Mitteilung zu machen, scheute er sich; denn er fürchtete nicht ohne Grund, daß sie sein Verhalten tadeln würden. Und so sah er keinen anderen Ausweg, als heimlich zu entfliehen und Emma nachzueilen.

Die Müllerin war freilich krank. Das war aber nicht der Hauptgrund, weshalb Steffen seine Tochter zurückholen mußte. Es steckte vielmehr in der Tat wieder niemand anders dahinter als der Herr Johannes, und das war so gekommen:

An einem heißen Junitage sah der Berggeist von seinem gewöhnlichen Lugaus auf der Schneekoppe einen Glashändler mit einer schweren Hucke böhmischer Gläser den Melzergrund hinabsteigen. Die Jacke hatte er schon ausgezogen und hinten angehängt, und doch rann ihm der Schweiß in hellen Tropfen über das Gesicht. Dabei stieß ihm die Kötze bei jedem Schritte ins Kreuz, daß er ächzte und stöhnte wie ein Strafkärrner. »Ist das eine Schinderei!« seufzte er, blieb stehen, wischte sich die Stirn und sah sich nach einem kühlen Plätzchen zum Ausruhen um. Flugs verwandelte sich der Berggeist in einen runden Stein, der im Schatten einer mächtigen Tanne so recht verführerisch zum Sitzen einlud. Gemächlich ließ sich der Glaser darauf nieder und stützte den Kopf in die Hand. »Zwanzig Taler behalt' ich diesmal sicher übrig vom Verdienste. Dafür kauf' ich mir einen Esel, daß ich mich nicht selber mehr zu placken brauche. Oder nein! Ich trag' selber und lass' den Esel auch tragen. Das gibt doppelten Verdienst. Dafür kauf' ich mir dann eine Kuh und ein Haus und Ackerland dazu. Veit, du wirst noch mal Großbauer.« Schrumm! rutschte der böse Stein in die Erde, und der künftige Großgrundbesitzer fiel der Länge lang hin ins Gras und streckte die Spazierstengel in die Höhe.

In tausend Scherben flogen Gläser und Bauerngut umher. »Weh mir! Ich bin ein geschlagener Mann!« wimmerte er. »Nun ist all mein Verdienst dahin, womit soll ich jetzt meine Gläubiger zufriedenstellen?« Da regte sich in dem Herrn Johannes das Mitleid. Er nahm die Gestalt eines Bauern an, trat zu dem Glaser und fragte ihn nach der Ursache seines Kummers. Als dieser ihm alles treuherzig erzählt hatte, sagte er: »Tröste dich, ich werde dir das Verlorene doppelt und dreifach ersetzen. Ich bin der Berggeist und brauche gerade einen ehrlichen Kerl wie dich, um dem alten, geizigen Müller Steffen im Wolfshau auf seine Schliche zu kommen. Fülle nur deine Hucke mit Kieselsteinen, und steig mir auf den Rücken!« Das tat der Glaser und wunderte sich nicht schlecht, als er plötzlich auf einem Müllerlöwen saß, der den Kopf zu ihm umwandte und sprach: »Iah, iah! Erschrick nicht, Glaserlein, reit getrost zur Mühle am Wolfshau, und verkauf mich dem Müller Steffen für zwanzig Gulden, dann aber mach dich schnell dünne!« Die Zipfelmütze auf dem Ohr, stand unser Mehlstaubschlucker gerade unter der Türe und schaute nach dem Wetter. Da sah er den Glaser ankommen: »He, Nachbar! Was habt Ihr da für einen stattlichen Grauschimmel. Der könnte mir Säcke tragen für meine Mühle. Was soll er denn kosten?« – »Unter Brüdern zwanzig Gulden«, erwiderte der Gefragte. »Fünfe zuviel, fünfzehn will ich dran wagen.« Sie feilschten noch eine Weile, bis sich der Glaser mit dem gebotenen Preis zufriedengab. Er strich das Geld ein und sockte ab. Zu Hause fand er die Hucke auch noch voll Gold; davon kaufte er sich ein Rittergut; er war ein gemachter Mann. Scherben bringen Glück! – Der Müller übergab den Esel seinem neuen Knecht und sagte zu ihm: »Führe den hübschen Grauen in den Stall, Hans, und gib ihm von dem verschlämmten Heu zu fressen. Wenn er davon Magendrükken kriegt, so ist das andrer Leute Sache. Ich verkauf' ihn dem Nachbarn Schulze für dreißig Gulden.« Als aber Hans dem Tier das übelriechende Futter vorlegte, schnupperte dieses nur ein wenig daran und fing dann plötzlich an zu reden: »Schaff nur das Zeugs wieder weg! Ich mag bloß Gesottenes und Gebratenes.« Hätte sich Hans nicht am Schwanze des Tieres festgehalten, er wäre vor Schreck in das Bricklebrit geplumpst, das der Esel bei diesen Worten fallen ließ. Entsetzt rannte der Knecht zu seinem Herrn und sagte: »Meister, Ihr habt Euch da ein seltsames Tier von Esel angeschafft. Das Viech redet ja wie ein Mensch.« Ungläubig schüttelte Steffen den Kopf. »Da muß ich doch selber zusehen«, antwortete er. Als er aber die Stalltür auch nur ein Schlitzchen öffnete, tönte ihm eine grunzende Stimme entgegen: »Es mag dir ja seltsam genug vorkommen, daß ich reden kann; aber ich bin auf der Hochschule zu Prag gewesen. Dort habe ich Wein trinken, Braten und Kuchen essen und Mist fabrizieren gelernt. Auch schlafe ich nicht auf Heu, sondern in Federbetten.« Zuerst war der Müller nicht wenig verdutzt, als er Meister Baldewin also reden hörte. Bald aber gewann der Geiz in ihm wieder die Oberhand. »Der Halunke von Glaser hat mich mit dir betrogen. Aber ich werde dich ihm zurückgeben. Er sitzt sicherlich noch unten im Steinseiffener Kretscham und vertrinkt mein sauer Erspartes. Flugs, ihm nach!« Er führte den Grauschimmel aus dem Stall und schwang sich auf ihn. Aber das störrische Tier war nicht von der Stelle zu bringen. »Warte! Ich werde dir Beine machen!« sagte der Müller und regnete ihm Peitschenhiebe aufs Leder. Doch das half nichts. Es schlug hinten und vorn tüchtig aus, daß dem Müller bei der Schaukelei ganz eigentümlich zumute wurde. Mit einem Male raste es wie toll und verrückt über Stock und Stein den steilen Berg hinunter auf einen großen, tiefen Teich zu, den Steffen bisher niemals in seinem Leben gesehen hatte. Der Angstschweiß trat ihm auf die Stirn, als er das pechschwarze Gewässer vor sich sah. Er versuchte abzuspringen, doch er war wie festgewachsen auf dem Rücken des wütigen Tieres. Da er seinen sicheren Tod vor Augen sah, verlegte er sich nun aufs Bitten. Umsonst. Erbarmungslos sprang der Esel mit ihm in die Fluten. »Nun sage mir, wo du dein Töchterlein Emma hingebracht hast«, hob das bösartige Reittier wieder an, »sonst werf' ich dich ab!« – »Der Herzog hat sie zu sich genommen nach der Liegnitz.« – »Aha, du geriebener Schlaufuchs du, du schaffst mir in drei Tagen den jungen Herzog oder dein Töchterlein hier zur Stelle. Schwörst du mir das nicht bei deiner Seele Seligkeit, so hat dein letztes Stündlein geschlagen, und du kommst aus dem nassen Grabe nicht wieder heraus.« Da leistete der Müller einen heiligen Eid, daß er dem Gebote des Berggeistes Folge leisten werde. Kaum hatte er das getan, als er auf einem Ballen Leinwand saß. Esel und Teich waren verschwunden.

Steffen wußte sich nun keinen anderen Rat, als daß er sein Töchterlein unter dem Vorwand, seine Frau liege im Sterben, in Liegnitz abholte und nach dem Wolfshau brachte. Emma war erstaunt, daß sie ihre Mutter, die freilich im Bette lag und unwohl war, weniger leidend fand, als sie gefürchtet hatte. Die Pflege der sanften, anspruchslosen Kranken nahm nicht viel Zeit in Anspruch. Am Nachmittag des zweiten Tages nach ihrer Ankunft saß Emma draußen im Garten am Mühlbach. Sie hatte lange die goldene Freiheit nicht mehr genossen. Kristallklar floß das Wasser über die weißen, glatten Kieselsteine. Sie warf Blumen von ihrer Brust in die plätschernden Wellen, die galten dem fernen Herzogssohne in Liegnitz. Es war ein schwüler Tag. Emma zog die Schuhe aus und ließ ihre weißen Füßchen in den Bach hinunterbaumeln. Die Kühle der Flut tat ihr wonnig wohl. Es reizte sie, sich ganz zu entkleiden und zu baden. Kaum war sie aber hineingesprungen, als der Boden unter ihren Füßen nachgab, und mit einem lauten Schrei sank sie in die Tiefe. Entsetzt kam der Müller herausgestürzt, sah aber nur noch das goldene Haar seiner Tochter im Wasser verschwinden. Er sprang ihr nach, doch da war wieder der blanke Kieselgrund da und ließ ihn nicht tiefer hinab, trotz aller Versuche unterzutauchen. Frau Marie hatte den Angstruf wohl vernommen und auch die Stimme ihrer Tochter erkannt. Als Steffen bleich und verstört und mit nassen Kleidern wieder hereintrat, wußte sie sofort, was geschehen war. Der Schmerz raubte ihr die letzte Lebenskraft. Wenige Stunden darauf verschied sie.

Als Emma wieder zur Besinnung kam, lag sie, angetan mit einem losen, wasserblauen Gewande, das durch einen goldenen Gürtel zusammengehalten wurde, auf weichem seidenem Ruhebette in einem von grünlichem Lichte matt erhellten, prunkvollen Gemache desselben unterseeischen Schlosses, in das der Berggeist auch ihre beiden Schwestern geführt hatte. Zu ihren Füßen kniete ein schöner Jüngling und sah voll zärtlicher Besorgnis zu ihr auf. Sie ahnte, wohin sie geraten sei und wen sie vor sich habe, und ihre Ahnung wurde zur Gewißheit, als er ihr in goldenem Becher köstliches Lebenswasser reichte, das ihr sofort alle Sinne wiederbelebte. Zuvorkommend reichte er ihr den Arm und führte sie, um sie zu zerstreuen, durch sein Schloß, zuletzt in den Speisesaal, wo er sie von seinen unsichtbaren Geistern noch köstlicher bewirten ließ als ihre Schwestern. Schöner und von Natur liebenswürdiger, aber auch ernster und tiefer als Ilse und Kläre fesselte Emma den Schloßherrn bald bei weitem mehr als diese. Jeden Wunsch, den er ihr von den Augen ablesen konnte, suchte er ihr zu erfüllen. Je mehr er sich aber um ihre Gunst bemühte, desto kälter und zurückhaltender wurde sie. Er ließ sie darum an den folgenden Tagen nie lange allein. Nur einmal, am Morgen des nächsten Sonntages, begab er sich nach seinem Schausitz auf der Schneekoppe, von dem aus er alles beobachten konnte, was auf den Bergen und unten im Hirschberger Tale sich zutrug. Da bemerkte er, daß man in der Wolfshauer Mühle Anstalten zu einem Leichenbegängnis traf. Seine Tat also mußte schlimme Folgen gehabt haben. Darüber wollte er sich Gewißheit verschaffen. Er hoffte, sein Schloß so schnell wieder zu erreichen, daß Emma von seiner Abwesenheit nichts merkte.

Wie alle Söhne seines Hauses hatte Heinrich in seiner Jugend ein Handwerk gelernt, und zwar die Schuhmacherkunst. Er verkleidete sich daher am Abend des Tages, an dem er von der Frau des Torwarts über den Verbleib Emmas Auskunft erhalten hatte, als Handwerksbursche und verließ bei dunkler Nacht das herzogliche Schloß. Wohl hatte er sich Zehrgeld mitgenommen. Aber da er an die Anstrengungen eines längeren Fußmarsches nicht gewöhnt war, war es in Hirschberg bereits stark auf die Neige gegangen. Er entschloß sich darum, dort einstweilen bei einem Schuhmacher Arbeit zu nehmen. Am ersten Sonntag ging er hinauf nach dem Wolfshau. Als er in die Nähe der Mühle kam, sah er, wie ein Sarg aus dieser hinausgetragen wurde, dem ein langer Zug Leidtragender folgte. Er erkundigte sich bei einem derselben, wer es wäre, den man da zur letzten Ruhe geleite, und erfuhr, daß es die Müllerin sei. »Das war einmal eine herzensgute Frau! Ach, und was hat sie gelitten. Vor Jahren sind ihr zwei Kinder auf ganz rätselhafte Weise geraubt worden. Nun ist auch ihr letztes Töchterlein Emma neulich im Mühlbach ertrunken. Nicht einmal ihren Leichnam hat man wiedergefunden. Darüber hat sich die arme Frau zu Tode gegrämt.« Heinrich war nahe daran, umzusinken, als er diese Schreckensnachricht vernahm. »Was ist Euch?« fragte der redselige Alte, der ihm alles das erzählt hatte. »Ihr seid so bleich!« – »Verfluchter Rübenzagel!« murmelte Heinrich ingrimmig zwischen den Zähnen. »Um Gottes willen! Nennt den Namen hier nicht, junger Herr!« warnte der Greis; aber der Berggeist, der sich unter die Trauernden gemischt hatte, hatte den Fluch bereits vernommen und schwor, Rache zu nehmen. Als Heinrich nach Hirschberg zurückkehrte, folgte er ihm in gemessener Entfernung. Unterwegs holte er einen Juden ein, der auch nach Hirschberg wollte. Hurtig nahm der Herr Johannes die Gestalt Heinrichs an, biederte sich dem Juden an und lockte ihn auf einen einsamen schmalen Schriemweg; dort packte er ihn mir nichts, dir nichts mit der einen Hand an der

Gurgel und riß ihm mit der anderen den zum Strotzen vollen
Geldbeutel vom Gürtel. Dann ließ er ihn halbtot vor Schrecken
am Wege liegen, entfernte sich und verwandelte sich hinter einem Strauche in einen ehrsamen Hirschberger Bürger. Als solcher handelte er an dem Auwei schreienden Juden wie der
barmherzige Samariter an dem Manne, der zwischen Jerusalem und Jericho unter die Räuber fiel. Er gab ihm aus seiner
Feldflasche Lebenswasser zu trinken und geleitete ihn nach
Hirschberg. Dort führte er ihn vor dieselbe Herberge, in die er
den jungen Heinrich hatte einkehren sehen, und trennte sich
vor der Türe von ihm. Der Jude traute seinen Augen kaum, als
er in der Wirtsstube denselben Mann am Tische erblickte, der
ihn beraubt hatte. Ehe ihn jemand weiter bemerkt hatte,
schlich er sich heimlich zur Türe wieder hinaus und ging
schnurstracks zum Stadtrichter, bei dem er den Diebesgruß an-
brachte. Der Richter ließ sofort die Schenke von Häschern um-
stellen. Zwei nahm er mit in die Gaststube. Der Jude zeigte auf
Heinrich: »Bei allen Erzvätern! Der da hat mich vor zwei Stunden meuchlings überfallen und meinen Geldbeutel geraubt!« –
»Potz Pech und Draht, Jude, bei dir rappelt's!« schrie Heinrich.
»Da habt ihr meinen Ranzen, durchsucht ihn!« sagte er zu den
Häschern, löste selber die Riemen und Schnallen und öffnete.
Aber was war das? Obenauf lag ein fremder Geldbeutel. Wie
war der hineingekommen? Der Jude erkannte ihn sofort als den
seinigen, und die Häscher griffen hastig danach. Heinrich
wurde in Ketten gelegt und ins Stockhaus geführt, wie hoch
und heilig er auch seine Unschuld beteuerte. Am folgenden
Tage wurde über ihn Gericht gehalten und er trotz seines Leug-
nens zum Tode durch den Strang verurteilt. Am dritten sollte
die Hinrichtung vollzogen werden.
Infolge dieser Ereignisse langte der Berggeist erst spätabends
wieder in seinem Schlosse an. Da er Menschenliebe und Men-
schenleid in seiner Brust noch immer nicht recht abzuschätzen
vermochte, erzählte er am folgenden Morgen Emma, wo er ge-

wesen war, ohne zu ahnen, welche Wirkung die Nachricht vom Tode ihrer Mutter auf sie machen mußte. Totenbleich sank sie in tiefer Ohnmacht auf das Ruhebett, und als er sie wieder zum Leben zurückgerufen hatte, brach ein Strom von Tränen aus ihren Augen. Sie machte ihm die bittersten Vorwürfe, daß er sie nicht herbeigeholt und sie nicht wenigstens von ferne und vor den Augen der Menschen geschützt noch einmal ihre Mutter habe sehen lassen. Zu seiner Entschuldigung, weshalb dieser Gedanke in ihm nicht hätte aufkommen können, erzählte er ihr hierauf das Erlebnis mit dem fremden Jüngling, der ihn zu lästern gewagt habe, und wie er sich an ihm gerächt. »Pfui, du schändlicher, herzloser Geist!« erwiderte Emma in höchstem Zorne. »Du rühmst dich auch noch dieses schurkischen Streiches.« Da stieg jedoch in ihr die bange Frage auf, wer wohl der Fremde gewesen sein möchte, der an ihrem Schicksal und an dem ihrer Eltern so regen Anteil genommen und überdies sofort den ganzen Zusammenhang so richtig erraten habe. Sie schöpfte eine leise Hoffnung, daß es ihr Geliebter gewesen sein möchte. Ihre Heftigkeit reute sie, und sie fuhr ruhiger und in halb bittendem Tone fort: »Eile so schnell, wie du kannst, nach Hirschberg, befreie den Unschuldigen aus seiner Schande und Not, und bring ihn hierher, oder sonst hoffe niemals, daß ich dich je mit anderen Augen betrachten werde als mit denen des Hasses und der Verachtung.« — »Wirst du auch meine Abwesenheit nicht dazu benützen, mir zu entfliehen?« fragte er. »Wisse, daß, wenn du meine Forderung nicht erfüllst, ich täglich und stündlich darauf sinnen werde, mich aus deiner Gewalt zu befreien. Jetzt aber harre ich aus, bis du zurückkehrst.« Daraufhin übergab er ihr sämtliche Schlüssel der Gemächer seines Schlosses, bat sie aber, um ihrer selbst willen die beiden Kammern am Ende des unteren Ganges nicht zu öffnen. Ihr geradezu etwas zu verbieten, wagte er nicht. Sie hatte ihm durch ihr Auftreten etwas wie Ehrfurcht abgerungen. Er schwang sich durch die Luft nach Hirschberg. Dort nahm er die Gestalt des

Gefängnisgeistlichen an und verschaffte sich unter dem Vorwand, daß er dem zum Tode Verurteilten die letzte Beichte abnehmen wolle, Zutritt zu Heinrich. Teilnahmslos blickte dieser auf, als er den Schwarzrock eintreten sah: »Ich habe Euch nichts zu beichten, verlaßt mich! Was ich an Geheimnissen in der Brust trage, steigt mit mir ins Grab. Ich fürchte mich nicht, vor Gottes Richterstuhl zu treten; dem euren beug' ich mich nicht!« Doch der Herr Johannes hörte gar nicht auf das, was der unglückliche Jüngling sagte. Schweigend zog er aus der Tasche seiner Kutte einen goldenen Schlüssel. Damit öffnete er alle Schlösser der schweren Ketten, die an Heinrichs Arm- und Fußgelenken klirrten. Dann reichte er ihm einen Beutel voll Goldstücke und sagte zu ihm: »Wechsele mit mir die Kleider, und verlaß das Gefängnis. Geh hinauf in die Berge, dort bist du in Sicherheit.« Das fügte der Berggeist hinzu, weil dort der Jüngling durchaus in seiner Macht war und er jeden Augenblick seiner wieder habhaft werden konnte. Heinrich war aufs höchste überrascht, daß ihm in letzter Stunde so unerwartet ein Retter erschien. Da der vermeintliche Geistliche aber jede Auskunft verweigerte, wer er sei und warum er so handele und ihn nur hieß, seinen Rat zu befolgen, wenn er sein Leben noch für wert halte, fügte er sich seinen Anordnungen.

Am nächsten Morgen kam der wirkliche Gefängnisgeistliche, um den Verurteilten zu seinem schweren Gang vorzubereiten. Er ermahnte ihn, alle seine Sünden zu beichten, damit er ihn mit den heiligen Gnadenmitteln der alleinseligmachenden Kirche wohl ausstatten könne. Aber der Gefesselte erwiderte darauf nur: »Papperlapapp!« Hochwürden begann seine Seelsorgerbemühungen von neuem und setzte dem verstockten Sünder mit allen Mitteln seiner salbungsvollen Beredsamkeit zu, Buße zu tun und andächtig zu beten. Aber wieder und immer wieder wiederholte das ungelehrige Beichtkind sein »Papperlapapp«. Da ließ der Geistliche ein Becken mit Weihwasser holen und besprengte den Gefangenen mit dem Weihwedel, meinend, daß er vom Obersten der Teufel besessen sei. Es gelang ihm aber nicht, den bösen Geist aus ihm auszutreiben, er blieb bei seinem »Papperlapapp«. Darüber kam die Stunde des Hochgerichts heran, und die Schergen nahmen den Verurteilten, setzten ihn in die Arme-Sünder-Karre und fuhren ihn durch die Straßen der Stadt nach dem Galgenberge, der heutzutage der Kavalierberg heißt. Unterwegs aber trieb der Galgenvogel solche Narrenpossen und war so lustig und guter Dinge, als ob er des Königs Tochter statt der des Seilers heuern sollte. Die vielen Neugierigen, die den Zug begleiteten, kamen aus dem Lachen gar nicht mehr heraus. Als nun der Verbrecher unter dem Galgen stand und zur Erbauung der frommen Zuschauerschaft das Glaubensbekenntnis hersagen sollte, brachte er wieder nur sein »Papperlapapp« heraus, worauf sich auch die gestrengen Herren Richter eines Lächelns nicht erwehren konnten, obwohl ihnen doch angesichts eines so verstockten Sünders etwas unheimlich zumute ward. Wie aber der Hangmann nun dem Verurteilten den Strick um den Hals legte und ihn an dem Galgen in die Höhe zog, schnitt dieser so lächerliche Grimassen, zeigte die Zunge auf so wunderliche Weise und zappelte und schlenkerte mit Armen und Beinen so drollig und zugleich doch so kläglich, daß die umstehende Menge vermeinte, der Henker schünde ihn mehr als nötig, und diesen zu steinigen drohte. Da hing zwar der Galgenschwengel auf einmal wieder still. Kaum hatte sich aber die große Menge der Neugierigen zerstreut, da fing er auch schon wieder vor den Augen der wenigen noch Zurückgebliebenen sein Gaukelspiel von neuem an und drehte ihnen eine lange Nase. Erschreckt eilten die Bürger zum hochweisen Rate, ihm das Geschehene mitzuteilen. Als dieser jedoch an Ort und Stelle anlangte, um das Wunder in Augenschein zu nehmen, hing an dem Galgen statt des Gerichteten ein Schütte Stroh. Schnell ließen sie diese entfernen und verpflichteten einander, von dem Geschehenen nichts zu erzählen. Es wurde aber doch ruchbar, und die Stadt Hirschberg verlor wegen dieses Vorkommnisses ihre Gerechtsame auf viele Jahrhunderte, bis sie unter die Herrschaft des großen Preußenkönigs kam.

Emma benützte die Abwesenheit des Berggeistes, um das Schloß gründlich kennenzulernen. Sie begann aber umgekehrt wie ihre Schwestern bei den Stallgebäuden. Als sie in einem von diesen den großen Vorrat Wurzeln erblickte, reizte es sie, diese ihr unbekannte Rübe zu kosten. Sie schälte eine sorgfältig und biß hinein. Gar seltsam kam ihr da plötzlich das Singen der Vöglein auf den Bäumen da draußen vor, das sie bis dahin mit Wohlgefallen wahrgenommen, aber nicht sonderlich beachtet hatte. Es war ihr so, als könnte sie mit einem Male verstehen, was die bunten Sänger einander zuzwitscherten. Sie trat hinaus in den Garten, um sich zu überzeugen, ob sie auch wirklich recht gehört. Besonders überraschte sie, was eine schwarzweiße Schalaster, die auf einem Vogelbeerbaume saß, zu ihr sprach: »Nimm den Stab, der in der Ecke des Rübenstalles steht. Mit ihm und mit den Rüben vermagst du die Zauberkraft deines Kerkermeisters zu brechen.« – »Wozu taugte mir der Stab?« fragte das Mädchen, gespannt, ob der Vogel auch sie verstehen würde. »Er taugt dir, jede Rübe in jedes beliebige Wesen zu verwandeln, das du herbeiwünschest, und mit ihrem Safte vermagst du Tote wieder zum Leben zu erwecken und jede Verzauberung zu lösen.« Emma nahm den Stab und ein paar Rüben und verbarg sie in ihren Gewändern. Dann setzte sie die Besichtigung des Schlosses fort. Bald kam sie zu den Kammern, die zu öffnen sie der Berggeist gewarnt hatte. »Er hat vielleicht ein schlechtes Gewissen, daß er mich hier gerade nicht hereinlassen will.« Sie prallte zurück, als sie die erste Tür aufgeschlossen hatte und den entstellten Leichnam ihrer Schwester Ilse am Baume hängen sah. Als sie die Fassung wiedergewonnen hatte, löste sie die Tote sorgsam ab und legte sie auf den Boden. Dann zerdrückte sie ihr, der Worte der Schalaster sich erinnernd, über Mund und Kinn eine Rübe. Nicht lange, so schlug Ilse die Augen auf. Der häßliche Ziegenbart verschwand. Aber die neu zum Leben Zurückkehrende vermochte auf keine der vielen Fragen ihrer Schwester eine Antwort zu geben. Sie zeigte nur immer auf ihren Mund und weinte, bis Emma merkte, daß ihr die Zunge fehlte. Sie gingen nun beide in die benachbarte Kammer. Dort fanden sie ihre Schwester Kläre am Birnbaum hängend, mit einer abscheulich langen, häßlichen Nase und des linken Fußes beraubt. Emma belebte und entzauberte sie auf die gleiche Weise, wie sie eben mit Ilse getan hatte. Währenddessen aber hörte sie die Schalaster singen: »Nun führe deine Schwestern hinaus nach dem Bache, der mitten durch den Garten fließt. Dort wird Zunge und Fuß angeschwommen kommen. Heile sie mit dem Safte der Zauberrübe an.« Das tat sie, dann verbarg sie ihre Schwestern in ihrem Schlafzimmer.

Heinrich wanderte nach seiner Befreiung aus dem Gefängnis nach Schmiedeberg. Dort kaufte er sich neue Kleider. Dann wandte er seine Schritte den Bergen zu. Er war schon ziemlich weit hinaufgestiegen, da hörte er es in der Nähe rollen und grollen, wie wenn wo Kegel geschoben würde. Dem Geräusche nachgehend, erstaunte er nicht wenig, als er auch richtig mitten im Walde eine riesige Kegelbahn fand, auf der drei wild ausschauende struppige Gesellen Kegel schoben. Einer von ihnen erinnerte in seinem Äußeren Heinrich seltsam an den Gefängnisgeistlichen, dem er seine Rettung verdankte, nur daß der Kegler einen langen, blauschwarzen Vollbart trug, der ihm bis an den Gürtel reichte. Gerade dieser Spieler aber trat auf ihn zu und lud ihn ein, mitzuspielen. Heinrich verlor ein Geldstück nach dem andern, und sooft er aufhören wollte zu spielen, nötigte ihn der, der ihn eingeladen hatte, immer aufs neue, wieder etwas zu setzen. Schließlich wanderte sein letztes Geldstück in die Kegelkasse. »Wovon soll ich nun leben?« klagte er. »Ich habe hier keinen Freund und keinen Bekannten, der mir aushelfen könnte. Ins Tal darf ich nicht hinunter, und ehe ich nach

Böhmen komme, bin ich verhungert.« – »Wir wollen noch einmal kegeln«, sagte der Schwarzbart, »gewinnt Ihr, so gehört Euch die ganze Kegelkasse; verliert Ihr aber, so tretet Ihr in meine Dienste.« Des war Heinrich, der schon ahnte, mit wem er es zu tun hatte und auf diese Weise vom Schicksal Emmas etwas zu erfahren hoffte, wohl zufrieden. Er schob und verlor. Die beiden Männer verabschiedeten sich nun von dem Schwarzbart und von Heinrich, und jener forderte jetzt seinen neuen Knecht auf, ihm zu folgen. Sie gingen immer höher hinauf auf die Berge bis an den Fuß der Schneekoppe, dorthin, wo heute die Riesenbaude steht. Hier sagte der Schwarzbart: »Schneeberg, tu dich auf!« Und in demselben Augenblick wurde im Abhang des Kegels ein großes ehernes Tor sichtbar, das knarrend seine Flügel von selber öffnete. Sie traten in einen langen, von kleinen blauen Flämmchen erleuchteten Gang, der sich wie ein Irrgarten zu drehen und zu winden schien. Stundenlang wanderten sie so, bis sie in eine andere, von grünlichbläulichem Lichte durchflutete Welt traten. Bald standen sie vor dem Schlosse des Berggeistes. Jetzt brach dieser sein langes Schweigen und sagte: »Da du nun mein Knecht bist, hast du dich in allem meiner Hausordnung zu fügen:

Sperr Augen auf und Ohren,
Doch halt die Zung' in Hut!
Dein Leben ist verloren,
Hast ungefragt zu reden du den Mut!

Einen Tag sollst du dich ausruhen; morgen abend will ich dir die Arbeit für den folgenden Tag anweisen.« Er führte ihn sogleich in das Zimmer, das er für ihn bestimmt hatte, und befahl ihm, am Abend hinunterzukommen nach dem Speisesaale. Als der Berggeist die Tür hinter sich zugemacht hatte, flammte auf ihr in goldenen Buchstaben noch einmal dieselbe Hausordnung auf, die er ihm eben mündlich eingeschärft hatte. Hierauf suchte der Schloßherr Emma auf und ließ sich von ihr die Schlüssel zurückgeben. Er fragte erst gar nicht, ob sie in den beiden Gemächern des unteren Ganges gewesen war, und prüfte auch nicht nach, ob dort noch alles beim alten wäre. Sein Herz war viel zu sehr von Liebe zu seiner schönen Gefangenen erfüllt, als daß er ihr mißtraut hätte, und er freute sich, ihr mitteilen zu können, daß es ihm gelungen sei, den fremden Jüngling zu befreien und hierherzubringen.

Als Heinrich am Abend in den Speisesaal trat und Emma allein am Tische erblickte, dachte er nicht mehr an die Hausordnung und wollte den Mund öffnen, um seine Geliebte anzureden. Auf einmal trat der Berggeist aus der hinteren Wand heraus und fuhr ihn mit zornigen Worten an: »Halt's Maul, du Hund von einem Knecht. Wenn du die Hausordnung übertrittst, kannst du doch noch an den Galgen kommen, dem du gestern mit knapper Not entronnen bist.« Emma sah Heinrich mit flehenden Blicken an, wagte aber ebensowenig, ein Wort mit ihm zu sprechen, um nicht des Berggeistes Eifersucht noch mehr zu entflammen.

Am Abend des zweiten Tages überreichte der Herr Johannes Heinrich eine gläserne Hacke und sagte zu ihm: »Damit sollst du morgen zwischen dem Hochstein und dem weißen Steinrücken den Wald 150 Ellen im Geviert ausroden. Steht am Abend noch ein einziger Wurzelstock, so geht es dir an den Kragen.« Heinrich erbleichte, als er diesen Auftrag vernahm. Bis zum Hochstein brauchte er allein acht Stunden, ehe er überhaupt hinkam, und was sollte er mit der gläsernen Hacke anfangen, sie mußte ja beim ersten Streich zerspringen; und hätte er selbst eine eiserne gehabt, so hätte er doch bis zum Abend höchstens drei Bäume fällen und vielleicht noch eine Wurzel entfernen können. Aufs tiefste betrübt begab er sich in sein Schlafgemach. Eine Stunde hatte er wohl dort in dumpfer Verzweiflung hingebrütet, da klopfte es leise an die Tür, und herein trat Emma. Sie sprach ihm Mut zu, als sie ihn so verzagt fand, und bat ihn, ihr seinen Auftrag zu sagen. »Nichts leichter als das!« erwiderte sie. »Laß mich nur sorgen. Hier hast du eine Wurzel, die steck dir in die Tasche. Du brauchst sie nur anzu-fassen und dich dabei nach dem Hochstein zu wünschen, schon bist du da. Wenn du aber morgen früh ankommst, wirst du be-reits alle Arbeit getan finden. Am Abend, wenn der Berggeist kommt, gib ihm die gläserne Hacke unversehrt zurück, und zeig ihm, daß sein Befehl vollführt ist. Dann magst du dich, ohne daß er's merkt, nach deinem Schlafgemach hierher zu-rückwünschen.« Sie gab ihm einen Gutenachtkuß und ging hinaus nach dem Stall, wo die Rüben lagen. Dreißig von ihnen berührte sie mit ihrem Stab und verwandelte sie in riesige Holzfäller, denen sie den Auftrag des Berggeistes übermittelte. Sofort stürmten sie zum Stall hinaus und flogen nach Westen. Dort rissen sie die hohen, dicken Stämme samt den Wurzeln aus und warfen sie ins Queistal hinunter, daß es nur so krachte. Als Heinrich am folgenden Morgen anlangte, waren sie gerade dabei, das Rodeland zu ebnen. Er setzte sich in den kühlen Schatten einer hohen Tanne und sah ihnen schweigend und verwundert zu, bis sie fertig waren und verschwanden. Dann zog er sein Mittagbrot aus seinem Ränzel und verzehrte es mit Wohlbehagen. Den Rest des Tages verschlief er, bis ihn sein gestrenger Dienstherr mit einem derben Fußtritt weckte. Heinrich führte ihn auf den Platz, der so glatt und eben aussah wie ein Tanzsaal. Der Berggeist fluchte und schimpfte, als er an ihm nichts auszusetzen fand. »Ich muß dir schwerere Aufga-ben stellen!« brummte er. »Morgen abend sollen hier 3000 Klafter Steine, groß und klein und sauber behauen, wie man sie zum Bauen braucht, an den vier Seiten des Platzes aufgeschich-tet stehen. Fehlt auch nur einer und ist auch nur einer un-brauchbar, so verlierst du deinen Kopf!« Nach diesen Worten verschwand der Berggeist. Heinrich wartete noch ein halbes Stündchen, dann wünschte er sich in seine Schlafkammer zu-rück. Bald kam auch Emma wieder zu ihm, um ihn nach dem zweiten Auftrag zu fragen. Als sie ihn vernommen hatte, ließ sie ihn wieder ruhig schlafen und am nächsten Morgen sich nach dem Hochstein wünschen. Dann zauberte sie aus den Rüben im Stalle dreißig Steinmetzen, die sie mit dem neuen Auftrag des Berggeistes nach dem Rodeplatz hinter dem Hochstein sandte. Die Geister machten aber schon auf der Mitte des Weges halt und schleuderten von dort ungeheure Felsblöcke nach Westen bis hinter den Hochstein. So entstanden am Abhang der großen Sturmhaube und des hohen Rades drei tiefe Gruben, die man seither die Schneegruben nennt. Als die Steinwerfer glaubten, genug Vorrat hinter den Hochstein befördert zu haben, begaben sie sich an Ort und Stelle, ordneten die Steine, die schon beim Aufschlagen zersprungen waren, nach ihrer Größe und behieben sie glatt und fein. Als Heinrich ankam, waren bereits zwei Seiten des Vierecks vollgestellt. Die beiden anderen wurden vor seinen Augen mit den vom Berggeist geforderten Steinhaufen besetzt. Darauf kehrten die Geister wieder nach dem Rübenstall zurück. Als der Herr Johannes auch die zweite Aufgabe, die er seinem Knechte gestellt hatte, erfüllt sah, fluchte und tobte er ärger als das erstemal: »Du entgehst mir doch nicht. Bis morgen abend erbaust du mir hier ein hohes Schloß, mit Erkern, Balkonen und Türmen, die Pfosten aus Silber, die Türen aus Gold, die Fenster aus Bergkristall und die Bögen darüber aus Edelsteinen. Alle Zimmer müssen mit Möbeln ausgestattet und wohnlich hergerichtet sein, und fehlt auch nur ein Nagel an der Wand, so ist dein letztes Stündlein gekommen.« Heinrich erschrak über diesen Auftrag. Er glaubte nicht, daß Emma imstande sein würde, auch jetzt noch Rat zu schaffen. Als er ihr aber in seinem Kämmerlein den neuen Befehl mitteilte, tröstete sie ihn und bat ihn, sich keine Sorge zu machen, es werde noch alles gut werden. Diesmal machte sie aus dreißig frischen, kinderkopfgroßen Rüben lauter ungefüge Baumeister, denen sie den Auftrag genau wiederholte. Als Heinrich am nächsten Morgen auf dem Bauplatz erschien, waren die geschäftigen Geister gerade beim Dachdekken. Er staunte über die Pracht und die Schönheit des Gebäudes. So mochte wohl das stolze Vineta draußen im fernen Norden am Strande der Ostsee aussehen, von dem ihm der alte Hildebrand, der Waffenschmied seines Vaters, so viel erzählt hatte. Noch mehr verwunderte sich Heinrich, als er am Nachmittag das Innere besichtigte und fand, daß für die strahlenden Gemächer niemand mehr fehlte als die Bewohner. Wen mochte der Berggeist da hineinsetzen wollen? Darüber zerbrach er sich den Kopf.

Derweilen quälte der Berggeist zu Hause Emma mit Liebesanträgen mehr denn je. Je länger er mit ihr zusammen war, desto mehr lernte er sie schätzen. Dadurch wuchs aber auch in ihm die Sehnsucht, Freude und Leid erwiderter irdischer Liebe zu empfinden. Die Flammen nie gekannter Leidenschaft fingen an, seine alte Schlauheit und Geriebenheit zu ersticken. Als Emma ihn gar nicht loswerden konnte, sagte sie schließlich: »Tragt mir als Brautgabe eine Kötze voll Gold und Silber ins Haus meines Vaters. In einer Stunde wird sie vor der Tür meines Schlafzimmers stehen. Ihr dürft Euch aber unterwegs kein einziges Mal niedersetzen und ausruhen. Ich stelle mich auf Euren Lugaus auf der Schneekoppe und seh' Euch nach!« Dann nahm sie eine Kötze und tat, als wenn sie in eine der Schatzkammern ginge, ging aber in der Tat in ihr Schlafgemach und steckte ihre beiden Schwestern in die Hucke. Sie gab ihnen auch etwas Leckeres zu essen mit hinein. Obendrauf legte sie Gold und Silber. Jedesmal nun, wenn sich der Herr Johannes bei dem mühseligen Abstiege ausruhen wollte, rief Ilse oder Kläre abwechselnd aus der Kötze heraus:

»Ich sehe, daß du ruhst; willst du gleich weiter?«

Der Berggeist aber dachte, Emma riefe ihm das zu, und traute sich nicht, haltzumachen. Zuletzt stieß er sich noch an einen Stein, der mitten im Wege lag, daß er anfing zu hinken. Stöhnend und in Schweiß gebadet, kam er endlich im Wolfshau an und setzte die Kötze in den Hausflur der Mühle. Als die Luft wieder rein war, krochen Ilse und Kläre heraus und begrüßten und umarmten ihren vereinsamten Vater, der inzwischen aus dem Garten hereingekommen war, um zu sehen, was der vermeintliche Trödler von ihm wolle. – Ilse hat später ihren Hermann, der ihr trotz des Drängens seiner Eltern, sich eine andere zu suchen, treu geblieben war, doch noch bekommen, und für Kläre fand sich auch bald ein schmucker Freier, der Fiebig-Fritz aus Hirschberg, der inzwischen durch seinen Fleiß und seine Strebsamkeit ein reicher Mann geworden war.

Für den Berggeist aber war es nun höchste Zeit, nach seinem Neubau zu sehen. Zu Emma konnte er erst gar nicht mehr zurück, wie gern er auch gewollt hätte. Als er das Schloß vollendet fand, stellte er sich diesmal ganz freundlich und sagte: »Ich bin mit dir zufrieden. Du hast deine Aufgaben brav erfüllt. Darum will ich dich auch belohnen. Zu Hause in meinem Schlosse, in das ich dich vor vier Tagen brachte, habe ich einen großen Stall voll Rüben. Vermagst du morgen, sie zu zählen und mir am Abend bis aufs Tüpfelchen genau zu sagen, wieviel ich habe, so gebe ich dir das Mädchen, das du bei mir gesehen hast, zur Frau. Verzählst du dich aber auch nur um einen halben Rübenschwanz, so kostet es dich dein junges Leben.« Als Emma an diesem Abend Heinrich besuchen kam, war er vergnügt und wohlgemut. »Morgen hab' ich einen leichten Tag!« sagte er. »Ich brauche bloß die Rüben zählen, die der Herr Johannes in seinem Stall hat, und wenn ich ihm genau angeben kann, wie viele es sind, dann gibt er mich mit dir zusammen.« Das Mädchen erschrak, wie sie das hörte: »Wir Armen! Der Berggeist hat gemerkt, daß du Helfer hast und daß jemand hinter das Geheimnis seiner Wurzeln gekommen sein muß. Er sinnt auf dein Verderben. Wisse, daß du mit dem Zählen der Rüben nie zu Ende kommen würdest; denn wenn du auch jede Rübe auf einen gesonderten Platz legtest, so stürzen von oben von oben immer neue Rüben nach. Ich hab's nicht herausgekriegt, woher die kommen. Und brächtest du es auch wirklich fertig, sie zu zählen, so würde er dich doch umbringen; denn mich will er ja selber heiraten. Morgen will er mich in das neugebaute Schloß als Braut einführen. Die ›Abendrotenburg‹ hat er es benannt, weil es im Laufe eines einzigen Tages vollendet wurde und am Abend bei Sonnenuntergang glühte und leuchtete wie rotes Feuer. Darum laß uns noch heute nacht entfliehen. Der Herr Johannes ist hundemüde von einem Auftrag, den ich ihm diesen Morgen gegeben habe, und schläft einen schweren Schlaf, den ich ihm noch durch einen tüchtigen Trunk gesegnet habe. Horch, wie er schnarcht! Um Mitternacht komm in den Hof, da wirst du mich bereit finden.« – Der Jüngling tat kein Auge zu und zählte die Stunden bis zur festgesetzten Zeit. Emma fand er schon draußen. Sie umwand gerade die mächtigen Hufe eines riesengroßen, kohlschwarzen Rosses, das sie aus einer Rübe hergezaubert hatte, sorgsam mit Stroh. Zahllose Johanniswürmchen mußten ihr bei dieser Arbeit leuchten. Am Mieder aber hatte sie ein Bund der geheimnisvollen Zauberrüben befestigt. Sie winkte Heinrich, aufzusteigen. Er nahm sie vor sich in den Sattel, und fort ging es durch die weite unterseeische Welt, bis sie an einen dunklen Gang kamen, der nach der Oberwelt führte. Emma öffnete die Tür, die ihn verschloß, mit Hilfe der Springwurz. Allmählich wurde er so niedrig, daß sie absteigen und Heinrich das Pferd am Zügel nachziehen mußte; aber aufgeben wollte er es nicht. Er ahnte, daß er es draußen im Freien zur weiteren Flucht noch brauchen würde. Am Popelloche bei Gotschdorf kamen sie heraus, als eben die Sonne über die Falkenberge hinüberguckte und mit ihren ersten Strahlen die Spitzen der Höhen vergoldete. Drunten im Tale aber lagen noch überall die weißen Nebel der Sommernacht. Sie ritten nun eiligst auf Hirschberg zu. Als sie aber in die Nähe des Bobers kamen, vernahmen sie hinter sich ein gewaltiges Brausen. Emma drehte sich um und entdeckte eine schwarze Wolke, die von den Bergen her mit unheimlicher Schnelligkeit auf sie zukam. »Der Berggeist verfolgt uns, Heinrich, dort ist der Bober, hinter ihm ist seine Macht zu Ende. Schnell, daß wir ihn erreichen und hinüberkommen.« Heinrich gab dem Roß die Sporen, und sie jagten in wildem Ritt auf das Ufer zu. Dabei gelangten sie an eine Stelle, wo dasselbe steil, fast senkrecht abfiel. Freunden des schönen Riesengebirges ist sie unter dem Namen der Sattlerschlucht wohlbekannt. Das Roß konnte Heinrich nicht mehr anhalten, als er den schwindelnden Abgrund vor sich erblickte. Er stieß darum dem Tier noch einmal mit Aufgebot aller Kräfte die spitzen Eisen in die Weichen. Da setzte es an und sprang in kühnem Schwunge hinüber, daß sich seine Hufe tief auf den jenseitigen Felsen eindrückten. In demselben Augenblick fuhr ein greller Blitzstrahl in die tausendjährige Eiche, die an dem eben verlassenen Ufer stand, und zersplitterte sie in tausend Stücke. Ein heftiges Gewitter mit Hagel und Sturm folgte darauf. Aber die, denen dieser grimmige Morgengruß galt, waren dank dem mutigen Roß längst in Sicherheit.

Voll Zorn und Schmerz begab sich der Herr Johannes nach dem Platze, wo die Burg von den Geistern erbaut war. Er ging hinein und verwünschte sich und sie. Unter lautem Getöse sank sie tief hinein in das Innere des Berges, der noch heute die Abendburg oder die Abendrotenburg heißt, und es ist von Menschen nicht zu sagen, was da für Schätze von Gold und Silber von ihm gehütet werden. Wer die hätte!

Am folgenden Tag langten die beiden Flüchtlinge in Liegnitz an. Von allen Häusern wehten umflorte Fahnen, und die Fenster waren unten mit schwarzem Tuch behängt. Nur wenige Menschen zeigten sich auf den Straßen. Heinrich erkundigte sich, was das zu bedeuten habe, und erhielt zur Antwort: »Unser junger Erbherzog ist seit einem Jahr verschollen. Die Eltern halten ihn nun für tot und haben Landestrauer angeordnet. Soeben findet in der Johanniskirche eine Gedächtnisfeier für ihn statt.« – »Dort müssen wir hin!« sagte Heinrich zu Emma. Vor der Türe des Gotteshauses brach das Zauberroß erschöpft zusammen. Emma berührte es mit ihrem Stab. Sofort verwandelte es sich vor den Augen der erstaunten Liegnitzer, die eben aus der Kirche herauskamen, in eine Rübe. Sie wurde noch lange in der Waffenkammer des herzoglichen Schlosses Gästen und Fremden gezeigt. Unter dem ernsten, feierlichen Geläute aller Glocken der Stadt schritt das Herzogspaar eben die Stufen vor dem Dom hinunter, da kniete ein fremder junger Mann in seltsamer Tracht, halb Knecht, halb Edelmann, vor ihnen nieder und sagte: »Teure Eltern, vergebt mir, da bin ich wieder!« Aber sie sahen einander verwundert an und erkannten ihn nicht. Da zog Heinrich Stiefel und Strumpf vom rechten Fuß und streckte ihn der Mutter hin. Nun konnte sie nicht mehr zweifeln, daß sie ihren totgeglaubten Sohn wiedergefunden hatte. Denn er hatte an jedem Fuß sechs Zehen, woran auch später sein Leichnam, der von den schlitzäugigen, tierisch-grausamen Feinden aus dem fernen Morgenlande arg verstümmelt war, auf dem Schlachtfeld von Wahlstatt wiedererkannt wurde. Als die Mutter den Liebling unter heißen Freudentränen umarmte, erzählte er ihr in fliegender Hast, was das Mädchen, das er mitgebracht, für ihn getan habe. »Nur ihr verdanke ich meine Rettung!« so schloß er seinen Bericht. »Drum bitte ich Euch, liebe Eltern, gebt sie mir zur Gemahlin. Ihre Treue, ihre Standhaftigkeit und ihr Mut bürgen dafür, daß sie dem Throne eine Zierde und dem Lande eine Mutter sein wird.« Gern willigte das Herzogspaar in das edle Begehren ihres einzigen Sprößlings. »Was Gott zusammengefügt hat, wollen wir nicht trennen!« erklärten sie einstimmig. Sie führten das glückliche Paar sofort in das Gotteshaus zurück, und der Priester legte segnend ihre Hände ineinander. Dann fuhren alle nach dem Schlosse, und statt des Leichenschmauses wurde ein prächtiges Hochzeitsfest gefeiert.

Knaur Ⓚ

Brandhorst, Andreas
Das eherne Schwert
Abenteuer im Reich des Schwarzen Auges. Dieser Roman spielt in Aventurien, der Welt des Fantasie-Rollenspiels DAS SCHWARZE AUGE. Eine spannende Lesereise in ein fantastisches Reich voller Geheimnisse und Abenteuer. 208 S. [5826]

Clayton, Jo
Duell der Magier I
Unter den magischen Monden
Serroi, Ausgestoßene ihres Volkes, wurde Zeugin eines geheimnisvollen Mordplans. Spielball in der gigantischen Auseinandersetzung mystischer Mächte, wird sie zum Werkzeug des Herrschers über die Inseln… 304 S. [5787]
Duell der Magier II
Die Bahn der magischen Monde 416 S. [5795]

Fuchs, Werner (Hrsg.)
Der flüsternde Spiegel
Acht Fantasyerzählungen von anglo-amerikanischen Autoren – acht Spielarten dieser immer populärer werdenden Literaturgattung sind in diesem Band enthalten. 224 S. [5804]

Farmer, Philip José
Ein Himmelsstürmer in Oz
Farmer liefert hier eine sehr reizvolle Variante zu dem Klassiker von L. Frank Baum »The Wonderful Wizard of Oz«. 352 S. [5800]

Eddings, David
Das Auge Aldurs I
Die Prophezeiung des Bauern
Gott Aldur besaß ein magisches Juwel, das ungeheure Macht verleihen konnte, aber in den falschen Händen verheerende Wirkung haben konnte. Eines Tages ist der Schatz verschwunden. 320 S. [5785]
Das Auge Aldurs II
Die Zaubermacht der Dame
Der Zauberer Belgarth und seine Tochter machen sich auf die Suche nach dem magischen Juwel des Gottes Aldur. 384 S. [5792]
Das Auge Aldurs III
Gambit der Magier
Garion, Belgarth und dessen Tochter geraten in einen Sog der sich überschlagenden Ereignisse. Doch die Reise geht weiter bis in die dunkle Domäne Toraks, dem Bruder Aldurs, der das Auge Aldurs an sich genommen hat. 336 S. [5817]
Das Auge Aldurs IV
Turm der Hexerei
Nachdem die Abenteurer das Auge Aldurs gefunden und zurückerobert haben, beginnt die weite und gefahrvolle Heimreise… 400 S. [5818]

Vance, Jack
Herrscher von Lyonesse
Jack Vance hat hier ein Werk geschaffen, das den absoluten Höhepunkt in seinem bisherigen Schaffen darstellt. 592 S. [5832]

Saberhagen, Fred
Das erste Buch der Schwerter
Der Gott Vulkan läßt sich von Jord, dem Schmied, zwölf geheimnisvolle Schwerter schmieden und überläßt ihm dafür eines. Dieses erbt sein ältester Sohn, ohne daß er ahnt, daß es magische Kräfte besitzt… 272 S. [5791]
Das zweite Buch der Schwerter
288 S. [5816]
Das dritte Buch der Schwerter
272 S. [5820]

Zimmer, Paul Edwin
Das Schattenreich I
Der verschwundene Prinz
Paul Edwin Zimmer, der Bruder von Marion Zimmer Bradley, gilt selbst als Fantasy-Autor der ersten Garde. Sein Epos vom Schattenreich, dessen erster Band hier vorliegt, erzählt den Kampf eines Herrschergeschlechts gegen die Mächte der Finsternis. 384 S. [5822]

Zimmer Bradley, Marion / Russ, Joanna / Downey Broxon, Mildred
Mythische Welten
Diese Romane entführen ihre Leser in mythische Welten, die das ganze Spektrum der phantastischen Literatur von der Science Fiction bis hin zur Fantasy aufzeigen. Ein großartiges Lesevergnügen auf 848 kurzweiligen Seiten. [5824]

FANTASY

Droemer

Knaur ®

Marion Zimmer Bradley
Herrin der Falken

Es ist die Zeit der Hundert Königreiche, in den Ländern
des Planeten Darkover wütet der Krieg. Während seine
Widersacher noch um den Thron streiten, fristet der
König ein jämmerliches Dasein im Exil. In ihrer Verzweiflung verfallen die wenigen verbliebenen Getreuen des
vertriebenen Herrschers auf einen letzten Ausweg, dem
König sein rechtmäßiges Erbe zu erhalten: das Mädchen Romilly. Sie lebt einsam in den Wäldern der Berge,
eine seltene Gabe macht Romilly zur Herrin von Falke
und Pferd. Für die Königstreuen sind ihre Zauberkräfte
der Schlüssel zur Macht.

448 Seiten. Gebunden

VIEL BUCH
FÜR WENIG GELD

Chesterton, Gilbert Keith
Das große Pater-Brown-Buch
Ein Leckerbissen für alle
Chesterton-Fans. Ein dickes
Lesevergnügen für alle Freunde
skurriler Einfälle, verblüffender
Wendungen und des echt engli-
schen Humors.
528 S. [1222]

le Carré, John
Smileys Leute oder
Agent in eigener Sache
John le Carrés ebenso atem-
beraubender wie intelligen-
ter Agententhriller um den
sagenumwobenen Chef des
britischen Geheimdienstes.
426 S. [1062]

Knaur LeseFestival
Romane und Erzählungen von
C.C. Bergius, Truman Capote,
James Clavell, Daphne DuMau-
rier, Frederick Forsyth, Lilli Pal-
mer, Sandra Paretti, J.M. Simmel,
Jürgen Thorwald u.a.
530 S. [1074]

Knaur LeseFestival
der Tiergeschichten
Eine Fülle von Spitzenautoren
mit brillanten Kostproben ihres
Könnens: Truman Capote,
Johannes Mario Simmel, Doris
Lessing, Daphne DuMaurier,
James A. Michener, Monika
Boette, Jacqueline Susann u.a.
512 S. [1329]

Holbe, Rainer/RTL (Hrsg.)
Knaur LeseFestival -
Unglaubliche Geschichten
Rainer Holbe hat für diesen Band
die Erlebnisberichte namhafter
Autoren und Künstler, über ihre
Erfahrungen mit dem Übersinn-
lichen, zusammengestellt.
320 S. [1349]

West, Morris L.
Nacktes Land
Die Stunde des Fremden
Die Konkubine
Die drei beliebtesten
Romane von Morris L. West
in einem Band.
480 S. [1331]

Zimmer Bradley, Marion/
Russ, Joanna/
Downey Broxon, Mildred
Mythische Welten
Diese Romane entführen
ihre Leser in mythische Welten,
die das ganze Spektrum der
phantastischen Literatur von der
Science Fiction bis hin zur Fan-
tasy aufzeigen. Ein großartiges
Lesevergnügen auf 848 kurz-
weiligen Seiten. [5824]

Farmer, Philip José/
Silverberg, Robert/
McIntyre, Vonda N.
Exotische Welten
Drei preisgekrönte Science-
Fiction-Romane in einem Band!
640 S. [5778]

Robbins, Harold/
Kazan, Elia/O'Hara John
Knaur RomanFestival
»Wohin die Liebe führt« von
Harold Robbins, »Wege der
Liebe« von Elia Kazan und
»Diese zärtlichen, wilden Jahre«
von John O'Hara. Ein Lese-
festival voller Liebe und Leiden-
schaft zu einem einmalig gün-
stigen Preis: 992 Seiten [1374]

Randall, Rona/
Eden, Dorothy
Geschicke der Liebe
Zwei Meisterinnen des roman-
tischen Romans mit ihren
bekanntesten Bestsellern in
diesem Band: 544 Seiten für
unvergeßliche Lesestunden.
544 S. [1378]

Deutsche Märchen
Die funkelndsten Schätze der
großen deutschen Märchen-
erzähler Ludwig Bechstein, der
Gebrüder Grimm und Wilhelm
Hauff sind in diesem beinahe
1000-Seiten-Buch mit zahlr. Abb.
zusammengetragen. [1219]

Meine liebe Mama
Erzählungen von Benoîte Groult,
Alice Ekert-Rotholz, Barbara
Bronnen, Sandra Paretti, J.M.
Simmel u.a. über Mütter und
für Mütter.
464 S. [1395]

Die Lesebrummis von Knaur

VIEL BUCH
FÜR WENIG GELD

Valentin, Velt
Geschichte der Deutschen
Dieser Klassiker unter den
Geschichtsbüchern liegt hier mit
einer modernen, sorgfältig aus-
gewählten Bebilderung und
einem ergänzenden kurzen Abriß
der deutschen Geschichte seit
1945 von Erhard Klöss neu vor.
960 S. mit 140 Abb. [3725]

Axline/D'Ambrosio/
Killilea/Lund
Dibs, Laura, Eric, Karen
Vier junge Menschen meistern
ihre Behinderung. Vier Berich-
te in einem Sonderband mit
832 Seiten. TB 2322.

Jeler, Thomas
Amerika auf eigene Faust
Die schönsten Städte der USA.
Ob Sie mit Flugzeug, Bus
oder Mietwagen unterwegs sind,
ob Sie eine Städtetour planen
oder über Land fahren wollen, ob
Ihr Aufenthalt lang oder kurz
ist, ob Sie jeden Cent umdrehen
müssen oder die Dollars keine
Rolle spielen : hier finden Sie
alles, was Sie für einen
abwechslungsreichen USA-
Urlaub wissen müssen.
608 S. mit 150 Abb. [4627]

Konz, Franz
Tausend ganz legale
Steuertricks
Aktualisierte und erweiterte Aus-
gabe. Ein unentbehrlicher Ratge-
ber für alle, die zu viel Lohn- und
Einkommensteuer zahlen.
784 S. [7665]

Berlitz, Charles
Die ungelösten Geheimnisse
dieser Welt
Dieser Band enthält die vier großen Bestseller des weltbekann-
ten Autors: »Bermuda-Dreieck«,
»Atlantis-Rätsel«, »Spurlos« und
»Philadelphia-Experiment«.
800 S. [3760]

Die Lesebrummis von Knaur